DU MÊME AUTEUR

FRAGMENTE DESPRE CUVINTE, essai, Bucarest, Editura pentru literatura, 1968.

INFLEXIONS DE VOIX, essais, Presses de l'Université de Montréal, 1976.

LA SYNTAXE NARRATIVE DES TRAGÉDIES DE CORNEILLE, Klincksieck, 1976.

LE MIROIR PERSAN, roman, Denoël, 1978.

THE POETICS OF PLOT, University of Minnesota Presse, 1985.

UNIVERS DE LA FICTION, coll. « Poétique », Seuil, 1988.

LE MIRACLE LINGUISTIQUE, Minuit, coll. « Critique », 1988.

L'ART DE L'ÉLOIGNEMENT, Gallimard, coll. « Folio essais », 1996.

DE BARTHES À BALZAC (avec Claude Bremond), Albin Michel, coll. « Idées », 1998.

nrf essais

Thomas Pavel

La pensée
du roman

Gallimard

L'art n'est pas une étude de la réalité positive ; c'est une recherche de la vérité idéale.

GEORGE SAND

Avant-propos

L'ouvrage que je recommande à la bienveillance du public a son origine dans le désaccord entre mes goûts littéraires et les idées reçues sur l'histoire du roman. En tant que lecteur, j'éprouve une délectation infinie à lire de vieux ouvrages comme *Les Éthiopiques*, *Amadis de Gaule*, *L'Astrée*. Je ne suis pas le seul à les apprécier : certains parmi les plus grands écrivains du passé, Cervantès, Mme de Sévigné, Racine, les ont aimés avec ferveur. De nombreux historiens du roman, en revanche, estimant que ces œuvres sont ennuyeuses et mal conçues, exaltent les progrès censés avoir été accomplis au cours des siècles par le réalisme — de plus en plus exact, de plus en plus profond, de moins en moins semblable au schématisme réputé puéril des romans prémodernes. Le soleil de la vérité, nous assurent-ils, baigne de ses rayons le roman moderne, chassant à jamais le mensonge propagé par les romans anciens.

Après y avoir cru pendant quelque temps, j'ai fini par trouver douteuse l'idée de cette épiphanie. Car la vérité a toujours un objet, et dans ce cas mon goût m'assurait que l'objet — l'être humain et ses aventures terrestres — était représenté dans les romans prémodernes avec une force remarquable. Il est vrai que ces ouvrages s'attachaient moins aux détails empiriques de la condition humaine qu'aux idéaux qu'elle poursuit, mais en vertu de quel axiome caché étais-je obligé d'identifier l'idéal au mensonge et la précision empirique à la vérité ? Les physiciens savent bien que les expériences ne vérifient jamais entièrement les formulations mathématiques des lois physiques, et pourtant aucun parmi eux ne croit que ces formulations soient mensongères. Les héros des romans anciens font en effet l'objet d'une idéalisation, mais n'est-il pas concevable que cette idéalisation soit porteuse de vérité ? Par ailleurs, les personnages mis en scène par les œuvres modernes les plus réalistes sont le plus souvent, eux aussi, fortement idéalisés.

En réfléchissant à cette situation, j'ai cru comprendre que l'histoire du roman, loin d'être réductible à un combat entre la vérité triomphante et le mensonge confondu, repose en réalité sur le dialogue séculaire entre la représentation idéalisée de l'existence humaine et celle de la difficulté de se mesurer avec cet idéal. L'histoire du roman me parut donc être celle d'un long débat axiologique, jamais résolu, mais jamais abandonné. Fort de cette hypothèse, j'ai observé que, depuis le xviiie siècle, le roman moderne n'a rejeté qu'en partie l'ancienne tendance idéalisatrice, qu'il a reprise et continuée dans l'espoir de trouver au sein du monde empirique une place plausible pour la manifestation de l'idéal. Cette observation a constitué le point de départ du présent ouvrage, dont le plan consiste à présenter d'abord la manière dont les genres narratifs prémodernes conçoivent la perfection humaine, et à discuter ensuite les tentatives modernes de représenter son insertion dans le monde de l'expérience quotidienne.

Loin d'avoir l'ambition d'épuiser mon sujet ni celui d'offrir au lecteur une synthèse érudite, je me suis contenté de réfléchir aux grandes orientations de l'histoire du roman. Je n'ai par conséquent pas insisté sur les traditions nationales et j'ai dû laisser de côté de nombreux auteurs et ouvrages admirables (en particulier dans le bref chapitre consacré au xxe siècle), auteurs et ouvrages que le lecteur attentif saura facilement replacer dans le mouvement d'ensemble. En revanche, je me suis attardé à chaque étape sur au moins une œuvre qui m'a paru caractéristique et dont j'ai analysé, parfois en détail, l'action et le sens. Si, dans l'histoire que je raconte, on entendra des échos hégéliens, c'est que je l'ai délibérément organisée autour de quelques concepts fondamentaux (l'individu, le monde, la norme morale) et que, en raison du thème choisi, elle embrasse plusieurs siècles et plusieurs pays. Selon Longepierre, grand défenseur des Anciens au xviiie siècle, l'esprit qui cherche à comprendre les belles-lettres « est de tous les temps et de tous les siècles. Il les voit tout d'une vue, et si je puis parler ainsi *d'un seul coup d'œil*. Il entre sans peine dans leurs goûts différents, il sait rendre à chacun ce qui lui est propre ». C'est là mon idéal ; le lecteur jugera dans quelle mesure mon ouvrage s'en est rapproché.

Mes remerciements vont à l'université de Princeton pour le congé sabbatique qu'elle m'a octroyé en 1997-1998 et à Janel Mueller, la doyenne des humanités à l'université de Chicago, qui m'a accordé en 2000-2001 une réduction de ma charge d'enseignement. Pendant ces périodes j'ai pu finir la première et l'avant-dernière version de cet ouvrage. L'hospitalité d'Alain et de Maria Besançon dans leur maison de Magalas au printemps et à l'été de 1998 a été inoubliable.

Les cours d'histoire du roman que j'ai donnés à l'université de Princeton entre 1989 et 1995, à l'université de Paris-IV en 1997-1998 et à l'université de Chicago en 2001, ainsi que les conférences prononcées à l'École des hautes études en sciences sociales, à la Villa Gillet (Lyon) et aux universités de Chicago, de Columbia, de Cosenza, de Dijon, d'Illinois (Urbana-Champaign), d'Indiana (Bloomington), de McGill, de Paris-III, de Paris-IV, de Stanford et de Yale m'ont permis de reformuler ou d'abandonner, à la suite de fructueuses discussions, toute une série d'hypothèses sur mon sujet.

La longue liste qui suit est celle des collègues et des amis dont le soutien et les remarques critiques ont éclairé ma démarche. Bien que, dans cet avant-propos, je ne puisse qu'en mentionner les noms, ils savent chacun et chacune combien ma reconnaissance est grande pour leur écoute attentive et pour leurs recommandations sagaces.

J'ai eu le bonheur de m'entretenir sur le sujet de ce livre avec Claude Bremond, avec Marc Fumaroli et avec Marcel Gauchet, auteurs dont la pensée a guidé la mienne et dont les propos ont toujours été pour moi une source précieuse d'aperçus nouveaux. Du côté de la réflexion théorique, les échanges avec Vincent Descombes, Charles Larmore, Pierre Manent, Rainer Rochlitz et Jean-Marie Schaeffer ont eu pour moi une importance décisive. Franco Moretti, qui a lu un abrégé de l'ouvrage, a eu la générosité de formuler de pénétrantes critiques, dont j'ai tenu compte dans la rédaction de l'épilogue. Je dois à Emmanuel Bury, à Gilles Declercq, à Alban Forcione, à Yves Hersant, à Robert Hollander, à David Quint, à Philippe Sellier et à Roger Zuber d'importantes suggestions concernant l'histoire de la prose prémoderne. Sur le roman de l'âge moderne, mes collègues et amis Antoine Compagnon, Caryl Emerson, Joseph Frank, Lionel Gossman,

Gary Saul Morson, Jacques Neefs, Virgil Nemoianu, Lakis
Proguidis, François Ricard, Philippe Roger, Cesare Segre,
Philip Stewart et Mihai Zamfir reconnaîtront à travers le
texte le fruit de nos conversations. Régine Borderie, Guyo-
mar Hautcœur, Claude Jamin, Françoise Lavocat et Sylvie
Thorel-Cailleteau ont été d'admirables interlocuteurs, à la
fois attentifs et impitoyables. J'ai tiré grand profit des avis et
des suggestions généreusement offerts lors de nos diverses
rencontres par Agnès Antoine, Jean-Marie Apostolidès, Ora
Avni, Michel Beaujour, Madeleine Bertaud, Pierre Brunel,
Jean Dagen, Maria diBattista, Pierre Force, André Guyaux,
Philippe Hamon, Wladimir Krysinsky, Mariella di Maio,
Gilles Marcotte, Jean-Philippe Mathy, Michel Murat, Nuccio
Ordine, François Rigolot, Didier Souiller et Jean-Yves Tadié.
Mes collègues à l'université de Chicago Elizabeth Amann,
Peter Dembovsky, Leon Kass, Jonathan Lear, Mark Lilla,
Françoise Meltzer, Robert Morrissey, Larry Norman, Robert
Pippin et Mario Santana m'ont soutenu avec leurs excellents
conseils. Wladimir Bérélovitch a généreusement assuré la
révision stylistique du manuscrit. Je n'aurais sans doute pas
entrepris ni achevé d'écrire cet ouvrage sans la confiance et
l'encouragement amical d'Éric Vigne.

Qu'ils trouvent tous ici l'expression de ma vive gratitude.

Princeton 1995 — Chicago 2002

Introduction

On a beaucoup réfléchi ces derniers temps à la situation du roman, genre qui de nos jours éprouve des difficultés sinon à survivre — car les ouvrages nouveaux continuent d'abonder —, du moins à perpétuer sa gloire passée. S'adressant à tous les publics, faisant preuve d'une prodigieuse flexibilité thématique, le roman s'était assuré au XIXᵉ siècle, grâce au triomphe du réalisme social et psychologique, une position réputée inexpugnable. Il est vrai que d'autres formes littéraires — la poésie surtout — et d'autres arts — la musique — ont pu revendiquer, au nom du raffinement et de la profondeur, une supériorité de nature sur le roman, genre qui à cette époque semblait fatalement entaché de prosaïsme. Dans la première moitié du XXᵉ siècle, sur un terrain préparé de longue date par les romantiques et par les symbolistes et consolidé par l'essor du modernisme, le roman s'est pourtant senti la force de lever ce défi et de faire siens le raffinement et la richesse des émotions évoquées par la poésie et par la musique. Grâce aux effets d'écriture et à l'exploration de vastes domaines auparavant inaccessibles, le roman a élargi la portée de son action et s'est taillé une place enviable à l'avant-garde du progrès artistique.

À long terme, cependant, le prix à payer pour ce double mouvement en directions opposées — vers la vraisemblance sociale et psychologique d'abord et vers le modernisme par la suite — s'est révélé considérable. Car au fur et à mesure que les régions explorées par le roman se faisaient plus obscures et que le raffinement formel se faisait plus osé, la masse des lecteurs, rebutée par la difficulté croissante des romans haut de gamme, ne se résolvait pas à faire le deuil de la lisibilité et se dédommageait en fréquentant les œuvres qui la perpétuaient. Il s'ensuivit une double spécialisation, celle des publics et celle de la production, tant et si bien qu'entre le succès des ouvrages destinés au « grand public » et celui des romans « haut de gamme » l'écart est devenu de plus en plus difficile à rattraper. En aggravant les effets de cette rupture interne, l'essor des genres mixtes à la fois narratifs et visuels — cinéma, bandes dessinées, télévision — ne cesse de conquérir de nos jours un public dont ils satisfont efficacement et à peu de frais les besoins naguère comblés par le roman.

Éclatement du public, divorce entre l'écriture d'avant-garde et le roman à succès, concurrence des arts narratifs-visuels, à ces défis redoutables on a opposé trois genres de réponses. Les critiques littéraires ont en général défendu avec fermeté la modernité entendue comme une expérimentation formelle : selon une sentence devenue célèbre, l'écriture de l'aventure, irrémédiablement désuète, devrait désormais céder la place à l'aventure de l'écriture. Le roman sera à la pointe de l'avant-garde formaliste ou ne sera pas. Plus sensibles aux préférences actuelles du public cultivé, certains parmi les meilleurs romanciers contemporains évitent l'identification massive entre l'art du roman et l'écriture expérimentale et demeurent fidèles à la tradition de la lisibilité. Persuadés, enfin, que le roman haut de gamme — comme d'ailleurs tous les arts d'élite — a vécu, les amateurs de l'art de masse préfèrent la consommation décontractée de romans à grand tirage, de bandes dessinées, de films d'aventures et de feuilletons télévisés.

Les défenseurs de l'avant-garde expriment les préférences d'une bonne partie de l'élite intellectuelle, les partisans de la lisibilité ont la faveur des lecteurs avertis, alors que les amateurs d'art de masse s'appuient sur les chiffres de vente : aussi leurs points de vue respectifs jouissent-ils chacun de sa propre légitimité dans le monde des lettres contemporain. Autant avouer que le différend qui les oppose n'est pas susceptible d'aboutir à une conclusion durable. Son enjeu, cependant, demeure significatif, car, à haute voix ou en sourdine, les participants, en plaidant en faveur de la sophistication stylistique, de la vérité humaine ou des délassements faciles, posent quelques questions essentielles : le roman est-il un art ? et, si l'on répond par l'affirmative, quel genre d'art est-ce et quels sont sa généalogie et son destin ?

L'ART DE LA VRAISEMBLANCE

Le roman, en effet, est-il un art ? Pourvu qu'on emploie ce terme dans son sens artisanal, la réponse est connue d'avance. Qu'il s'agisse du choix judicieux des fins et des moyens, de l'assurance du coup d'œil ou de la dextérité dans les manœuvres, l'art du romancier, comme ceux du navigateur et du stratège, forge l'heureuse alliance entre le talent d'un individu et les enseignements du métier tel qu'on l'exerce à une époque donnée. Les réussites de ces arts sont celles du tact, de la sagesse pratique, de la connaissance, à la fois instinctive et intelligente, des bonnes formules.

Lorsque, en revanche, on emploie « art » dans le sens plus restreint d'activité détachée de la vie pratique et consacrée à la production de la beauté, la réponse devient plus problématique. Dans ce deuxième emploi, le terme « art » renvoie à une mission d'ordre supérieur, mission que l'architecture, les arts plastiques, la poésie et la musique exercent depuis des temps immémoriaux. Aussi, la question : « Le roman est-il un art ? » ne tarde-t-elle pas à prendre la forme comparative pour devenir : « Le roman participe-t-il à la mission de l'art au même titre que les arts plastiques, la poésie et la musique ? » Il faut bien avouer que la réponse à cette question n'est pas donnée à l'avance ou, plutôt, que pendant longtemps elle ne l'a pas été.

À ses débuts le roman ne s'est d'ailleurs guère posé la question de sa mission artistique — et l'absence de cette interrogation a été elle-même hautement symptomatique. Genre narratif inventé relativement tard, surgi aux confins du monde de la haute culture, dépourvu des lettres de noblesse dont s'enorgueillissaient ses sœurs aînées l'épopée et la tragédie, le roman ne s'est pas trop soucié de revendiquer une place à part parmi les arts du langage, et d'autant moins parmi les arts tout court. Il s'est d'abord contenté de mettre patiemment à l'œuvre un savoir-faire qui, pour n'avoir jamais été entièrement explicité, n'en était pas moins précis et efficace. De surcroît, à la différence des vraies belles-lettres régies par des normes explicites et par des lois écrites, le roman a longtemps été ignoré par les spécialistes, passé sous silence ou mentionné à peine, avec presque des excuses, dans les traités de poétique et de rhétorique. Cette lacune contribua à l'insouciance théorique du nouveau genre et fortifia sa modestie.

L'absence prolongée d'une loi écrite, absence qui par ailleurs n'a nullement empêché le roman de prospérer ni d'accéder finalement à une position dominante parmi les belles-lettres, a favorisé la formation, à l'intérieur du genre, d'une tradition de réflexion à courte échéance et à portée limitée. À défaut d'un code hérité, le roman a su profiter au cours de son évolution de la richesse de formes narratives disponibles. Aussi, avant le xviiie siècle, la force du roman a-t-elle résidé moins dans un ensemble de règles explicites que dans la vigueur et la diversité des pratiques suivies. La multitude de ses sous-genres, qui allaient des récits d'aventures idéalisés (le roman d'amour, le roman de chevalerie) aux récits satiriques (le picaresque, la nouvelle comique), en passant par la pastorale, la narration didactique, le récit élégiaque et la nouvelle tragique, a formé, tout au long du xvie et du xviie siècle, une constellation toujours sensible à la fois aux précédents et aux circonstances nouvelles. La pratique du roman se révéla toujours prodigieusement apte à s'ajuster à la multiplicité des conjonctures et aux divers besoins de son public, qu'elle savait à tour de rôle faire rêver, pleurer, rire, et réfléchir. Les règles de cette pratique, le plus souvent incorporées silencieusement dans les œuvres elles-mêmes, ont pris, dans quelques rares occasions, non la forme du traité ou du discours dogmatique, mais celle des préfaces et des commentaires qui accompagnaient les nouvelles productions, un peu à la manière de la pensée légale dans les pays de droit coutumier, qui s'exprime non pas dans les codes, mais dans les préambules et dans les gloses jointes aux verdicts de circonstance. N'étant pas assujetti aux théories clairement formulées mais extérieures à la pratique, le roman n'a pas eu non plus à imiter à perte d'haleine les œuvres surannées que de telles théories investissent immanquablement du rôle de modèles, et si les romanciers ont certes toujours dû défier régulièrement la pression des grandes réussites du passé, la force de l'exemple n'a jamais été rendue irrésistible par le prestige de la loi écrite.

C'est le choix de se gouverner selon un ordre coutumier qui a permis au roman d'effectuer avec succès les trois transformations profondes qu'il a connu au cours de son histoire.

Opérées de manière pacifique, grâce à l'initiative pratique des écrivains, ces transformations n'en ont pas moins eu un retentissement considérable : la première, qui, au xviiie siècle, a égalisé les chances de grandeur romanesque, la distribuant parmi toutes les catégories sociales et ethniques, a bouleversé de fond en comble l'équilibre des sous-genres narratifs prémodernes ; la deuxième, en créant, au début du xixe siècle, le réalisme social et historique, a unifié de manière durable le genre du roman ; la troisième, qui, à la fin du xixe siècle et au début du xxe, a abouti au modernisme, a reformulé les fins esthétiques du genre. Pourtant, loin de faire table rase du passé, ces mutations du roman ont fructifié le lent cheminement emprunté par la pratique coutumière depuis des générations et ont établi leurs nouvelles exigences normatives sur les bases déjà jetées par cette pratique.

Conformément aux nouvelles normes, l'assurance du roman s'est considérablement renforcée lorsque, au cours du xviiie et du xixe siècle, il prit pour sujet la force morale des individus et leur enracinement dans le monde environnant, pour subir en revanche un certain déclin lors de l'essor du modernisme. Avant le xviiie siècle, lorsque les hommes mesuraient encore l'excellence des arts par la rigueur des règles que ceux-ci respectent, le roman n'avait aucune raison d'envier les genres littéraires réputés supérieurs, en l'occurrence l'épopée et la tragédie, d'autant plus que la vitalité de ces genres était graduellement minée à la vue de tout le monde par les contraintes normatives qui leur étaient associées. Sous le régime coutumier du roman, le système des sous-genres allait de pair avec la variété de l'invention, avec la richesse du registre thématique et avec la capacité de s'adapter rapidement aux souhaits du public. Dans les belles-lettres prémodernes, fondées sur une hiérarchie des genres qui n'était pas sujette à changement, le roman n'avait cure d'aspirer à une noblesse qui, somme toute, demeurait accablée de devoirs et de charges. Il s'épanouissait dans la joie de sa jeunesse.

Déjà à la fin du xviie siècle le roman commença à s'éloigner de cette heureuse époque dont une grande partie des productions était maintenant désignée du terme injuste de « vieux romans ». Ils n'étaient nullement vieux, mais de nombreux lecteurs et écrivains ne savaient plus se laisser enthousiasmer par l'énergie inépuisable des chevaliers errants, par la toute-puissance des héros galants, par le raffinement des ver-

tus pastorales. Le noble éloignement des univers fictifs mis
en place par les « vieux romans », la richesse de l'invention,
l'embellissement des passions, la politesse du discours, bref
l'habitude de revêtir la vie d'un caractère idéal — toutes ces
conquêtes de la poésie et de l'imagination sur la concrétion
prosaïque de la vie quotidienne furent peu à peu abandonnées. Pour excuser cet abandon, on déplora leur invraisemblance, en oubliant qu'elle avait répondu à un besoin
profond des hommes et des femmes, qui est celui de transcender l'ici et le maintenant et de s'affranchir de l'emprise de
l'immédiateté, ne fût-ce que de manière symbolique et passagère.

À l'issue de longs tâtonnements et pour des raisons qui
seront examinées à loisir plus loin, le roman du xviiie siècle
ramena ses lecteurs vers l'immédiateté, en présentant ce
repli de l'imagination comme une victoire du bon sens ; il
leur rappela qu'ils habitaient cet univers-ci et non pas un
autre, plus beau et plus généreux, et présenta cette soumis-
sion à l'ordre empirique comme un progrès moral. Adoptant
pour norme la vraisemblance, le roman se détacha d'un
mouvement de plus en plus conscient et décidé du reste de la
littérature (qui tôt ou tard se vit bien obligée de suivre) et,
bien entendu, des vieux romans pénétrés d'idéalisme. Cette
trajectoire connut certes de nombreux méandres, la défaveur
dans laquelle tombèrent les vieux romans fut, certes, lente et
graduelle ; il n'en est pas moins vrai qu'au xixe siècle,
lorsqu'on mesura enfin l'importance du chemin parcouru, on
se dit que la nouvelle facture avait bel et bien discrédité,
voire éliminé, les anciennes méthodes fondées sur l'invraisemblance.

Persuadé de la convergence profonde entre cette transformation et l'avènement du monde moderne, le roman
acquit une immense confiance en soi et en sa mission historique, d'autant plus qu'à la même période on cessa de croire
à la supériorité intrinsèque des genres dits nobles sur les
autres. À l'âge de l'égalité des chances et de la redistribution
permanente des honneurs, on célébra la supériorité des
grandes réussites littéraires sur les ouvrages médiocres et on
accorda à tous les genres le droit d'engendrer des chefs-
d'œuvre. Puisque désormais seuls comptaient les véritables
succès, quel que fût leur genre, et que l'art du roman consistait à capter la vérité du nouvel âge, ce genre fit valoir avec
énergie ses droits à la promotion artistique. La question de

l'art du roman ne fut désormais pas simplement de savoir si le roman possédait la dignité des véritables arts (car il venait de l'avoir conquise), mais de comprendre comment il fallait s'y prendre pour garantir sa suprématie au sein des belles-lettres : comment faire, en d'autres termes, pour créer des romans qui soient de véritables chefs-d'œuvre ?

Pour produire de telles œuvres, répondirent au long du xixe siècle les coryphées du réalisme social et psychologique, le romancier devait parfaire son métier en éclairant de manière exemplaire la vérité de l'âge moderne : il devait par conséquent, dans un premier temps, accorder à tous les hommes la force morale naguère réservée aux héros d'exception, et assujettir scrupuleusement, dans un deuxième temps, l'invention à l'observation empirique et le langage à la sobriété. La technique de l'observation pouvait faire aussi bien écho aux soucis quotidiens des hommes, exprimés dans le commérage, qu'à l'objectivité de la science — et effectivement la prose du xixe siècle participa des deux à la fois. Le style, pour sa part, se modela alternativement sur l'économie de la langue parlée et sur celle du Code civil. Aux croyances des vieux romans sur la liberté, la force et la générosité — qualités redistribuées de façon démocratique, mais avec une retenue de plus en plus évidente, par le roman du xviiie et du xixe siècle — devait se substituer une réflexion impartiale sur les véritables vertus et défauts des êtres humains, sur leurs rapports concrets avec la société et avec la nature. L'écrivain fut appelé à mettre en évidence la force de la perspective individuelle et à affirmer l'enracinement des hommes et des femmes réels dans leur milieu héréditaire et social. La tâche du chef-d'œuvre romanesque consistait désormais à rattacher l'homme individuel à l'objectivité du monde.

Des œuvres qui accomplissaient admirablement cette tâche furent produites dans toutes les langues, et leur succès immense ne resta pas sans effet sur la mémoire du genre. Sous leur influence, l'histoire de la prose narrative fut rétrospectivement divisée en deux étapes mutuellement exclusives, l'âge du mensonge romanesque, période assujettie à l'erreur et à la superstition, et l'âge nouveau, ennemi des ténèbres et promoteur de la vraie méthode du roman. Comme toujours dans de pareils cas, on hésita entre le rejet absolu du passé et la récupération reconnaissante d'une petite famille de précurseurs [1]. Cette récupération était d'autant plus facile à accomplir que les racines du réalisme social et psychologique plongeaient effectivement dans le roman prémoderne.

Ce qui demeurait en revanche plus difficile à admettre était que l'idéalisme du roman de chevalerie, du roman héroïque et de la pastorale continuait de survivre au sein du nouveau régime. Contre toute attente, cet idéalisme faisait preuve d'une grande vitalité : non seulement les œuvres narratives destinées à la consommation populaire continuaient à satisfaire le besoin d'imaginer un monde meilleur que celui qui nous entoure, mais il suffisait de regarder attentivement les romans les plus réussis du XVIIIe et du XIXe siècle pour se rendre compte qu'ils incorporaient, en conformité avec la nature pragmatique et coutumière du genre, des traces de l'invraisemblance propre aux anciennes méthodes. Ainsi, tous les grands romanciers du XIXe siècle avaient lu et médité longuement *La Nouvelle Héloïse*, œuvre dont la dette à l'égard des vieux romans héroïques et pastoraux était considérable. Il suffisait d'épousseter légèrement le prince Mychkine pour que la figure cachée d'Amadis de Gaule reluise à travers ses traits ; de passer l'éponge sur le portrait de Dorothée, l'héroïne de *Middlemarch* de George Eliot, pour qu'on y retrouvât la splendeur des personnages de roman hellénistique.

LE ROMAN À L'ÉCOLE DE LA POÉSIE

Par ailleurs, la question qui consistait à savoir comment créer des romans qui soient de véritables œuvres de génie avait dès le départ suscité une réponse rivale à celle de l'égalité et de la vraisemblance. Bien qu'elle ne finît par rallier un nombre suffisant de suffrages parmi les romanciers qu'au cours de la deuxième moitié du XIXe siècle et qu'elle ne renforçât ses positions sous la bannière du modernisme qu'au

---

1. L'idée que le réalisme, entendu comme art de l'observation empirique, représente le destin inévitable de l'art narratif a été défendue par Erich Auerbach dans *Mimesis. La représentation de la réalité dans la littérature occidentale*, Gallimard, 1968 [1946]. Dans *Mensonge romantique et vérité romanesque* (Grasset, 1961), René Girard oppose vivement l'ère de l'idéalisme et la conversion du roman à la réalité.

début du xxe, cette autre réponse avait été formulée depuis longtemps par les représentants du romantisme allemand [1]. Les romantiques interprétaient l'avènement de l'âge moderne non pas comme une victoire de l'objectivité sur l'erreur et sur la superstition, mais comme une révolution essentiellement poétique, destinée à libérer le sujet et à lui ouvrir l'accès à la profondeur du monde. Le système artistique moderne, pensaient-ils, avait pour tâche de mettre fin aux contraintes artisanales pour promouvoir la liberté du créateur ; et puisque, selon eux, la puissance de chaque art était directement redevable au génie individuel des artistes plutôt qu'aux techniques établies du métier, ils voyaient dans les futurs chefs-d'œuvre des créations qui, grâce au génie libre de leur auteur, réaliseraient de manière toujours renouvelée l'essence de l'art. Ils exigeaient du roman qu'il se joignît à cette révolution et qu'au lieu de s'humilier devant la réalité empirique, il se pénétrât des enseignements dispensés par la poésie lyrique, l'animatrice incontestée du grand mouvement en cours. À l'occasion de ce changement de cap, le roman était mis en demeure de rompre avec l'imitation prosaïque de l'action humaine pour se rendre digne de réintégrer l'unité spirituelle primordiale de la poésie. Grâce à sa proverbiale flexibilité et dès lors que la veine du réalisme commença à s'épuiser, le roman se mit de bonne foi à l'école de la poésie, et obtint selon son habitude d'excellents résultats, notamment dans la première moitié du xxe siècle. Une modification si exaltante n'en entraîna pas moins d'importantes conséquences d'ordre théorique et pratique.

La poésie (au sens noble prêté à cette activité par les romantiques) étant en principe appelée à devenir l'expression la plus haute de l'essence du monde, les romanciers qui aspiraient à l'imiter éprouvèrent une certaine honte de leur ancien savoir-faire artisanal et se persuadèrent qu'inventer des intrigues bien agencées, peindre les aspirations et les imperfections des êtres humains, offrir au lecteur d'honnêtes leçons d'ordre moral et social n'étaient peut-être pas des fins suffisamment élevées. Prenant au sérieux le nouveau programme, pendant la première moitié du xxe siècle des romanciers de grand talent s'attachèrent à évoquer l'unité poétique du monde, tâche à vrai dire ingrate et à laquelle rien ne les avait préparés.

---

1. Les considérations qui suivent sont redevables à l'ouvrage de Jean-Marie Schaeffer, *L'Art de l'âge moderne. L'esthétique et la philosophie de l'art du xviiie siècle à nos jours*, Gallimard, 1992.

Car il ne s'agissait plus d'offrir au lecteur une image frappante, voire exemplaire, d'un fragment bien identifié de la vie sociale, mais de lui faire sentir le mystère silencieux du monde, incarné dans la perfection du texte. Sans nécessairement perdre son affinité avec la langue parlée ni avec la précision empruntée au Code civil, le style cessa toutefois d'être un élément auxiliaire dont la fonction s'était réduite à rehausser le message de manière adéquate ; dorénavant on attendit de lui qu'il rayonnât par sa propre force et indépendamment du récit qui l'occasionnait. Poussée à l'extrême, la poursuite d'une réussite formelle autosuffisante suscita le mirage du « Livre sur rien », celui qui, dans les termes si souvent cités de Flaubert, « se tiendrait de lui-même par la force interne de son style, comme la terre sans être soutenue se tient en l'air [1] ». La perfection du style devint une fin en soi et l'anecdote se vit réduite, du moins en principe, à servir de prétexte à l'écriture.

L'enseignement romantique — enseignement que le modernisme reprit à son compte — insistait de surcroît sur la prééminence de la subjectivité. L'unité poétique du monde, évoquée silencieusement par la puissance formelle des œuvres, n'était censée se dévoiler que dans le secret de l'intériorité. Et comme l'âme du poète avait reçu la tâche d'être aussi bien le miroir que la source vive du monde, on pensa que le vécu subjectif le plus bref et le plus humble emmagasinait autant de joyaux éternels que la voûte céleste. La tâche principale de l'art — y compris celle de l'art du roman — devint donc celle de surprendre sur le vif et de convoquer par la magie de la forme la co-naissance du sujet et du monde. Transfiguré par le culte de la subjectivité, le « Livre sur rien » devenait en un tour de main le « Livre sur tout » [2].

Naturellement, les créateurs et les critiques se dirent que le rapport au monde de l'œuvre conçue et exécutée selon ces préceptes ne pouvait demeurer mimétique qu'à un niveau

---

1. Gustave Flaubert, lettre à Louise Collet du 16 janvier 1852, in *Correspondance*, édition J. Bruneau, vol. 2, Bibliothèque de la Pléiade, Gallimard, 1980, p. 30.
2. Jacques Rancière, *L'Inconscient esthétique*, Galilée, 2001, développe la distinction entre le moment hégélien et le moment schopenhauérien de la tradition esthétique. Ce dernier correspond assez exactement à l'ambition du roman de saisir, à l'instar de la poésie, le mystère inexprimable du monde. Sur l'adoption de l'idéal poétique par la prose narrative à la fin du XIXe siècle, voir Sylvie Thorel-Cailleteau, *La Tentation du livre sur rien. Naturalisme et décadence*, Éditions Interuniversitaires, 1994.

superficiel et auxiliaire. Les auteurs de grands romans modernistes continuèrent certes d'inventer des personnages et de raconter leurs déboires, mais cette invention et ce récit n'auraient en principe dû y jouer d'autre rôle que celui du *motif* (au sens que ce terme reçoit en peinture), à savoir d'un simple point de départ pour la création d'une œuvre dont l'effet aurait principalement surgi de la puissance de la forme et de l'énergie de ses résonances subjectives.

Nonobstant leur capacité d'adaptation, leurs immenses réserves de bonne volonté et la mémorable qualité des œuvres produites selon la nouvelle méthode, les romanciers appelés à atteindre des objectifs aussi contraignants et aussi éloignés des habitudes de leur métier ne pouvaient guère s'empêcher de ressentir un double malaise. D'une part, les praticiens qui, attachés à la tradition, ne s'étaient pas entièrement convertis à la nouvelle poétique se virent graduellement repoussés dans les limbes du mauvais goût sans qu'ils comprissent et acceptassent tout à fait la raison de cette disgrâce. D'autre part, parmi les novateurs qui avaient bel et bien accepté l'égide de la poésie, certains se demandèrent obscurément — en consultant le témoignage des chefs-d'œuvre suscités par le modernisme — si, en préférant le moi au monde et le style à la matière, ils n'avaient pas après tout lâché la proie pour l'ombre. Ce doute se trouvait d'ailleurs renforcé par un constat : la mystique du Livre unique, de l'écriture artistique et de la primauté de la subjectivité était fort adaptée au culte des rares créations qui s'élevaient à sa hauteur, mais ces heureuses exceptions devaient par définition trancher prodigieusement sur la masse des romans. Or, à la différence de l'épopée qui est unique par sa nature, le roman ne peut vivre d'exceptions. Il est le genre du grand nombre.

Pour consoler les nombreux confrères dont les efforts n'aboutissaient pas au miracle du chef-d'œuvre, les adeptes les plus fidèles du choix poétique, dont notamment Maurice Blanchot, expliquèrent que l'art du roman était par nature celui de la mauvaise foi et de l'inévitable ratage. Or, s'il est vrai que la production courante des œuvres modernistes mobilisait une certaine dose de mauvaise foi, celle-ci, loin d'incarner le rapport de l'écrivain avec l'Absolu poétique, tenait en grande partie aux décisions d'ordre pratique : parmi les œuvres romanesques conçues selon les préceptes de la poésie moderne, seules avaient des chances de gagner les suffrages du public celles dont les auteurs continuaient bien à s'intéresser au *motif*, à savoir aux personnages et à leurs aventures. Mais précisément, l'intérêt pour le motif avait été le point fort du roman longtemps avant l'essor du modèle poétique, lorsque son art avait consisté dans l'observation attentive du monde et dans la construction de récits vraisemblables. Et puisque dans beaucoup de romans modernistes la vivacité stylistique et l'attention au vécu subjectif coexistaient quand même avec l'observation du monde, avec la construction d'intrigues frappantes et avec l'invention de personnages pittoresques, force était de constater que l'art du roman ne s'était pas entièrement rallié à la révolution poétique.

Tout comme le règne de la vraisemblance au xviiie et au xixe siècle n'avait pas une fois pour toutes exclu de son sein l'idéalisme des vieux romans, le modernisme — entendu comme l'effort de réunir le culte de la forme et celui de la subjectivité — ne pouvait rendre compte à lui seul des principes qui ont régi la création des grands romans du xxe siècle. Et si la nature révolutionnaire des positions du modernisme l'a conduit à minimiser le poids des usages et la sagesse des habitudes de vraisemblance, la pratique du roman moderniste, se chargeant de rétablir silencieusement l'équilibre, a continué de suivre ces usages et cette sagesse tout en les ornant des agréments formalistes et subjectifs les plus délectables. Pour s'en convaincre, il suffit de gratter un peu l'esthétisme de Proust : les trames saint-simonienne et balzacienne se font aussitôt voir ; de passer outre les provocations de Céline : les vénérables échos du roman picaresque se font aussitôt entendre.

LE PASSÉ FICTIF DU ROMAN

La survivance du passé au sein du présent était néanmoins difficile à accepter. Tout comme le roman du xviiie siècle et celui du xixe croyaient avoir définitivement rendu obsolètes les formes narratives qui les avaient précédées, le modernisme se présenta comme un dépassement irréversible de la mémoire du roman. Et comme dans le cas de l'idéalisme égalitaire du xviiie siècle et du réalisme social du xixe, le changement réussi de régime rendit presque impossible la compréhension de l'état des choses qui l'avait précédé. Dans ce genre de situations, la tentation est égale d'exagérer la différence entre le nouveau système et l'ancien état du monde — lequel acquiert rétrospectivement une homogénéité peu plausible — ou, à l'inverse, de projeter vers le passé l'élan transformateur, ses préférences et ses phobies. Devenu à tour de rôle le site de l'altérité exécrable ou celui de la plus rassurante identité, le passé se voit alors peuplé exclusivement d'ennemis ou de précurseurs. Les opinions des surréalistes et celles des formalistes russes sur le grand roman de la seconde moitié du XIXᵉ siècle offrent une illustration frappante de ces deux attitudes complémentaires.

Les surréalistes jouèrent la carte du rejet indigné du passé. Les phrases d'André Breton sont demeurées célèbres : « Le procès de l'attitude réaliste demande à être instruit, après celui de l'attitude matérialiste. [...] L'attitude réaliste, inspirée du positivisme, de saint Thomas à Anatole France, m'a bien l'air hostile à tout effort intellectuel et moral. Je l'ai en horreur, car elle est faite de médiocrité, de haine et de plate suffisance [1]. » L'abondance et la facilité des romans dits réalistes, la technique descriptive, la psychologie des personnages, la motivation sont à tour de rôle vouées à l'opprobre au nom du merveilleux, de l'invention magique, d'une recherche lyrique de l'« envers du réel ».

Tout aussi attachés au modernisme poétique que les surréalistes français, les formalistes russes suivirent instinctivement la voie opposée et découvrirent avec attendrissement dans le passé littéraire la réplique et l'annonce perpétuelles de leurs propres projets. L'histoire de la littérature, prétendirent les formalistes russes, avait toujours été celle des innovations techniques, la preuve : la réussite la plus typique de l'histoire du genre n'était autre que *Tristram Shandy* de Sterne, œuvre dans laquelle la verve intarissable du narrateur s'exprime dans un style riche en sortilèges formels. (Ce paradoxe eut la vie longue : il avait déjà été soutenu par Friedrich Schlegel et allait devenir par la suite un des lieux communs de la critique moderniste.) Mais le véritable tour de force des critiques formalistes russes fut la mise au pas rétrospective du réalisme social et psychologique et en parti-

---

1. André Breton, *Manifeste du surréalisme* (1924), in *Œuvres complètes*, édition Marguerite Bonnet, vol. 1, Bibliothèque de la Pléiade, Gallimard, 1988, p. 313. Breton fait référence à l'apôtre Thomas, qui ne peut croire sans toucher (voir la note 3, p. 1345).

culier de l'œuvre de Tolstoï, dont la prose fut promue, grâce aux spéculations de Victor Chklovski, au rang de précurseur du formalisme. L'usage du détail matériel frappant, par lequel le roman du XIXᵉ siècle rappelait au lecteur l'objectivité du monde, fut appelé « défamiliarisation ». L'effet de ce procédé technique, expliqua Chklovski, consiste à provoquer la surprise de la perception : le détail frappant renouvelle chez le lecteur l'image des actions et des objets les plus familiers et l'oblige à les voir pour ainsi dire pour la première fois. Cette technique de la surprise, si semblable aux jeux formels du modernisme, fut décrite par Chklovski à la fois comme le comble de la précision réaliste et comme la loi éternelle du relief stylistique [1]. Le jeu de l'écriture, en d'autres termes, réinvente perpétuellement le monde.

Le rejet du passé n'exclut donc pas l'appropriation des *bons* ancêtres ni la mobilisation occasionnelle des idéaux révolus sous le drapeau des choix artistiques et idéologiques nouveaux. La généalogie du roman favorisée par le modernisme fut construite à rebours à partir des critères propres à ce courant : la révolte contre les normes en vigueur (*Don Quichotte*), la singularité formelle (*Pantagruel, Francion, Tristram Shandy, Jacques le fataliste, Moby Dick*), la présence d'une réflexion sur la subjectivité (*La Princesse de Clèves, Wilhelm Meister*). Ces critères privilégièrent naturellement les textes ironiques, inquiétants, parfois inachevés, en d'autres termes ceux qui faisaient l'écho le plus fidèle aux pratiques modernistes. Le roman fut rétroactivement déclaré un genre antagoniste, rebelle, qui aurait depuis toujours suscité sournoisement l'illusion de la vraisemblance pour faire signe vers une vérité et vers un doute plus profonds. Du coup, le passé du roman devint le théâtre d'un éternel combat livré par les œuvres troublantes, hypnotiques, inclassables, à la tyrannie de la platitude narrative.

Les choix rétrospectifs d'ancêtres prennent souvent la forme des listes d'auteurs et de titres recommandables, listes qui obéissent au sentiment délicieux des affinités plutôt qu'à la clarté du concept. Aussi la confusion entre les *œuvres exceptionnelles* et les *œuvres d'exception* ne manqua-t-elle pas d'affecter le panthéon moderniste. Le même Breton qui fustigeait le réalisme exprimait une admiration sans bornes pour le roman gothique *Le Moine* de Matthew Lewis (1796), quali-

---

1. Victor Chklovski, *L'Art comme procédé* (1917), repris dans *Théorie de la littérature*, textes réunis par Tzvetan Todorov, Seuil, 1965, p. 77-97.

fié de « modèle de justesse et d'innocente grandeur » (*Manifeste du surréalisme*, p. 320). Pourquoi porter son choix sur une œuvre aussi rudimentaire et mal écrite que *Le Moine* ? Parce que, aux yeux de Breton, ce texte incarnait le merveilleux, qui « seul est capable de féconder des œuvres ressortissant à un genre inférieur tel que le roman et d'une façon générale tout ce qui participe de l'anecdote ». L'excès d'invraisemblance, rebaptisé « merveilleux », serait en d'autres termes l'unique manière de sauver les romans de la banalité propre aux genres qui racontent des actions, et c'est précisément parce que, jugé selon les critères du roman réaliste de la fin du XIXᵉ siècle, *Le Moine* tranche vivement sur l'idéal promu par ces critères qu'il se rend, du coup, digne de l'estime surréaliste.

Il serait vain de protester contre ce genre de confusions et d'arguer que l'importance du *Moine* ne saurait être estimée si l'on ne tient pas compte des enjeux historiques propres au roman gothique. Nous verrons par ailleurs et plus tard que, dans ce cas précis, Breton avait instinctivement vu juste, bien qu'il ne disposât pas d'un langage critique suffisamment différencié pour justifier sa préférence. Une telle protestation serait vaine, car si le modernisme a exagéré l'importance des œuvres insolites ou, comme dans le cas du *Moine*, s'il a opéré délibérément des *choix* insolites, les critiques qui ont défendu le grand passé réaliste ont cherché les chefs-d'œuvre, avec un aveuglement symétrique, parmi les *œuvres représentatives*. Dans un essai qui porte le titre symptomatique *La Grande Tradition*, le critique anglais F. R. Leavis dresse une liste fort exclusive des génies du roman anglais, liste qui se limite aux noms de Jane Austen, de George Eliot, de Henry James et de Joseph Conrad [1]. L'orientation polémique du choix et l'injustice de la sélection sont criantes, l'évolution du roman anglais au XIXᵉ siècle étant incompréhensible si l'on ne prolonge pas cette liste par les noms de Walter Scott, de Charles Dickens et de William Thackeray, auxquels il faut bien ajouter ceux de Mary Shelley, de Charlotte et d'Emily Brontë, d'Anthony Trollope et de Thomas Hardy. Mais il est tout aussi évident que si l'opération avait eu comme but de désigner quatre noms de romanciers anglais représentatifs pour orner le vaste fronton d'un

---

1. F. R. Leavis, *The Great Tradition*, Londres, Chatto & Windus, 1948.

édifice de style Second Empire, le choix de Leavis aurait été satisfaisant.

Résumons. Le pari du roman moderniste, pari dont le roman contemporain éprouve encore les contrecoups, a consisté à vouloir rompre avec le passé du genre pour adopter un idéal artistique fondé sur le culte de la forme et de la subjectivité, en un mot, à devenir de la *littérature*. Grâce à la tradition pragmatique et coutumière du roman, les risques de ce pari ont été diminués par la mémoire silencieuse des méthodes qui lui étaient antérieures. Tout comme l'idéalisme égalitaire du xviiie siècle et le réalisme social du xixe ont continué à être secrètement travaillés par le souvenir des vieux romans idéalistes, le modernisme n'a jamais oublié la leçon du métier réaliste. Le passé du roman a continué ainsi d'infléchir sa pratique, mais sans que l'action réciproque des mutations artistiques et de la raison pratique du métier fût toujours tirée au clair, ni que la vérité de cette action devînt toujours apparente pour les intéressés.

Le but du présent ouvrage est de rendre visible cette action et cette vérité. L'histoire du roman que je propose prend ses distances à l'égard de la mémoire volontariste et sélective qui, à diverses époques, a servi les besoins polémiques des nouveaux courants. Je tenterai, au contraire, de mettre en évidence le caractère coutumier du passé du roman et de souligner, au cœur des vagues successives qui ponctuent son développement, les lames de fond et le ressac du passé.

La méthode suivie? Il s'agit d'abord de traiter avec prudence les listes de génies et de chefs-d'œuvre. Fixant le premier mouvement du souvenir, ces listes consignent les noms des héros et des hauts faits dont l'évidence s'impose à telle ou telle personne, à tel ou tel courant. Biaisées et passagères, les listes sont pourtant utiles car elles apportent un témoignage sur la recherche, voire l'invention, des ancêtres ainsi que sur les préférences successives de l'enseignement et de la mémoire du public lettré. Elles incorporent également le début d'une interrogation d'ordre théorique. Par exemple, le génie créateur qu'elles célèbrent se manifeste à tour de rôle sous les espèces de l'exception et sous celles de l'exemple représentatif — alternance qui soulève le problème suivant : les œuvres qui ont véritablement compté dans l'histoire du roman sont-ce celles qui ont conquis la notoriété par leur nouveauté singulière (comme aurait aimé nous le faire croire le modernisme) ou celles qui, à l'inverse, ont incarné de manière exemplaire la pratique du genre à leur époque ?

Le début d'une liste est également significatif, parce qu'il pose la question du moment inaugural du genre et donc celle de son origine. L'œuvre sélectionnée pour figurer l'origine varie selon les besoins des diverses causes, mais dans la plupart des listes disponibles le sens de la décision demeure constant et souligne, en conformité avec les intérêts rétroactifs du roman moderne, la victoire de la vérité narrative sur le mensonge idéalisateur. Parmi les titres que les partisans de la vraisemblance ont placé à la naissance du roman, le récit picaresque *Lazarillo de Tormes* raconte la misère de la vie dépourvue d'héroïsme et de noblesse, *Don Quichotte* se moque explicitement des vieux genres romanesques et idéalistes et préfigure le désenchantement du monde, *La Princesse de Clèves* prend le contre-pied des grands romans baroques et fonde ainsi le réalisme psychologique, *Moll Flanders* et *Pamela* décrivent l'individu moderne, son discours moralisateur et son goût pour les biens matériels. Les critiques qui accordent la palme de la vérité au roman du xixe siècle sont bien obligés d'insister moins sur le moment inaugural du réalisme social que sur sa maturité et sur la perfection de ses réalisations (les romans de Balzac, de Dickens, de Dostoïevski et de Tolstoï), mais ils ne mettent un seul instant en doute la discontinuité profonde qui sépare le roman moderne de ses prédécesseurs anciens, médiévaux et baroques, ni le progrès que celui-là représente en comparaison de ceux-ci.

La vision historique qu'on devine implicitement dans les listes de génies et de chefs-d'œuvre est développée à un degré supérieur par ce que j'appellerai l'*histoire naturelle des espèces romanesques*. Née dans la seconde moitié du xixe siècle sous l'impulsion de l'histoire littéraire positive et des modèles biologiques dominants à l'époque, l'histoire naturelle du roman met une connaissance pratiquement exhaustive des sources et des textes au service d'hypothèses clairement articulées concernant l'évolution du genre. Son postulat de départ est qu'à l'instar des espèces biologiques, les genres littéraires évoluent, se transforment les uns dans les autres au terme d'un processus dont les ressorts sont la concurrence, les mutations et le métissage. Ainsi, Edwin Rohde, le premier historien « naturel » du roman antique, était d'avis que les roman grecs sont issus du croisement entre l'épopée tardive, le récit de voyage et la biographie [1]. Il se trompait sans doute dans ces attributions, mais son raisonnement n'en suivait pas moins une méthodologie fertile, dont j'adopterai le point de vue lorsqu'il s'agira d'étudier la rivalité et la fusion des espèces narratives.

Les grandes conquêtes de l'histoire naturelle du roman ont été celles de l'ampleur temporelle et de la diversité générique. L'histoire du roman français due à Henri Coulet procure une vaste vue d'ensemble et s'illustre par la richesse de la documentation et par l'exactitude des appréciations concernant l'évolution des divers sous-genres romanesques : le roman de chevalerie, le roman héroïque dans la tradition d'Héliodore, le roman pastoral, le roman picaresque, le roman d'analyse, etc. [2]. Chacun de ces sous-genres a fait également l'objet de précieuses études particulières. L'ampleur historique de ces ouvrages est d'autant plus remarquable que l'histoire de la littérature a été attachée et l'est encore au carcan de la division en périodes, en « siècles », plus récemment en *épistémès*, dont les chercheurs spécialisés ont tendance à exagérer la cohérence interne et l'incompatibilité mutuelle. Abandonnée en paléontologie, l'idée de cataclysme, inventée par Geoffroy Saint-Hilaire, est toujours d'actualité en histoire de la littérature.

Les histoires naturelles du roman échappent d'ordinaire à ce préjugé, bien que, en revanche, l'on puisse regretter qu'elles demeurent dans la plupart des cas prisonnières du parti pris contre les romans prémodernes et en particulier de celui qui condamne les grands romans du XVIIᵉ siècle. Parmi les avantages de ces histoires on doit inclure la sagacité avec laquelle elles font appel aux considérations extra-littéraires : le positivisme, décrié avec une sévérité égale par les sociologues et par les esthètes, a eu le grand mérite de forger des hypothèses historiques plausibles et de les avoir bien démontrées. Sans bien entendu rivaliser d'érudition

---

1. Edwin Rohde, *Der griechische Roman und seine Vorlaüfer*, Leipzig, Breitkopf und Härtel, 1876.
2. Henri Coulet, *Le Roman jusqu'à la Révolution*, Armand Colin, 1967.

avec les histoires naturelles, je tenterai d'émuler leur intérêt pour la longue durée historique.

Poursuivant et approfondissant les résultats de l'histoire naturelle des espèces romanesques, un autre type de réflexion s'est penché sur *l'histoire des techniques romanesques* ; cette discipline, dont l'émergence est liée aux recherches formelles poursuivies par les historiens de l'art à la fin du xixe et au début du xxe siècle, doit sans doute une partie de son prestige à l'intérêt moderniste accordé à la forme. Un des succès les mieux connus de ce type de réflexion, l'essai « Les formes du temps et le chronotope dans le roman » de Mikhaïl Bakhtine, emprunte à l'histoire naturelle du roman (en l'occurrence à Edwin Rohde) l'ampleur de la vision historique [1]. Bakhtine a le mérite d'avoir pensé l'histoire des techniques romanesques à l'échelle des millénaires, pour aboutir à la conclusion que les formes récentes du genre ont été précédées par une préhistoire non négligeable qui inclut non seulement la prose narrative d'avant Rabelais (les œuvres de cet auteur figurant pour Bakhtine l'épiphanie du roman de l'âge moderne), mais aussi des écrits biographiques et philosophiques, dont les *Vies parallèles* de Plutarque et les dialogues de Platon. S'inspirant des travaux des disciples de Dilthey dont il hérite la passion pour la morphologie historique de la culture, Bakhtine cherche à définir les traits formels qui correspondent aux différentes étapes de l'évolution du roman. Le critique observe par exemple que le roman d'amour hellénistique (qu'il appelle le « roman des épreuves ») place son action dans un temps et dans un espace abstraits — dépourvus de traits particuliers —, que les caractères des personnages sont immuables et que la succession des épisodes ne bénéficie pas d'une motivation causale perceptible. Selon Bakhtine, la naïveté formelle de ces traits ne sera pleinement dépassée que par le roman réaliste du xixe siècle, le seul qui eût réussi à représenter fidèlement le temps et l'espace dans la richesse de leurs déterminations concrètes, la maturation psychologique des personnages et l'enchaînement causal des épisodes. On peut observer tout de suite que la succession des techniques décrite par le critique russe pose une coupure historique entre, d'une part, le roman réaliste moderne dont l'objet est la vérité concrète du temps, de l'espace, de la cau-

---

1. Mikhaïl Bakhtine, « Les formes du temps et le chronotope dans le roman » (1937-1938), in *Esthétique et théorie du roman*, Gallimard, 1978.

salité et de la psychologie humaine et, d'autre part, la « préhistoire » du roman parsemée d'œuvres débordantes de vitalité, mais abstraites, invraisemblables et par conséquent imparfaites. Ce schéma fait siens les partis pris historiques du roman moderne et, tout en stigmatisant l'inventivité mensongère des œuvres romanesques prémodernes, s'extasie devant la scrupuleuse minutie de la représentation réaliste. La remarquable justesse des descriptions bakhtiniennes ne dépend assurément pas du jugement de valeur qui les sous-tend. Les défauts de la théorie de Bakhtine sont ailleurs. En premier lieu, malgré sa richesse et son exactitude, sa description des romans hellénistiques demeure aveugle à la logique intime de leur univers narratif. Dans les arts représentatifs les formes sont d'ordinaire porteuses d'un contenu qui les rend intelligibles et pertinentes ; il ne suffit donc pas de noter, dans le roman hellénistique, l'abstraction du temps et de l'espace, la rigidité psychologique des personnages et l'arbitraire des épisodes, sans en même temps s'interroger sur les raisons d'être artistiques de ces traits. Le jugement d'imperfection porté sur ces romans est valide seulement pour autant que l'on peut montrer qu'ils proposent un message mal servi par les traits formels en question. Or Bakhtine ne se pose que rarement en termes explicites la question de la pensée véhiculée par les formes qui l'intéressent.

En second lieu, l'histoire bakhtinienne de la technique du roman n'accorde qu'une attention passagère aux raisons qui ont rendu possible l'essor du réalisme social et ne se demande pas pourquoi, en définitive, l'admirable concrétion et la vérité des romans du xixe siècle ont remplacé la déplorable abstraction et l'invraisemblance anciennes. Or cette question a une certaine urgence car, si les histoires naturelles du roman demeurent sensibles à l'environnement social et culturel de la littérature et formulent souvent des explications historiques extralittéraires, l'histoire des techniques se contente, pour le moins dans un premier moment, d'observer les traits formels des œuvres en les isolant des facteurs d'ordre social ou cognitif susceptibles de les avoir causés. Parfaitement justifiée comme option provisoire, cette isolation finit à la longue par devenir problématique. La volonté formelle manifestée par l'art peut bien avoir partie liée avec l'inaliénable liberté de l'esprit humain — comme le professaient avec une remarquable fermeté au xixᵉ siècle les historiens allemands de la culture —; il n'est est pas moins vrai que cette liberté n'invente pas les formes à sa guise et loin de la vie commune.

Pour expliquer le mouvement des formes romanesques et croyant pouvoir éviter le réductionnisme sociologique si répandu à son époque, Bakhtine avance une hypothèse d'ordre à la fois social et artistique. Il postule la double existence d'une idéologie féodale — censée avoir minimisé la pertinence des catégories spatiales et temporelles — et, en face d'elle, d'une force anti-idéologique et populaire qui s'exprime dans le folklore, dans la farce, dans la parodie et dans la satire. Par le biais d'œuvres comme *Gargantua* et *Pantagruel* de Rabelais et *Don Quichotte* de Cervantès, le comique aurait, selon le critique russe, conquis le roman pour lui imprimer une nouvelle orientation satirique et anti-conventionnelle qui, elle, aurait conduit par des voies dont le détail resterait à établir, à l'essor du réalisme social moderne.

Cette hypothèse n'est malheureusement pas développée dans toutes ses implications, et c'est en comparaison avec son flou que les travaux de Ian Watt sur l'essor du roman anglais acquièrent tout leur relief. Le grand ouvrage de Watt, *The Rise of the Novel* (*L'Essor du roman*), exemplifie une troisième manière d'envisager le développement du genre, la très fertile *histoire sociale du roman*, qui étudie les liens entre la prose narrative et son ambiance sociale et culturelle [1]. Watt met les techniques employées par ceux qu'il considère comme les premiers romanciers réalistes anglais (Defoe et Richardson) en rapport avec les habitudes de lecture et avec la condition des écrivains au xviiiᵉ siècle, ainsi qu'avec le développement de l'individualisme et de l'empirisme philosophique. Selon Watt, la conquête de la vérité empirique dans le roman anglais du xviiiᵉ siècle n'est pas réductible à la lente promotion des genres littéraires comiques. Faisant partie d'un mouvement plus général — et profondément sérieux —, le roman réaliste accompagne le triple essor de l'économie moderne de marché, de l'éthique individualiste et de la théorie moderne de la connaissance.

Watt se propose d'expliquer à la fois le changement thé-

---

1. Ian Watt, *The Rise of the Novel*, Berkeley, University of California Press, 1957. Ian McKeon, *The Origins of the English Novel. 1600-1740*, Baltimore, Johns Hopkins University Press, 1987, formule une pénétrante critique des idées de Bakhtine et de Watt.

matique effectué par les œuvres de Defoe et de Richardson et la manière dont ces œuvres réforment les techniques de la représentation de la réalité. Concernant la thématique de Defoe, Watt est surtout attentif aux motifs économiques omniprésents chez cet auteur, dont les personnages n'en finissent pas de compter leurs acquisitions matérielles, que celles-ci soient obtenues dans la solitude et par le travail honnête, comme dans *Robinson Crusoé*, ou au sein de la société et par les moyens les plus sordides, comme dans *Moll Flanders*. Cette thématique entre en résonance avec le triomphe simultané de la morale calviniste et de l'individualisme économique; elle signale également l'obligation dans laquelle se trouve désormais l'écrivain — sevré de ses anciens mécènes et soumis aux contraintes du marché — de parler de choses qui intéressent son nouveau public bourgeois et anonyme.

Concernant les techniques de représentation, Watt observe que les romans de Defoe et de Richardson donnent invariablement la parole aux personnages eux-mêmes, et que ces personnages tiennent un discours fort scrupuleux quant aux détails, comme s'ils étaient obligés de prouver sans arrêt leur fiabilité. En appelant ce procédé le « réalisme formel » pour le différencier du réalisme au sens philosophique du terme, Watt définit le but de cette technique comme consistant à engendrer « ce qui passe pour être un compte rendu authentique des expériences réelles des individus » (*The Rise of the Novel*, p. 27). Le réalisme formel, en prétendant épouser de près l'expérience du vécu individuel dans sa précision sensorielle, converge avec l'empirisme de Locke et, plus généralement, avec celui de la science moderne.

La théorie de Watt prouve de manière convaincante que les innovations dans la technique romanesque entretiennent d'étroits rapports de dépendance avec l'évolution de la structure sociale (l'économie de marché, le nouveau statut des écrivains et des lecteurs) ainsi qu'avec celle de la superstructure religieuse et intellectuelle (le calvinisme, l'empirisme). Mais, précisément parce que ces rapports sont si frappants dans les cas de Defoe et de Richardson et parce que les forces du progrès social et intellectuel qui correspondent aux innovations des deux auteurs l'ont en fin de compte emporté sur les forces rivales, Watt ne résiste pas à la tentation de voir dans le réalisme de Defoe et de Richardson la seule voie féconde de l'histoire du roman anglais moderne. Henry Fielding, en revanche, auteur hostile au réalisme formel et grand critique de son incarnation richardsonienne, n'aurait pas apporté, selon Watt, « une contribution aussi directe que Richardson à l'essor du roman » (p. 239). On saisit ici le principal danger qui menace les explications sociales et culturelles — même les plus justes — de la création artistique : ce danger consiste à étendre au destin de l'art des vérités qui ne sont incontestables qu'appliquées au destin de la société ou de la pensée. Le réalisme formel a beau faire partie d'une constellation progressiste et victorieuse, son rival réputé « rétrograde » — le réalisme ironique de Fielding dont procèdent directement l'art de Jane Austen, de Stendhal et de Thackeray, et dont les échos sont clairement audibles chez Walter Scott et chez Dickens — a exercé en réalité une action tout aussi déterminante sur l'essor du roman du XIXe siècle.

J'emprunterai à l'histoire des techniques narratives son souci pour l'art du roman considéré dans sa spécificité formelle, à savoir dans sa manière propre de représenter le monde. Mais à la différence de Bakhtine, je partirai du principe que les choix techniques rendent sensible l'organisation des univers fictifs évoqués dans l'œuvre et je tenterai, par conséquent, de rattacher dans chaque cas les procédés formels au contenu qu'elles expriment. Quant à l'histoire sociale du roman, tout en étant sensibles aux liens entre l'évolution du genre et le destin de la société, mes considérations demeureront moins élaborées que celles de Watt et des nombreux critiques et historiens qui, dans les dernières décennies, ont poursuivi d'importantes recherches sur les liens entre le roman et les grands moments de la vie politique, économique et culturelle. Grâce à ces recherches, nous disposons maintenant de connaissances détaillées sur les effets littéraires des découvertes géographiques, des empires coloniaux, de la révolution industrielle, des changements dans la structure de la famille, de la reconnaissance des droits des femmes et des minorités et de la constitution d'un marché planétaire. Mon propre projet, sans pour autant nier l'importance de ces connaissances, poursuit un but différent. Il est de comprendre l'évolution du roman dans la longue durée, la logique interne de son devenir et le dialogue que ses représentants engagent entre eux à travers les âges, plutôt que d'insister sur les liens, fort éclairants, que ce genre entretient à chaque moment de son existence avec les phénomènes extralittéraires. Je suis persuadé par ailleurs que mon projet pourrait être utile à ceux qui étudient l'influence des facteurs d'ordre social et intellectuel sur les phénomènes artistiques, en l'occurrence sur le roman, puisque cette influence gagnerait à être mise en rapport avec la dynamique interne de l'évolution des phénomènes artistiques.

Car je suis persuadé que le destin des forces sociales et intellectuelles ne se reproduit pas tel quel dans l'évolution des formes artistiques censées leur correspondre, mais que ces forces contribuent plutôt au renouvellement de l'art de manière indirecte et pour ainsi dire oblique. Tout comme c'est l'ambiance écologique globale d'une région — et non pas tel tournant d'une rivière ou telle éclipse de soleil — qui rend possible l'éclosion d'une espèce végétale, sans en déterminer pourtant, à elle seule, la forme organique, les facteurs d'ordre social et culturel exercent leur influence sur l'art par le moyen du climat culturel général plutôt que grâce à la succession d'événements ponctuels. Parmi les critiques qui ont défendu ce point de vue à propos de l'histoire du roman, le mieux connu est Georg Lukács, dont l'ouvrage de jeunesse *Théorie du roman* forme une des réussites durables de ce que j'appellerai l'*histoire spéculative du roman*[1]. Ce quatrième type de réflexion historique excelle moins dans l'exhaustivité de son survol — apanage des histoires naturelle et sociale du roman — ni dans la compréhension des formes — spécialité des histoires de la technique — que dans l'attention accordée à la maturation interne du genre.

Lukács postule, en bon disciple de Hegel, que la dynamique de cette maturation n'est pas perceptible à la suite d'un simple examen de la masse des œuvres effectivement produites, ni identifiable aux seules innovations formelles et thématiques, mais qu'elle incarne le mouvement d'un concept, dont les tensions internes engendrent l'histoire visible du roman. Le concept dont relève le genre épique, le noyau de sa particularité, doit être cherché, selon Lukács, non pas sur le plan du style et des procédures formelles, mais sur celui de l'invention; il consiste dans la représentation fictive des rapports entre l'individu et le monde. La principale tension interne qui divise ce noyau oppose la grandeur de l'individu à celle du monde (on perçoit ici à la

---

1. Georg Lukács, *Théorie du roman*, Genève, Gonthier, 1963 [1920].

fois les échos de la poétique aristotélicienne et ceux de lecture hégélienne de la tragédie antique) : lorsque le monde ambiant — la civilisation générale de l'époque, dans la terminologie de Lukács — est unanimement perçu comme bien intégré, le genre épique dominant est l'épopée. Le roman prend la place de l'épopée aux époques où le monde devient problématique, son sens n'étant plus donné de manière immédiate. Le roman raconte, selon le jeune Lukács, la situation de l'homme qui vit dans le monde sans toutefois l'habiter au sens plénier du terme. Dans le roman, l'univers considéré en lui-même est imparfait et, en dernière instance, le héros répond à cette imperfection par la résignation. La vie du héros de roman ne s'intègre donc pas sans résidu dans le monde ambiant ; cette vie a du sens uniquement par rapport au monde idéal auquel aspire le protagoniste, mais la seule réalité de ce monde idéal est celle que lui confère l'expérience individuelle du héros. Les personnages dont l'idéal ne correspond pas à la réalité du monde sont appelés « héros problématiques ». On reconnaît dans cette description générale aussi bien l'intrigue de *Don Quichotte* (où l'idéal de la chevalerie errante n'existe que dans l'esprit dérangé du personnage principal) que celle d'un grand nombre de narrations romantiques : *Wilhelm Meister*, *Hypérion* de Hölderlin, voire *Eugénie Grandet* de Balzac.

Dans le modèle de Lukács, la dialectique du héros problématique se développe en trois temps, qui engendrent chacun un type de conflit romanesque. Lorsque le monde idéal qui incarne les aspirations du héros est plus étroit que l'univers réel et que, de surcroît, le personnage ne saisit pas la distance entre les deux, la figure qui en résulte est *l'idéalisme abstrait*. Dans les romans qui empruntent cette forme (*Don Quichotte* en premier lieu) le héros ne comprend pas la raison de ses inévitables échecs, parce que l'exiguïté de son champ de vision ne lui permet pas de percevoir la réalité du monde concret. Si, au contraire, l'idéal du héros est plus vaste que l'univers réel, le résultat est le *romantisme de la désillusion*. Le personnage mesure bien dans ce cas la distance qui sépare son idéal du monde environnant, mais il ne dispose ni de la force ni des moyens pour combler cette distance. Oblomov, le personnage de Gontcharov, qui, vautré dans son lit, s'abandonne jour après jour à la rêverie sans jamais se décider d'agir, incarne le deuxième moment de la dialectique du roman. Au troisième et dernier moment, le

héros problématique, guidé par son idéal, se réconcilie avec
la réalité sociale concrète : *Wilhelm Meister*, et plus généralement le *Bildungsroman*, sont des exemples de ce type.
L'intérêt de l'essai de Lukács tient à sa volonté d'ancrer la
réflexion sur le roman dans l'unité du concept avant de le
confronter avec la multiplicité de l'empirie. Guidé par les
exigences de cette unité, Lukács résout de manière convaincante la question du rapport entre la société et les genres
culturels, en attribuant à la civilisation ambiante le rôle de
créer les conditions de départ pour l'essor du genre romanesque, mais en réservant au genre lui-même la tâche de
développer ses virtualités internes, dont la croissance ne
dépend pas immédiatement des aléas de la vie sociale. L'histoire qu'il raconte est celle d'un genre culturel autonome et
non pas celle d'un épiphénomène des mouvements commer-
ciaux et intellectuels. Le critique hongrois a enfin le courage
de proposer des catégories abstraites aventureuses et dont
les exemples, souvent inattendus, ne se soumettent pas
volontiers à la chronologie habituelle. Les trois œuvres censées illustrer la dialectique du genre, *Don Quichotte*, *Oblomov*, *Wilhelm Meister*, forment une séquence historique
singulière et provocante.

Mais les insuffisances du système obtenu sont tout aussi
frappantes. Pour noter le défaut le plus évident, la dialectique du héros problématique, hautement pertinente pour le
roman du début du XIXᵉ siècle, ne saurait en aucun cas éclairer à elle seule la vaste production précédente et ultérieure.
L'absence pratiquement totale d'exemples antérieurs à *Wilhelm Meister* (car, il faut bien le dire, le *Don Quichotte* purement romantique de Lukács n'offre qu'une ressemblance
assez vague avec le roman de Cervantès) est tout aussi
symptomatique que la difficulté où se trouve le critique
d'inclure dans son schéma le grand réalisme de la fin du
XIXᵉ siècle, en particulier l'œuvre de Tolstoï. Ni l'idéalisme
abstrait, ni le romantisme de la désillusion, ni la synthèse
entre les deux n'épuisent la complexité des rapports entre les
personnages et le monde évoqués par les romans de Tolstoï.
La solution du jeune Lukács consiste à rapprocher ceux-ci
de l'épopée, mais la manœuvre demeure purement verbale.
Car, même si, lorsqu'il s'agit de choisir entre la causalité
externe et l'autonomie du genre, Lukács opte pour le développement interne du roman, il n'accorde pas, tout compte
fait, une attention suffisante aux décisions prises par les

écrivains eux-mêmes, ni aux problèmes artistiques concrets qui occasionnent ces décisions. S'il l'avait fait, il aurait compris que l'art de Tolstoï, loin de signaler un retour à l'épopée, atteint au contraire un des sommets du réalisme social et psychologique : cet art consiste à raconter comment le monde social dans toute son insupportable artificialité emprisonne presque hermétiquement la plupart des personnages, leur enlève du même coup toute velléité d'héroïsme et leur accorde, dans le meilleur des cas, la vaine liberté de comprendre leur condition. Dans le cas des rares protagonistes qui se dérobent à l'emprise de l'artificialité environnante, leur personnalité, loin d'être présentée comme héroïque, se distingue plutôt par la naïveté, par la gaucherie, par la difficulté, assurément involontaire, de bien s'entendre avec les autres. Le miracle tolstoïen tient à ce que, malgré le pessimisme de cette vision, le monde ainsi raconté n'est jamais perçu comme autre chose que la demeure naturelle des hommes et des femmes, de sorte que l'idée d'un personnage qui oppose sa force solitaire à la totalité de l'univers n'y a strictement pas de sens. La véritable question historique qui se pose ici n'est pas de savoir si Tolstoï a opéré ou non un retour à l'épopée, mais de reconstituer le dialogue entre les univers fictifs proposés par les prédécesseurs de Tolstoï et la vision de ce dernier.

Je puiserai dans l'histoire spéculative du roman le courage de proposer des concepts partiellement semblables aux siens, à savoir des concepts dont le champ d'application embrasse de vastes périodes de temps et n'exclut ni les chevauchements ni les détours chronologiques. La différence sera qu'au lieu de placer toute l'histoire du roman sous la coupe d'une seule notion, j'emploierai une famille de concepts, dont, sous l'influence de l'histoire naturelle du genre, je tenterai de démêler l'évolution et les alliances. À l'exemple de Lukács, je prendrai comme critère la facture de l'invention plutôt que les traits d'ordre stylistique et discursifs qui l'expriment : je crois, comme lui, que le type d'intrigue, la nature des personnages et le cadre de l'action représentent le véritable noyau créateur des genres narratifs. Enfin, en pensant comme Lukács que les genres font leur propre histoire, je tiendrai également pour acquis le principe selon lequel la vie des genres littéraires et artistiques n'est pas déterminée d'avance par quelque moteur invisible de l'Histoire, mais dépend en fin de compte des innombrables décisions prises par les écrivains eux-mêmes. Les forces réputées impersonnelles de l'histoire littéraire ne sont rien d'autre que le résultat global de ces décisions.

*

Mais, me dira-t-on peut-être, votre projet d'histoire, tel que vous l'annoncez, non seulement esquive la question de la naissance du roman, mais évite d'affronter la grande difficulté des études sur ce genre, qui est celle de sa définition. D'une part, vous semblez être d'accord avec ceux qui pensent que le roman moderne est issu de la révolte contre les « vieux romans » idéalistes et peu vraisemblables : il reste à établir si cette révolte s'est déclarée pour la première fois en Italie au xive siècle, avec les nouvelles de Boccace, en Espagne au xvie siècle, avec le roman picaresque, ou au début du xviie siècle (avec *Don Quichotte*), si sa terre d'origine n'est pas plutôt la France du xviie siècle, patrie du roman d'analyse et de *La Princesse de Clèves*, ou enfin si sa véritable action n'a commencé en réalité dans l'Angleterre du xviiie siècle, avec Defoe et Richardson, pour se généraliser un peu partout en Europe dans la première moitié du xixe siècle. D'autre part, sans contribuer le moins du monde à la résolution de ce différend, vous avez l'air de dire que croire au rejet des « vieux romans » au nom des principes réalistes est une erreur de perspective historique. Or, avant même de juger du pays et du siècle qui ont donné jour au roman moderne, il faut bien décider si l'histoire du roman inclut ou non celle des œuvres romanesques qui appartiennent à l'ancienne facture idéaliste et invraisemblable.

Une définition explicite du genre vous aiderait peut-être à trancher, à ceci près que, en soutenant que le roman se gouverne selon une sorte de droit coutumier, pragmatique et insaisissable, vous semblez vous ranger du côté de ceux qui, désespérant de trouver la définition d'un genre si éminemment flexible, ont conclu à la diversité formelle et thématique illimitée du roman. Pour de nombreux critiques, dont notamment Mikhaïl Bakhtine et Marthe Robert [1], le trait distinctif du roman est sa plasticité infinie, voire l'absence de tout trait distinctif. Peut-on faire l'histoire d'un objet qui n'a pas de définition ?

Je répondrai à ces objections possibles en acceptant

---

1. Marthe Robert, *Roman des origines et origines du roman*, Grasset, 1972.

l'hypothèse selon laquelle l'origine du roman *moderne* se trouve dans le dialogue polémique avec les « vieux romans », mais en notant du même coup que ce dialogue, loin d'avoir été à la fois ouvert et clos par le surgissement quasi miraculeux d'une seule œuvre inaugurale, s'est prolongé pendant au moins deux siècles et a laissé sa marque tout aussi bien sur les récits picaresques espagnols, sur *Don Quichotte* et sur le roman d'analyse français, que sur le roman anglais du xviiie siècle. Je note également que pendant toute cette période les vieux romans ont continué de jouir d'un énorme succès, ce dont témoignent non seulement les souvenirs de lecture des écrivains les plus fermement opposés à l'ancienne méthode d'invention, mais aussi les annales de l'imprimerie et en particulier la *Bibliothèque universelle des romans*, vaste répertoire qui a vu le jour à la veille de la Révolution et qui passe en revue à l'usage du public cultivé la quasi-totalité des romans hellénistiques, de chevalerie, pastoraux et galants. Aussi, les œuvres novatrices auxquelles, depuis le xixe siècle, le réalisme social et le modernisme ont accordé rétrospectivement le statut d'ancêtres ont-elles longtemps côtoyé les œuvres réputées prémodernes. Cette coexistence, qui comportait bien entendu une vive rivalité, ne pouvait pas manquer de favoriser les échanges d'idées et de procédés artistiques. Et en effet, à regarder de près les romans appelés modernes, on s'aperçoit que si, d'une part, ils s'éloignent à bien des égards de leurs aînés idéalistes et invraisemblables, d'autre part ils ne cessent de leur emprunter des tournures d'intrigue, des types de personnages, voire des idées sur la manière d'organiser leur univers fictif. Bref, l'essor du roman moderne ne saurait être compris sans l'étude de l'héritage romanesque qu'il dénonce — et qu'il perpétue sans toujours l'avouer. C'est la raison pour laquelle j'étudierai la formation de la prose narrative moderne en insistant autant sur la création de formules nouvelles que sur leur dépendance à l'égard des traditions narratives en place.

Une définition préalable du genre serait-elle susceptible de faciliter cette tâche? Mais, tout d'abord, est-il concevable de subsumer la considérable diversité des romans sous le même concept? Polymorphe, ironique (c'est-à-dire libre de prendre ses distances à l'égard de soi-même), bénéficiant d'une grande adaptabilité, possédant la force d'exprimer tous les contenus sous des formes toujours renouvelées, le roman n'est-il pas à la fois intarissable et indéfinissable ? Les avantages rhétoriques de ce point de vue sont évidents : représentant autorisé d'un prosaïsme libérateur qui incarne la modernité, le roman manifesterait, à l'instar de l'état de société qu'il exprime, l'absence de définition et l'appétit sans bornes pour le changement — qualités maîtresses, nous dit-on, de l'homme moderne. Certes, l'idée de caractériser le roman par le biais de sa plasticité n'est pas dépourvue de plausibilité ; ce qui me semble fort suspect, en revanche, c'est l'insistance sur son caractère « inépuisable », voire « indéfinissable ». S'il est vrai que d'ordinaire les concepts culturels ne peuvent pas faire l'objet de définitions strictes et immuables — tout simplement parce que dans la vie culturelle nous ne saurions exclure l'éventualité de l'innovation —, rien ne nous permet de penser que le roman ait reçu, comme une sorte de faveur particulière de l'histoire culturelle, l'indétermination absolue.

J'écarte donc l'hypothèse de la plasticité infinie du roman, sans pour autant chercher à la remplacer d'emblée par une définition formelle. Pour utiles qu'elles soient lorsqu'il s'agit de saisir les traits distinctifs du roman à une époque donnée, les définitions de cette sorte suscitent trop facilement les contre-exemples. L'excellente proposition « le roman est une narration fictive en prose qui communique l'impression d'être réellement racontée, et qui met en scène des personnages, des actions et une intrigue [1] » exclut aussi bien *Eugène Onéguine* de Pouchkine, roman en vers, que *La Mort de Virgile* de Hermann Broch et *Le Bruit et la Fureur* de Faulkner, œuvres qui ne communiquent nullement l'impression d'être effectivement racontées. Je suivrai par conséquent l'exemple de ceux qui font un usage informel et coutumier du terme « roman », en y incluant non pas les œuvres qui satisfont une définition préalable, mais plutôt celles qui au long des siècles ont été saluées et lues comme des romans.

On sait qu'en français ce terme, ayant désigné à l'origine les narrations médiévales en langue vernaculaire (en vers et en prose), a été généralisé aux romans hellénistiques aussitôt après leur redécouverte au XVIe siècle, ainsi qu'aux autres narrations d'une certaine ampleur — romans pastoraux, héroïques et allégoriques. En italien, le terme *romanzo* s'applique non seulement à l'ensemble des romans antiques,

---

1. Jeremy Hawthorn, *Studying the Novel*, Londres, Arnold, 1985.

médiévaux et modernes, mais aussi aux poèmes héroïques et comiques composés par Boiardo, l'Arioste et Pulci [1]. Jusqu'à récemment l'anglais réservait à ce champ le terme *romance* et appelait *novel* les œuvres composées à partir du XVIIIe siècle selon la facture moderne fondée sur la vraisemblance. Depuis un certain temps, cependant, les chercheurs américains abandonnent l'appellation *romance* lorsqu'il s'agit de narrations en prose grecques et latines et utilisent *novel* pour désigner aussi bien les romans antiques et baroques que leurs successeurs modernes, à la manière du terme français *roman*. Cette évolution terminologique signale sans doute une nouvelle volonté de reconnaître l'ampleur chronologique de l'histoire du roman. Un ouvrage récent de Margaret Doody défend ce point de vue de manière explicite et vigoureuse [2]. Il faut noter également qu'en français le terme *nouvelle* signifie, comme en italien et en espagnol, une histoire de dimensions relativement réduites et dont l'intrigue est plus simple que celle des véritables romans. Pour des raisons qui apparaîtront par la suite, parmi les sous-genres narratifs qui ont contribué à la formation du roman moderne j'ai cru devoir prendre en compte la nouvelle. En revanche, j'ai exclu de mes considérations les ouvrages non fictionnels que les historiens naturels du roman et Bakhtine sous leur influence ont incorporés dans la généalogie du roman — de manière souvent fantaisiste — : récits anciens de voyages, biographies, dialogues philosophiques. Bien que le roman ait parfois fait usage des procédés formels présents dans ces types de texte, j'estime que ces emprunts occasionnels n'ont pas affecté en profondeur le développement du genre. Sans donc proposer de définition *stricto sensu*, j'espère pouvoir montrer que les objets littéraires habituellement appelés romans se divisent en un petit nombre de sous-types, dont je tenterai de reconstituer l'histoire commune, les rivalités et l'influence réciproque.

---

1. Franco Moretti publie actuellement une vaste synthèse collective sur le genre romanesque, intitulée *Il Romanzo*, Turin, Einaudi, dont viennent de paraître les deux premiers volumes (2001 et 2002).
2. Margaret Doody, *The True Story of the Novel*, New Brunswick, Rutgers University Press, 1996.

MON ARGUMENT

La réussite d'une œuvre narrative — sa beauté, aurait-on dit naguère — vient de la convergence entre l'univers fictif mis en scène et les procédés formels qui l'évoquent. Étant donné que les œuvres narratives en général et les romans en particulier ne se contentent pas de *décrire* la réalité, mais la réinventent toujours dans une certaine mesure afin de mieux la *comprendre*, la différence entre les œuvres ne saurait dériver exclusivement de la manière dont elles présentent l'univers au lecteur (imagination abstraite et naïve chez les auteurs archaïques, concrétion accomplie chez les auteurs du xixᵉ siècle, surcroît d'astuces formelles chez les modernistes). Pour saisir et apprécier le sens d'un roman, il ne suffit pas de considérer la technique littéraire utilisée par son auteur ; l'intérêt de chaque œuvre vient de ce qu'elle propose, selon l'époque, le sous-genre et parfois le génie de l'auteur, une *hypothèse substantielle* sur la nature et l'organisation du monde humain. Et tout comme dans les arts plastiques l'idée s'incarne dans la matière sensible, ici les hypothèses sur la structure du monde s'incarnent dans la matière anecdotique, qui demeure par conséquent incompréhensible lorsqu'on la considère en elle-même et sans référence à la pensée qui l'anime.

Cette pensée se déploie à plusieurs niveaux, dont le premier, qui a pour objet la place de l'homme dans le monde prise dans sa plus grande généralité, se dégage à l'horizon de l'imagination anthropologique dominante à chaque époque. C'est à ce niveau que le roman réfléchit, comme l'avaient fait avant lui l'épopée et la tragédie, au rôle du divin dans le monde humain et aux rapports entre l'homme et ses semblables ; mais alors que dans l'épopée les héros appartiennent corps et âme à leurs cités et que dans la tragédie le destin des personnages est déterminé à l'avance, dans le roman le personnage est séparé du monde ambiant et ses aventures nous révèlent la contingence de celui-ci. Au moyen de la coupure qu'il pose entre le protagoniste et son milieu, le roman est le premier genre à s'interroger sur la genèse de l'individu et sur l'instauration de l'ordre commun. Il pose surtout, et avec une acuité inégalée, la question axio-

logique qui consiste à savoir si l'idéal moral fait partie de
l'ordre du monde : car s'il en fait partie, comment se fait-il
que le monde soit, au moins en apparence, si éloigné de lui,
et s'il est étranger au monde, d'où vient que sa valeur normative s'impose avec une telle évidence à l'individu ? Dans le
roman, genre qui considère l'homme par le biais de son
adhésion à l'idéal, poser la question axiologique revient à se
demander si, pour défendre l'idéal, l'homme doit résister au
monde, s'y plonger pour y rétablir l'ordre moral ou enfin
s'efforcer de remédier à sa propre fragilité, si, en d'autres
termes, l'individu peut *habiter* le monde où il voit le jour.
C'est en rapport avec ces questions que l'anecdote du roman
privilégie l'amour et la formation des couples : tandis que
l'épopée et la tragédie tiennent pour acquis le lien entre
l'homme et ses proches, en parlant d'amour le roman réfléchit à l'établissement de ce lien sous sa forme inter-
personnelle la plus intime.

Au sein de cette *anthropologie fondamentale* proposée par
le roman, on constate à la fois l'étonnante stabilité de ses
préoccupations et l'évolution historique des univers qu'il
imagine. Le roman hellénistique fixe déjà les grands repères
de l'anthropologie romanesque : la coupure entre le personnage et le vaste monde qui lui est hostile, l'irréductibilité du
protagoniste à la contingence de son destin, le rôle salvateur
de l'amour. Cette armature durera, mais à un niveau plus
concret de l'invention, les anciens univers de fiction devien-
dront au cours de l'histoire l'objet de critiques parfois viru-
lentes qui aboutiront à la refonte de l'*anthropologie sociale*
véhiculée par le roman [1]. Pamela, l'héroïne de Richardson,
réincarne la parfaite vertu des princesses de roman grec,

1. Dans *Univers de la fiction*, Seuil, 1988, et *L'Art de l'éloignement*, Gallimard, 1996, j'ai utilisé la notion d'« univers » pour désigner les mondes
représentés par la fiction littéraire. Dans « Fiction and Imitation » (*Poetics
Today*, 21, 3, automne 2000, p. 521-541), j'ai examiné les enjeux normatifs et
axiologiques qui donnent sens à ces univers. Je désigne ici ces enjeux normatifs et axiologiques par les termes d'*anthropologie fondamentale* et *sociale*,
pour souligner l'ineffaçable anthropocentrisme de la fiction littéraire. La
sociologie morale proposée par Luc Boltanski et Laurent Thévenot dans *De
la justification. Les économies de la grandeur* (NRF Essais, Gallimard, 1991)
a orienté mes recherches vers les aspects axiologiques des mondes imaginaires. Le sens de ces termes est proche de ce que, dans son *Proust. Philosophie du roman* (Minuit, 1987), Vincent Descombes appelle « cosmologie »,
à savoir la manière dont une œuvre de fiction représente un certain système
du monde.

mais sous les espèces d'un personnage appartenant à la condition sociale la plus humble. La méthode de représentation adoptée par les diverses époques et les divers genres dépend à la fois de la nature des hypothèses anthropologiques fondamentales et du poids qu'on leur accorde face aux considérations d'ordre social. C'est pour cette raison qu'à chaque époque, le roman entre en relation avec l'horizon de la réflexion extralittéraire, réflexion qui, loin d'être donnée à l'avance, est en réalité elle-même issue de débats dont les résultats ne sont jamais tenus pour certains. Pour simplifier, pourtant, on pourrait dire que le roman est le premier genre qui arrive à concevoir l'univers en tant qu'unité transcendant la multiplicité des communautés humaines. La méthode idéalisatrice du roman hellénistique capte, comme on le verra, la révélation de cette unité. Toujours en simplifiant, on peut noter que l'insistance sur l'unité du genre humain utilise de préférence la représentation idéalisée, alors que l'intérêt pour l'immersion sociale de l'homme s'exprime le plus souvent par la méthode des détails matériels concrets.

La convergence entre la pensée du roman et les formes qu'il emprunte est facilitée dans la littérature prémoderne par la primauté de l'idée, qui règne sans opposition sur les données empiriques représentées. Des espèces narratives bien spécialisées en résultent, dont certaines (le roman hellénistique, le récit de chevalerie, la pastorale) mettent en scène des héros invincibles, ou pour le moins admirables, qui défendent la norme morale dans un monde livré au désordre, alors que d'autres (le picaresque, le récit élégiaque et la nouvelle) dévoilent l'irrémédiable imperfection des êtres humains. Au XVIe et au XVIIe siècle, le dialogue entre l'idéalisation et la dénonciation de l'homme prend la forme d'une confrontation pacifique entre ces sous-genres.

Le roman du XVIIIe et du XIXe siècle, surgissant à la confluence des anciennes espèces narratives, s'est évertué en revanche à opérer une synthèse entre les points de vue qu'elles incarnaient, à associer, donc, la vision idéalisatrice à l'observation de l'imperfection humaine. Mis sous le signe de la vraisemblance, le roman du XVIIIe siècle se demande si l'individu est, oui ou non, la source de la loi morale et le maître de ses actions. Dans un deuxième temps, le roman du XIXe siècle conclut qu'en dernière analyse l'homme se définit moins en rapport avec la norme morale qu'avec le milieu qui lui a donné le jour. Pour parvenir à prouver cette thèse, le roman remplace la suprématie du concept par l'observation scrupuleuse du monde matériel et social et par l'examen empathique de la conscience individuelle. Le genre acquiert ainsi une nouvelle ampleur et efficacité, mais perd du même coup sa souplesse thématique et formelle.

À l'aurore du xxᵉ siècle, la révolte moderniste proteste à la fois contre la tentative d'enfermer les êtres humains dans la prison de leur milieu et contre la méthode de l'observation et de l'empathie. Une rupture inédite sépare désormais la réalité, devenue mystérieuse et profondément inquiétante, et l'individu, libéré des soucis normatifs et conçu comme le site d'une activité sensorielle et linguistique irrépressible. Cette évolution assure au roman une nouvelle flexibilité formelle, sans pour autant changer l'objet séculaire de son intérêt : l'homme individuel saisi dans sa difficulté d'habiter le monde.

PREMIÈRE PARTIE

La transcendance de la norme

CHAPITRE PREMIER

L'idéalisme prémoderne

LE COUPLE-HORS-DU-MONDE.
LE ROMAN HELLÉNISTIQUE

L'émergence du roman n'est possible que dans un monde qui a découvert sa propre unité, la liberté du moi et la force infinie de la divinité unique. Ces découvertes et l'immense dislocation qu'elles ont provoquée dans l'organisation du monde, dans la compréhension des normes morales et dans la psyché individuelle ont donné lieu, dans l'imagination anthropologique prémoderne, à trois figures distinctes : l'ermite, le peuple élu et le couple prédestiné.

Le personnage de l'ermite incarne, comme Louis Dumont l'a montré de manière si persuasive, la première tentative de faire accepter à la communauté humaine à la fois l'extériorité du divin par rapport à l'univers visible et l'existence d'un type d'individu qui, découvrant un idéal infiniment plus haut que les contraintes sociales, ose se dégager de celles-ci pour poursuivre celui-là [1]. L'ascète quitte la société de ses semblables pour se soumettre aux exigences de la divinité et, renonçant aux biens de ce monde — richesses et postérité —, il s'allie avec une puissance invisible, mais infiniment supérieure. Ce qu'il gagne en prestige et en influence indirecte compense largement la perte des biens intramondains : libéré des contraintes imposées par la communauté, l'ascète accède au statut d'individu-hors-du-monde et tire sa nouvelle

---

1. Louis Dumont, *Essais sur l'individualisme, une perspective anthropologique sur l'idéologie moderne*, Seuil, 1983.

autonomie directement du Dieu qui le possède et le protège. Les incarnations historiques de ce rôle sont multiples, les mieux connues étant celles qui ont vu le jour en Inde. C'est par ailleurs l'ascétisme indien qui a engendré le récit le plus célèbre du renoncement individuel au monde, la légende de Bouddha, transformée et christianisée sous la forme de l'histoire de Barlaam et de Josaphat.

Alors que la découverte de la divinité révèle à l'ascète la vanité de la vie parmi les hommes, dans le cas du peuple élu la divinité, en promettant son appui à Abraham, l'ancêtre de la nation, prête au contraire à la vie commune une cohésion et une durabilité sans égales. Dans son analyse de l'histoire d'Abraham, le jeune Hegel souligne la solitude et le détachement, en d'autres termes l'extramondanité, de l'homme d'Ur [1]. Étranger sur terre, attaché à sa singularité et opposé au monde, Abraham s'allie avec un Dieu tout aussi éloigné de la nature. Le sacrifice de son fils unique Isaac a bien la forme du renoncement ascétique, grâce auquel l'homme-hors-du-monde, en se désistant du droit à la postérité et en s'abandonnant entre les mains de son Dieu, accepte une norme infiniment plus haute que celle qui gouverne le monde. Mais alors qu'au terme de la perte du monde la récompense de l'ascète est l'indépendance individuelle par rapport à la communauté, le sacrifice d'Abraham a pour résultat non pas l'élection d'un seul homme au statut d'individu-hors-du-monde, mais celle de toute une nation. Cette élection magnifie à l'échelle collective le privilège d'extramondanité et confère à la descendance d'Abraham, prise dans sa totalité, le caractère d'exception et l'invulnérabilité symbolique réservée d'ordinaire aux seuls ascètes et ermites. L'histoire racontée par la Bible est celle d'un peuple dont l'unité et la cohésion sont à jamais garanties par l'alliance avec Yahvé, la collectivité assumant ainsi le rapport, en principe individuel, que les hommes établissent avec la divinité transcendante.

Le roman hellénistique développe une troisième figure de l'alliance entre les hommes et la divinité : le couple choisi par les Dieux et prédestiné au bonheur. À l'instar de l'ermite et de l'ancêtre du peuple élu, le couple prédestiné demeure étranger au monde qui l'entoure. Seul l'amour partagé guide la vie des jeunes protagonistes, les aidant à traverser une longue série d'épreuves qui figurent l'injustice du monde ambiant.

1. G. W. F. Hegel, *L'Esprit du christianisme et son destin*, traduction et commentaire de Frank Fischbach, Presses Pocket, 1992.

Les tours de la Fortune enfin déjoués, les noces sacrées qui concluent l'histoire soulignent le caractère hors du commun du destin des protagonistes. Séparés du monde, les héros du roman hellénistique n'atteignent pas la perfection ascétique ni l'isolement des véritables ermites, puisque, à la fin de leurs épreuves, ils n'abdiquent pas le droit de réintégrer la vie commune et d'avoir une postérité. Mais cette intégration n'abolit pas non plus — comme c'est le cas dans la figure du peuple élu — les liens individuels avec la divinité protectrice. Cas intermédiaire entre, d'une part, la béatification de l'individu-hors-du-monde et, d'autre part, l'élection divine qui distingue tout un peuple, la figure du couple-hors-du-monde représente l'effort de concilier, par le biais de l'amour vertueux, l'exigence d'ascetisme formulée par la divinité transcendante et l'appel de la vie en commun.

Bien que les romans hellénistiques, écrits probablement entre le IIe et le IVe siècle, soient le produit d'une époque où la pensée monothéiste, loin d'être une nouveauté, avait déjà depuis longtemps conquis la philosophie et faisait de considérables progrès dans la vie religieuse de l'Empire romain, la représentation *littéraire* d'un univers gouverné par une divinité unique et extérieure demeurait assurément insolite aux yeux d'un public habitué à retrouver dans les œuvres narratives les anciens échos du polythéisme. (Est-ce là l'explication de la diffusion relativement modeste des romans hellénistiques au sein de la culture qui les a produits?) Trois quarts de millénaire plus tôt l'épopée avait reçu et gardé l'empreinte des croyances en la multiplicité des dieux. Omniprésents, les immortels s'y battaient à côté des héros, les conseillaient, les abusaient, se déguisaient en vierges et en vieillards, empruntaient le visage des enfants absents.

Dans l'*Iliade*, Pallas Athéna et Aphrodite se mesurent l'une à l'autre par l'entremise des guerriers grecs et troyens. Composée plus récemment, à peine quelques siècles avant les premiers romans, l'*Énéide*, œuvre délibérément archaïsante, superpose le conflit entre Énée et les Carthaginois à celui qui met Vénus aux prises avec Junon. Mêlées à la nature et amies des hommes, les divinités épiques n'avaient au fond pas besoin, pour intervenir, d'agir en leur propre nom : la force d'Enée et la faveur de Vénus se confondaient entre elles, de même que la splendeur de Carthage et les intérêts de Junon. Plus tard, avec l'affaiblissement du polythéisme, cette heureuse indistinction a permis aux exégètes d'attribuer aux dieux épiques une fonction purement allégorique.

Dans la tragédie, en revanche, les dieux ne résident pas dans le même espace que les acteurs humains et ne sont perceptibles qu'en marge de la scène. Ils prononcent de temps en temps le prologue (*Hippolyte*), expriment leurs exigences à travers les oracles (*Œdipe Roi*, *Alceste*) ou, plus rarement, interviennent de manière fulgurante parmi les mortels pour précipiter le dénouement de l'action (*Iphigénie en Aulide*). Alors que le poème épique est habité en permanence par les dieux, ceux-ci ne visitent la tragédie qu'en temps de crise. Puissantes et capricieuses, ces divinités interviennent dans les affaires humaines à leur propre compte, semant autour d'elles la terreur et la compassion : invoquées avec parcimonie, elles ressemblent au destin, leur maître, dont les décisions n'admettent aucun appel. Chez Virgile, Junon défend, tant bien que mal, Carthage ; dans la tragédie d'Euripide, Artémis ne fait aucun effort pour protéger Hippolyte contre la fureur d'Aphrodite. De plus, à mesure que la force des divinités augmente, leur individualité s'estompe : dans *Iphigénie en Aulide*, le dieu qui sauve la fille d'Agamemnon demeure inconnu.

Augmentation de la force, rareté — et évidence — de l'intervention, effacement des traits individuels : cette dynamique du divin dont la tragédie avait esquissé le début s'accomplit dans le roman hellénistique. Les dieux anthropomorphes et fortement individués qui, épousant de près les conflits des hommes, peuplaient l'épopée et survivaient aux marges de la tragédie se retirent désormais de l'action romanesque : leur foisonnement se fond dans l'inconcevable puissance d'une divinité unique et invisible. Il est vrai que le souvenir des anciens noms divins subsiste pour un temps, mais ces noms ne sont de toute évidence qu'un leurre qui déguise, sans l'oblitérer, le visage du nouveau dieu, qu'il s'appelle Éros, comme dans *Chéréas et Challirhoé* et dans *Leucippé et Clitophon*, ou qu'il emprunte les divers noms de la divinité solaire, comme dans *Les Éthiopiques* d'Héliodore [1].

Dans ce dernier roman, les jeunes protagonistes Chariclée et Théagène se trouvent pour la première fois en présence à

---

1. La description du retrait des divinités anciennes est redevable à la réflexion de Marcel Gauchet, en particulier à l'ouvrage *Le Désenchantement du monde. Pour une histoire politique de la religion*, Gallimard, 1985.

Delphes, lors du festival en l'honneur d'Apollon. Leur sentiment, dirait-on, est un hommage rendu au plus lumineux des
anciens dieux. On se rend cependant bientôt compte que
l'Apollon de Delphes n'est qu'une incarnation parmi beaucoup d'autres d'un dieu solaire qui règne sur toute la terre
habitée. La famille de Chariclée souhaite que celle-ci épouse
un autre homme, mais les deux jeunes gens trouvent un protecteur dans la personne de Calasiris, prêtre égyptien consacré à la déesse Isis (mère du dieu-soleil Horus), qui les
encourage à fuir et les accompagne à travers leurs périples
africains. À Memphis, Arsacé, femme du gouverneur persan
de l'Égypte, tombe amoureuse de Théagène et condamne
Chariclée à être brûlée vive, mais le feu épargne la jeune fille,
qui, pourvue d'un talisman protecteur, invoque l'assistance
du Soleil et de la Terre (VIII, 9). La destination finale du
couple, décidée d'avance par l'oracle de Delphes, est le
royaume légendaire de l'Éthiopie, terre noircie par le soleil et
patrie du roi Hydaspe, qui est le vrai père de Chariclée. Là,
les jeunes gens, après force épreuves, reçoivent la permission
de se marier et, une fois que le roi a aboli les sacrifices
humains, ils sont revêtus du sacerdoce du dieu Soleil et de la
déesse Lune. À la fin du récit, l'auteur se désigne lui-même
comme Héliodore, Phénicien d'Émèse, de la race du Soleil
(X, 41).

Invisible et omniprésente, la divinité solaire préside au
déploiement de l'intrigue et tient bien en main le destin des
personnages. La trajectoire de Chariclée dépend à chaque
instant des serviteurs du dieu qui gouverne son destin.
Expulsée d'Éthiopie, la petite fille est sauvée au berceau par
Sisimithrès, prêtre éthiopien du Soleil ; Sisimithrès la confie
à Chariclès, prêtre de l'Apollon Pythien, qui voyage en
Égypte pour s'instruire (II, 27). Plus tard elle se mettra sous
la protection de Calasiris, qui invoquera sans cesse les
décrets divins. Chaque mouvement des personnages s'inscrit
ainsi dans un vaste projet providentiel, dont le sens ne
devient apparent qu'au terme du récit et qui a pour fin non
seulement le salut des héros, mais aussi la conversion de leur
monde ambiant.

Sous la protection de la divinité unique, la cohésion du
genre humain devient apparente. Dès l'instant de sa conception, l'existence de Chariclée est un défi lancé aux différences
de race et de terroir. Sa mère, la reine Persinna, qui compte
parmi ses ancêtres les dieux Soleil et Dionysos et les héros

Persée, Andromède et Memnon, fils de l'Aurore, avoue que pendant l'union avec son mari — effectuée sur l'ordre d'un songe prophétique — elle a eu sous les yeux une peinture représentant Andromède. Par chance, le germe prend la forme d'Andromède, et l'enfant, quoique de race éthiopienne, a le teint blanc (IV, 8). Pour ne pas être accusée d'adultère, la mère se voit obligée d'abandonner sa fille, que le destin conduit en Grèce et qui, adulte, ressemblera exactement à l'image d'Andromède (X, 14). On se souvient que la légende d'Andromède raconte le mariage entre une jeune princesse éthiopienne (mais dont le roman hellénise le teint) et un héros grec. Fille de Cépheus, roi d'Éthiopie, Andromède est sauvée de la mort par le Grec Persée, fils de Zeus et descendant d'Ægyptos par sa mère, l'Argienne Danaé. Épouse de Persée, Andromède le suit en Grèce où elle lui donne de nombreux enfants.

Éclairant *Les Éthiopiques* d'un jour symbolique, la légende d'Andromède évoque l'indistinction primitive de la terre, que les héros aux traits surhumains parcourent dans toutes les directions en défiant les obstacles. Face à cette unité primitive, le destin de Chariclée, nouvelle Andromède, confère au monde une unité d'ordre supérieur. Le visage que l'héroïne reçoit directement des dieux par l'intermédiaire de l'image mythique a pour mission de rappeler que la filiation divine prévaut sur la filiation humaine, que l'héritage paternel s'efface devant l'intervention surnaturelle et que la physionomie raciale est abolie dans l'unité du monde. À l'instar d'Andromède, la fille de Hydaspe est transplantée en Grèce et finira par épouser le grec Théagène. Mais le sens de cet éloignement ne se réduit pas à l'exogamie primitive célébrée par le mythe, dans la mesure où la mission de Chariclée consiste à faire transplanter Théagène en Éthiopie, où, à ses côtés, il consacrera sa vie à la divinité solaire.

L'unité du genre humain va de pair non seulement avec la dissolution des liens de sang, mais aussi avec l'arrachement à la patrie. L'épopée, elle, représente des personnages fortement enracinés dans leur appartenance locale, appartenance qui seule confère au conflit sa raison d'être. Les héros épiques, même ceux que les circonstances obligent de s'exiler de leur pays, préservent infailliblement leur allégeance à la terre d'origine et traitent les autres cités avec méfiance, voire avec hostilité. La victoire des Grecs sur les Troyens culmine dans la destruction de la cité asiatique, les périples d'Ulysse aboutissent — il ne saurait pas en être autrement — à Ithaque, l'exilé Énée abandonne l'opulente Carthage et l'amour de Didon pour édifier dans la pauvreté une nouvelle Troie.

Si la tragédie, il est vrai, met parfois en question la fidélité aux lois de la cité pour affirmer la suprématie des lois divines — *Antigone* en est l'exemple le plus célèbre —, le monde qu'elle représente n'en demeure pas moins confiné entre les murs de la *polis*. À défaut d'une intervention directe des divinités, les lois humaines prennent d'ordinaire le dessus dans le déroulement de l'intrigue tragique, et souvent d'une manière qui, du point de vue moral, est persuasive (peut-on, dans *Philoctète*, négliger la force des arguments d'Ulysse?). De surcroît, même dans le cas où la force morale des lois divines est évidente, comme dans *Antigone*, la tragédie ne défend pas un univers humain plus vaste que la cité, mais plaide en faveur d'une cité qui, à l'intérieur de ses limites, atteint la véritable noblesse en respectant l'institution de la famille. Car les lois au nom desquelles Antigone défie l'ordre politique ne sont autres que les préceptes du culte familial, les dieux qu'elle adore sont ceux de l'âtre, et le rejet de l'intérêt civique est prononcé au nom des droits du lignage. Refusant l'unité abstraite de la cité, Antigone sacrifie sa vie à la positivité des liens de sang.

Le roman hellénistique, en revanche, rejette aussi bien la famille charnelle que l'enracinement dans la cité. Élevée en Grèce, Chariclée y reçoit un nom et une nouvelle famille, mais le destin de la jeune fille ne s'y enlise pas, comme celui d'Andromède, bien établie à Argos et Tyrins. La jeune héroïne se sépare sans peine du pays libre qui l'a vue grandir, parce que l'appel divin est plus fort que le devoir envers la cité. Parmi les trois personnages auxquels l'héroïne donne le nom de « père », elle doit sa vie à l'Éthiopien Hydaspe et son éducation au Grec Chariclès, mais c'est de l'Égyptien Calasiris, le prêtre nomade de Memphis, qu'elle tient sa vocation. Sa véritable ascendance est céleste. De son côté, Théagène, né en Thessalie et descendant de la race d'Achille, quitte sans hésiter son pays pour suivre sa bien-aimée jusqu'au cœur de l'Afrique. La colère de Chariclès et celle des citoyens de Delphes, qui s'agitent en vain après le départ secret des deux amoureux, est au fond un sujet de comédie : la comédie de ce monde auquel nous n'appartenons que par défaut et seulement pour autant que la voix d'en haut ne s'est pas encore fait entendre.

Bien que la découverte de la divinité unique ait toujours été accompagnée du sentiment que ce bas-monde est une terre d'exil et bien que la victoire du vrai ascète réside dans le rejet du monde, la pensée monothéiste ne méprise pas nécessairement la patrie terrestre. Le livre de l'Exode met en scène — longtemps avant *Les Éthiopiques* — l'abandon du lieu de servitude, l'incompréhensible errance à travers le désert et la découverte de la terre promise par Dieu au peuple élu. Racontée du point de vue des Israélites, l'histoire de Moïse désigne l'Égypte, puissance étrangère et souvent ennemie, comme terre de l'exil, en réservant à Canaan la double qualité de patrie terrestre et céleste. Aussi, le Dieu d'Israël apporte-t-il à son peuple à la fois l'enracinement et la libération. Dans le roman de Théagène et de Chariclée, les héros quittent sans remords la cité grecque, foyer imaginaire de la culture hellénistique, source de fierté et de nostalgie pour les colons hellénophones qui, à l'instar d'Héliodore, vivaient autour de la Méditerranée sous la protection de l'Empire romain. Pour saisir le côté poignant de la situation, il faudrait imaginer un récit né dans la diaspora juive et qui décrirait Jérusalem comme le lieu même auquel il s'agirait d'échapper. Mais pour le couple prédestiné ni le lieu de naissance, ni le site de la civilisation n'influe sur la véritable destination des humains.

Le vaste monde qui s'ouvre aux protagonistes une fois qu'ils abandonnent leur famille et leur cité est un endroit surprenant et hostile. Les dangers que les héros traversent exhibent tous une physionomie fortement marquée, la mer agitée par les tempêtes, les grottes obscures, Memphis avec ses temples, ses palais et ses prisons, Syéné prise dans l'étau d'un siège spectaculaire. Ces descriptions font certainement écho aux tableaux rendus célèbres par la tradition épique. Même chose dans l'*Énéide* : les sites décrits (la mer orageuse du premier chant, la crique paisible où débarque Énée, Carthage la majestueuse) sèment la crainte et l'espoir dans le cœur des Troyens. Mais dans la poésie héroïque les personnages réagissent à l'adversité et à la prospérité de manière à la fois juste et naïve, comme si leur lot consistait à répondre de bon gré à l'abondance de défis. Ils vivent, dirait-on, de plain-pied avec les autres tribus et avec la nature, dans un espace habité à titre égal par la multitude des hommes et des dieux. Dans l'imaginaire du polythéisme, la diversité du monde, image de la diversité divine, est la forme ultime, irréductible, sous laquelle se manifeste l'Être. Dans le roman grec, en revanche, par-delà leurs particularités, les écueils parsemés sur la route du jeune couple se confondent dans une seule *idée*, celle d'une immense adversité qui les harcèle sans cesse.

Homogène dans son hostilité à l'égard des protagonistes, l'imperfection du monde sublunaire abrite néanmoins une multiplicité de formes d'organisation humaine, que le lecteur des *Éthiopiques* — comme par ailleurs celui de *Chéréas et Challirhoé* de Chariton d'Aphrodise — est censé saisir et juger. Les périples du jeune couple, en apparence régis par le hasard, dévoilent en réalité toute une topologie morale et politique. Le roman commence *in medias res*, à l'instant où une bande de hors-la-loi qui hante l'embouchure du Nil découvre sur le rivage d'en face un bateau amarré entouré de corps récemment massacrés. Seule survivante, une jeune fille d'une beauté surhumaine, assise sur un rocher non loin du lieu du désastre, contemple un jeune homme blessé étendu devant elle (I, 1-2). Loin de toute société organisée, entourés par les conséquences atroces de la *liberté sauvage*, Chariclée et Théagène, car ces jeunes abandonnés sont, on l'aura deviné, les protagonistes de l'histoire, pleurent leur amour et leur mauvaise fortune. Ils tomberont, pour un temps, entre les mains des brigands, qui ne connaissent d'autre sentiment que la convoitise et l'appât du gain. Le lecteur sera bientôt informé des épisodes qui ont précédé le naufrage par le prêtre Calasiris, temporairement séparé de ses jeunes protégés. Dans ce récit on découvre la *liberté civilisée* de Delphes, incarnation idéalisée de la cité grecque soumise à la tradition, site de somptueuses cérémonies en l'honneur d'Apollon (II, 34-36 ; III, 1-4) qui occasionnent la rencontre des deux jeunes gens. Avec toute sa liberté et toutes ses traditions, la cité n'en entrave pas moins les aspirations du jeune couple. La famille et la tradition civique menacent l'amour qui les unit autant, sinon plus, que les brigands du delta du Nil.

Arrivés après maintes péripéties à Memphis, les protagonistes tombent sous la coupe de l'*autorité sauvage*, le plus odieux des régimes. Esclave de ses caprices, Arsacé, épouse d'Oroondatès, satrape persan de l'Égypte, tyrannise les hommes pour satisfaire ses mauvaises passions. Amoureuse de Théagène, elle détourne de leur fonction naturelle les institutions fondées pour défendre l'ordre public — la justice, les gardes, la prison —, et tente d'obtenir par la force le consentement du jeune homme (VIII). Empêtrée dans les maillons de ses propres intrigues, Arsacé doit à la fin laisser partir le jeune couple, qui, après un séjour au camp d'Oroondatès, se rend à Méroé, capitale de l'Éthiopie. Le quatrième et dernier régime, l'*autorité civilisée*, sera instauré en Éthiopie sous les yeux du lecteur, par la réforme de la monarchie déjà fort généreuse de Hydaspe, véritable antithèse de la tyrannie d'Arsacé. Soumis aux lois, guidé par la prudence, le monarque éthiopien n'atteint véritablement la perfection qu'en cédant aux prières du peuple et du collège des prêtres pour mettre fin à la cruelle tradition des sacrifices humains (X, 39). S'il ne fait pas de doute que les régimes sauvages sont méprisables, semble dire ce roman, ni la liberté ni la coutume ne parvient à assurer, à elle seule, le bonheur des hommes. L'ordre, d'abord, vaut mieux que la liberté — la preuve en est que le Grec Théagène choisit de demeurer en Éthiopie —, la piété éclairée, ensuite, l'emporte sur le respect de la coutume — comme le démontre l'abolition des sacrifices. Le régime politique propre au monothéisme — la monarchie éclairée par le sacerdoce — est proposé au lecteur comme l'idéal de l'organisation civique.

La réflexion politique, par ailleurs, ne se manifeste qu'à l'arrière-plan d'une œuvre dont le centre d'intérêt est l'amour du jeune couple. Une anomalie générique semble affecter ce choix, car le thème du couple dont l'amour partagé contredit les projets des parents est un thème par excellence comique. Au cœur des *Éthiopiques* (et encore plus visiblement dans *Leucippé et Clitophon*), des traces comiques subsistent : stratagèmes, fausses maladies, fuite des amoureux. Les couples comiques, cependant, ne tardent pas à retourner sous le toit paternel pour demander humblement le pardon : perturbateur temporaire de la paix, l'amour des comédies domestiques (chez Ménandre, Plaute et Térence) naît et s'accomplit à l'échelle minuscule du foyer. Après avoir suggéré un instant l'autonomie du couple, l'amour de comédie œuvre à son intégration dans la famille. Le sentiment qui unit Théagène et Chariclée, en revanche, a pour théâtre l'ensemble de l'univers : leur passion tranche les liens familiaux, jette à bas les portes de la cité et, en révélant au couple son origine divine, l'incite à retrouver sa patrie mystique.

Cet amour, au nom duquel les personnages se détachent du monde et partent à la quête du vrai bonheur, est gouverné par l'idéal de la chasteté. La vertu parfaite des personnages (qui, vivant l'un près de l'autre, loin de la famille et souvent dans la solitude la plus favorable, n'éprouvent jamais la tentation de céder à leurs désirs) dénote, comme on l'a souvent remarqué, la maîtrise que les protagonistes exercent sur eux-mêmes, condition nécessaire de leur séparation d'avec la famille et la cité. Alors que le sentiment impulsif et capricieux des amoureux de comédie exhibe les marques de la faiblesse et anticipe le retour du nouveau couple au sein du foyer, l'amour du roman hellénistique, preuve de la force des héros, est en même temps le signe durable de l'indépendance du couple. Libérés de leur milieu d'origine, les amoureux affirment par le moyen de la chasteté leur adhésion à une norme idéale qui leur assure la supériorité sur le reste des humains.

La chasteté au sein du couple se prolonge par le refus des tentations venant de l'extérieur (à noter cependant la faiblesse du personnage masculin dans *Leucippé et Clitophon*). Comme tous les personnages des romans hellénistiques (et notamment Callirhoé dans *Chéréas et Callirhoé*), Théagène et Chariclée sont doués d'une beauté surnaturelle, marque visible de l'élection divine, qui attise autour d'eux les mauvais désirs, en particulier la passion du gain (chez les brigands) et la lubricité (chez Arsacé). Poursuivis par les passions viles des hommes, les amants demeurent fidèles, leur constance étant une forme privilégiée de sanctification au sein du monde : elle unit les corps parce que l'aspiration vers le divin a déjà uni les âmes. C'est à la lumière de ce principe qu'il faut comprendre les péripéties de Callirhoé dans *Chéréas et Callirhoé*, péripéties qui semblent, à première vue, contredire l'exigence de la chasteté. Séparée de son mari, Callirhoé lui reste fidèle dans un sens purement spirituel, bien qu'en pratique elle doive partager le lit d'un autre homme. Ses malheurs, qui cessent lorsqu'à la fin du roman elle retrouve son époux grâce à l'aide de la déesse Aphrodite, évoquent ceux de l'âme exilée qui, jetée dans ce bas-monde, est contrainte d'accepter l'humiliation de la condition charnelle avant de retrouver son vrai foyer.

Forts, chastes, fidèles, les héros du roman hellénistique sont de surcroît inflexibles. Les naufrages, la captivité, l'éloignement de l'être aimé, les persécutions, la prison, la torture, le bûcher n'exercent jamais la moindre influence sur ces êtres plus brillants que le diamant et plus résistants que l'acier. Leur amour étant à certains égards une allégorie du salut, leur résistance aux adversités est la forme que prend

leur séparation avec le monde et leur élection par la divinité.
L'interminable suite de malheurs dont les jeunes gens sont la
cible leur dévoile le vrai visage du monde : celui d'une vallée
des larmes qu'il importe de fuir. Si ces malheurs les trouvent
inflexibles, c'est précisément parce que les termes de leur
vocation leur dictent non pas de composer avec le monde,
mais de s'en séparer. Tels les sages stoïciens bien à l'abri
dans leur citadelle intérieure, ces personnages demeurent
impassibles devant la mutabilité et la souffrance. (C'est pourquoi il n'y pas de sens à déplorer, comme on l'a souvent fait,
l'absence de l'évolution psychologique chez les protagonistes
des romans hellénistiques.)

Cette forme de constance diffère certes de la vivacité énergique qui distingue les héros épiques. Les personnages extro-
vertis des poèmes héroïques n'existent qu'en vertu de leurs
actions, en sorte que leurs traits de caractère — l'irascibilité
d'Achille, la ruse d'Ulysse, la piété d'Énée — définissent la
manière dont ils mènent à bien leurs diverses tâches ou projets. La physionomie des héros de tragédie porte les traces de
leur faute et de leur démesure : l'orgueil déçu d'Œdipe, la
colère de Clytemnestre, le ressentiment d'Électre. Dans le
roman hellénistique, en revanche, les protagonistes prennent
rarement l'initiative et évitent autant que possible d'agir.
C'est sans doute pour cette raison que ces héros de l'absten-
tion n'ont pour ainsi dire pas de traits spécifiques, leurs
visages sereins et leurs yeux lumineux les faisant ressembler
aux dieux plutôt qu'aux humains.

Le schématisme inhérent à ces vertus évoque, dirait-on,
celui des personnages des contes merveilleux, également
dépourvus d'individualité. Pour vraisemblable qu'il puisse
paraître, ce rapprochement avec l'une des formes narratives
les plus archaïques n'est cependant qu'un leurre car, regar-
dés de près, les héros du roman grec exhibent bien les rudiments d'une propriété nouvelle, l'intériorité. La résistance
qu'ils opposent aux caprices de la Fortune sert, en effet, une
double cause — celle de l'amour et de l'élection divine — qui
les pousse manifestement hors du monde. En venant à bout
des obstacles extérieurs, les amants inflexibles ont pour
seules fins la survie du couple et l'acceptation de l'appel
divin, comme si la multiplicité des enjeux du monde sublunaire ne présentait pour eux aucun intérêt. En définitive,
semble dire le roman, le théâtre de l'action visible n'est pas
celui qui compte, et au-delà du choc, il est vrai monotone, de

l'adversité, le véritable sens des aventures romanesques est la sauvegarde d'un espace intérieur à peine désigné, lieu de l'amour, de la piété et du respect des normes.

L'univers du roman hellénistique se déploie, par conséquent, entre deux pôles qui demeurent pour l'instant presque indicibles : la divinité unique, séparée du monde, et son corrélat indispensable, l'espace inviolable creusé à l'intérieur de l'être humain. La puissance infinie du nouveau dieu et l'inflexibilité de l'âme humaine se reflètent l'une dans l'autre, comme si ces deux instances spirituelles avaient forgé une alliance sacrée contre les forces qui les séparent : en l'occurrence, l'univers matériel et la société humaine. En vertu de cette alliance, le couple prédestiné ne fait plus strictement partie de ce bas-monde et le regard qu'il jette sur le royaume de la génération et de la corruption est aussi calme et aussi froid que celui de la divinité. Et puisque ce regard contemple le train du monde sous un angle nouveau — *sub specie divinitatis* —, il n'y a pas lieu de s'étonner que la propriété de la création qui le frappe le plus sera désormais sa contingence.

Si, donc, le règne mondain de la contingence forme un des objets privilégiés des romans hellénistiques, ce n'est pas parce que leurs auteurs souffriraient d'un défaut d'imagination ni qu'ils ne parviendraient pas à saisir l'organisation du monde dans la richesse de ses catégories. On a vu plus haut qu'en réalité la représentation de ces catégories dans *Les Éthiopiques* — en l'occurrence celle des régimes politiques — est fortement différenciée, comme si l'auteur souhaitait exalter à l'arrière-plan de l'œuvre la diversité vivante du monde, pour aussitôt la rabaisser et réserver l'avant-scène à la sublime vocation des héros. Au lecteur non avisé, les aventures des héros romanesques peuvent bien paraître une succession monotone d'épisodes permutables qu'on saurait prolonger indéfiniment, une sorte de degré zéro de l'intrigue, maladroitement rehaussée de retours circulaires et coiffée d'une flagrante incapacité de conclure. La critique formaliste a mis le thème du voyage, qui se retrouve si fréquemment dans les romans hellénistiques, sur le compte d'un simple besoin de motiver l'« enfilage » des épisodes [1]. En s'arrachant les uns aux autres l'héroïne du roman, les

1. Victor Chklovski, « La Construction de la nouvelle et du roman », in *Théorie de la littérature*, textes réunis par Tzvetan Todorov, Seuil, 1965, p. 170-196, en particulier p. 193-196.

pirates alimenteraient le « suspense » ; en se trompant sans
cesse de destination, les bateaux surpris par les tempêtes
assureraient la prolifération, naïve mais agréable, des aventures des personnages. Ces hypothèses, qui invoquent le
témoignage des indices formels, occultent en fait les liens
entre la structure formelle et la vision du monde exprimée
par le roman. En réalité, la suite d'aventures reflète les principes gouvernant l'univers du roman : la rencontre initiale
et la réunion finale des amoureux ont souvent lieu à l'occasion de fêtes publiques en l'honneur des dieux parce que
l'amour divin sanctifie l'amour profane, et la traversée du
désert terrestre occasionne un passage en revue de la sauvagerie et de l'injustice des hommes pour que le couple par-
vienne à comprendre la vanité du monde soumis à la
Fortune.

Il est vrai que l'ordre même dans lequel les personnages
subissent leurs mésaventures n'est pas toujours motivé. *Les
Éthiopiques* commencent *in medias res*, sur les bords du Nil,
et les méandres du récit accentuent le désordre apparent de
l'intrigue racontée. L'histoire aurait tout aussi bien pu
s'ouvrir dans la prison de Memphis, Chariclée et Théagène
auraient certes pu tomber entre les mains des brigands
après l'épisode à la cour d'Arsacé, ou encore subir de
nombreux autres sévices avant de parvenir à Méroé en
Éthiopie. Mais il ne faut pas perdre de vue que l'ordre de
succession des épisodes racontés dépend de l'anthropologie
mise en scène par le roman. C'est cette anthropologie qui
exige un certain désordre, une certaine instabilité dans la
succession des épisodes. Loin de représenter une forme
primitive d'intrigue, l'« enfilade » d'épisodes est en fait le
produit d'une réflexion assez poussée sur la nature du destin. La preuve en est que dans les genres narratifs plus
anciens — les mythes, les contes merveilleux, les poèmes
héroïques — l'intrigue, faisant un usage parcimonieux des
épisodes, cherche surtout à mettre en évidence, du côté des
acteurs, les liens entre l'action et la raison d'agir, et du côté
de l'univers qui les entoure, la motivation profonde de leur
destinée. L'économie d'épisodes souligne la force de ces
liens et l'évidence de cette motivation. Œdipe tue son père
parce qu'il doit survivre ; sa chute, décidée par les dieux,
rappelle aux hommes que leurs actions les plus justifiées
risquent de troubler secrètement l'ordre cosmique. Le héros
du conte merveilleux tue le dragon afin de sauver la fille du

roi ; il l'épouse parce que les hauts faits doivent à la fin être récompensés. Achille reprend les armes pour venger la mort de Patrocle ; la prise de Troie punit le ravissement d'Hélène. Ces intrigues racontent, en un mot, la cohérence de la Fortune. Pour prouver l'*incohérence* de la Fortune, le roman a besoin d'une longue enfilade d'épisodes rattachés entre eux par des liens contingents.

Par ailleurs, la découverte du caractère relativement aléatoire du sort humain est un résultat tardif et considérable de la pensée. Comprendre que l'action humaine et ses fruits ne sont pas motivés dans chacun de leurs détails implique une cosmologie qui s'est libérée du besoin primitif — incarné dans la mythologie polythéiste — de joindre à tout événement des justifications qui soient à la fois locales et cosmiques. Dans le système polythéiste, chaque phénomène et chaque événement suscitent une explication *ad hoc*, un petit mythe qui met en scène l'action locale d'une divinité spécialisée. (Soit dit en passant, cette caractéristique de la pensée polythéiste est la cible d'une ironie aussi facile que justifiée dans *La Cité de Dieu* de saint Augustin.) La présence massive de la contingence dans la représentation du destin terrestre présuppose une double croyance : qu'il existe une harmonie universelle infiniment supérieure à la succession visible des événements et qu'en comprenant la vanité de cette dernière les hommes peuvent avoir accès à la sagesse divine. La longue suite d'aventures du couple romanesque donne corps précisément à cette double perception : l'enfilade d'épisodes mal enchaînés et répétables à volonté expose au grand jour la pauvreté logique du monde sublunaire, et met le lecteur en garde contre la fausse cohérence prêchée par les mythes, les contes et l'épopée.

Mais il y a plus. Si, à un premier niveau, le roman grec juge le monde sublunaire illogique, imperméable à la causalité et sujet à la contingence, à un deuxième niveau la multitude d'épisodes en apparence aléatoires qui séparent la rencontre des héros de leur union finale se révèle, à la réflexion, susceptible d'obéir à l'ordre. L'exemple, analysé plus haut, des régimes politiques présents dans *Les Éthiopiques*, montre que cet ordre forme une taxonomie plutôt qu'un système causal. Au-delà des tempêtes, des brigands, des guerres et des tyrans qui persécutent le couple d'amoureux, on parvient à dégager une théorie politique cohérente qui explique en dernière instance à la fois le comportement des différents groupes de personnages et le sens terrestre du voyage des héros. L'ineptie des brigands, la cruauté d'Arsacé peuvent bien manquer de véritable motivation au niveau de l'intrigue ; leur explication réside dans les idées abstraites — liberté sauvage, ordre sauvage — qui subsument ces divers personnages. Le sens des événements, en d'autres termes, n'est pas donné individuellement et à tous les coups, mais leur limaille laisse bien voir la direction des forces abstraites qui les orientent. Le roman hellénistique est un genre spéculatif.

À un troisième niveau de réflexion, enfin, le contraste entre le caractère aléatoire des événements racontés et la grille de catégories abstraites qui les organise souligne la différence entre la perspective immédiate des acteurs qui, avançant sur le chemin de la vie, subissent les épreuves imprévisibles du sort, et la réflexion sur le sens des événements une fois qu'ils se sont produits. Enchaînant les épisodes à l'improviste, accumulant les revers du destin, le roman hellénistique tente de rendre perceptible la *surprise de vivre* telle que l'éprouvent les personnages eux-mêmes dans le vif du présent, lorsqu'il est impossible de prévoir la suite des événements. Cela confirme l'observation selon laquelle la ténacité des personnages face aux caprices de la fortune signale l'éclosion d'un espace inviolable à l'intérieur de l'être humain, d'un embryon d'intériorité. Les aléas de la fortune évoquent, avec des moyens encore naïfs, les rudiments d'une perspective subjective. Ces moyens sont naïfs dans la mesure où la surprise de vivre et l'impossibilité de prévoir l'avenir, sentiments réservés aux seuls participants à l'action, sont pour ainsi dire objectivées, matérialisées dans l'inconcevable suite de coups de théâtre qui forme la trame de l'intrigue. Un peu comme certaines fresques byzantines calculent la grandeur des personnages selon leur importance hiérarchique plutôt que selon leur position par rapport au spectateur, le roman grec exagère l'imprévisibilité des épisodes pour souligner le mystère de l'avenir immédiat. L'inquiétude provoquée par ce mystère ayant été objectivée — et donc exorcisée —, il devient possible de peindre les héros dans toute la force de leur stoïcisme.

ENRACINEMENT DU HÉROS ET FORCE
DE LA NORME. LE RÉCIT DE CHEVALERIE

Dans l'anthropologie à la fois simple et persuasive qui se
dégage du roman hellénistique, la divinité unique s'allie au
couple d'amoureux prédestinés et les guide dans leur résistance aux caprices de la Fortune. Le monde visible, dont
l'ordre abstrait n'est apparent qu'au lecteur, présente aux
héros un visage désordonné et hostile, et l'objectif de ces derniers est de s'en détacher pour chercher refuge dans leur
vraie patrie spirituelle. Cette vision, fruit de la civilisation
hellénistique parvenue depuis longtemps à sa maturité,
incorpore une réflexion sur l'alliance entre le soi et la divinité, sur l'unité du monde sublunaire et sur la constance
individuelle. Concevant leur intériorité sous la forme d'une
citadelle imprenable, les personnages s'y retranchent pour
résister aussi bien à leurs propres pulsions qu'aux hasards du
monde. L'amour, la vertu et la piété les détournent de
l'action.

Comparés à ces êtres de perfection et de fuite, les héros des
romans de chevalerie, animés par une énergie et par une
force physique intarissables, semblent pétris de la même
glaise que les archaïques tueurs de monstres célébrés par la
mythologie polythéiste. À l'instar de ceux-ci, les chevaliers
errants des romans en vers de Chrétien de Troyes et de Wolfram von Eschenbach, tout comme ceux qui figurent dans les
romans en prose (de *Merlin* et de *La Quête du Graal* aux
chefs-d'œuvre tardifs *Tyrant lo Blanc* et *Amadis de Gaule*), se
lancent au cœur du monde, participent à tous les affronte-
ments et sont prêts à risquer leurs vies à la moindre provoca-
tion. Ces êtres puissants, impulsifs, qui ne veulent pas garder
les distances avec ce qui arrive autour d'eux, sont assurément
le produit d'une société plus proche de ses sources héroïques
que la civilisation hellénistique tardive qui a vu naître *Chéréas et Challirhoé* et *Les Éthiopiques*.

Mais il ne s'agit ni du monde sauvage parcouru par les
tueurs primitifs de dragons, ni d'ailleurs de la fondation ou
de la destruction épiques des royaumes. Bien que la terre
qu'habitent ces chevaliers soit encore parsemée de prodiges
(fées, nains, géants, magiciens, personnages ensorcelés, fon-

taines miraculeuses, tombeaux périlleux), elle est déjà divisée en royaumes, couverte de belles villes et de somptueux châteaux forts et, surtout, gouvernée par un ordre non écrit mais incontournable. Alors que les tueurs de dragons célébrés par la mythologie grecque et par les contes merveilleux sont issus de toutes les couches de la société et acquièrent la gloire en écrasant les monstres telluriques, les chevaliers de roman, figurant une période héroïque plus tardive, appartiennent à la caste des héros héréditaires dont la vaillance s'accroît en proportion avec la dignité de leur naissance. Leur rôle, qu'ils exercent partout où ils se trouvent, consiste à défendre l'ordre moral contre ses adversaires humains : les oppresseurs des faibles et les accusateurs des innocents. Dans un monde où la féerie et le faste côtoient la trahison et le désordre, chaque chevalier incarne la majesté de la loi non écrite.

Pour illustrer cette forme d'univers fictif, j'ai choisi *Amadis de Gaule* (œuvre attribuée à Rodriguez de Montalvo et publiée autour de 1508) et ceci pour deux raisons. En premier lieu, faisant partie d'une génération tardive de romans de chevalerie, l'*Amadis* est à bien des égards une somme du genre, qui reprend et développe la réflexion des œuvres antérieures. Il est vrai que plusieurs traits qui distinguent les romans en vers sont absents ici — par exemple le thème, si fréquent chez Chrétien de Troyes, de l'énigmatique défaut qui sape la force du héros : oubli du devoir dans *Erec et Énide*, déloyauté dans *Le Chevalier à la charrette*, lenteur de l'esprit dans *Le Conte du Graal*. Mais en dépit de cette absence, l'*Amadis* traite les principaux grands thèmes chevaleresques avec une exactitude remarquable. En second lieu, à la différence des romans médiévaux plus anciens et précisément à cause de sa date tardive, l'*Amadis* a été beaucoup lu et apprécié jusqu'au xviiie siècle, jouant le double rôle de modèle et de repoussoir pour de nombreux romans de l'époque moderne. On ne peut que regretter que notre âge, insensible au charme de cette grande œuvre, l'ait exclue du panthéon des textes classiques, comme si l'ampleur et la diversité de sa composition, si appréciées par ses innombrables admirateurs du xvie et du xviie siècle (dont Cervantès ne fut pas le moindre), devaient nécessairement choquer le lecteur moderne, habitué à des constructions calculées d'après d'autres principes. L'esthétique néoclassique jugeait dans les mêmes termes les anciennes cathédrales à chœur romain, transept gothique et jubé baroque, dont elle méprisait l'irrégularité barbare. L'*Amadis*, il est vrai, juxtapose presque sans transition des masses textuelles hétérogènes, dues assurément à des plumes différentes : la première partie de l'ouvrage, consacrée à l'éducation guerrière du héros, ressemble peu à la deuxième, qui raconte les tribulations amoureuses du chevalier, et encore moins aux deux dernières parties, dont le ton et la morale mettent en question l'ancien esprit de chevalerie. Il reste que l'ensemble dégage, tels ces immenses sanctuaires bâtis au long des siècles, une imposante unité d'inspiration.

Cette unité ne repose pas sur le succès d'une solution, mais sur la permanence d'un problème. Comme le roman hellénistique, mais à partir de données différentes, le roman de chevalerie s'efforce de trouver l'équilibre entre le défi représenté par le milieu humain, la réponse individuelle à ce défi et l'autorité transcendante qui justifie cette réponse. Or, si dans la solution du roman hellénistique les héros, avec l'appui de la divinité, rejettent le monde sublunaire en tant que site de la contingence, dans les récits de chevalerie en général et dans l'*Amadis* en particulier, les héros aiment le monde, l'habitent et l'affrontent afin d'y imposer une justice toute humaine.

Moins tributaire de la conception monothéiste du monde que le roman hellénistique, le roman de chevalerie n'accorde à la divinité chrétienne qu'une place ornementale dans les hauteurs inaccessibles de l'univers. La spiritualisation de la légende arthurienne, visible dans les œuvres en prose attribuées à Robert de Boron, ainsi que dans *La Quête du Graal*, a été opérée pour ainsi dire de l'extérieur et au défi des traits qui distinguent les romans de chevalerie. Les éléments surnaturels propres à ces romans tiennent plutôt de la féerie et, dans l'*Amadis*, prennent la forme de personnages comme l'enchanteresse Urgande la Desconnue, être fabuleux qui, parcourant les mers sur une galère ardente entourée de feux follets, éblouit les personnages avec ses prophéties sibyllines, ou comme les créatures fabuleuses aux noms sonores, Famongomadan, Catardaque, Mandafabule, Arcalaus le sorcier, Ardan Chienlion, qui viennent de temps en temps troubler la paix du royaume. Le merveilleux n'occupe cependant pas le centre de l'action, et le destin des chevaliers errants n'est pas défini (comme c'est le cas des tueurs de dragons dans les contes populaires) uniquement par les forces magiques qui les assistent ou qui les contrarient.

Le chevalier traverse et affronte le monde en s'appuyant en premier lieu sur la rigueur des normes auxquelles il adhère. En l'absence d'un rapport direct avec la divinité transcendante et ne se fiant pas uniquement au secours de la féerie, le chevalier répond au désordre du monde en comptant sur ses propres forces, qu'il dépense en conformité avec les lois, librement assumées, de l'honneur et de la courtoisie. L'individualité héroïque du chevalier ne s'identifie ni aux règles du courage sacrificiel (puisque les chevaliers ne font pas un travail de « bouc émissaire » dont le fruit serait la réconciliation durable de la société) ni à celles de la réciprocité, système qui fait reposer la vie en commun sur l'échange de dons. Car, bien que les hauts faits de chevalerie soient assurément des dons — ceux du sang et de la vie —, ces dons, loin de dissimuler un sens en fin de compte utilitaire, incarnent le *dévouement inconditionnel* à la justice[1]. C'est pourquoi la norme à la fois rationnelle, généreuse et indiscutable que suivent les chevaliers exige la rencontre active avec le monde plutôt que l'alliance avec la divinité, la solidarité avec les autres membres de la société plutôt que la dévotion au salut personnel. Or la question implicite qui traverse tout roman de chevalerie, l'*Amadis* compris, est de savoir si la sévérité idéale de cette norme permet le déploiement d'un destin individuel. À cette question, *Amadis de Gaule* propose trois réponses successives.

Site d'une activité frénétique mise sous le signe du *devoir de chevalerie*, le premier livre met en scène une société décentralisée où le pouvoir est exercé, loin du monarque, par les seigneurs qui assurent le contrôle de chaque région. Selon l'idéal qui gouverne ce système, le devoir des forts est de protéger la faiblesse, celui des heureux d'alléger l'infortune et celui des gens de bonne foi de résister à la félonie. L'application de cet idéal à la réalité des rapports sociaux demeure cependant problématique, puisque, en l'absence d'une surveillance centrale et permanente, l'ordre dépend de l'adhésion volontaire des puissants aux normes de la justice. Or la malice humaine engendre en permanence les abus et rallume sans cesse les foyers de violence. Les chevaliers errants parcourent le pays pour éteindre ces foyers et pour imposer, de

---

1. Ces remarques convergent avec la théorie du don développée par Marcel Hénaff dans son beau livre *Le Prix de la vérité*, Seuil, 2001.

manière toujours insuffisante, le règne de la norme. S'il est vrai que le caractère local et limité des infractions les rend susceptibles de réparation rapide, il reste que cette réparation s'effectuant toujours de manière dispersée et à la pièce, il ne peut jamais y avoir de combat décisif ni de rétablissement permanent de l'ordre. Rien, dans un roman de chevalerie, n'arrive plus souvent et rien ne mobilise les personnages avec autant de célérité que la recrudescence de la violence et de la mauvaise foi, comme si le thème général de ces romans était à la fois la nécessité et la vulnérabilité du lien social.

La norme que les chevaliers s'efforcent de sauvegarder au risque de leur vie est donc perpétuellement menacée, et la concrétisation de cette menace s'appelle l'*aventure*. Jour et nuit, dans leurs châteaux, autour de la table ronde, sur la route, les chevaliers demeurent au guet attendant qu'on les appelle à l'aide. Aussitôt qu'ils apprennent qu'un foyer de violence et d'injustice s'est rallumé, leur devoir, qui prévaut sur tous les autres désirs et obligations, consiste à agir sans délai et en personne. Lorsqu'on vient demander son secours, le chevalier est obligé, en vertu de son serment, de quitter à l'instant ses amis, sa famille, son suzerain, de s'arracher des bras de sa bien-aimée, de monter à cheval et de partir se battre. La rigueur de cette obligation est double : il s'agit d'abord de l'honneur du chevalier, que la moindre lâcheté souillerait à jamais. Mais il est également question d'un rapport plus mystérieux et plus contraignant qui s'établit entre le chevalier et l'aventure : en vertu d'une décision secrète du destin, chaque aventure appartient à un chevalier bien déterminé, qui est seul à devoir et à pouvoir l'assumer.

L'action du roman de chevalerie juxtapose donc deux récits complémentaires : d'une part celui des grands événements de la vie du protagoniste — naissance, éducation, adoubement, amours, succès auprès du roi —, d'autre part celui des innombrables boucles des aventures qui s'ouvrent et se ferment entre ces grands moments, sans que cette bifurcation trouble l'harmonie entre la vocation du chevalier et son destin individuel. Au contraire même, dans le premier livre de l'*Amadis*, à force de suivre l'enchaînement rapide d'aventures, le lecteur en arrive parfois à percevoir la très lente histoire des amours entre le jeune Amadis et Oriane, fille du roi Lisuart, comme une *interruption* du mouvement aventureux du récit. Le poids des exploits secondaires ne le cède donc en rien à celui de l'action principale, et entre l'intrigue intégrative, qui comprend les grands moments de la vie du héros et de ses compagnons d'armes, et la prolifération d'aventures réservées au héros s'établit une sorte d'équilibre qui oriente l'attention du lecteur tantôt vers le dessein global du roman et tantôt vers la dentelle de boucles épisodiques.

Le caractère épisodique et répétitif des romans de chevalerie découle ainsi d'un principe fort différent de celui qui multiplie les épisodes du roman hellénistique. Alors que dans *Les Éthiopiques* la suite d'aventures, en apparence aléatoire, signifie en dernière analyse la séparation entre le bas-monde et l'âme qui se dévoue à son amour et à son dieu, dans le premier livre d'*Amadis de Gaule* l'infinité d'épreuves qui guettent le héros et ses compagnons d'armes scelle une alliance durable entre ces personnages et le vaste monde qu'ils tentent interminablement de sauvegarder au nom de la norme morale qui gouverne la vie en commun.

L'exemple de l'inimitié entre Amadis et le cruel châtelain Dardan (*Amadis de Gaule*, I, 24) illustre bien la participation des chevaliers aux affaires de ce monde et l'idéalité contraignante des normes qu'ils respectent. Surpris par la nuit dans une contrée inconnue, Amadis frappe à la porte d'un château et demande hébergement. Le châtelain du nom de Dardan refuse d'ouvrir la porte, se moque d'Amadis, et, pis, décline l'offre de combat. Comme les lois de l'honneur et de la bienfaisance forment un tout, on peut s'attendre qu'un chevalier qui néglige de bon cœur l'obligation de l'hospitalité soit toujours injuste à l'égard de ceux qui dépendent de lui. En effet, chaque fois qu'un mauvais châtelain est vaincu ou tué par un chevalier errant, celui-ci découvre une multitude de prisonniers innocents qui gémissent dans les oubliettes du château. Dans ce cas-ci, on apprend que Dardan, souhaitant gagner la faveur d'une demoiselle, persécute injustement la belle-mère de celle-ci. Cette nouvelle infraction à la justice (le fort doit protéger le faible et l'homme la femme seule) offre à Amadis à la fois l'occasion de se venger et celle d'améliorer le cours du monde en punissant un félon. Il défie Dardan au combat singulier et, après l'avoir vaincu devant la cour du roi Lisuart, lui fait grâce.

Or la demoiselle qui demandait à Dardan de persécuter l'innocente belle-mère n'éprouve aucun scrupule à abandonner son chevalier et à s'offrir séance tenante à Amadis, vainqueur du tournoi. Dardan subit ainsi l'iniquité qu'il a fait subir aux autres : le persécuteur des faibles se voit trahi à son tour aussitôt qu'il se trouve en position de faiblesse. Dardan est un des rares félons qui, obligé à réfléchir, parvient à comprendre à ses propres dépens la nature morale du lien social. La magnanimité de son adversaire éclaire d'un jour nouveau les défauts des maximes qu'il a suivies. L'ingratitude, se rend-il compte (et ce terme désigne de manière plus générale toute infraction à la justice), n'est pas moins dommageable à celui qui s'en rend coupable, qu'à celui qui en est la victime. Pris de désespoir, il met fin à ses jours.

En dépit de leurs efforts, l'idéal défendu par les chevaliers ne parvient pas à changer durablement l'environnement agité et violent dans lequel ils évoluent, et ce n'est pas un hasard si, dans le premier livre de l'*Amadis*, cet environnement est figuré par la vaste forêt traversée par mille sentiers, émaillée de clairières, à la topologie confuse. Hantée par les félons qui combattent déloyalement les bons chevaliers et font prisonnières les demoiselles, cette forêt, véritable foire de la cruauté, résonne de cris et de plaintes, regorge de cadavres et fourmille de convois mortuaires. Le roi et ses chevaliers, assistés par la présence sporadique d'un christianisme peu organisé — ses représentants étant presque toujours les ascètes perdus dans la broussaille plutôt que le clergé régulier —, l'emportent à peine dans le combat épuisant qui les oppose aux innombrables ennemis rusés et inventifs.

L'allégorie de la forêt figure la difficulté la plus évidente de la chevalerie : la norme a beau être limpide, le monde demeure un labyrinthe sanglant. C'est la raison pour laquelle les chevaliers connaissent leur devoir mais ignorent presque toujours le bon chemin. Leur conscience discerne avec une rapidité fulgurante les maximes auxquelles elle doit obéir, mais lorsqu'il s'agit de s'orienter parmi les sentiers du monde, ces preux ont besoin d'être guidés par les écuyers, par les demoiselles, par les forestiers. Par ailleurs, les normes qu'ils se chargent de défendre, pour limpides qu'elles soient, souffrent d'une troublante contradiction. Dans le roman hellénistique, l'amour au nom duquel les protagonistes rejettent le monde est inspiré par la divinité : les personnages font appel à des principes dont la portée dépasse infiniment l'univers visible. L'idéal de chevalerie, en revanche, pose l'existence d'une loi qui est à la fois du ressort des hommes, dans la mesure où seul le dévouement des chevaliers la garantit, et vient d'ailleurs, car les chevaliers la projettent vers les hommes pour ainsi dire d'en haut, avec l'autorité de véritables divinités tutélaires. Le roi et le peuple le savent bien, lorsqu'ils saluent les chevaliers comme des êtres surhumains, dont la seule présence présage la victoire du bien. Mais la nature de cette supériorité n'est jamais éclaircie.

Le conflit entre la transcendance de l'idéal normatif et l'humanité des héros sur lesquels il s'appuie se reproduit dans le conflit amoureux, qui forme le sujet du deuxième livre de l'*Amadis*. Ici, la question du destin individuel se noue avec celle du *devoir de courtoisie*. Dans un certains sens, le devoir de chevalerie est facile à suivre, puisque les défis qui rendent son exercice nécessaire arrivent de l'extérieur et que pour leur répondre il suffit au chevalier de consulter rapidement la brève liste de ses principes. Les défis de l'amour, en revanche, mettent à l'épreuve la loyauté et la confiance mutuelles des deux amants, dont l'amour n'a pas été décidé de toute éternité par la divinité, comme dans les romans hellénistiques, mais résulte du choix volontaire des deux partenaires. (Si les passions adultérines d'un Lancelot et d'un Tristan font exception à cette règle, c'est qu'étant déloyales par nature, elles ne sauraient avoir été librement choisies par un vrai chevalier.) Mais un sentiment si parfait peut-il surgir dans un cœur humain ? La belle Oriane en doute. Soupçonné sans véritable raison, Amadis est réduit au désespoir, mais acceptant sa disgrâce, il choisit l'exil auprès du saint ermite Nascien, au fond des forêts. Le plus accompli guerrier du monde doit s'abandonner sans réserve à l'autorité de sa bien-aimée, même lorsque les ordres de celle-ci paraissent arbitraires, sans qu'il ait le droit de se justifier ni, encore moins, celui de se révolter, pour la bonne raison que le pouvoir de la dame agit directement sur les qualités guerrières du protagoniste et que sans l'influence quasi astrale d'Oriane, Amadis se voit mystérieusement privé de sa vaillance. Toute la force et toute l'indépendance d'Amadis, nous dit le deuxième livre, découlent de son amour.

Or la figure qui en résulte souffre d'une contradiction semblable à celle qui affecte l'idéal de chevalerie. D'un côté, l'image de la belle Oriane est celle d'une véritable divinité qu'Amadis invoque dans l'adversité, mais de l'autre côté, leur amour est libre de toute influence extérieure, car les deux amants procèdent à l'union charnelle de leur propre chef et sans demander l'avis de personne. Tout comme Amadis dans son rôle de chevalier est à la fois le compagnon d'armes de ses amis et l'incarnation de la norme transcendante, Oriane occupe à la fois, à l'intérieur du couple, la position de l'amante et, à l'extérieur du couple, celle de la divinité qui domine et protège l'amant. Elle garantit la force du guerrier en lui procurant un point d'idéalité auquel il puisse fixer ses aspirations, et du même coup, en s'offrant en secret à Amadis, elle scelle l'indépendance du couple à l'égard de toute autorité.

Ce double rôle assigné au chevalier et à sa dame comporte un évident déséquilibre : les investir d'une autorité transcendante, tout en exigeant qu'ils accomplissent les tâches qui leur reviennent dans la vie de la communauté et dans celle du couple, c'est à la fois les inclure dans le circuit des aventures terrestres, où ils sont sujets, en tant qu'êtres humains, à l'adversité et au désir, et les projeter sur une orbite céleste, d'où ils influent, invincibles, incorruptibles, sur le destin de leurs prochains. Les félons tombent sous l'épée d'un héros qui agit sur son milieu à la fois comme partenaire de l'ordre social et comme l'incarnation vivante de la norme. De même, les chevaliers se soumettent sans broncher aux volontés de leurs dames parce qu'elles les dominent doublement, en tant qu'objets de désir et en tant que productrices d'idéalité. Ainsi, la source de l'autorité transcendante est placée au sein même de la société des hommes et, symétriquement, au sein même du couple amoureux : faisant écho à l'exaltation du pouvoir surhumain des chevaliers, la divinisation de la dame représente un moyen tout aussi puissant de produire de la transcendance avec des ingrédients dont la nature est purement humaine. Dans ce sens, et par-delà son asymétrie symbolique, l'amour courtois s'associe aux normes de la chevalerie pour établir une idéalité parfaitement circonscrite à l'intérieur du monde humain.

Après la brutalité du début féodal et la douceur amoureuse du second livre, le roman dérive vers la description — grandiose — de vastes conflits entre le roi Lisuart, que le temps a métamorphosé en tyran, et ses chevaliers déçus. Au devoir de chevalerie et à celui de courtoisie succède maintenant le *devoir de révolte*. Le prince romain Patin, l'incarnation même de l'esprit discourtois, tombe amoureux d'Oriane, dont il demande la main. Mariée en secret à Amadis, Oriane est horrifiée, mais le roi Lisuart son père, flatté par l'espoir d'une alliance avec Rome, accorde au prétendant la main de sa fille. La décision du roi est profondément blessante pour ses chevaliers, dont les principes exigent le respect de la volonté des femmes. Un grand conflit armé s'ensuit, auquel participent toutes les puissances européennes. Nous sommes bien loin de la multiplicité épisodique de la première partie, avec ses aventures brutales et rapides. Devenus politiciens, Amadis et Lisuart envoient des ambassadeurs aux cours amies pour demander leur appui. Lentement, deux vastes coalitions de chevaliers se forment, alors qu'une troisième armée rassemblée par le sorcier Arcalaus et par l'exotique roi Arabique attend le résultat de la confrontation pour attaquer le vainqueur et s'assurer de la suprématie universelle. Amadis, bien entendu, gagne la bataille, et l'ermite Nascien négocie la paix, et l'armée du roi Arabique, changeant de stratégie, se jette sur les troupes affaiblies de Lisuart, et Amadis se précipite pour sauver son ancien rival. Devenu roi, Amadis doit désormais céder la palme des aventures à son fils Esplandian.

Avec le changement d'atmosphère, la topographie imaginaire subit une métamorphose significative qui traverse le troisième et quatrième livres : les royaumes celtes à la géographie mal définie, plongés dans la sauvagerie et à peine protégés par leurs capitales lointaines, s'intègrent désormais dans un monde plus vaste, fier de son passé glorieux et de ses somptueux monuments. L'espace qu'Amadis traverse sous le nom de Beau Ténébreux — et dans le troisième livre sous celui de Chevalier des Lions — est une Europe imaginaire qui s'étend de l'Angleterre et de la Gaule jusqu'aux empires de Rome et de Constantinople, anciens centres du monde, dispensateurs de civilisation. Au sein de cet espace, le destin individuel d'Amadis sera désormais celui d'un héros politique, possesseur d'une nouvelle sagesse et d'un nouvel art de persuader. Le rythme majestueux de la seconde moitié de l'*Amadis* — en particulier celui du quatrième livre — vient non seulement de la lenteur de l'intrigue et de la quasi-disparition des boucles épisodiques, mais aussi de la fréquence des discours sapientiaux qui agrémentent l'action. La défense des faibles et des persécutés au premier livre allait de soi ; dans le second livre le devoir de courtoisie exilait Amadis loin des hommes et l'obligeait à réfléchir dans la solitude ; ici, l'opposition à la corruption du pouvoir politique doit s'appuyer sur la raison discursive : le devoir de révolte rend l'éloquence nécessaire. La contradiction entre la rigueur de la norme transcendante et l'humanité de ceux qui l'incarnent s'apaise : les héros se transforment en orateurs et les archaïques chevaliers apprennent à cultiver le langage de la sagesse et de la modération. On sait que cette conversion des mœurs discursives a eu un considérable retentissement. Publié en 1559, le *Trésor des livres d'Amadis*, recueil de discours pour toutes les occasions provenant de la traduction française du roman a été réimprimé une vingtaine de fois et a connu des traductions en anglais et en allemand. L'esprit chevaleresque, enrichi de la rhétorique promue par la Renaissance, se met ainsi au service de la civilité humaniste.

LA PERFECTION HÉSITANTE.
LE ROMAN PASTORAL

Par ses origines la pastorale n'appartient pas à la même famille que les romans d'aventures hellénistiques et que les récits de chevalerie. *Daphnis et Chloé* de Longus, la première de l'espèce, est une œuvre de dimensions réduites, dont le théâtre est un modeste village et non l'ensemble de l'univers connu ; ses protagonistes, loin de chercher à défier le monde qui les entoure, aspirent à s'y intégrer. Alors que les romans grecs et de chevalerie mettent en jeu une immense mécanique politique qui a parfois des implications religieuses, l'histoire des deux jeunes bergers suit le droit fil de leur initiation amoureuse. Tandis que la surprise est la substance de l'intrigue des anciens romans d'aventures, le petit roman pastoral ne comporte presque pas de suspense. Si, enfin, dans les romans idéalistes le ton est sérieux, la condition des personnages élevée et leur morale impeccable, chez Longus le style badin décrit complaisamment d'aimables campagnards dont la conduite est bien des fois peu recommandable. Apparentés aux personnages de la comédie noble, ces bergers s'épanouissent dans la grâce de l'amour idyllique, dans l'heureuse découverte de la sensualité équilibrée, dans le rejet de la cruauté et de la brutalité. Plus tard, à la Renaissance, à cette thématique de la maturation hésitante et gracieuse s'ajoute, dans l'*Arcadie* de Jaccopo Sannazzaro (1501) et la *Diane* de Jorge de Montemayor (1559), une note de mélancolie. Imprégnées de lyrisme, ces œuvres héritent aussi bien des églogues de Virgile que du style élégiaque des *Héroïdes* d'Ovide. Quant aux pastorales dramatiques l'*Aminte* du Tasse (1573) et *Il Pastor fido* de Guarini (1590), elles proposent des définitions beaucoup plus troublantes de la sauvagerie, qu'elles identifient à la sensualité bestiale et, respectivement, dans ce qui pourrait bien être un écho des *Éthiopiques*, à la coutume primitive du sacrifice humain.

L'exemple des romans hellénistiques et des récits de chevalerie ne tarde cependant pas à exercer une influence profonde sur le roman pastoral. *L'Arcadie* de sir Philip Sidney (1580) et *L'Astrée* d'Honoré d'Urfé (1607-1627) proposent d'amples synthèses entre l'élégance mélancolique de la pastorale et le pathos et la force idéalisatrice des romans d'aventures : la découverte graduelle de soi grâce à l'amour s'y mêle avec l'affirmation énergique de l'idéal transcendant. Considérée sous ce biais, *L'Astrée* n'est pas une simple pastorale, mais une synthèse originale entre le régime d'idéalité qui gouverne le destin des héros inflexibles et le sens de la fragilité humaine dégagé par la pastorale.

Comme dans le roman hellénistique, l'amour gouverne le monde de *L'Astrée*. Selon la doctrine néoplatonicienne qui sous-tend l'ouvrage, l'amour fournit à l'univers sa loi fondamentale, en servant à la fois de raison pour la création de l'ensemble des êtres et de norme qui régit leur division selon la multiplicité de leurs natures. L'auteur de cette genèse, enseigne le grand prêtre Adamas, « [l]e grand Tautates, [...] par amour a fait tout cet univers et par amour le maintient ». Parmi les choses insensibles, l'amour s'appelle sympathie — au sens d'affinité alchimique —, les animaux connaissent le désir de perpétuer leur espèce, enfin, en principe, les hommes devraient aimer « Dieu en ses créatures, et les créatures en Dieu [1] ».

Or il existe chez les hommes plusieurs variétés d'amour, et si la plupart des personnages, sachant que l'âme est plus parfaite que le corps, aiment selon l'esprit et non pas selon la chair, certains se contentent d'aimer de manière imparfaite la beauté fragile et passagère des corps. Les amoureux éclairés, tels le berger Sylvandre, tiennent l'amour sensuel pour impossible : « [...] car celuy qui aime, n'a point de plus violent désir que d'estre aimé de la chose aimée; mais n'est-il pas impossible que celuy qui n'aime que le corps, en soit aimé,

---

1. Honoré d'Urfé, *L'Astrée*, édition Vaganay, vol. 3, Genève, Slatkine reprints, 1966, p. 217.

d'autant que l'amour peut estre seulement en l'ame ? » Tel Pygmalion, les êtres sensuels sont amoureux d'un marbre. Si, par ailleurs, l'être aimé était mort, en aimerait-on le corps ? Difficile de savoir, répond l'inconstant et sensuel Hylas ; une chose est néanmoins certaine, c'est que si l'être aimé n'avait point de corps, Hylas ne l'aimerait pas, puisque ce corps est « l'ouvrage des dieux le plus beau et le plus parfait » (*L'Astrée*, vol. 3, p. 51-52). Comme la force cosmique d'Éros, avant de couler l'univers dans le moule de la multiplicité, dégage une énergie créatrice irrésistible, il n'est guère étonnant que son œuvre déroute les plus faibles parmi les mortels, dont le berger Hylas, qui ne sait pas se défendre contre la surabondance de beauté et d'énergie érotique qui inondent le monde, surabondance qu'il appréhende naïvement par le biais de la quantité : « Lors que j'entreprends d'aimer une dame, déclare-t-il, je regarde incontinent quelle est sa beauté [...]. Et soudain, je fais un amas d'amour en mon ame, esgal au prix et à la valeur qui est en elle, et lors que j'ayme, je vay despendant cet amas d'amour, et quand je l'ay tout employé au service de celle pour qui je l'avois ammassé, il ne m'en reste plus pour elle » (vol. 3, p. 348).

Face à Hylas, les autres personnages (Céladon, Astrée, Sylvandre, Diane, Lindamor, Galathée, Ergaste, Léonide) fixent leur désir sur un seul objet, dont ils ne se détournent que très difficilement. Mais bien que ces couples soient tous constants, une hiérarchie les ordonne. La clairvoyance et la maîtrise de soi font défaut à Galathée et à Léonide, qui tombent amoureuses de Céladon, avant de trouver (ou de retrouver) leurs véritables compagnons. Diane, plus constante mais ne faisant pas assez confiance à la force de la sympathie, résiste longtemps à l'amour de Sylvandre. Seuls Céladon et Astrée, qui ont compris qu'ils s'aiment dès avant le début du roman, s'avouent sans difficulté leurs sentiments et demeurent fidèles l'un à l'autre. Cela signifie-t-il qu'ils forment un couple parfait ? Loin s'en faut.

L'intrigue du roman se noue autour du malentendu qui sépare le meilleur des couples, malentendu dont la frivolité souligne la fragilité des rapports amoureux. Vivant au bord du Lignon dans l'heureux pays du Forez, les bergers Astrée et Céladon se sont promis l'un à l'autre malgré l'inimitié qui sépare leurs familles. Comme les amoureux de comédie, ils doivent garder le secret de leur attachement, et, pour donner le change à leur entourage, Astrée exige de Céladon qu'il courtise la bergère Aminthe. Le jeune homme accepte, en dépit de l'aversion qu'il éprouve pour cette fourberie. Le berger Sémire, amoureux lui aussi d'Astrée, conçoit le projet de la séparer de son ami et parvient à la convaincre que celui-ci est réellement épris d'Aminthe. Dans un accès de jalousie, Astrée bannit Céladon à jamais de sa présence. Désespéré, le jeune homme se jette dans le Lignon. Sauvé par le hasard, il se cache dans la forêt, alors qu'Astrée, qui le croit mort, regrette amèrement son emportement. L'amour le plus méritoire, celui qui se dévoue non pas au corps mais à l'âme et qui prête toujours à l'objet aimé de nouvelles perfections, cet amour qui se conforme aux lois de la sympathie universelle et qui n'hésite pas à s'avouer et à s'accepter comme tel, cet amour sublime s'avère, dès les premières pages du roman, tout aussi soumis aux caprices que le sentiment le plus inconstant et le plus passager. La loi qui gouverne l'univers de *L'Astrée*, voire l'univers pastoral dans son ensemble, est l'inévitable disparité entre l'idéal amoureux et la conduite des amants.

L'action du récit principal aura donc pour enjeu le triomphe des véritables sentiments des deux amants séparés par leur propre faute. La jalouse Astrée a ordonné à Céladon de ne pas paraître devant elle avant qu'elle ne le rappelle. Les commandements de l'amour courtois imposent à l'amant une obéissance absolue et silencieuse aux moindres caprices de sa dame, et Céladon, suivant l'exemple d'Amadis, dont il perpétue la courtoisie, se garde bien de se justifier devant Astrée. Réfugié dans la forêt, Céladon passe son temps à bâtir un temple rustique consacré à Astrée l'immortelle, déesse de la justice. Seul le druide Adamas retrouve le jeune berger caché, lui apporte des vivres et, après l'avoir initié au culte des dieux gaulois, le persuade de se présenter à Astrée déguisé en jeune fille. Frappée par la ressemblance entre la belle Alexis et son amant disparu, Astrée s'attache à la (fausse) jeune fille, dont elle ne soupçonne pourtant pas la véritable identité. Réunis dans une innocente familiarité dont seul Céladon a le fin mot, les deux amoureux assistent aux cérémonies d'actions de grâces célébrées par les druides et par les vestales. Au quatrième volume, un épisode guerrier donne au berger l'occasion de rappeler au lecteur qu'en réalité il est un homme. Au cinquième volume (écrit, après la mort de l'auteur, par Baro, son secrétaire, qui nous assure avoir suivi les plans de d'Urfé), les deux amants se réunissent et mettent fin à l'ensorcellement de la fontaine de la vérité d'amour. Sous la protection du dieu Amour lui-même, le couple reçoit la permission de se marier, mais pas avant qu'un sacrifice humain ne soit exigé, préparé et, comme dans *Les Éthiopiques* et dans *Il Pastor fido*, annulé au dernier moment.

Mise à mort de manière symbolique, l'imperfection des amants a été effacée par la présence incandescente de l'amour, sous l'autorité sacerdotale d'Adamas. Les échos alchimiques parsemés à travers l'histoire nous font comprendre que les protagonistes, pétris dans la matière mortelle et sujets à égarement, sont transformés à la fin en amants éclairés. Pour que cette opération réussisse, le code de l'amour courtois et les douze tables de ses lois (que Céladon observe scrupuleusement) ne constituent à vrai dire qu'une épreuve, qu'un début d'initiation. L'obéissance à ces règles est la condition nécessaire mais non pas suffisante du Grand Œuvre d'Amour, dont l'accomplissement demeure lié à la volonté du dieu lui-même et aux bons offices de son clergé. Comme dans le roman hellénistique, le héros vit et triomphe en vertu d'une alliance secrète avec la divinité transcendante qui le guide à travers les épreuves de ce bas-monde par l'entremise d'un ministre éclairé. Mais alors que chez Héliodore l'enjeu de la quête était la séparation entre les héros et le monde, la pastorale comporte à la fois un principe de séparation et un principe d'intégration. En forçant les jeunes bergers à expier leurs imperfections, Amour sépare la pure substance céleste qui les anime du magma corporel sujet à la mutabilité et à la corruption. Cette séparation a pour fin une meilleure intégration dans l'univers proprement humain, dont le but est d'aimer « Dieu en ses créatures, et les créatures en Dieu ». Le métal vil changé en or demeure certes de la matière, mais cette matière transfigurée est désormais incorruptible.

Autant dire que si le roman hellénistique trace le premier contour de l'individu, conçu comme l'invulnérabilité parfaite d'un soi allié à la toute-puissance divine, la pastorale travaille à une image plus nuancée de l'intériorité, qu'elle envisage sous le biais de la scission du soi. Dans la littérature pastorale, cette scission demeure bien entendu inoffensive, à peine perceptible et parée de tous les charmes de l'innocence. Il reste que ces bergers, ne sachant pas très bien se lire eux-mêmes ni comprendre ceux qu'ils aiment, sont déchirés entre la force de leurs pulsions et l'idéal qu'ils aspirent à incarner : dans son immensité, leur amour les remplit à la fois du désir de perfection et les aveugle sur les moyens de l'atteindre. En un sens, leur errance les fait ressembler aux chevaliers médiévaux et ce n'est certes pas un hasard si à l'instar de ceux-ci les bergers de *L'Astrée* passent le plus clair de leur temps à courir les forêts. Comme ces chevaliers, les meilleurs parmi les bergers respectent religieusement leur devoir, comme eux ils savent que la norme est limpide mais que le monde est un labyrinthe.

À une différence près (qui est considérable) : la forêt des chevaliers, parsemée d'embûches, hantée par les félons et par les hors-la-loi, figure l'hostilité d'un monde non soumis encore à l'autorité de la loi, alors que la forêt pastorale, comme la forêt courtoise où Amadis pleure sa disgrâce, ne connaît ni le danger, ni la cruauté physique. Protégée contre la violence humaine, contre les bêtes sauvages et contre les intempéries, cette forêt offre aux amants malheureux la paix et le secret dont ils ont besoin pour réfléchir à la vanité des choses et pour goûter dans la solitude la triste douceur de l'amour déçu. Dans la forêt, Céladon s'adonne en toute liberté à son amour, sans avoir à subir la colère de sa bien-aimée. Seul cet espace bienfaisant, qui sépare la perfection du sentiment de l'imperfection de son objet, saurait à la fois exclure la présence de l'Astrée réelle et abriter le temple consacré à la déesse Astrée. Les douze Tables des Lois d'Amour qui ornent le temple construit par le berger exilé expriment le triomphe de cet idéalisme solitaire. Leur titre même : « Les douze Tables des Loix d'Amour que, sous peine d'encourir sa disgrâce, il commande à tout amant d'obser-ver » (vol. 2, p. 181), rappelle au lecteur que Céladon, chassé par Astrée, se met sous la protection du dieu Amour. Comme il a perdu l'espoir de regagner son amie, la disgrâce qu'il craint d'encourir est désormais celle du dieu lui-même, dont il continue de vénérer les commandements en dépit du comportement inexplicable d'Astrée. La forêt pastorale figure ainsi l'intériorité en tant que génératrice obstinée de l'idéal.

Ce visage de l'intériorité demeure cependant incomplet, parce qu'il interdit la communication avec le prochain. À part la nymphe Léonide qui l'aperçoit par hasard (vol. 2, p. 275 *sq.*), Céladon n'est accessible dans le secret de sa retraite qu'au druide Adamas, représentant d'une sphère supérieure. Quelques bergers pénètrent parfois dans la forêt et s'égarent dans la proximité de la grotte de Céladon, mais le héros ne les découvre que pendant leur sommeil, comme si, gardés à distance par le cercle magique de l'intériorité, ils ne sauraient se montrer à Céladon sous une autre forme que celle d'une image privée de parole et d'initiative. Le brouillard de la solitude entoure ainsi le moi conçu comme producteur d'idéalité, et rend vain le commerce actif avec les autres. Au cours de ces aventures, Céladon ne parle qu'à soi-même et ne fait sur les autres que l'effet d'un fantôme. Persuadés que le jeune homme invisible est mort, les bergers célèbrent les rites funéraires à son honneur.

Afin d'échapper à la solitude, Céladon doit apprendre, en se déguisant en jeune fille, à se défaire de soi. Devenu la belle Alexis, Céladon se métamorphose en son contraire avec une telle célérité et avec un tel enthousiasme que personne ne devine la supercherie. Alors que dans sa forêt Céladon n'obéissait qu'à son amour — comme si le reste de l'univers n'avait pas d'existence propre —, pour réussir à vivre auprès d'Astrée déguisé en Alexis, le berger doit s'oublier et, faisant abstraction de sa passion, suivre scrupuleusement un rôle qui n'est pas le sien. Céladon est par conséquent forcé de trahir son idéal (car, en un sens, il abuse de la confiance de sa bien-aimée et temporise avec son amour) et n'agit plus qu'en vue de l'opinion — nécessairement fausse, puisqu'il est déguisé — que les autres bergers se font de lui. Au soi qui, dans son isolement, se consacre à son idéal fait désormais place le soi qui mobilise tous ses efforts pour répondre à l'attente — erronée — des autres. Obnubilé par cette nouvelle tâche, Céladon n'est reconnu ni d'Astrée, ni de son frère Lycidas (ce dont les commentateurs s'étonnent), pour la bonne raison que, sous le déguisement d'Alexis, le jeune berger n'est plus lui-même, mais le pur réceptacle de la norme extérieure. Le déguisement pastoral, tout en évoquant l'indétermination sexuelle, subordonne le thème de la différenciation des sexes à celui du soi idéal qui, libéré des contraintes corporelles, se soumet avec humilité aux attentes des autres. Comme le font à la même époque les amoureuses travesties en hommes dans les comédies de Shakespeare, sous l'accoutrement d'Alexis Céladon s'habitue à se défier de ses propres instincts, à se mouler dans un patron qui lui est, et qui ne peut que lui demeurer, étranger, bref à apprendre la norme commune.

Dans une scène révélatrice, Astrée demande à Alexis de

demeurer auprès d'elle le reste de sa vie. Frappé par ces paroles qui lui rappellent le jour où Astrée lui avait commandé de disparaître de sa vue, les yeux de Céladon-Alexis se remplissent de larmes. Astrée veut apprendre la cause de cette douleur, et Alexis, qui, sous peine d'être découverte, ne peut parler au nom de Céladon, transpose les ennuis de celui-ci dans une histoire inventée : elle aurait été liée, raconte-t-elle, par l'amitié la plus parfaite à une belle vierge druide, qui, après plusieurs années de bonheur commun, l'aurait chassée sans explication. Astrée déplore ce malheur et promet de sacrifier son sang et sa vie pour conserver l'amitié d'Alexis (vol. 3, p. 274). Céladon-Alexis s'habitue ainsi à envisager son malheur personnel comme un cas particulier d'une catégorie plus générale, en l'occurrence les conséquences du dépit amoureux. Bien que l'histoire qu'il/elle raconte à Astrée soit inspirée par ses propres souffrances, dans la bouche d'Alexis l'anecdote acquiert une certaine indépendance, un brin d'universalité. Ce qui est arrivé à Céladon, semble dire l'histoire inventée, peut bien arriver à tout le monde, y compris à la jeune druide dont il a pris le déguisement. Par le biais de sa biographie imaginaire et à l'instant même où elle fait sien le triste passé de Céladon, Alexis libère celui-ci du poids de sa singularité. Le sentiment de révolte qu'éprouve Astrée en apprenant le passé d'Alexis souligne, lui aussi et à sa manière, la force de la norme impersonnelle : bien que la belle bergère, prise dans le vertige de la jalousie, ait pu maltraiter Céladon, lorsqu'une action semblable à la sienne lui est racontée à la troisième personne, elle perçoit immédiatement son injustice.

De la sorte, le déguisement contribue doublement à apaiser le désespoir de Céladon : d'une part le beau berger se voit forcé de creuser dans sa propre substance pour donner vie à un autre personnage — à dépenser du Céladon, pour ainsi dire, pour engendrer de l'Alexis —, et donc, fût-ce de manière imperceptible, de se détacher de soi-même et de l'unicité de son malheur. D'autre part le déguisement lui fait comprendre qu'Astrée, considérée de l'extérieur et indépendamment de son conflit avec Céladon, n'est pas insensible, en principe, à l'injustice de son procédé. Dans la version de Baro, le déguisement prend fin au cours d'une cérémonie magique pendant laquelle Astrée invoque l'âme de Céladon — solution ingénieuse du point de vue dramatique. Dans les comédies de Shakespeare aussi — et sur un ton bien entendu plus enjoué que celui de *L'Astrée* — les masques tombent au cours de cérémonies à résonances rituelles. Il serait difficile d'imaginer une autre conclusion à ces histoires de déguisement, car l'aveuglement des personnages non déguisés figure leur incapacité durable à découvrir ce qui se passe dans l'esprit des autres.

Il ne faut sans doute pas exagérer la ressemblance entre *L'Astrée* et les romans modernes de formation, ni oublier l'existence d'un autre sous-genre prémoderne dont le sujet est l'éducation : le roman qui raconte la jeunesse d'un prince, selon le modèle offert par *La Cyropédie* de Xénophon. Notons cependant que chez d'Urfé l'évolution de Céladon n'est pas, comme celle du prince, un but pour ainsi dire professionnel. Elle ressemble moins à une « institution », au sens de « formation » qu'avait ce terme au XVIe et XVIIe siècle, qu'à une initiation. C'est pour cette raison que la maturation de Céladon ne prend pas la forme d'un processus graduel, comme c'est le cas pour la formation des personnages dans le roman du XIXe siècle, mais ressemble plutôt à une suite d'étapes soigneusement isolées les unes des autres, et que les différentes hypostases du protagoniste — le berger désespéré de la première partie de *L'Astrée*, l'idéaliste solitaire de la deuxième partie, Céladon-Alexis dans le troisième volume, le héros de Marcilly dans le quatrième, et de nouveau le berger amoureux à la fin — représentent comme autant de degrés du savoir le plus précieux, celui de vivre en commun avec les autres.

La maturation du couple Céladon — Astrée, objet de l'intrigue principale, est accompagnée d'une multitude d'histoires enchâssées qui forment une véritable encyclopédie des difficultés amoureuses. Le prétexte commun de ces récits est fourni par l'existence au pays de Forez de la fontaine d'amour qui révèle à ceux qui s'y regardent le visage de leurs bien-aimés. Les couples malheureux de toute la Gaule viennent l'interroger. Mais la fontaine étant temporairement ensorcelée, les visiteurs racontent leurs différends aux nymphes et aux druides, dont ils acceptent volontiers le jugement.

Un des plus frappants et des mieux connus parmi ces épisodes est, au tout début du second volume, l'histoire de Célidée, de Thamire et de Calidon. Le jeune Calidon et son tuteur Thamire sont tous les deux amoureux de Célidée, qui, par reconnaissance pour sa bonté et contrairement aux attentes de l'univers pastoral, aime Thamire. Or la passion du jeune Calidon est si violente qu'elle met sa vie en danger. Pour le sauver, Thamire se déclare prêt à lui céder la jeune fille, geste qui redonne la santé au jeune homme. Blessée de faire l'objet de telles négociations, Célidée refuse d'épouser Calidon, sans pour autant accepter Thamire qui, après la guérison de son protégé, recommence à courtiser Célidée à son propre compte. De son côté, Calidon, au lieu de renoncer noblement à Célidée, s'obstine à la poursuivre. Arrivés à Forez, les trois personnages soumettent leur cas au jugement de la nymphe Léonide, qui, au terme d'un long raisonnement, réunit Célidée et Thamire.

Allant dans le même sens que l'intrigue principale, l'épisode met en valeur la hiérarchie idéale des passions et des devoirs. Selon le jugement de Léonide, l'offense la plus grave est le refus de Calidon de renoncer à Célidée. Alors que Thamire, après avoir élevé le jeune homme, s'est montré disposé à céder devant son neveu, l'ingrat Calidon refuse de lui rendre la même courtoisie. L'offense de Thamire envers Célidée (avoir voulu disposer d'elle sans lui demander son avis) est presque aussi grave, mais elle bénéficie de circonstances atténuantes, étant donné qu'en offrant la jeune fille à Calidon Thamire n'a pas agi dans son propre intérêt mais par affection pour le jeune homme. Quant aux diverses amours qui rivalisent dans ce récit, Léonide condamne en termes explicites celui de Calidon : pour frénétique qu'elle soit, cette passion demeure stérile, parce qu'elle n'est pas réciproque. En revanche, l'amour de Thamire est plus proche de la perfection parce que, raisonne Léonide, les meilleures amours sont celles qui, étant produites par la nature, sont payées de retour. La supériorité de l'amour entre Thamire et Célidée une fois établie, celui de Célidée devra surmonter l'offense qu'elle a reçue de Thamire, parce que, remarque Léonide, il n'y a pas d'offense qui ne soit vaincue par la personne qui aime bien.

Tandis que les personnages de l'intrigue principale découvrent seuls la hiérarchie idéale des lois de l'amour, l'histoire du différend entre Thamire, Calidon et Célidée sert à prouver que les incertitudes de la perspective individuelle, aggravées par l'opération de l'amour, aveuglent les humains au point qu'ils ne comprennent plus leur devoir sans l'aide d'une instance extérieure : la norme qui est censée gouverner universellement les sentiments, les devoirs et les offenses.

Les différends amoureux font ainsi l'objet d'une véritable jurisprudence et l'intimité s'incline devant les arrêts d'un tribunal à caractère public. Comme, cependant, le tribunal n'a pas de véritable juridiction sur ces plaideurs, qui, pour arriver à lui soumettre leurs disputes, doivent quitter leur pays natal, son autorité est d'ordre moral et n'existe pas en dehors du consentement momentané des parties, situation qui renforce singulièrement le caractère normatif des décisions. Le soi pastoral, semble répéter à satiété ce roman, est bien prêt à recevoir de l'extérieur la règle idéale de sa conduite, à condition qu'il aille lui-même la chercher en toute liberté.

LE CONFLIT DES IDÉALISMES À L'AUBE DU ROMAN EUROPÉEN

Dans ces exemples privilégiés, les trois formes du roman idéaliste prémoderne (le roman hellénistique, le récit de chevalerie, la pastorale) ont pour objet de réflexion les rapports entre la norme transcendante, le soi et le monde. Le roman hellénistique raconte la naissance simultanée de la divinité unique, source de l'ordre universel, et du soi détaché du monde : dans ce moment inaugural, tout d'illumination et de joie idéalisatrice, l'unité du monde est découverte et thématisée sous le mode, bien platonicien, du rejet. Guidé par le soleil de l'Éros, dieu et source d'idéalité, le couple-hors-du-monde tourne le dos au royaume de la corruption et de la mutabilité gouverné par la Fortune. Le héros du récit de chevalerie, en revanche, s'engage à corps perdu dans le labyrinthe du monde, qu'il aspire à soumettre à l'absolu de la loi. La transcendance, qui sous-tend ici le lien social, a pour unique support la fidélité inconditionnelle du héros et de sa dame aux normes de la chevalerie et de la courtoisie. À peine teinté de féerie, le monde chevaleresque repose sur la capacité des hommes à engendrer de l'idéalité à partir de données purement humaines. Dans la pastorale, enfin, l'individu fait le difficile apprentissage du travail sur lui-même. Ici le monde et la divinité ne sont que les cadres allégoriques de la maîtrise, dans un premier temps, du soi générateur d'idéalité, et de la découverte, dans un deuxième temps, de la perspective, à la fois contraignante et libératrice, des autres êtres humains. Se détacher du monde, l'affronter au nom de la norme idéale, s'intégrer au sein de la communauté humaine, tels sont les trois visages du destin que le miroir de ces romans offre à ses lecteurs.

Est-il pourtant légitime de comparer à un miroir ces romans, auxquels on a tant reproché d'avoir déformé l'image du monde ? Communiquent-ils autre chose que de décevants *mensonges romanesques* ? Je réponds par l'affirmative. Les lecteurs de ces œuvres se rendent sans aucun doute compte de leur invraisemblance, et pourtant la plupart d'entre eux sont émus par la vertu de Chariclée, par le courage d'Amadis, par le dévouement de Céladon. Encore que ces qualités n'apparaissent pas fréquemment dans le monde de tous les jours, le lecteur les comprend sans difficulté en tant qu'idéaux normatifs qui se dessinent à l'horizon de la vie morale. Aussi saisit-il sans difficulté les ressorts qui font agir Chariclée, Amadis et Céladon, bien que leurs actions prises à la lettre puissent paraître dépourvues de plausibilité. Invraisemblables en tant que personnages doués d'une existence empirique, Chariclée, Amadis et Céladon sont parfaitement convaincants en tant qu'illustrations des réalités normatives et axiologiques. Ces personnages sont abstraits et leurs aventures difficiles à croire non pas parce que les écrivains qui les ont créés ne maîtrisaient pas les secrets du réalisme, mais parce que le projet artistique auquel ils souscrivaient, à savoir la représentation de l'idéal moral dans toute sa majesté, les encourageait à inventer des modèles exaltants plutôt qu'à raconter des faits plausibles.

Pour les lecteurs du XVIᵉ siècle l'exigence d'idéalisme à laquelle obéissaient ces romans allait de soi, bien que la meilleure manière de satisfaire cette exigence restât à déterminer. Lorsque, autour de 1550, *Les Éthiopiques* d'Héliodore furent traduites dans les langues modernes, en français (1547), en espagnol (1554), en allemand (1554), en italien (1556) et en anglais (1567), le contraste entre le programme suivi par cette œuvre et celui inhérent à la tradition du roman de chevalerie fit l'objet d'un important débat. En France, par exemple, comme l'a montré Marc Fumaroli, la préface (proesme) de Jacques Amyot à sa traduction d'Héliodore prend position en faveur du roman grec en arguant que celui-ci est moins invraisemblable que le roman de chevalerie, plus proche aussi de l'enseignement de la philosophie naturelle et morale, plus précis dans son érudition, et, enfin,

construit selon les véritables règles de l'art narratif[1]. Les
vieux romans de chevalerie, écrit Amyot, « sont le plus
souvent si mal cousus et si éloignés de toute vraiesemblable
apparence, qu'il semble que ce soient plutôt songes de quelque malade rêvant en fièvre chaude, qu'inventions d'homme
d'esprit et de jugement[2] ». Précisément parce que les
hommes sont des êtres faibles qui s'amusent à lire des
œuvres d'imagination, le poète a le devoir de respecter la
vérité autant que possible. Comme l'esprit humain a besoin
d'œuvres qui développent ses facultés, et surtout celle du
jugement, plutôt que de fictions qui l'aveuglent, le roman
doit être fondé sur la vérité de la philosophie morale, le
grand mérite du roman hellénistique étant qu'il punit
les affections illicites et couronne d'une fin heureuse les
sentiments bons et honnêtes. Concernant l'érudition et la
connaissance de l'Antiquité, si importantes en cette fin de
Renaissance, le roman grec l'emporte de toute évidence sur
le roman de chevalerie. Enfin, l'œuvre de Héliodore suit les
préceptes de l'art épique pour créer une narration bien
articulée qui commence *in medias res*, produisant ainsi
un véritable suspense (« un passionné désir d'entendre le
commencement » et une « plus grande envie de voir la fin »,
L'Ébahissement et la Délectation, p. 139).

C'est dire à quel point dans la seconde moitié du xvie siècle
l'idéalisme des *Éthiopiques* semblait préférable à celui de
l'*Amadis*. Le roman hellénistique peignait une vertu plus parfaite, selon les spécialistes de l'époque, que celles du roman de
chevalerie, et enchâssait cette vertu dans un univers plus vraisemblable, plus harmonieux, mieux raconté et mieux élaboré
du point de vue philosophique que l'univers de la chevalerie.
Tout aussi braves qu'Amadis et Oriane et de surcroît plus
chastes que ceux-ci, Théagène et Chariclée semblaient plus
vraisemblables que leurs rivaux, car la maîtrise de soi, même
parfaite, est plus facile à concevoir que l'invincibilité extérieure. En dépit de la présence occasionnelle du merveilleux,
l'univers des *Éthiopiques* ne met pas à l'épreuve la confiance
du lecteur au même degré que la féerie qui baigne les
romans de chevalerie. Plus harmonieuse que celle d'Amadis,

---

1. Marc Fumaroli, « Jacques Amyot and the Clerical Polemic against the
Chivalric Novel », *Renaissance Quarterly*, 38 (1985), p. 22-40.
2. Laurence Plazenet, *L'Ébahissement et la Délectation. Réception comparée et poétique du roman grec en France et en Angleterre aux xvie et xviie siècles*,
Champion, 1997, p. 134-142, analyse en détail et cite abondamment la préface d'Amyot. Le fragment cité se trouve à la page 137.

l'intrigue du roman grec s'oriente tout entière vers l'union du couple amoureux, sans se laisser détourner, comme l'histoire des chevaliers errants, par l'obligation permanente de protéger les opprimés, de confondre les sorciers et de ramener les tyrans à la raison. L'art de raconter mis en œuvre dans *Les Éthiopiques*, du dramatique début aux divers récits habilement enchâssés dans la trame du roman, est plus sophistiqué que la simple succession chronologique choisie par l'*Amadis*. Racontant le périple de leurs protagonistes à travers le vaste monde, les deux œuvres s'éparpillent en épisodes sans lien évident entre eux; mais alors que dans *Les Éthiopiques* le lecteur finit par saisir, au-delà de la fragmentation épisodique, l'unité finement différenciée du monde, dans l'*Amadis* la suite d'aventures n'est toujours pas prise en charge par le sens global de l'œuvre. Enfin, comparé au discours des *Éthiopiques* — nourri d'un savoir rhétorique approfondi — celui de l'*Amadis* paraît souvent naïf, surtout dans la première moitié de l'ouvrage.

Il reste que les romans de chevalerie présentaient à leur tour d'importants avantages. Car bien que sa justification profonde fût insuffisamment explicitée, l'héroïsme actif des chevaliers ne pouvait pas ne pas séduire les lecteurs autant, sinon plus, que la fuite perpétuelle mise en scène par le roman grec. S'isoler dans la citadelle intérieure pour éviter les troubles de ce bas-monde est un art merveilleux, mais le courage d'affronter ces troubles au nom de la justice n'en est pas moins admirable. L'invraisemblance, la naïveté de la construction, l'imprécision de la pensée, ces défauts des récits de chevalerie ont eu beau constituer la cible favorite des critiques et des parodies suscitées par le genre, l'idéal de l'héroïsme actif a continué à fasciner durablement les romanciers et le public. Si au xvie siècle, au milieu des guerres de religion, la vision des *Éthiopiques* pouvait gagner plus de suffrages en soulignant la force de résistance du couple-hors-du-monde et ses rapports personnels avec la divinité solaire, le message du roman de chevalerie, qui attribue aux êtres humains seuls la capacité d'engendrer la transcendance normative, allait résonner tout au long des xvie, xviie et xviiie siècles, pour revenir en force à l'âge romantique.

La préférence accordée aux *Éthiopiques* et le rejet hésitant du roman de chevalerie sont bien mis en évidence par la carrière de Miguel de Cervantès. En écrivant *Don Quichotte* (la première partie publiée en 1605, la deuxième en 1615), Cervantès souhaitait visiblement saper le prestige des romans de chevalerie, dont l'invention et la construction lui paraissaient, comme à Amyot, insatisfaisantes. Gêné comme la plupart de ses contemporains par l'exubérance de la féerie médiévale, Cervantès se moque dans *Don Quichotte* des géants et des sorcières qui agrémentent, de façon risible pense-t-il, les histoires de chevalerie. Il prend également comme cible de sa parodie l'image stylisée des rapports humains esquissée par ces romans, en particulier celle des rituels d'initiation dans l'ordre des chevaliers et celle des liens entre seigneur et vassal, comme en témoigne aussi bien la scène cocasse dans laquelle le brave hidalgo est reçu chevalier grâce à la bienveillance d'un tavernier (I, 3), que les innombrables marques d'affection seigneuriale que don Quichotte prodigue à son écuyer Sancho.

Mais en sus de ces aspects, en définitive superficiels, des récits de chevalerie, l'attention de Cervantès est attirée par le message central de ces œuvres, celui qui affirme l'origine humaine de la norme transcendante, telle qu'elle se manifeste dans les devoirs de chevalerie et de courtoisie. Selon Cervantès, il est absurde et ridicule de croire que l'ordre du monde soit le fruit des efforts individuels fournis par de grands héros qui incarnent la loi morale et l'imposent à leurs semblables, l'épée à la main. Prise littéralement, la parabole d'*Amadis*, en particulier celle qui est proposée dans le premier volume de cette œuvre, n'a aucun sens aux yeux de Cervantès, sujet d'un grand royaume bien organisé et fort diversifié du point de vue sociologique : regardé froidement, l'ordre humain n'est pas susceptible d'être modifié (et encore moins fondé !) par l'action individuelle, surtout lorsque celle-ci s'inspire d'idéaux qui n'ont rien à voir avec la pratique courante.

Trois aspects de cette parabole forment les cibles de l'humour cervantin : l'individualisme frénétique, l'origine livresque de l'idéal de chevalerie et le caractère fictif des ouvrages qui le proposent. L'exaltation de l'individu comme source et juge de la norme morale — l'idéal même de la chevalerie errante — rend les actions de don Quichotte inefficaces et ridicules. Lorsqu'il se jette à la défense des persécutés, d'un pauvre serviteur fouetté par son maître ou d'un convoi de forçats accompagné de gardes, Quichotte ne consulte que l'autorité de sa conscience. La norme morale semble y être inscrite, et le bras du héros se charge de l'appliquer. Or, en réalité, le serviteur libéré doit bien retourner à son maître qui ne se privera pas du plaisir de le fouetter de nouveau ; de même, les forçats sont de dangereux criminels punis par la justice institutionnelle. Le tissu des rapports sociaux aussi bien que les institutions étatiques suivent leur propre logique, insensible aux efforts individuels du brave chevalier. Plus grave encore, don Quichotte n'a pas appris les maximes de la chevalerie auprès de vrais chevaliers, mais dans les livres. Souvent, l'hidalgo récite à qui veut l'entendre le mode de vie du chevalier errant, les épreuves qui parsèment sa route, la générosité des châtelains à son égard, les amours qu'il éveille partout où il se montre. Quant aux circonstances de sa vie réelle, le chevalier de la Triste Figure ne les regarde pas telles qu'elles sont, mais les interprète selon la leçon offerte par les romans de chevalerie. Or cette leçon, pour exaltante qu'elle puisse paraître, est fictionnelle de part en part : ces inventions, qu'Amyot comparait aux « songes de quelque malade rêvant en fièvre chaude », enlèvent à Quichotte l'esprit et le jugement et le rendent fou.

L'attaque lancée par Cervantès contre le récit de chevalerie et ses clichés est si complexe, qu'il est souvent difficile de savoir si l'auteur blâme l'idéal désuet professé par *Amadis*, la littérature fondée sur l'idéalisation, quelle que soit sa méthode, ou l'affirmation impertinente de la grandeur morale elle-même. L'épisode des moulins à vent, par exemple, tourne évidemment en ridicule la féerie médiévale qui peuple l'univers de géants et de sorciers. Le même épisode raille la manie interprétative de l'hidalgo, qui prête à l'univers réel le visage imaginaire appris dans les récits de chevalerie. Cela dit, faut-il considérer la défaite du protagoniste dans cet épisode et dans d'autres circonstances semblables comme une critique de l'idéal d'héroïsme défendu par l'*Amadis*, comme un rejet de toute littérature qui transfigure la réalité en l'idéalisant ou encore comme une satire dirigée contre l'ambition morale démesurée ? En d'autres termes, faut-il voir dans *Don Quichotte* un roman *moderne* (par opposition aux échos médiévaux des récits de chevalerie), un roman *réaliste* (par opposition à l'idéalisme pratiqué par les genres de roman analysés plus haut), ou encore un roman *satirique* (par opposition au ton sérieux de ces genres) ?

La tentation est irrésistible de répondre : « tout ceci à la fois », réponse sans doute correcte jusqu'à un certain point.

Et cependant, il est tout aussi vrai d'observer que les plaidoiries de don Quichotte à la défense de la chevalerie errante émeuvent tous ceux qui les écoutent, y compris le lecteur. Pourquoi ce personnage dont les propos sont si nobles et si sages agit-il comme un fou ? se demandent à mainte reprises les amis du héros. Loin d'être ceux d'un homme moderne, les discours du brave hidalgo, visiblement destinés à provoquer l'admiration du public, s'obstinent à faire l'éloge du courage et de la magnanimité, en conformité avec les maximes de la grandeur prémoderne. L'échec de ses entreprises n'est donc peut-être dû qu'à l'application maladroite de ces principes plutôt qu'aux idéaux eux-mêmes. Le roman plaiderait-il alors en faveur du réalisme ? Dans la littérature prémoderne, organisée par l'opposition entre les genres narratifs idéalisateurs et les genres consacrés à l'étude de l'imperfection humaine, cette question est dénuée de sens. *Don Quichotte* est un roman comique, mais non pas réaliste, car à regarder de près, les aventures qu'il raconte, pour divertissantes qu'elles soient, n'ont guère de vraisemblance. S'agirait-il donc d'une œuvre satirique ? Non plus, car après le début effectivement cocasse, le niveau monte et la noblesse des propos tenus par le protagoniste l'emporte la plupart du temps sur la drôlerie, de plus en plus tempérée, de ses aventures.

Quelle que soit la solution de ces questions, une chose semble certaine, à savoir que dans l'esprit de son auteur, *Don Quichotte* a dû représenter la première moitié d'un argument semblable à celui formulé par Amyot dans le proesme à sa traduction des *Éthiopiques*. À l'instar de celui-ci, Cervantès était convaincu que la littérature idéalisatrice est chargée d'une importante mission, celle d'enseigner aux hommes, en les amusant, la vérité de la philosophie morale. Le roman de chevalerie, soutient le chanoine de Tolède à la fin de la première partie de *Don Quichotte*, pourrait survivre à condition de modérer la sauvagerie de son imagination en rapprochant autant que possible l'invention et la vérité. Mais aux yeux de Cervantès, la véritable réussite romanesque, l'œuvre qui flatte l'imagination sans négliger la vérité, était *Les Éthiopiques*. L'ouvrage que Cervantès préférait de loin à tous ses autres livres (et c'est la deuxième partie de son argument), *Persilès et Sigismonde* (1617), est une imitation d'Héliodore, une sorte d'*Éthiopiques* chrétiennes, racontant le destin d'un couple d'amoureux poursuivi par la Fortune. Le périple qui les conduit de l'Europe du Nord vers Rome figure à la fois la

découverte du centre religieux du monde et la confirmation
de leur amour céleste. L'argument articulé par la carrière de
Cervantès ne visait donc pas à réfuter le roman idéalisateur,
mais à affirmer sa vitalité, en critiquant l'excès d'invraisemblance des récits de chevalerie et en proposant pour modèle
le roman hellénistique. Cervantès était convaincu que le
roman peut et doit présenter la vérité morale par le biais de
l'idéalisation, que le roman de chevalerie peut survivre s'il
accepte de se réformer et que la véritable supériorité artistique appartient au roman hellénistique. Partagées de
manière explicite ou tacite par beaucoup d'écrivains de la
deuxième moitié du xvie et du début du xviie siècle, ces
convictions ont été confirmées par l'évolution du roman
idéaliste à cette époque.

L'auteur d'un tel roman ne pouvait ni s'abstenir de rivaliser
avec *Les Éthiopiques* — modèle désormais incontournable du
genre —, ni se résoudre à exclure de son univers les échos de
l'*Amadis* et des romans de chevalerie. Cette double exigence
inspira de fréquentes synthèses entre la vertu qui prend ses
distances à l'égard du monde et celle qui l'affronte, entre la
poursuite de la vocation personnelle et la défense publique
de la justice. Comme nous l'avons noté plus haut, de nombreux romans pastoraux, dont *L'Arcadie* de sir Philip Sydney
(1580) et la quatrième partie de *L'Astrée* d'Honoré d'Urfé,
tentent de réaliser une telle synthèse, en y ajoutant la thématique de la découverte de soi. Le roman héroïque du
xviie siècle, représenté par les grandes œuvres de Gomberville
(*Polexandre*, 1632-1638) et de Madeleine de Scudéry (*Artamène ou le Grand Cyrus*, 1649-1653 et dans une certaine
mesure *Clélie*, 1654-1660), incarne l'effort le plus soutenu
d'allier la perfection intime prêchée par le roman hellénistique, la grâce du roman pastoral et le brio spectaculaire des
chevaliers errants.

CHAPITRE II

La science de l'imperfection

LE ROMAN PICARESQUE

Les héros des romans idéalistes jouissent manifestement de la faveur de la Providence. Invulnérables à l'adversité, ils traversent les épreuves avec la conviction sereine que, aussi longtemps qu'ils respecteront les normes de la vertu et de la générosité, le destin, aux mains duquel ils se sont confiés, prendra soin d'eux. Une loi transcendante, figurée par le dieu Soleil dans le cas de Chariclée et Théagène, par les devoirs de chevalerie et de courtoisie dans celui d'Amadis et par le dieu Amour dans l'histoire de Céladon, insuffle aux protagonistes le désir de la victoire et la force intérieure nécessaire pour l'emporter. Comme les coureurs d'élite qui, maîtrisant à la perfection leur énergie, se détachent sans tarder du reste du peloton, ces héros manifestent dès le début de l'action les signes de leur supériorité. Le roman parle d'eux et non pas d'autres personnages parce que cette supériorité les a déjà constitués en objets d'admiration et de discours. Parmi la multitude ils attirent les regards, ils méritent l'attention et ils reçoivent la palme du dicible. Animée par une sorte de platonisme instinctif, l'attention que ces personnages suscitent se délecte sans fin dans les objets doués de perfection — ce qui explique peut-être la longueur remarquable des romans idéalistes.

Lorsqu'en revanche le regard se dirige vers l'imperfection humaine, il a tendance, dans un premier temps, à se protéger contre la virulence du contraste entre la norme idéale et la bassesse du spectacle. Ce spectacle reçoit alors un éclairage comique, et le rire qu'il provoque entérine à la fois la vérité de l'imperfection et la force de l'idéal qu'elle contredit. C'est le sens de la satire latine et du *Satiricon* de Pétrone. Parfois la dissociation entre la norme et les objets représentés dans leur bassesse est plus forte encore et ce n'est assurément pas un hasard si les « histoires drôles » prennent le plus souvent et dans la quasi-totalité des cultures la forme d'histoires d'animaux, comme si, entre les ruses du *trickster* (le personnage solitaire, rusé et dépourvu de scrupules qui se retrouve dans toutes les traditions littéraires) et la bonté naturelle de son audience, il fallait introduire un considérable écart symbolique. *L'Âne d'or* d'Apulée prend déjà cette précaution, qui se retrouve plus tard dans la vaste fable du *Roman de Renart*.

Dans le *Satiricon*, l'indignité du sujet est tempérée par le ton léger du récit. Rien de moins sérieux que les mésaventures d'Encolpe, pédophile affecté d'impuissance, qui traverse la Campanie avec l'enfant Glaucon et Ascylte, amant infatigable. Le monde dans lequel ces jeunes s'agitent est plongé dans la magie, hanté par des sorcières véreuses, terrorisé par toutes les superstitions. Le personnage sent bien qu'il ne maîtrise pas son destin ni sa place dans le monde — l'allégorie de ses échecs sexuels est transparente —, mais il ne s'ensuit pas le sentiment d'une insuffisance plus profonde.

Dans *L'Âne d'or* d'Apulée, en revanche, le comique n'est assurément qu'un moyen mis au service d'une thèse spéculative. Métamorphosé en âne par l'erreur d'une magicienne et donc exclu d'emblée du genre humain, le personnage principal Lucius assiste, sans y participer de manière autre qu'accidentelle, à diverses aventures qui lui dévoilent la méchanceté des hommes et la perversité des femmes. Il finit par retrouver sa forme humaine grâce à l'intervention de la divinité, à laquelle il consacre désormais sa vie. On a qualifié *L'Âne d'or* d'œuvre picaresque. Sans doute a-t-on pensé au caractère décousu de l'intrigue, formée de divers incidents dont Lucius, métamorphosé par erreur en âne, est le témoin involontaire. En fait, il est difficile de classer *L'Âne d'or* parmi les romans, car le héros n'y est pas à proprement parler un acteur ni les incidents qui se déroulent devant ses yeux n'ont la cohérence d'une véritable intrigue. Un message semblable à celui du roman hellénistique — le monde sublunaire est parsemé de pièges dont il convient de se méfier — assure au récit une sorte d'unité spéculative, renforcée par l'histoire à sens mystique d'Éros et de Psyché, qui se trouve enchâssée dans la première moitié du récit. Mais cette unité spéculative n'est pas soutenue par les actions du protagoniste. Et si la forme animale prise par Lucius lui révèle que le corps est une prison et préfigure, par contraste, la libération religieuse à la fin du récit, cette libération arrive de l'extérieur, de manière aussi arbitraire que la métamorphose initiale.

Quel que soit le degré de réussite de cette œuvre, elle est redevable de sa thématique à une vigoureuse tradition qui exploite l'animalité et la bassesse pour en tirer des effets comiques, tradition qui a continué à prospérer tout au long du Moyen Âge et dans tous les milieux sociaux — le mythe de son origine strictement populaire n'ayant aucun fondement. *Le Roman de Renart* en fait également partie, ainsi que les nouvelles comiques à caractère érotique qui abondent dans toutes les littératures. Quant à *Gargantua* et à *Pantagruel* de Rabelais, bien que ces œuvres ne puissent en aucun cas être réduites à leur truculence scatologique et sexuelle, il n'en est pas moins vrai qu'elles exploitent à fond la vieille affinité qui existe entre l'animalité de l'homme et le rire. Le lignage incarné par ces grandes réussites sans lendemain continuera de produire au XVIIe siècle des romans qui se moquent de la littérature idéaliste en faisant fond sur la faiblesse et la frivolité des êtres humains, tels *L'Histoire comique de Francion* (1623-1633) de Charles Sorel, parodie des romans pastoraux, et *Le Roman comique* (1651-1659) de Scarron, œuvre burlesque proche des effets de la farce dramatique. L'importance de cette tradition est indéniable, et pourtant la singularité des œuvres qui la représentent est telle qu'elles ont rarement engendré une véritable postérité. Ni Rabelais, ni Sorel, ni même Scarron n'ont eu sur leurs contemporains et successeurs immédiats l'influence qu'ont pu exercer les traductions du roman hellénistique, les pastorales de la Renaissance ou les romans picaresques. Pour cette raison, j'estime que la théorie qui promeut l'œuvre de Rabelais et la littérature burlesque au rang d'ancêtres du roman réaliste du XIXe siècle ne résiste pas à l'examen.

Un rôle beaucoup plus important dans l'histoire des genres narratifs en prose a été rempli, me semble-t-il, par les œuvres qui, se dégageant de l'emprise du rire, envisagent le spectacle de l'imperfection humaine avec le sérieux délibéré qu'on réserve d'ordinaire à la représentation des objets dignes d'admiration. Ce nouveau rapport à l'imperfection et au manque de dignité se dessine au sein même de la tradition comique, le résultat étant la création d'œuvres dont l'objectif principal n'est plus de faire rire le lecteur, mais d'attirer son attention sur les questions morales les plus graves. S'il est donc vrai que le roman a contracté une dette considérable envers la tradition comique, le véritable sens de cette dette ne réside pas dans la victoire de la truculence sur la vision idéaliste de l'homme — victoire qui, à vrai dire, n'a jamais été remportée — mais, au contraire, dans la conversion des thèmes comiques en objets d'une réflexion morale sérieuse, voire pessimiste. Le genre littéraire qui a effectué cette conversion a été le roman picaresque, aussi bien dans sa forme espagnole que dans son hypostase anglaise, le picaresque français ayant développé une vision plus sereine de la vie morale.

Les schèmes comiques traditionnels sont immédiatement apparents dans le premier avatar du genre, *La Vie de Lazare de Tormes*, texte anonyme publié en 1553-1554. Tels les tricksters de la littérature orale, le protagoniste exhibe la dangereuse ingéniosité de l'individu livré à ses propres ressources. Fils d'un meunier banni pour larcin et d'une mère de mœurs douteuses, Lazare (ou Lazarillo) doit gagner de bonne heure sa vie en compagnie de divers maîtres, tous pauvres, avaricieux ou corrompus. Il apprend auprès d'un mendiant aveugle les rudiments du vol domestique, qu'il perfectionne auprès d'un prêtre hypocrite et radin. Il se met ensuite au service d'un écuyer réduit à la misère qui dépend de Lazare pour sa nourriture, d'un religieux fort ami des affaires séculières, d'un prêcheur de fausses bulles, d'un peintre, d'un chapelain et d'un sergent. À la fin du récit, Lazare obtient la charge royale de crieur public à Tolède et épouse une des chambrières de l'archiprêtre, avec lequel il partage docilement les faveurs de sa femme.

Comme dans le roman idéaliste, la succession en apparence disparate des épisodes évoque l'homogénéité de l'univers au sein duquel ils s'enchaînent. La plupart de ces épisodes mettent en scène des maîtres qui ne veulent ou ne peuvent pas accomplir leur devoir le plus élémentaire envers leur valet, celui de le nourrir convenablement, le réduisant par conséquent à chercher sa nourriture par des moyens frauduleux et, le cas échéant, à tromper sans scrupules les maîtres eux-mêmes. La cohérence interne des divers moments du récit (l'insuffisance des maîtres étant constamment contrebalancée par les ruses du valet) captive et satisfait l'attention, mais tout comme dans le premier volume de l'*Amadis*, les aventures se juxtaposent sans le bénéfice des relations causales, aucune intrigue à long terme n'étant détectable dans l'enchaînement de ces aventures.

J'ai déjà noté que dans les romans idéalistes cette méthode, loin de signaler la maladresse technique de l'auteur, est mise au service d'une fin délibérée, qui consiste à représenter à la fois l'unité et la déchéance d'un monde que le héros et l'héroïne souhaitent soit quitter (dans les romans hellénistiques) soit restaurer (dans les récits de chevalerie). Dans la succession à première vue illogique des épisodes des *Éthiopiques* on découvre non pas une *histoire* racontée au hasard, mais un *monde* qui n'a rien d'autre à offrir que le hasard, un monde dont les divers visages paraissent indéfiniment substituables l'un à l'autre. De même, dans la première partie d'*Amadis*, les innombrables aventures du héros aux prises avec la félonie et avec le manque de courtoisie ne s'enchaînent pas selon la logique de la temporalité narrative (*post hoc ergo propter hoc*), mais illustrent chacune la sauvagerie du monde et la noblesse des chevaliers qui le parcourent. Faute de se fondre en une seule histoire, ces épisodes élaborent une anthropologie.

Les anecdotes qui forment la trame des romans picaresques remplissent une fonction semblable. Quel que soit l'enjeu momentané du récit, l'univers de Lazare accable toujours le personnage de son inépuisable hostilité. Le temps passé auprès de l'écuyer ruiné n'entretient certes aucun lien narratif explicite avec les mésaventures que Lazare subit au service du prêtre avare, ni avec les exploits frauduleux des vendeurs d'indulgences. Chaque fois, cependant, Lazare fait face aux mêmes difficultés, comme si ses divers maîtres incarnaient, chacun à sa manière, l'identité profonde d'un défi universel.

Dans *La Vie de Lazare* ce défi est double : il menace à la fois la survie immédiate et les liens de confiance entre les hommes. Dans l'ordre de la survie, *La Vie de Lazare*, comme la plupart des romans picaresques, décrit une économie de la pénurie généralisée, le souci permanent des picaros étant de trouver un gîte et des vivres. La pauvreté abjecte contre laquelle ils se débattent fait écho, en renversant son sens, à la séparation entre les héros du roman grec et le monde ambiant : alors que dans *Les Éthiopiques*, les personnages traversent les mers et la terre à la recherche de la nourriture

céleste, ici Lazare parcourt l'Espagne déployant des trésors
d'intelligence pour obtenir un bout de pain et une gorgée de
vin. Chariclée et Théagène savent bien que leur lot n'appartient pas à ce bas-monde, qui les poursuit et les persécute ;
encore plus déraciné qu'eux (car son origine obscure rend
inconcevable le retour au sein de la famille), Lazare glisse
sur la surface du monde sans parvenir à concevoir son rapport au milieu ambiant autrement que sous les espèces de la
ruse et de la rapine. Tout comme le couple grec n'hésite pas à
mystifier ses persécuteurs pour déjouer leurs sinistres projets, Lazare ne ressent à aucun moment le moindre scrupule
à rouler ses maîtres ni à escroquer ses victimes. L'amoralité
est dans les deux cas la marque d'une non-appartenance : la
vocation divine dans *Les Éthiopiques*, comme la survie terrestre dans *La Vie de Lazare*, ne peuvent s'accomplir qu'indépendamment et en dépit du monde des hommes.

Mais la véritable tragédie de l'univers picaresque est l'effri-
tement de l'ordre moral et des liens de fidélité entre les
hommes. L'écuyer souffreteux, le seul maître pour lequel
Lazare éprouve une certaine affection, se lamente de ne pas
trouver un grand seigneur qu'il puisse servir fidèlement.
Plainte amère, car l'écuyer, fort scrupuleux sur tout ce qui
concerne l'honneur, sait bien que son maître hypothétique
apprécierait la servilité de son écuyer plutôt que sa fidélité. À
l'instar d'Amadis, le picaro est incessamment impliqué dans
des conflits dont l'enjeu est moral, sauf qu'à l'opposé du chevalier, qui découvre de l'extérieur l'infraction à la fidélité et
s'engage à la punir, le picaro, tantôt la victime et tantôt
l'auteur de ces infractions, vit dans leur douloureuse intimité. Parmi les gueux de Salamanque et de Tolède, le lien
social est tout aussi défait et le respect de la norme tout aussi
détérioré que dans la forêt des romans de chevalerie, mais
l'autorité susceptible de les restaurer ne fait plus irruption,
l'épée à la main, pour imposer le respect de la loi.

Deux cas de figure doivent être distingués ici : d'un côté le
picaro qui accepte l'amoralité de sa condition sans éprouver
des remords et de l'autre le picaro moralisateur qui déplore
la bassesse de sa propre vie au nom d'une norme supérieure
qu'il ne parvient pas à respecter. Dans le premier cas, le personnage agit en dehors et en dépit de la morale, et, en véritable trickster, perçoit cette exclusion comme sa condition
naturelle. Le picaro amoral est par conséquent un homme
relativement heureux, qui prend plaisir à tromper ses sem-

blables et ne se pose guère de questions sur les normes censées gouverner l'existence humaine. Lorsque Lazare découvre, par exemple, que le miracle opéré par le vendeur d'indulgences est une invention, le jeune homme note son grand plaisir à voir combien de tours les fourbes jouent aux simples gens. Par définition, les liens qui attachent les hommes et les objets les uns aux autres — et en premier lieu la véracité et le respect de la propriété — n'existent pas pour le trickster : apprenti voleur chez son maître le mendiant aveugle, Lazare ne se fait aucun scrupule à décevoir et à piller celui qui lui a enseigné ce beau métier. Étant donné son incapacité de vivre en société, ce type de picaro n'éprouve pas de véritable désir amoureux et n'aspire pas à la vie du couple : Lazare n'éprouve ni convoitise amoureuse ni jalousie (sa femme le cocufiant avec l'archiprêtre à la vue de tout le monde) ; quant aux amours de son confrère don Pablo de Ségovie, protagoniste du *Buscón* de Quevedo (publié en 1622), ils ne sont que tromperie et libertinage.

Dans sa version amorale le picaresque renvoie-t-il à la théologie morale chrétienne dont il adopterait, comme on l'a soutenu, la condamnation de l'homme déchu ? La possibilité en est certes ouverte par l'organisation même de ces récits — litanies de mésaventures qui évoquent une anthropologie de la dépravation. Il suffit d'un éclair de religiosité pour y ajouter la présence menaçante du Dieu justicier, comme il arrive en effet dans les romans picaresques moralisateurs, *La Vie de Guzmán d'Alfarache* de Mateo Alemán (1599) et *Moll Flanders* de Defoe (1722). Il reste que dans les textes où le discours moralisateur est absent, la dépravation des personnages n'est à presque aucun moment tempérée par la conscience d'une autorité qui serait en mesure d'en contredire les effets. Nul justicier fort de sa légitimité, nul moment de remords n'interrompent le cours des fourberies de Lazare de Tormes ou de don Pablo de Ségovie. Il s'ensuit que l'interprétation globale du picaresque à la lumière de la doctrine chrétienne est loin d'être satisfaisante, bien que le symbolisme des objets fictifs semble souvent y faire allusion : ainsi celui, obsessionnel, du pain et du vin dans *La Vie de Lazare*. Mais a-t-on jamais prouvé de façon convaincante que le symbolisme des objets présents dans un récit de fiction coïncide toujours et nécessairement avec la pensée qui les organise en univers ?

S'il est vrai que le détournement de l'attention réfléchie

vers les êtres qui en principe ne la méritent pas, exploit durable des romans picaresques, semble plaider en faveur de l'interprétation théologique, il reste qu'à force de subir l'incessant spectacle de ces personnages méprisables le lecteur finit par perdre de vue l'horizon de la norme idéale. Grâce à l'accumulation persévérante d'épisodes, la vie de Lazare de Tormes comme celle de don Pablo de Ségovie effectuent une plongée sans retour dans un monde dont la laideur finit par ne plus renvoyer à la beauté absente, ni la bassesse à la générosité temporairement oubliée. La conception chrétienne de la chute de l'homme, comme ses sœurs néoplatonicienne et stoïcienne, juxtapose l'abjection de la condition sublunaire et le souvenir de la grandeur perdue, qui contient la promesse du salut. Dans le picaresque amoral, ce souvenir et cette promesse font défaut. À l'intérieur du monde que nous habitons, semble dire ce sous-genre, les sources de transcendance, divines ou humaines, sont taries, la loi n'y possède qu'une force imaginaire et la dégradation des rapports humains n'a pas de solution. Ces histoires ne sont pas simplement celles de l'homme déchu que la grâce tente de sauver : l'infamie du picaro-trickster est si complète et si profondément en accord avec elle-même que l'idée même d'un ordre moral qui lui soit extérieur ne l'effleure pratiquement jamais.

D'un simple geste, l'espace imaginaire bâti avec tant de soin par les romans idéalistes est non seulement renversé, mais il se trouve, en dernière instance, aboli. Si l'anthropologie projetée par *Les Éthiopiques* révèle l'insuffisance du monde sublunaire, cette découverte n'est possible que grâce à la lumière et à l'appel du divin. De même, lorsque le roman de chevalerie met en lumière la fragilité des liens normatifs entre les hommes, c'est pour en défendre la nécessité et pour imaginer des êtres d'exception qui les sauvegardent. Se logeant confortablement au sein de la contingence et de la félonie, le picaro, dans son incarnation amorale, se dispense des principes qui s'y opposent et qui faisaient la grandeur des romans idéalistes.

Une seule lueur éclaire ce monde qui est déchu au point de ne plus saisir la gravité de sa propre déchéance : c'est le ricanement de la bassesse contente d'elle-même, le rire sardonique des ivrognes et des voleurs, si bien saisi par le pinceau de Velázquez (dont *Les Ivrognes* se trouvent au musée du Prado). Ce rire grotesque incarne le sens — vacillant — d'un

soi qui se contemple dans sa propre ignominie et qui, en
s'approuvant, frémit d'un bonheur inséparable du dégoût.
« Ose nier que tu nous ressembles ! » semble jeter au spectateur du tableau de Velázquez l'homme au nez rouge qui
s'appuie en titubant sur l'épaule de son compagnon. « Ose
nier que tu convoites notre liesse ! Joins-toi à nous, si tu es
assez fort pour porter la joie qui accompagne l'avilissement ! » Ce rire cynique et ce défi, qui résonnent d'un bout à
l'autre du *Buscón* de Quevedo, rehaussent la bassesse des
picaros du piment de l'impertinence, la même impertinence
qui plus tard, chez Dostoïevski, accompagnera les remords
des personnages les plus abjects. Ce rire affirme la dignité
douteuse que les personnages continuent d'éprouver au ras
de leur déréliction. Ballottés par la Fortune, ces picaros ne
comprennent guère le sens de leur dérive : dans cet univers à
proprement parler inhabitable, le destin de l'homme est de
tromper ses semblables, de rire et de prendre la fuite.

*

Le deuxième type de picaro est un personnage dont les
aventures sont tout aussi scandaleuses que celles de Lazare
ou des héros de Quevedo, mais qui, à la différence de ceux-ci,
ne peut se résoudre à accepter sa propre déchéance ni à
approuver les infractions à la norme morale qu'il commet.
La préférence du genre pour le récit à la première personne
facilite la différenciation entre le comportement honteux du
personnage et son discours édifiant. Maurice Molho a finement observé que le picaro, personnage méprisable, est
obligé de parler en son propre nom parce que personne
d'autre ne songerait à parler de lui : son récit peut donc soit
exprimer la déréliction complète, comme c'est le cas dans *La
Vie de Lazare* et chez Quevedo, soit au contraire témoigner
du conflit intérieur éprouvé par le personnage [1]. Inauguré
par le *Guzmán d'Alfarache* de Mateo Alemán, œuvre riche-
ment agrémentée de sermons et de réflexions morales, le
récit picaresque à deux voix — la voix du gueux et celle de
l'ascète (selon l'heureuse expression de Didier Souiller [2])
— est la spécialité du puritain Daniel Defoe.
Écrites plus d'un siècle après les grands romans pica-

---

1. Maurice Molho, *Introduction* aux *Romans picaresques espagnols*,
Bibliothèque de la Pléiade, Gallimard, 1968.
2. L'ouvrage de Didier Souiller, *Le Roman picaresque*, PUF, 1980,
demeure la meilleure introduction à la problématique de ce sous-genre.

resques espagnols, les autobiographies imaginaires de *Moll Flanders* (1722) et de *Lady Roxana, l'heureuse catin* (1724) héritent de la structure épisodique du picaresque espagnol, comme si la fragmentation et la contingence de l'univers — marques de son unité profonde et de son hostilité à l'égard des humains — demeurait l'horizon obligatoire d'un genre marqué depuis sa naissance par le platonisme négatif. La nouveauté des romans de Defoe vient tout d'abord de ce que le personnage du picaro et l'univers qui lui fait obstacle acquièrent une nouvelle épaisseur et cohérence, étant considérés — avec une lucidité sans précédent — dans leur dimension sociale ; ces romans approfondissent, ensuite, la thématique morale du genre et renforcent, enfin, l'unité — par ailleurs toujours précaire — du destin de l'héroïne.

Les deux personnages éponymes choisissent délibérément comme but dans la vie celui d'échapper à une condition sociale humiliante. Moll, née dans la pauvreté, et Roxana, plongée dans la nécessité par les imprudences d'un mari imbécile, veulent gagner les marques de la respectabilité : le mariage dans le cas de Moll, la reconnaissance sociale dans celui de Roxana, et la sécurité financière dans les deux cas. À la différence de Lazare de Tormes, la tâche de ces aventurières ne consiste donc pas simplement à survivre en évitant les écueils d'un destin féroce, mais à se faire une situation. Inexistant dans *La Vie de Lazare* et chez Quevedo, romans de la solitude, le rêve du couple heureux, voire du bonheur conjugal légitime, forme l'horizon de *Moll Flanders* et celui de la deuxième moitié de *Roxana*, soulignant le respect des deux picaras pour la norme sociale. Or dans la société bien organisée et dépositaire d'une loi dont Moll et Roxana reconnaissent la souveraineté, la promotion ne peut être obtenue que par des moyens que cette loi condamne. Moll a beau souhaiter épouser un brave homme avec lequel elle puisse mener une vie tranquille, ses amants et maris successifs, trouvés à l'aventure et en dehors des filières approuvées par la société, se révèlent tous des choix malheureux, en sorte que, pour faire fortune, Moll est obligée de pratiquer le vol et la prostitution. Roxana, abandonnée par son premier mari, se débarrasse sans scrupule de ses enfants pour devenir à tour de rôle la concubine de plusieurs personnages de marque. La réussite exige le sacrifice de l'intégrité.

L'exactitude du tableau social brossé par Defoe et surtout l'intérêt de l'auteur pour la toute-puissance maléfique de l'argent et pour la tentation des biens matériels (thèmes déjà exploités à fond par Mateo Alemán) entrent sans aucun doute en résonance avec l'essor de la société commerciale et avec la vision calviniste du monde, comme l'a si bien montré Ian Watt. Il faut cependant se garder de croire que la composition et les détails de ce tableau soient tous inédits et qu'ils reflètent uniquement la vérité de l'époque. Dans les critiques féroces que Defoe dirige contre la corruption et l'hypocrisie on reconnaît la tradition de la satire, dont la spécialité a depuis toujours été la description détaillée des maux de la société. L'ampleur de ces critiques, qui, à l'exemple du picaresque espagnol, n'épargnent aucune catégorie sociale, donne à l'élément satirique une résonance supplémentaire, elle aussi bien familière : la difficulté de s'établir par des moyens honnêtes n'est autre que l'ancienne hostilité métaphysique du monde, devenue ici l'imperméabilité de la société.

Les deux picaras entretiennent un rapport compliqué et souvent douloureux avec la norme morale qu'elles enfreignent. Pour les héroïnes de Defoe, le désir de vivre en conformité avec la norme n'est pas simplement l'effet du remords ou de la nostalgie de l'innocence, mais un des mobiles les plus importants qui orientent leurs actions et qui rend leurs propos moralisateurs plus convaincants que ceux tenus par Guzmán d'Alfarache, le gueux de Mateo Alemán. Dans le cas de Moll, sa déchéance morale n'est pas complète. Lorsqu'elle apprend, par exemple, que le meilleur de ses maris successifs, un brave homme poli, galant, amusant, et de surcroît propriétaire de plantations en Virginie, n'est autre que son propre frère, elle recule devant l'inceste et abandonne son foyer conjugal.

Et pourtant Moll pratique le vice non seulement par nécessité mais également par inclination, et s'étonne de découvrir l'étendue de sa propre corruption. Parvenue à un âge où la prostitution n'est plus de mise, Moll passe au métier de voleuse et accumule un pécule suffisant pour finir tranquillement ses jours. Elle continue pourtant de voler par pur goût de l'aventure autant que par orgueil. À côté de l'immoralité consentie par besoin et malgré son respect discursif pour la vertu, Moll est capable de faire le mal par pur plaisir. Et tout comme sa conscience intériorise les préceptes de la moralité, le plaisir de l'infraction participe, au sein de Moll elle-même, à l'injustice du monde.

À la fin, pourtant, la « voix de l'ascète » finit par l'emporter. Prise en flagrant délit, arrêtée, jugée et condamnée à mort, Moll se met enfin à l'école de la vertu. Sous l'influence de l'aumônier de sa prison elle subit une conversion spectaculaire, qui persuade les autorités à commuer sa peine de mort en déportation en Virginie. La proximité de la mort a raison de l'habitude de faire le mal, et le plaisir de l'illicite s'évanouit devant la notion d'éternité. Horizon permanent du roman hellénistique, la vanité de ce bas-monde n'apparaît dans sa véritable lumière qu'à la toute fin de l'aventure picaresque. Le destin récompense la maturité morale et réunit Moll au premier de ses cinq époux, retrouvé en prison aussitôt après la conversion de l'héroïne. Exilés ensemble en Amérique, ils y trouvent le bonheur et la prospérité, non sans éprouver, en même temps, de salutaires remords pour leur passé corrompu.

Dans *Roxana*, en revanche, la déchéance de la protagoniste, plus profonde que celle de Moll, conduit à la tragédie. Assez tôt dans le cours de l'action, le destin offre à Roxana une double occasion de se réformer. Un de ses amants, riche marchand hollandais, souhaite l'épouser, mais Roxana, déçue par son premier mari, dénonce au cours d'un long débat la servitude imposée aux femmes par l'institution du mariage et déclare sa préférence pour les unions libres. Le marchand la quitte à contrecœur et non sans lui léguer une somme importante, alors que la jeune femme, dont les possessions lui auraient permis de finir tranquillement ses jours, continue son ascension sociale illicite et atteint effectivement le sommet de l'échelle, en devenant la maîtresse du roi. Elle n'abandonne sa vie scandaleuse qu'après la fin de sa liaison secrète avec le monarque, lorsqu'elle retrouve et épouse son marchand hollandais.

À l'instar de *La Vie de Lazare de Tormes* et de *Moll Flanders*, *Roxana* pourrait bien s'achever sur l'assagissement de l'heureuse catin, si un des principes les plus importants du roman picaresque ne se trouvait soudainement subverti. Le picaresque postule l'invulnérabilité du personnage, sa capacité de s'enfuir en permanence, de se déguiser et de faire oublier son passé. Sa structure épisodique représente fidèlement la dérobade perpétuelle des protagonistes qui, pour duper efficacement leurs victimes, doivent cacher l'existence des victimes précédentes. Il est vrai que de temps à autre les échos des aventures passées troublent temporairement les projets des picaros, mais ces échos n'ont d'autre effet que celui d'augmenter la confusion et les obstacles passagers affrontés par les personnages.

Dans *Roxana*, le passé revient de manière décisive, conférant au roman une unité d'action inattendue. Après un long silence, une de filles de Roxana, abandonnée au début du roman, refait surface. Hantée par le désir de rejoindre sa mère perdue, la jeune Susan s'attache par instinct à Roxana, qu'elle soupçonne non seulement d'être sa vraie mère, mais aussi d'avoir été la maîtresse du roi. Pour garder le semblant de vertu qui assure à Roxana l'estime de son époux, le double secret de celle-ci — l'abandon des enfants du premier lit et sa liaison avec le monarque — doit rester enseveli. Par l'entremise de sa fidèle servante Amy, et au bout d'une série de scènes hallucinantes, Roxana consent à l'assassinat de sa propre fille.

Dans la mesure où *Roxana* insiste sur le sérieux profond des écarts de conduite et sur le caractère ineffaçable des transgressions passées, ce roman représente à la fois l'accomplissement de ce qui est véritablement novateur dans le picaresque et la fin logique de ce genre. La voix à la fois enjouée et sévère de Moll Flanders préserve au sein de l'amoralité picaresque l'excuse du comique et la référence voilée à la vision idéalisée. Entourée par un monde déchu, cette picara se laisse corrompre, mais l'on pourrait facilement imaginer que dans d'autres circonstances elle n'eût pas cédé à la tentation de l'ignominie. Dans *Roxana*, en revanche, nulle trace de comique : le ton et la substance du récit sont sérieux du début à la fin.

Nulle trace non plus de la spontanéité caractéristique des picaros (image inversée de l'activisme délibéré des chevaliers errants). Le mal auquel Roxana consent n'est dû aux circonstances extérieures que dans une mesure négligeable. S'il est vrai qu'au tout début de l'action la paresse et l'insouciance de son premier mari la poussent dans la misère, par la suite le destin de Roxana ne dépend que de ses propres décisions, prises de sang-froid et dans le but explicite d'augmenter sa liberté de manœuvre. Le seul trait picaresque représenté à souhait dans *Roxana* est la vision pessimiste du destin individuel. Mais la joute désordonnée du picaro avec le monde se métamorphose ici en une lutte épuisante du personnage immoral pour orienter et contrôler lui-même son avenir. Roxana s'est bien affranchie de la norme transcendante, mais au lieu de gaspiller imprudemment cette liberté elle en tire profit avec persévérance et précision. Stoïcienne à l'envers, elle observe et juge le monde à partir d'une citadelle intérieure dont les remparts lui assurent une vue imprenable sur l'ensemble de la vie sociale. L'insensibilité morale, qui chez les autres picaros emprunte un caractère pour ainsi dire naïf, est dans son cas le résultat d'un effort délibéré. Ayant cédé au début du roman à son riche propriétaire, Roxana, exige incessamment de sa servante Amy qu'elle en fasse autant. « C'est assez, commente-t-elle, pour convaincre quiconque que je ne considérais pas cet homme comme mon mari, que j'avais rejeté tout principe, toute pudeur et avais effectivement étouffé ma conscience [1]. »

En pensant pouvoir tenir tête au monde, Roxana assume sans le savoir un rôle à résonance tragique et sort du même coup des limites du genre picaresque. Ballottés par la contingence, les picaros parviennent à surnager tant qu'ils impriment à leurs membres une flexibilité parfaite et qu'ils évitent le piège de la véritable dignité. Pour le picaro, un soi sûr de son fait est un grave handicap (c'est peut-être la découverte de cette vérité qui fait ricaner l'ivrogne de Velázquez). Car face à l'univers plein de surprises et gouverné par la fortune que décrivent aussi bien les romans idéalistes que les œuvres picaresques, seules deux stratégies sont possibles : s'opposer à cet univers au nom de la norme transcendante — soit pour fuir le bas-monde soit pour lui imposer la justice — ou encore s'y adapter aux dépens de toute indépendance morale. L'exploit que Roxana souhaite accomplir consiste tout à la fois à choisir délibérément la déchéance, à parvenir à l'indépendance et à déjouer les surprises du destin. Or à l'intérieur de l'univers picaresque, ces fins demeurent incompatibles et, face à l'indépendance frauduleuse de l'héroïne, la norme et le destin se conjurent contre elle. Le retour du passé refoulé est le fruit du hasard — car la jeune Susan aurait très bien pu ni servir à la cour ni retrouver les traces de sa mère — allié avec la morale — puisque l'enfant abandonnée témoigne de la double dégradation de Roxana. Il suffit de considérer à quel point cette alliance frôle celle entre fatalité et faute, pour en apercevoir le potentiel tragique. La force intérieure de Roxana, l'indépendance, voire l'autonomie qu'elle s'impose exercent une immense force de gravité sur le léger univers

1. Daniel Defoe, *Lady Roxana, ou l'heureuse catin*, trad. H. de Sarbois, Laffont, 1949, p. 59.

picaresque et sur sa suite d'épisodes mal rattachés, en leur donnant un poids nouveau et en leur insufflant une nouvelle cohérence.

IDÉOGRAPHIE ET INDUCTION.
LE RÉCIT ÉLÉGIAQUE, LA NOUVELLE

Les romans idéalistes construisent laborieusement un vaste univers fictif fort différent du monde de la vie quotidienne et présentent cet univers comme une totalité cohérente. Selon cette méthode, que l'on pourrait appeler *idéographique*, l'univers imaginaire est façonné par une idée unificatrice que la multitude d'épisodes évoque inlassablement. La crédibilité des romans idéalistes ne découle pas de la familiarité du lecteur avec les détails racontés, et pour bien comprendre les œuvres conçues selon cette méthode, celui-ci n'a pas besoin de comparer chaque épisode ou détail à son expérience effective du monde. Le lecteur de ces romans est plutôt invité à saisir d'abord l'idée unificatrice qui les sous-tend — dans ce cas la séparation radicale entre l'homme et le monde sublunaire —, quitte à se demander par la suite si cette idée, dans son abstraction et son étrangeté, n'éclaire pas de manière globale l'univers tenu pour réel. Une fois saisie, cette idée a la vocation de mettre à jour le sens profond du monde dans lequel vit le lecteur, et non pas d'en éclairer les divers détails.

Le caractère abstrait de l'idée génératrice explique l'invraisemblance des romans qui la développent. C'est pour souligner la force de cette idée que ces romans idéalisent aussi bien leurs personnages que le milieu dans lequel ils évoluent, en simplifiant les qualités dont ils sont doués. Ces romans mettent en évidence les traits essentiels des personnages — la vertu de Chariclée, le courage généreux d'Amadis, mais également la lubricité et la cruauté d'Arsacé ou la ruse maligne d'Arcalaüs le sorcier — au détriment des qualités accidentelles, qui sont laissées dans l'ombre. L'insistance sur les traits essentiels et l'exclusion des accidents engendre des êtres fictifs dont la richesse qualitative est relativement faible, mais dont les qualités atteignent chacune une intensité exceptionnelle. L'intrigue de ces œuvres est nécessairement répétitive dans la mesure où l'idée a besoin de déployer son identité à la fois dans le temps et dans l'espace — d'où le caractère *duratif* de ces romans et la nature *panoramique* de leur action. Enfin, le roman idéaliste est d'ordinaire raconté de manière impersonnelle (à savoir à la troisième personne), comme s'il s'agissait de communiquer au lecteur la force objective de l'idée fondamentale.

À sa manière, le genre picaresque prolonge la tradition de la représentation idéographique, tout en remplaçant la représentation d'une humanité exemplaire par celle de sa déchéance. À l'instar des romans idéalistes, le genre picaresque a l'ambition de susciter à travers la multiplicité épisodique une idée abstraite et inattendue de l'univers — qui est par ailleurs toujours celle de la séparation radicale entre l'homme et son milieu ambiant. Faisant écho aux épreuves des héros des *Éthiopiques*, les nombreuses aventures de Lazarillo de Tormes, de don Guzmán d'Alfarache, de Moll Flanders et de Roxana n'acquièrent leur sens que par la référence obstinée au caractère imprévisible et hostile de l'univers ambiant, que les picaros et les picaras endurcis dans leur méchanceté n'ont aucun scrupule de tromper. Les personnages, tout aussi idéalisés — dans le sens de la simplification qualitative — que les héros exemplaires du roman grec, médiéval ou pastoral, exhibent uniquement les traits qui coïncident avec l'idée unificatrice du roman. L'intrigue enfin, toujours durative et panoramique, scanne le temps et l'espace pour découvrir les incarnations exemplaires de cette idée.

Le roman picaresque diffère néanmoins de ses prédécesseurs idéalistes par l'emploi massif de *détails familiers* de la vie quotidienne et par le *caractère testimonial*, et donc moins pénétré d'objectivité, du récit à la première personne. Ces deux traits sont liés à la représentation de l'imperfection du monde plutôt qu'au désir d'en évoquer la vraisemblance, au sens moderne du terme. Comme dans la tradition comique, l'imperfection est saisie par le biais de la matérialité et du concret, qui sont mis au service de l'idée unificatrice du texte. Le lecteur de *La Vie de Lazare de Tormes* et de *Roxana* n'est pas censé accepter d'abord la fiabilité du texte en s'appuyant sur l'exactitude des détails concrets pour en extraire par la suite la vérité morale. La lecture de ces œuvres exige, au contraire, que l'on comprenne d'emblée l'idée directrice du texte — la séparation entre l'homme et son milieu —, les détails familiers, concrets et bas permettant au lecteur de bien situer cette idée dans le registre moral approprié, celui de la bassesse. Le récit à la première personne est lui aussi un moyen de souligner le caractère vil des protagonistes, dont nul autre qu'eux-mêmes ne voudrait ni ne saurait discourir. Tout comme l'abondance des situations exotiques et le discours objectif incitent le lecteur des *Éthiopiques* à méditer sur le sens général de l'aventure humaine, la multitude d'objets familiers notés dans *La Vie de Lazare* et dans *Moll Flanders*, ainsi que le ton confessionnel du récit, n'ont pas pour fin dernière la représentation fidèle du monde ambiant (ces histoires étant dans leur totalité aussi invraisemblables que celle de Chariclée ou d'Amadis), mais la formulation d'une hypothèse abstraite sur l'essence morale de celui-ci.

Le récit élégiaque et la nouvelle, deux genres au long passé qui prennent pour objet l'imperfection humaine, subordonnent eux aussi les situations présentées à une idée clairement conçue, celle de la vanité de l'amour, par exemple, ou celle du danger représenté par la curiosité excessive. Cette idée, dont la portée est limitée, se révèle dans l'individualité d'un cas frappant.

Le récit élégiaque, qui descend des *Héroïdes* d'Ovide et peut-être aussi des *Confessions* de saint Augustin, est une complainte à la première personne, racontant les malheurs amoureux du personnage. Avant le xviiie siècle, les échanges de lettres d'amour authentiques, celles d'Héloïse et d'Abélard entre autres, bénéficiaient d'un considérable succès, mais les exemples fictionnels de ce genre demeuraient relativement peu fréquents, les plus connus étant *L'Élégie de la dame Fiammetta* (1344-1345?) de Boccace et *Les Lettres portugaises* (1669) de Guilleragues. Étant donné que l'intérêt de ce genre était renforcé par l'authenticité des œuvres, le caractère fictif des *Lettres portugaises*, publiées à l'origine comme des documents réels, ne fut découvert que beaucoup plus tard.

L'intrigue de ces récits, d'une parfaite simplicité, raconte les amours entre un homme libre et une femme mariée ou liée par les vœux de la vie religieuse. L'homme ne tarde pas à abandonner la femme séduite, dont la complainte forme la substance de l'œuvre. Les épanchements de dame Fiammetta, comme ceux de la religieuse portugaise, décrivent patiemment l'agitation purement intérieure, et par conséquent inutile, de l'affection déçue. Se plaçant à un niveau infiniment plus élégant que le discours picaresque, le récit élégiaque n'en confirme pas moins une des intuitions essentielles, à savoir que le regard porté sur l'intérieur de l'âme n'y rencontre que l'imperfection. La conscience morale aiguë du personnage qui raconte ses malheurs souligne à maintes reprises la force de la norme enfreinte : le bonheur le plus vif, semble dire Fiammetta, vient de l'amour, mais ce bonheur ne peut durer s'il contredit la norme morale. L'objet du récit élégiaque étant l'intimité d'un être humain pris dans sa singularité, le genre représente cette intimité par le moyen de l'expressivité lyrique. Occupant une place discrète dans l'ensemble des genres narratifs prémodernes, le récit élégiaque n'atteindra son véritable épanouissement qu'au cours du XVIIIᵉ siècle, lorsqu'il participera à la revalorisation moderne du regard intérieur.

La nouvelle, genre dont le passé oral est immédiatement visible au chercheur qui se penche sur le vaste catalogue morphologique des contes populaires établi par Antti Aarne et complété par Stith Thompson, prospère en Italie, en France et en Espagne du XIVᵉ au XVIIᵉ siècle, comme le témoignent les recueils de récits en prose composés à cette époque : le *Décaméron* de Boccace (écrit après 1350), les *Nouvelles* de Matteo Bandello (1554), l'*Heptaméron* de Marguerite de Navarre (1559), les *Ecatommiti* de Giraldi Cinzio (1559) et *Les Nouvelles exemplaires* de Cervantès (1613). Quoique la nouvelle ait durablement gardé son indépendance générique à l'égard du roman, elle a néanmoins joué, comme je tâcherai de le montrer, un rôle essentiel dans l'histoire de celui-ci.

La nouvelle se consacre, comme le roman picaresque, à l'étude de l'imperfection humaine, mais au lieu de la présenter comme une hypothèse générale dont il s'agit d'énumérer patiemment la multiplicité des conséquences, elle saisit au contraire un seul visage de l'imperfection, qui se révèle de manière surprenante dans le feu de l'action. Son objet favori est la coupure entre l'individu et son milieu, conçue non pas comme une donnée initiale abstraite, mais comme le résultat logique du comportement du protagoniste, qui se voit expulsé de son milieu ou s'en détache de manière plus ou moins volontaire. Parfois les héros des nouvelles sont des personnages vertueux qui font l'objet d'une expulsion immotivée (des martyrs, des innocents qui ne méritent pas leur destin, une Geneviève de Brabant, une Griselda), mais dans la plu-

part de cas l'exclusion du sein de la communauté représente
la conséquence ou la punition bien méritée d'une transgression commise par le protagoniste. Bien qu'ils finissent
par être rejetés par leur milieu, les personnages de la nouvelle y sont, au départ, bien intégrés, sans que rien ne laisse
présager le retournement ultérieur de leur destin. La nouvelle souligne donc les liens des protagonistes avec leur
famille et leur cité et, par conséquent, s'intéresse à l'insertion
sociale et historique de ses personnages. Les figures les plus
courantes — mais non pas les seules — de cette insertion ont
trait au mariage, et la faute qui provoque le plus souvent le
déséquilibre est la séduction amoureuse en dehors des liens
conjugaux. Enfin, l'événement raconté — la transgression et
ses conséquences — est par nature soudain et unique.

Tout comme le récit élégiaque, la nouvelle ne suit donc pas
la méthode idéographique et propose à la place une représentation *inductive* du monde moral. Au lieu de brosser de
vastes allégories dont la validité repose sur la généralité de
l'idée qu'elles illustrent, la nouvelle se concentre sur un seul
événement sorti du commun, sur un cas unique dont l'irruption à la fois étonne le spectateur et l'éclaire sur une virtualité insoupçonnée du comportement humain. C'est pourquoi,
à la différence de l'intrigue durative et panoramique des
romans idéalistes, qui exige du lecteur une familiarité de
longue durée avec les personnages, l'action de la nouvelle est
placée dans un espace et dans un temps strictement réduits.
Les nouvelles, par conséquent, gèrent très attentivement leur
charge événementielle, dont elles éliminent tout ce qui ne
sert pas à mettre en valeur le caractère insolite du conflit et
ne conduit pas à sa résolution rapide. La cruelle histoire de
Guillaume de Roussillon (*Décaméron*, IV, 9), qui se venge de
son épouse adultère en tuant son amant, culmine rapidement dans une scène au cours de laquelle la jeune femme
découvre que le plat qu'elle vient de consommer contenait le
cœur de son bien-aimé. Amoureux de la belle Silvestra, Girolamo (IV, 8) apprend qu'elle a dû épouser un autre homme. Il
s'introduit secrètement dans la maison et dans le lit de la
jeune femme, et, après lui avoir déclaré sa passion, ne tarde
pas à rendre l'âme. L'histoire du Maure et de Desdémone de
Giraldi Cinzio (*Ecatomitti*, III, 7) court à toute vitesse vers
l'injuste meurtre de la jeune femme.

Pour faciliter l'induction, la nouvelle place l'événement
surprenant qu'elle raconte dans un décor à peine esquissé

mais tenu pour réel. La surprise de l'induction est d'autant plus forte — et l'idée morale d'autant mieux éclairée — que la nouvelle met à profit les connaissances et les croyances bien établies des lecteurs. Si donc les romans idéalistes exigent du lecteur une suspension générale du jugement de vraisemblance, la nouvelle, pour obtenir une induction rapide et foudroyante, doit se placer d'emblée au niveau même de l'expérience commune. La vraisemblance du milieu décrit fait ainsi partie des conditions du succès de la nouvelle et n'est pas simplement une réaction à l'allégorie idéaliste.

La vraisemblance étant une des fins les plus importantes de la nouvelle, ses personnages sont moins idéalisés — dans le sens de la simplification qualitative — que ceux des romans prémodernes. S'il est vrai que les personnages types y abondent — la jeune fille fidèle, le jeune homme frivole, le mari jaloux, le moine amoureux —, le genre doit faire preuve de pénétration psychologique à la fois pour créer le sentiment de la vraisemblance et pour augmenter la surprise de l'événement raconté. La vraisemblance exige que les personnages de nouvelles agissent en conformité avec la psychologie du sens commun et qu'ils soient au courant de leurs sentiments et de leurs mobiles. Seuls les caprices de l'amour, reconnu depuis toujours comme une passion aveugle et immotivée, nuancent marginalement cette psychologie. Pour obtenir en revanche l'effet de surprise, les nouvellistes étudient les aspects moins habituels de la conduite humaine, en particulier les passions incompréhensibles et les mobiles insolites. Le résultat en est que les personnages de la nouvelle sont à la fois les plus véridiques et les plus complexes de toute la littérature narrative prémoderne.

La représentation d'un événement singulier et frappant sur fond de vraisemblance est susceptible d'un traitement comique ou sérieux, selon la nature de l'événement choisi. S'il est évident que la présomption de réalité véhiculée par la nouvelle n'a rien d'exceptionnel lorsqu'il s'agit d'histoires à sujet comique (étant donné que le comique jouit d'une affinité immémoriale avec le sentiment de la réalité concrète), il n'en va pas de même dans le cas des nouvelles à sujet sérieux ou tragique, dans lesquelles la noblesse du propos pourrait tout aussi bien favoriser l'idéalisation, voire la distanciation du monde fictif par rapport à la réalité concrète. C'est peut-être pour cette raison qu'en prenant pour objet la cruauté arbitraire du destin et la vertu inflexible des personnages, certaines nouvelles à sujet sérieux, dont l'histoire de Griselde dans le *Décaméron* (X, 10) est le prototype, ressemblent fort à des romans idéalistes abrégés. L'existence de ces nouvelles souligne la principale difficulté de la nouvelle sérieuse, qui consiste à demeurer fidèle à la vraisemblance tout en évitant à la fois les procédés propres à la littérature comique et ceux du roman idéaliste.

Il importe donc de distinguer entre deux manières d'obtenir des effets de vraisemblance. Cette notion peut se rattacher au contenu narré et provenir de la ressemblance entre l'univers décrit par l'œuvre et l'univers tenu pour réel par son public : il s'agit alors de la *vraisemblance morale et psychologique* exemplifiée par les nouvelles sérieuses, ou encore de la *vraisemblance sociale* mise en place par le roman du xixᵉ siècle. D'autre part, l'effet de vérité peut résulter des détails concrets dont l'écrivain se sert pour rendre l'univers fictif immédiatement sensible au lecteur : on parlera dans ce cas de *vraisemblance descriptive* et de l'effet d'*immersion* qu'elle produit sur son public [1]. Un sujet mythologique aussi éloigné que possible de l'expérience du lecteur est susceptible d'être présenté dans un langage riche en détails sensoriels concrets et produire un effet d'immersion; réciproquement, un sujet visiblement tiré du monde ambiant et conçu selon la méthode de la vraisemblance morale peut être traité dans un style dépouillé qui évite soigneusement les détails concrets et la richesse sensorielle.

Sur le plan de l'invention, les auteurs de nouvelles à caractère sérieux ou tragique avaient donc le choix soit de prendre pour modèle les romans idéalistes et d'évoquer sous une forme abrégée leurs univers nobles et abstraits (l'histoire de Griselda dans le *Décaméron*, et *Destins croisés*, *L'Amant libéral*, *L'Espagnole anglaise* de Cervantès), soit, en s'appuyant sur la vraisemblance propre au genre de la nouvelle, de raconter des événements surprenants à caractère tragique ou sérieux (l'histoire de Guillaume de Roussillon chez Boccace, celle du Maure et de Desdémone chez Cinzio, *La Force du sang* et *Les deux jeunes filles* de Cervantès). Mais sur le plan stylistique, il n'y avait pour ainsi dire pas de choix : pour vraisemblable et frappante que fût leur intrigue, les nouvelles sérieuses et tragiques du xviᵉ et xviiᵉ siècle devaient, afin d'éviter la vivacité perceptive réservée aux textes comiques, emprunter le style

---

1. L'importante notion d'*immersion* a été développée par Jean-Marie Schaeffer dans son ouvrage *Pourquoi la fiction?*, Seuil, 1999.

objectif et modéré des genres nobles. L'histoire de la nouvelle tragique en tant que sous-genre autonome est par conséquent celle d'une double dissociation : sur le plan de l'intrigue, la nouvelle sérieuse et tragique s'oppose au roman idéaliste au nom de la vraisemblance morale et psychologique, alors qu'au registre stylistique elle est obligée de se différencier des récits comiques et burlesques.

Concernant la charge thématique, les nouvelles sérieuses et tragiques mettent en scène de préférence des conflits amoureux et familiaux. Rien n'est plus loin de l'amour des romans idéalistes — indépendant du monde ambiant, parfait, indestructible — que celui représenté dans la nouvelle. Ici, l'inévitable insertion du personnage dans le monde détermine l'issue de sa passion amoureuse. La famille de Girolamo (*Décaméron*, IV, 8) réussit à empêcher son mariage avec la belle Silvestra en éloignant le jeune homme de Florence ; l'enseigne du Maure (*Ecatomitti*, III, 7) convainc son capitaine de l'infidélité imaginaire de Desdémone, etc. Les amants eux-mêmes, atteints d'imperfection, ne savent pas toujours aimer, soit qu'ils trahissent leurs époux ou épouses, soit qu'ils agissent en séducteurs et manquent à leur foi avant même d'arriver à l'autel. Alors que les couples du roman idéalistes demeurent éternellement unis, les amoureux des nouvelles ne peuvent guère compter les uns sur les autres : les trahisons, les querelles, les séparations et les malentendus traversent sans cesse leur fragile entente. À la différence de la pastorale, les personnages de nouvelle n'apprennent que rarement à se maîtriser eux-mêmes et à concevoir le monde du point de vue d'autrui. Si à la longue Céladon découvre le bonheur de se regarder soi-même avec les yeux d'Astrée, les divers héros jaloux et inconstants de Boccace, de Bandello, de Cinzio et de Cervantès agissent résolument en égoïstes.

*

Les personnages de la nouvelle, écrivais-je, sont à la fois les plus véridiques et les plus complexes de toute la littérature narrative prémoderne. Leur véracité tient à l'usage constant du sens commun psychologique dans l'explication des situations et des comportements. La complexité résulte de l'intérêt de la nouvelle pour les personnalités saisissantes, pour les situations hors du commun et pour les sentiments

insolites. Surtout, l'attention que ce genre accorde aux rapports entre les hommes et leur milieu ambiant lui permet
d'approfondir la psychologie morale de ses protagonistes.
Nous sommes bien loin ici du splendide isolement et de
l'inflexibilité des héros du roman hellénistique, de l'énergie
sociale inépuisable des chevaliers errants, mais aussi de
l'insouciance misérable des picaros. Chacun de ces types
jouit d'une considérable autonomie par rapport à la société
de ses semblables, qu'ils se proposent de fuir, de corriger ou
de tromper. Dans la nouvelle — et à sa suite dans le roman
d'analyse — l'homme est saisi dans sa dépendance quasi
complète envers le reste des hommes et l'événement foudroyant frappe des individus bien entourés par leurs semblables. Ces personnages, dont la stature morale n'a rien
d'héroïque, ne savent pas soumettre leurs passions et intérêts
aux exigences impérieuses d'une société qui les surveille de
près. Les poéticiens ont depuis longtemps reproché à Shakespeare le caractère « impur » de ses tragédies, dont les
héros (un Roméo, un Othello) sont détruits par des raisons
de conjoncture plutôt que par la majesté de la fatalité. La raison en est que Shakespeare emprunte ses intrigues à la nouvelle italienne, qui, loin de mettre en scène des héros plus
grands que nature et dont la force convoque le désastre, sin-
gularise ses personnages *a posteriori* si l'on peut dire et par le
biais des malheurs mêmes qu'ils traversent.

La psychologie morale du personnage de nouvelle dépend
du genre d'adversité auquel il fait face. Dans les récits de
Boccace mentionnés plus haut (*Décaméron*, IV, 8 et 9), ces
malheurs sont dus à un genre de revers qu'on pourrait désigner du terme d'*adversité externe visible* (l'opposition de la
famille à l'amour des jeunes, l'infidélité des époux et des
amants, les mauvais tours du hasard) : dans ces situations, le
personnage agit en tant qu'antagoniste et s'oppose aux forces
qui le menacent. Un autre type de revers frappe les victimes
de la ruse : la volonté de ces personnages, dont le Maure de
Venise est le prototype, est manœuvrée de l'extérieur par un
ennemi déguisé en allié. Dans ce cas, qu'on peut appeler
adversité externe cachée, le personnage aveuglé se métamorphose à son insu en protagoniste des forces néfastes et
en instrument de sa propre perte. Commune dans la comédie, cette situation se retrouve à l'occasion dans la tragédie
grecque (notamment dans *Philoctète* de Sophocle). Mais les
mobiles psychologiques mis en œuvre par ce type d'intrigue

demeurent assez rudimentaires dans la plupart des cas pré-modernes. Le scélérat y agit d'ordinaire en excitant chez sa cible les réactions les plus primitives et les plus facilement prévisibles : le désir de gloire, la jalousie, l'intérêt. Nous verrons bientôt que la prose du XVIIᵉ siècle affine considérablement ce type d'intrigue. L'*adversité interne visible* consiste dans les passions innocentes ou coupables éprouvées par le personnage et qui le mettent en état de conflit avec son milieu — ainsi, les amours malheureuses de Roméo et de Juliette dans la nouvelle de Bandello. Bien que dans la littérature antérieure au XVIIIᵉ siècle on ne trouve pas encore de véritable *adversité interne cachée* — constituée par les passions qui agitent le protagoniste à son insu —, les nouvellistes du XVIIᵉ siècle et en particulier Cervantès et Mme de Lafayette approfondissent la vraisemblance morale en se penchant sur l'*adversité interne visible mais incompréhensible*, à savoir sur les passions dont le protagoniste ne parvient pas à concevoir la nature ou la raison d'être.

Un des types moraux auxquels Cervantès s'intéresse aussi bien dans la première partie de *Don Quichotte* (1605) que dans *Les Nouvelles exemplaires* est l'amoureux volage, personnage type d'origine comique, mais qui est susceptible de devenir l'objet d'une intrigue sérieuse. Dans *Don Quichotte*, qui en sus des aventures du héros éponyme présente au lecteur une véritable encyclopédie des genres narratifs à l'aube du XVIIᵉ siècle, le destin du chevalier de la Triste Figure croise ceux de Lucinde, de Cardenio, de Dorothée et de don Fernand. Par de fausses promesses de mariage, don Fernand a séduit et abandonné la belle Dorothée, fille d'un riche laboureur vassal du duc. Le séducteur réussit ensuite à éloigner Cardenio de sa bien-aimée Lucinde et à se faire donner celle-ci comme épouse. Mais Lucinde, déjà mariée en secret à Cardenio, prend la fuite. À la fin, le hasard réunit les quatre amoureux dans la même auberge, où ils finissent par se réconcilier.

Comme dans l'*Amadis*, le monde décrit ici est fondé sur la reconnaissance délibérée de la dignité de l'autre et sur le respect de la parole donnée. Dans cette société, les hommes et les femmes s'unissent de leur propre chef et sans attendre le consentement de la famille, l'échange secret de vœux entre les personnes ayant la même force normative qu'un mariage célébré en public. La confiance est le principal garant de cet ordre des choses, au sein duquel enfreindre une promesse constitue la faute la plus grave. Mais alors que dans l'univers idéalisé de l'*Amadis* les félons sont conçus comme étant éternellement pervers, dans le monde imparfait — mais pas irrémédiable — décrit par Cervantès les personnages les plus honorables en arrivent à se tromper et les plus faillibles finissent par reconnaître leur faute.

Dans la comédie, l'inconstance des amoureux, conçue comme étape sur le chemin qui conduit au bonheur, n'a pas la force de blesser irrémédiablement ses victimes et se dissipe d'ordinaire sans laisser de traces. Dans les nouvelles sérieuses, en revanche, l'inconstance masculine a des suites extrêmement graves, auxquelles le dénouement remédie à la dernière minute, parfois d'une manière peu vraisemblable. Dans *La Force du sang*, le jeune et riche Rodolphe fait enlever la belle Léocadie et la viole. Revenue de son évanouissement, la jeune fille s'empare d'un crucifix d'argent qui se trouve dans la chambre de Rodolphe. Enceinte, Léocadie cache son déshonneur et élève, aidée par sa famille, le bel enfant qu'elle met au monde. Bien des années plus tard, un accident met en rapport Léocadie avec les parents de son séducteur, qui comprennent (le crucifix aidant) le secret de la jeune femme. Émus, ils font revenir Rodolphe d'Italie et lui offrent la belle Léocadie comme épouse. L'histoire a une issue heureuse, mais la conduite de Rodolphe n'en est pas moins présentée comme inexcusable. Le viol et l'abandon de la jeune femme ne forment pas une simple étape sur le chemin de l'amour : l'imperfection de Rodolphe est réelle et sans l'intervention du hasard, le malheur de la jeune femme aurait été irrémédiable. Dans *Les deux jeunes filles*, la belle Théodosie se laisse séduire par son jeune voisin Marc-Antoine, qui disparaît aussitôt après. Habillée en homme, Théodosie se dirige vers Naples, nouvelle résidence du séducteur. En route, elle rencontre une jeune femme du nom de Léocadie, partie elle aussi à la recherche de Marc-Antoine, qui lui avait promis par écrit de l'épouser. Forcé de faire son choix, le double séducteur, regrettant son étourderie et son manque de scrupules, se déclare l'époux de Théodosie, alors que Léocadie revient au frère de celle-ci. Les tribulations de Théodosie connaissent une fin heureuse, mais, comme dans *La Force du sang*, aucune progression nécessaire ne conduit au résultat souhaité. Cette situation se reproduit dans l'histoire de Cardenio et Lucinde où, bien que don Fernand finisse par épouser Dorothée, ce n'est pas de meilleur gré, ni sans l'avoir

d'abord rendue fort malheureuse. Et pourtant, à l'instar de
Rodolphe et de Marc-Antoine, Fernand n'est pas un monstre
accompli, et si l'inconstance de ces jeunes hommes les
éloigne de leurs bien-aimées, ils ne refusent pas de s'unir à
elles une fois que le hasard rend cette union possible, comme
si la trahison initiale et la réparation finale prouvaient en
égale mesure l'étourderie des personnages et la légèreté de
leurs décisions.

Ces récits de séduction et de réconciliation contribuent à
l'affinement de la vraisemblance morale par la création d'un
personnage qui manque à ses devoirs sans pour autant
s'exclure définitivement de la société des hommes. Nous
sommes loin de l'amoralité profonde, irrémédiable, des picaros, puisque dans ces nouvelles l'intervention de la société
(famille, victimes, amis), ramène facilement le séducteur à
son devoir. Il reste néanmoins que ces séducteurs apprivoi-
sés n'éprouvent à aucun moment de vrais remords, comme
s'ils menaient une vie dépourvue de réflexion morale et
comme si la capacité de délibérer de manière soit prospec-
tive soit rétrospective sur leur propre conduite leur faisait
défaut. N'ayant que de faibles lumières sur la nature de leurs
propres désirs, ces personnages s'imaginent à la fois sincères
(lorsqu'ils promettent le mariage aux jeunes femmes qu'ils
désirent) et frivoles (lorsqu'ils les abandonnent). Quand,
enfin, la morale triomphe, leur frivolité cède le pas à la sincérité initiale de l'amour ; mais l'initiative de ce retournement
n'appartient jamais au séducteur. Située à mi-chemin entre,
d'un côté, la perfectibilité programmée des héros pastoraux
et comiques et, de l'autre, la déchéance sans remède des
picaros, l'imperfection des séducteurs de Cervantès est une
infirmité de la compréhension et de la maîtrise de soi.

La méconnaissance de soi va de pair avec la maladresse
dans le calcul des conséquences. À peine esquissée dans les
histoires de séduction, cette vérité morale fait l'objet du
Curieux mal avisé (*Don Quichotte*, I, chap. 33, 34 et 35), récit
qui a connu tout au long du XVIIᵉ siècle un immense succès,
en particulier en France. Anselme et Lothaire, deux jeunes
Florentins, sont unis par une amitié indestructible. Après son
mariage avec la belle Camille, Anselme, qui souhaite mettre
sa femme à l'épreuve malgré sa conduite irréprochable,
demande à Lothaire de tenter de séduire Camille. Devant la
consternation de son ami, Anselme demeure inébranlable :
« Je constate et confesse, dit-il, qu'en ne me rangeant pas à

ton opinion et en me laissant emporter par la mienne, je me détourne du bien et cours après le mal. Cela posé, il te faut considérer que je suis aujourd'hui atteint de la maladie qu'éprouvent d'ordinaire certaines femmes, à qui il prend fantaisie de manger de la terre, du plâtre, du charbon et d'autres choses pires encore, répugnantes à la vue et plus encore au goût[1]. »

Comme le montre l'allusion à l'attirance pour les nourritures dégoûtantes, Anselme se rend bien compte que sa « maladie » est néfaste, voire avilissante, mais aussi qu'elle ne le place pas pour autant parmi les scélérats qui choisissent délibérément une conduite criminelle dans un but précis. Comparé, par exemple, à l'enseigne du Maure dans l'histoire de Cinzio (Iago dans la tragédie de Shakespeare), Anselme poursuit des fins vagues et peu utiles, agissant en fin de compte contre ses propres intérêts. Mais il ressemble encore moins aux véritables héros tragiques, car la passion qui le fait courir à sa perte a un caractère intime, dégradant, inavouable, au point qu'Anselme ne sait pas donner un nom à son désir insolite. Curiosité mal avisée, dit l'auteur, mais le diagnostic prononcé par le personnage lui-même est plus vague : « un désir si étrange et si extravagant » (p. 690), « maladie », « chimère » (p. 699), dit-il à Lothaire, « un sot et impertinent désir » (p. 732), écrit-il avant de rendre l'âme. Un désir étrange et extravagant, un sot et impertinent désir : en agissant sans bien comprendre ses mobiles, Anselme est vaguement conscient de sa propre incompétence morale.

Il est certes possible de mettre le riche vocabulaire de la psychologie moderne au service de l'analyse littéraire et de proposer une multitude de raisons inconscientes pour expliquer le comportement d'Anselme. L'homosexualité latente pourrait servir par exemple à clarifier l'attachement déraisonnable d'Anselme pour Lothaire ainsi que la difficulté du héros à former un couple stable avec sa femme, le voyeurisme fournirait la clé de sa curiosité mal avisée, et le désir mimétique éluciderait l'étrange besoin qu'il éprouve d'avoir un rival qui lui dispute les charmes de son épouse. Quoi qu'il en soit, j'évite à dessein des hypothèses herméneutiques aussi précises qu'anachroniques. Étant donné les habitudes narratives de l'époque de Cervantès, son innovation la plus

1. Cervantès, *Don Quichotte*, trad. Jean Canavaggio, in *Œuvres romanesques complètes*, vol. 1, Bibliothèque de la Pléiade, Gallimard, 2001, p. 699.

remarquable a précisément consisté à laisser planer le doute sur les raisons qui font agir son personnage. Comparés à la transparence déontologique régnante, c'est le brouillard enveloppant la motivation d'Anselme, l'impossibilité d'exprimer ses désirs, la pénombre morale couvrant sa conscience qui ont dû éblouir l'imagination des contemporains.

La méconnaissance de soi du personnage et la conscience crépusculaire qu'elle engendre sont d'autant plus troublantes qu'elles empêchent Anselme de prévoir correctement les conséquences de ses actes. Pour commencer, il ne semble guère se rendre compte que sa compulsion est incurable. Que Lothaire consente seulement à faire un bout de cour à Camille, l'implore Anselme : « À peine auras-tu commencé que je tiendrai le procès pour gagné » (p. 699). En réalité, Anselme prolonge indéfiniment l'expérience, en dépit des preuves de fidélité que lui offre son épouse. À la fin, l'inévitable se produit : demeurée seule avec Lothaire pendant plusieurs jours, Camille finit par lui céder.

Le désir étrange et extravagant n'obscurcit pas seulement la conscience de soi d'Anselme, ce désir l'aveugle également sur les raisons d'agir des autres. S'imaginant à tort que son alliance avec Lothaire est indestructible, Anselme ne prévoit pas que si la vertu de Camille succombe, la vérité deviendra impossible à découvrir, puisque le succès de Lothaire auprès de Camille unira inévitablement les deux amants contre le mari trompé. À cause précisément de son caractère chimérique et compulsif, mais aussi bien parce qu'elle engage un pari sur la conduite des autres, la curiosité d'Anselme ne peut pas être satisfaite. Tant que sa femme demeure vertueuse, le mari exige que Lothaire continue de l'assiéger, mais l'infidélité de Camille, qui seule pourrait mettre fin à l'expérience, abolit le contrat entre Anselme et Lothaire, et devient par conséquent indétectable. Le dénouement du récit est le résultat de cette double erreur de calcul. Témoin aveugle de l'adultère qu'il a provoqué, Anselme n'apprend la vérité que lorsque les deux amants, sur le point d'être trahis par une servante complice, décident de s'enfuir. Le curieux mal avisé meurt alors de désespoir, sa veuve se fait religieuse et Lothaire est tué sur le champ de bataille.

La structure caractérologique mise en place dans cette nouvelle illustre l'enjeu du vraisemblable moral cervantin : il s'agit ici de diversifier la représentation littéraire non pas tant dans l'ordre des évidences psychologiques (si bien quadrillées par les récits de la Renaissance italienne et française), mais plutôt dans celui de la surprise et, par conséquent, de la profondeur psychologiques. Mettant à profit le principal trait de la nouvelle — le conflit dont l'intérêt se concentre en un seul foyer narratif — Cervantès innove en insistant, d'abord, sur les aspects psychologiques de l'événement frappant — en d'autres termes en intériorisant l'anecdote — et en représentant, ensuite, l'inouï psychologique sous les espèces de la méconnaissance de soi et des autres. Son génie consiste à avoir opéré la synthèse entre la technique de la concentration narrative et le thème de l'aveuglement de soi, synthèse dont les riches virtualités ont été développées en France dans la huitième décennie du XVIIᵉ siècle par les créateurs de la nouvelle historique.

*

Ces auteurs, et notamment Saint-Réal, Mme de Villedieu et Mme de Lafayette, héritent de la nouvelle espagnole le caractère unifié et foudroyant de l'intrigue, dont le centre d'intérêt se trouve dans la vie intérieure des personnages. Dans la représentation de cette vie, il convient de distinguer entre l'option « casuistique », qui se spécialise dans l'analyse détaillée des motivations les plus secrètes, mais accessibles à la conscience, et la solution « augustinienne » (ou cervantine, si l'on préfère), qui se concentre sur l'incessante rébellion des passions et sur la méconnaissance de soi.

Don Carlos de l'abbé de Saint-Réal (1672), sommet de la psychologie morale casuistique, raconte une sombre histoire d'amour inexprimé, de jalousie et de soupçons, histoire dont la force dramatique a été exploitée plus tard par Friedrich Schiller et par Giuseppe Verdi. Pour accentuer l'effet de vraisemblance (et peut-être par esprit de polémique contre les vastes romans idéalistes de Mlle de Scudéry, situés dans une Antiquité imaginaire) l'action est placée dans le cadre historique moderne de la cour de Philippe II, roi d'Espagne. Une liaison sentimentale innocente attache l'infant Carlos à la seconde épouse de son père, et malgré la parfaite discrétion des jeunes gens, une cour corrompue et soupçonneuse pénètre leur secret. À la rivalité amoureuse entre père et fils s'ajoute la rivalité politique : le jeune prince souhaite partir aux Pays-Bas pour mettre fin à la guerre contre les protestants, projet qui se heurte à la résistance des ennemis de l'infant, parmi lesquels on compte la toute-puissante Inquisition. Une perquisition dans l'appartement du prince y découvre sa correspondance avec les chefs de la rébellion protestante, ainsi qu'une lettre imprudente de la part de la reine. Don Carlos est condamné et mis à mort par la volonté du roi, assisté par l'Inquisition.

La nature de l'événement foudroyant (l'exécution du fils par les ordres de son propre père) ainsi que le pessimisme outrancier de la description des mœurs de la cour espagnole sont des traits propres à la tradition de la nouvelle sérieuse et tragique. Ce qu'on ne trouve cependant pas chez les prédécesseurs italiens de Saint-Réal (Bandello et Cinzio) et encore moins chez leurs imitateurs français (Sorel, Rosset), c'est l'extraordinaire minutie de la psychologie morale qui se spécialise ici dans la lecture des mobiles les plus subtils et dans l'observation des comportements à toutes fins pratiques imperceptibles. À côté des manœuvres infinitésimales du prince et de ses ennemis, les gestes des amants de Vérone et du Maure de Venise semblent amples et éminemment visibles. L'art de Saint-Réal consiste à produire le dénouement extérieur le plus dramatique à partir des mouvements intérieurs les plus délicats.

Don Carlos excelle dans la représentation de l'adversité externe cachée, situation dans laquelle le protagoniste, étant manœuvré de l'extérieur par un ennemi déguisé en allié, devient l'instrument de sa propre perte. Dans le récit de Saint-Réal, les scélérats ont à leur disposition une carte détaillée de la psyché humaine et maîtrisent l'art de prévoir à long terme les réactions les plus subtiles de leurs adversaires. L'inviolabilité de l'espace intérieur garantissait aux héros de roman idéaliste la protection directe et personnelle de la Providence contre l'adversité externe. Dès lors que la clé de l'espace intérieur tombe entre les mains de ses adversaires, le personnage est condamné. D'où la détresse qui afflige les protagonistes des nouvelles historiques françaises : nés pour vivre sous la protection des dieux, ils sont cernés par les regards des hommes. Carlos et la reine, aussi discrets dans leur passion que les meilleurs bergers de *L'Astrée*, se trouvent à la fin livrés à la malignité du prochain. Le caractère anti-idéaliste de cet univers ne réside donc pas, comme pour le roman picaresque, dans l'éclipse totale de l'héroïsme, mais dans l'impossibilité des personnages de se dérober à l'emprise du monde ambiant.

Les Désordres de l'amour de Mme de Villedieu (1675-
1676) et *La Princesse de Clèves* de Mme de Lafayette
(1677) vont plus loin encore dans l'explicitation de cette
vision. L'intégrité fait entièrement défaut aux personnages
des *Désordres*, qui sont une étude sur l'art des alliances
secrètes. Si l'homme vit entièrement sous le regard de ses
proches et si la conscience, n'étant plus un refuge, s'étiole, les
seuls abris concevables contre la surveillance des autres sont
les pactes secrets entre individus. Le duc de Guise, aidé
par Mlle de Châteauneuf, prépare une vengeance contre
Mme de Sauve, qui lui a refusé ses faveurs. Pour humilier
Mme de Sauve, on lui fait croire que le roi de Navarre est
amoureux d'elle, bien qu'il aime en réalité Mlle de Châteauneuf. L'alliance secrète de Mlle de Châteauneuf et du roi de
Navarre contre Mme de Sauve est le résultat de l'alliance
plus secrète encore qui lie le duc de Guise à Mlle de Châteauneuf. Mais ces alliances emboîtées butent contre les charmes
de Mme de Sauve qui séduit le roi de Navarre et déjoue, en
l'attirant dans une nouvelle alliance, celles de ses ennemis.
Pour se venger, Mlle de Châteauneuf fait croire au roi de
Navarre que sa nouvelle maîtresse le trompe avec Monsieur,
le frère du roi. Elle prévoit (avec raison) que cette calomnie
rendra la querelle entre les deux grands inévitable, et
que l'éclat de ce conflit déterminera le roi à éloigner
Mme de Sauve de la cour. Cette dernière ne reste cependant
pas les bras croisés. Ayant compris que ses difficultés sont
provoquées par l'hostilité du duc de Guise, elle lui accorde
enfin, par pur calcul, les faveurs qu'elle lui avait naguère
refusées. Le secret de leur alliance demeure impénétrable, et,
privés de leur moteur premier, tous les autres différends
s'apaisent.

L'intérêt de ce texte bref et dont l'écriture se distingue par
sa parfaite nudité consiste dans l'élimination de toute trace
d'héroïsme. Le genre picaresque garde parfois à l'horizon
une trace de vertu, un reste d'idéalisme, car le picaro ne réussit à triompher de ses victimes que parce que celles-ci, même
lorsqu'elles sont aussi corrompues que lui, gardent néanmoins un fond de naïveté. Il n'en va pas de même dans les
Désordres. Ni tout à fait comique (car le ton est sérieux et les
personnages considérables), ni tragique (car l'issue de ces
intrigues est heureuse), le récit de Mme de Villedieu établit
une sorte d'équivalence généralisée dans la perversité des
personnages, qui sont tous également hypocrites et égale-

ment aveugles : la frivolité des enjeux et la laideur des moyens sont calculés pour provoquer l'indignation du lecteur.

La Princesse de Clèves, enfin, semble fondre toutes ces recherches et solutions dans le texte le plus mûr et le plus complexe de la période. Y sont présents les échos du roman idéaliste et pastoral, la concentration narrative propre à la nouvelle, la réflexion morale amorcée par Cervantès sur la méconnaissance de soi et la rébellion des passions, et, enfin, la problématique de la surveillance et de la dissimulation, marques de la nouvelle historique.

Mélange d'histoire et de fiction, *La Princesse de Clèves* s'est vue reprocher dès son apparition une érudition historique qu'on jugeait excessive. Le tableau de la cour, faisant écho à celui peint par Mme de Villedieu, est celui d'un monde régi par la surveillance réciproque et par la dissimulation. Les alliances secrètes, les galanteries fondées sur la vanité, les trahisons y abondent. Mais la dépravation de la cour, qui était le thème principal des *Désordres*, n'est ici que la toile de fond de l'action. Dans ce milieu de courtisans dépravés et « casuistes » qui se connaissent, se soupçonnent et se trompent réciproquement, se sont égarées quelques âmes « augustiniennes », qui s'ignorent et se déchirent. Leur histoire exhibe les traits de la nouvelle cervantine : le petit nombre de personnages, le caractère domestique de l'intrigue, la violence et l'incompréhensibilité des passions éprouvées et, enfin, la dégradation qu'elles engendrent. Autour de l'action principale l'auteur a accumulé, suivant le modèle de *L'Astrée* et celui des romans héroïques français, une multiplicité de récits enchâssés qui racontent divers scandales de la cour, épisodes qui, sans avoir toujours un rapport direct avec l'histoire de la princesse de Clèves, en éclairent les dilemmes moraux. Par ailleurs, grâce à ces récits enchâssés, l'œuvre dépasse les dimensions habituelles de la nouvelle historique — sous-genre auquel elle appartenait indiscutablement selon ses contemporains — et s'est vue ultérieurement classée parmi les romans.

Cette construction « en étoile » a pour fin de mettre en relief la valeur morale des personnages du récit principal, qui se rangent sur une échelle idéale selon leur degré de dissemblance avec le comportement le moins recommandable, celui des courtisans. Le parfait idéalisme, qui en figure le sommet, est représenté par le prince de Clèves, amant irréprochable, véritable avatar de Céladon, égaré, loin de *L'Astrée*, dans un monde qui ne le comprend ni ne le mérite. Son amour pastoral pour son épouse n'est pas payé de retour, et la confiance que le nouveau Céladon inspire à celle-ci provoque l'événement foudroyant qui finit par le détruire. Conseillée par sa mère, unique amie au sein d'une cour frivole, l'héroïne aspire à son tour à la perfection pastorale, mais, à l'égal des personnages des récits cervantins elle ne connaît ni ne maîtrise son cœur. Indifférente à la passion de son époux, Mme de Clèves tombe amoureuse du galant duc de Nemours, personnage jusqu'à un certain point semblable aux courtisans qui peuplent les récits enchâssés dans la nouvelle, homme à bonnes fortunes, cynique repenti à qui il arrive d'éprouver une vraie passion. Or quoique la force de son amour pour Mme de Clèves lui fasse changer temporairement de vie, à la longue ses habitudes reprennent le dessus.

L'événement foudroyant est de nature purement psychologique : la princesse de Clèves, incapable de lutter seule contre sa passion, se confie à son mari. Cet aveu, loin de résoudre son dilemme, l'aggrave : aussi imprudente qu'Anselme dans le récit de Cervantès, la princesse ne sait pas calculer les effets à long terme de son acte, qui accablent et finissent par tuer le fidèle époux. Effrayée par les conséquences de son imprudence et persuadée à raison que Nemours est au fond demeuré un homme volage, la princesse refuse de l'épouser. Ayant découvert sa propre imperfection, l'héroïne se retire du monde.

Pour mettre en valeur à la fois la vraisemblance historique et la vérité morale de son récit, Mme de Lafayette choisit un cadre spatial à peine plus vaste que celui des nouvelles. Ce cadre n'a rien à voir avec le décor panoramique des romans idéalistes et picaresques, ni avec la forêt de rêve de la pastorale. Nous sommes la plupart du temps dans une ambiance aussi fermée et suffocante que celle décrite par Saint-Réal et Mme de Villedieu, une cour dont les membres se dissimulent dans le labyrinthe des alliances secrètes, évitant soigneusement le regard public. Cette ambiance est fertile en occasions dangereuses, et les intrigues amoureuses des personnages corrompus finissent par attirer dans leur orbite les personnages qui sont, comme Mme de Clèves, vertueux mais imparfaits. La complicité coupable entre la princesse et Nemours s'établit lorsque le vidame de Chartres ayant perdu une lettre d'amour compromettante, la jeune femme et Nemours se voient dans l'obligation d'en composer une nouvelle version. « Cet air de mystère et de confidence n'était pas d'un médiocre charme pour ce prince et même pour Mme de Clèves. [...] Elle ne sentait que le plaisir de voir M. de Nemours, elle en avait une joie pure et sans mélange qu'elle n'avait jamais sentie [1]. »

La résidence du prince et de la princesse de Clèves à Coulommiers forme une sorte de contre-espace, où les deux époux se trouvent à l'abri des intrigues de la cour. Ils n'y sont cependant pas protégés contre leur propre faiblesse, et c'est à Coulommiers qu'a lieu la scène de l'aveu, à laquelle, en vertu d'une réactivation momentanée des procédés pastoraux, Nemours assiste sans être vu. La princesse exprime le souhait de demeurer à la campagne, mais pour M. de Clèves c'est paradoxalement l'isolement de Coulommiers qui sera fatal. Seul à la campagne avec son épouse, le fidèle berger est forcé de comprendre qu'elle aime un autre homme. Lorsqu'il quitte l'idyllique demeure, le cœur « pénétré d'une douleur mortelle » (*La Princesse de Clèves*, p. 338) il n'a d'autre envie que celle de deviner le nom de son rival. L'aménagement spatial du récit met ainsi en relief le différend insoluble qui sépare les deux époux : l'intimité domestique de Coulommiers défavorise l'amant parfait, parce qu'il n'y saurait s'abuser sur l'indifférence de sa bien-aimée, mais la corruption de la cour menace la vertu de cette dernière, parce que l'amour pour Nemours s'y épanouirait sans obstacle.

Le traitement du temps subit lui aussi une inflexion décisive. Dans *Le Curieux mal avisé* de Cervantès on observe l'existence d'une double temporalité : celle, extérieure, qui marque le déploiement de l'anecdote et celle, à peine suggérée, qui rythme la maladie d'Anselme. Sa folie semble en effet s'aggraver à mesure que le récit avance, et bien que l'auteur ne nous renseigne pas de manière explicite sur l'évolution intérieure d'Anselme, elle est cependant nettement perceptible dans la succession de mesures déraisonnables qu'il prend. *Le Curieux mal avisé* se place de la sorte à la limite entre, d'une part, le vraisemblable moral *ancien ou statique* qui, en postulant la stabilité de la personnalité humaine, se contente d'observer l'influence prévisible qu'y exercent les passions, et d'autre part le vraisemblable moral

---

1. Mme de Lafayette, *La Princesse de Clèves*, in *Romans et nouvelles*, édition É. Magne, Classiques Garnier, 1970, p. 328.

moderne ou dynamique, avec sa sensibilité accrue au développement temporel de la personnalité. S'il est donc entièrement licite de lire l'intensification graduelle de l'obsession d'Anselme comme une analyse parfaitement classique d'une passion morbide, il n'en est pas moins frappant de constater combien cette passion, qui n'a ni nom ni raison d'être dans la morale classique et dont la virulence augmente sans que le personnage paraisse s'y rendre compte, provoque une modification graduelle de sa personnalité : Anselme descend sous nos yeux dans l'enfer de ses propres compulsions.

Le récit de Mme de Lafayette évoque une transformation psychologique semblable lorsqu'il narre les effets de la jalousie sur le comportement de M. de Clèves. Peu après le fatal aveu, celui-ci, pris d'une « tristesse extraordinaire », s'abaisse jusqu'à demander à sa femme le nom de l'homme qu'elle aime, en lui avouant éprouver (comme Anselme) « une curiosité avec laquelle je ne saurais vivre » (p. 339). Nemours ne s'est pas abstenu de raconter à ses amis les secrets surpris à Coulommiers, et son indélicatesse provoque une confrontation entre les deux époux, qui, ignorant la présence cachée de Nemours à la scène de l'aveu, s'attribuent mutuellement l'indiscrétion. Après une violente querelle, « M. de Clèves avait épuisé toute sa constance à soutenir le malheur de voir une femme qu'il adorait, touchée de passion pour un autre. [...] Il ne savait plus que penser de sa femme ; il ne voyait plus quelle conduite il lui devait faire prendre, ni comment il devait se conduire lui-même ; et il ne trouvait de tous côtés que des précipices et des abîmes » (p. 350).

Cette dégradation s'aggrave lorsque M. de Clèves, voulant découvrir si le rival inconnu était Nemours, tend un piège à sa femme : « Il ne put s'empêcher de lui demander ce qu'elle avait fait et qui elle avait vu ; elle lui en rendit compte. Comme il vit qu'elle ne lui nommait point M. de Nemours, il lui demanda, en tremblant, si c'était tout ce qu'elle avait vu, afin de lui donner lieu de nommer ce prince. » (Noter les marques de la gêne et de la compulsion : « il ne put s'empêcher » d'interroger son épouse, geste assurément indigne d'un amoureux parfait et qu'il fait « en tremblant » d'émotion.) La réponse est que Mme de Clèves avait évité Nemours, étant indisposée. Une explosion de colère suit cette explication : « Vous ne vous trouviez donc mal que pour lui, reprit M. de Clèves. Puisque vous avez vu tout le monde, pourquoi des distinctions pour M. de Nemours ? Pourquoi ne vous est-il pas comme un autre ? Pourquoi faut-il que vous craigniez sa vue ? Pourquoi lui laissez-vous voir que vous la craignez ? Pourquoi lui faites-vous connaître que vous vous servez du pouvoir que sa passion vous donne sur lui ? Ose-riez-vous refuser de le voir si vous ne saviez bien qu'il dis-tingue vos rigueurs de l'incivilité ? Mais pourquoi faut-il que vous ayez des rigueurs pour lui ? » (p. 361-362). Ce torrent de reproches (noter au passage l'exactitude stylisée du débit oral, la suite obsessive de ces « pourquoi ? ») est le signe d'un esprit égaré : « Je n'ai que des sentiments violents et incer-tains, constate-t-il, dont je ne suis pas le maître... » (p. 362) . À force de mettre l'innocente Camille à l'épreuve, la folie d'Anselme la précipite dans les bras de Lothaire. Celle de M. de Clèves consiste à soupçonner son épouse jusqu'à ce que la conviction de sa culpabilité imaginaire lui enlève le désir de vivre. La maladie et la mort du prince, que les pro-testations d'innocence de Mme de Clèves ne parviennent pas à empêcher, sont celles d'un homme qui ne peut s'habituer à vivre parmi les soupçons, les éclats, la violence, ni à suppor-ter la dégradation morale provoquée par la déception amou-reuse.

De manière plus visible encore que dans la nouvelle de Cervantès, la métamorphose intérieure du personnage est décrite sous les espèces de la progression temporelle. Les étapes du drame mesurent l'avance du mal : après la déroute, la jalousie ; après l'inquiétude, la haine de soi et de l'autre ; à la fin, le désespoir. La torture et le vertige intérieurs atteignent une force au-delà de laquelle la survie n'est plus concevable. Ainsi, les nouvelles cervantine et historique décrivent-elles non seulement un nouveau rapport de l'indi-vidu à lui-même, qui est celui de l'imperfection impossible à assumer comme telle, mais pressentent-elles également l'affi-nité que ce rapport entretient avec la temporalité et avec la décomposition intérieure.

Conclusion de la première partie

Les genres de la prose narrative prémoderne formaient une véritable économie de l'imaginaire qui offrait à son public une multiplicité de points de vue sur le monde. Ce public était comblé autant par la diversité générique des œuvres auxquelles il avait accès que par la conformité de ces œuvres aux types qu'elles étaient censées incarner. Au milieu du xviie siècle un amateur de fiction qui vivait en France, en Espagne ou en Angleterre avait à sa disposition un répertoire de romans héroïques inspirés par le roman hellénistique (*Polexandre* ou *Cléopâtre*), les romans de chevalerie qui circulaient encore (*Amadis, Tyrant lo Blanc*), un beau choix de pastorales, des romans picaresques, des nouvelles en tous genres, ainsi que de nombreux ouvrages comiques et parodiques qui se moquaient des genres sérieux. L'amateur en question pouvait faire son choix en toute tranquillité, sûr que les romans héroïques allaient abonder en aventures, la pastorale en galanterie et les nouvelles en malheurs surprenants. La richesse typologique et le respect de l'appartenance générique gouvernaient ensemble ce domaine.

En outre, un double principe informait l'imagination narrative, lui imposant *la primauté et l'extériorité des idéaux normatifs* par rapport à l'ambiance empiriquement observable. C'est en conformité avec la primauté de l'idéal que les grands genres narratifs prémodernes représentaient inlassablement l'excellence, alors que les œuvres dont le sujet était l'imperfection humaine avaient un statut pour ainsi dire secondaire et subordonné. Aussi, les héros irréprochables abondaient-ils dans les œuvres véritablement ambitieuses, dont les genres comiques et picaresques, loin d'en nier la validité, se contentaient de signaler la différence avec le monde observable. Le principe d'extériorité proposait une réponse persuasive au dilemme axiologique familier : si l'idéal habite ce monde, pourquoi le monde est-il si éloigné de lui, et s'il ne s'y trouve pas, pourquoi a-t-il une valeur normative tellement évidente ? Inspiré par la doctrine platonicienne, le roman prémoderne imagina un idéal séparé de la réalité et l'implanta de manière à la fois exceptionnelle et exemplaire dans un petit nombre d'êtres supérieurs. L'invraisemblance du résultat n'étonna personne, puisqu'elle était compensée par la précision axiologique du résultat, obtenue grâce à la méthode idéographique — qui consistait à prendre comme point de départ l'idée unique pour en chercher ensuite la multiplicité d'illustrations anecdotiques —, et à l'idéalisation des personnages — au sens de la simplification qualitative. La coupure entre l'individu et son milieu ambiant, thème qui revenait de manière insistante dans la quasi totalité de cette littérature, découlait, elle aussi, par son caractère radical, de l'extériorité de l'idéal. Car, inévitablement, l'individu exceptionnel dont ces romans racontaient les hauts faits exemplifiait une perfection venue d'ailleurs et se distinguait donc profondément de son ambiance.

L'idéalisme ne régnait pas sur la prose narrative prémoderne au détriment de la diversité des univers représentés. Au contraire même, il était la condition et la garantie de cette diversité. En exagérant la rigueur de la norme morale et la supériorité de l'homme sur son propre corps et sur le monde ambiant, la littérature narrative prémoderne a créé la possibilité de la vision contraire, celle qui, en prenant appui sur la différence entre l'idéal et le comportement humain observable, se penchait sur le ridicule, sur l'imperfection et sur la déchéance. Et c'est en affirmant avec une force excessive l'extériorité de l'idéal que cette littérature suscita une réflexion complémentaire sur l'imbrication des traits moraux dans la vie ordinaire, sur la complexité qualitative des êtres imparfaits que sont les hommes et les femmes et sur la dépendance de ces êtres à l'égard de leur monde ambiant.

Concernant la dimension historique de cette constellation narrative, il serait inexact de croire que les sous-genres qui la composaient avaient coexisté ensemble de toute éternité, bénéficiant ainsi d'une sorte d'extratemporalité à l'abri des changements. Mais il serait tout aussi erroné de penser que le roman prémoderne a évolué inlassablement vers la vraisemblance sociale et vers la méthode de l'immersion. En réalité, les divers genres narratifs se sont développés chacun à sa manière, stimulés autant par la recherche de la réussite à l'intérieur de leur propre champ, que par le dialogue permanent avec leurs rivaux. On affirme parfois qu'au XVIIᵉ siècle le roman français a langui sous l'empire des Gomberville, des Calprenède et des Madeleine de Scudéry, jusqu'au jour où, en publiant *La Princesse de Clèves*, Mme de Lafayette a mis fin à l'ère de l'invraisemblance pour inaugurer celle de la vérité psychologique. Sans être entièrement fausse, cette opinion simplifie abusivement les méandres de l'histoire littéraire. Nous avons vu comment entre la fin du XVIᵉ et la moitié du XVIIᵉ siècle le roman héroïque a été perçu, sous l'influence des romans hellénistiques nouvellement découverts, comme un immense progrès vers le véritable art de la narration. L'abandon des récits de chevalerie en faveur du genre qu'on appelait par antonomase les « éthiopiques » représenta le ralliement parfaitement conscient des romanciers à une méthode d'invention d'inspiration antique, habile, élégante et respectueuse des bienséances. Comparées à *L'Amadis*, les œuvres écrites dans la nouvelle manière — *Persilès et Sigismonde*, *Polexandre*, *Le Grand Cyrus* — devaient faire sur leurs lecteurs une impression d'élégance et de fraîcheur semblable à celle que produisaient les châteaux et les églises de la Renaissance face aux citadelles médiévales et aux cathédrales gothiques. Ce renouveau ne signifia cependant pas pour autant la disparition de l'admiration pour la morale chevaleresque, puisque la plupart des grands romans idéalistes du XVIIᵉ siècle associèrent cette morale aux intrigues inspirées du roman grec, produisant un type nouveau de narration, le roman héroïque. On a vu par ailleurs que l'efflorescence de ces œuvres somptueuses n'a jamais empêché les écrivains et leur public d'apprécier le pessimisme moral et la concentration narrative de la nouvelle. *La Princesse de Clèves* n'abolit donc pas à elle seule le roman héroïque : c'est toute la tradition de la nouvelle sérieuse qui s'affirma dans cette œuvre exceptionnelle, en signalant l'existence d'une voie de rechange au moment même où le grand roman idéographique avait atteint l'apogée de sa gloire et commençait à épuiser ses virtualités.

Concernant les raisons de cet épuisement, il n'est pas interdit de spéculer que le déclin du goût pour l'invraisemblance romanesque qui se produisit effectivement au cours du dernier tiers du XVIIᵉ siècle a été lié à l'affaiblissement plus général du principe de l'extériorité de l'idéal. C'est dans ce genre de situations que les résultats de l'histoire de la société et de la culture peuvent sinon expliquer (au sens fort du terme) du moins éclairer la réorientation des préférences littéraires. L'essor simultané de la philosophie de la subjectivité et de la méthode scientifique moderne; le développement d'une pensée et d'une pratique politiques réalistes qui, au nom de la raison d'État, ignoraient les considérations d'ordre moral; les débats, enfin, entre le rigorisme augustinien et le laxisme en morale ont assurément convergé avec les modifications du goût littéraire.

Mais ces mouvements n'ont pas agi directement ni de manière implacable sur l'économie de l'imagination romanesque. Le déclin de l'invraisemblance s'est manifesté de manière graduelle comme modification de l'équilibre entre les divers sous-genres narratifs, les ouvrages écrits après 1670 selon la procédure idéaliste étant devenus plus faibles et plus rares, alors que les œuvres qui se plaçaient dans la tradition de la nouvelle et du roman picaresque se sont faites plus nombreuses et plus réussies. Les choses auraient néanmoins pu se passer autrement, et, comme nous le verrons dans le chapitre suivant, bien que le principe de l'extériorité de l'idéal fût effectivement abandonné, celui de sa primauté eut la vie longue et encouragea au cours du XVIIIᵉ siècle, au sein même du renouveau du roman, des formes inédites d'invraisemblance.

L'enchantement de l'intériorité

CHAPITRE III

L'idéalisme moderne

Le renouveau du roman ne fut possible que dans un monde qui croyait à la force et à la richesse infinies de l'esprit humain. Cette force et les immenses espoirs qu'elle a nourris se trouvent à l'origine de trois figures de l'imagination anthropologique moderne : le dualisme, le contrat social et la belle âme amoureuse.

Le dualisme fut une tentative de poser l'extériorité mutuelle de l'esprit humain et du monde sans que la figure d'un Dieu transcendant, désormais à peine perceptible à l'horizon, soit indispensable à cette séparation. Pour se détacher de la société holiste qui l'entourait, l'ermite s'était jadis allié à la puissance divine, infiniment éloignée et supérieure. Le philosophe qui, au XVIIe siècle, déduisait de sa propre cogitation l'existence de la divinité n'avait besoin, pour échapper à l'étreinte de l'univers, que de faire un bon usage de sa pensée. Le prestige que celle-ci y gagna compensa largement la perte du soutien divin : libéré des contraintes imposées par l'assistance surnaturelle, le philosophe accéda au statut de penseur-hors-du-monde en vertu de ses propres efforts et sans l'aide de personne. Réciproquement et à la suite d'une sorte de rapatriement des décrets divins, une nouvelle cosmologie postula désormais que la mécanique de l'univers fonctionnait toute seule, régie par des lois immuables dont la nature était mathématique et le domaine d'application la matière, la seule exception à cette immense machine étant celle qui érigeait l'esprit humain au-dessus du reste des choses.

Avec le temps, les conséquences de cette vision furent explorées non seulement par la philosophie et la science, mais également par le travail de l'imagination romanesque. La perspective subjective, qui dans la fiction prémoderne avait rempli un rôle fort spécialisé, celui de faire parler l'imperfection morale, devint graduellement le principal moyen de représenter la conscience humaine dans toute sa splendeur. De même, alors que dans la littérature prémoderne l'insistance sur les éléments corporels et sur les détails sensibles avait été la marque du style bas et des sujets qui rappelaient à l'homme son asservissement à la matière, une fois que le corporel et le sensible cessèrent d'être la *prison* de l'esprit pour en devenir l'*objet*, le décor matériel concret put servir d'arrière-plan à toute narration, indépendamment de la nature des personnages et du registre discursif choisi.

Alors que le dualisme assura à l'esprit-hors-du-monde son autonomie intellectuelle et attribua au monde environnant l'homogénéité matérielle qui ne cessa depuis d'être la sienne, les théories du contrat social rendirent désuète la notion d'alliance collective avec la divinité et firent dépendre l'existence de la communauté humaine d'un ensemble convergent de décisions prises par les individus. En distinguant l'état de nature de l'état social et en décrivant la fondation de ce dernier sous les espèces d'un contrat, les fondateurs de la pensée politique moderne — Hobbes, Locke et Rousseau — affirmèrent la primauté de l'individu sur une société qui l'incorporait sans pour autant le priver de ses droits naturels. L'unité et l'invulnérabilité des nations issues de tels contrats furent moins sublimes que celles conférées au peuple élu par son alliance avec le Tout-Puissant, mais la place de l'individu y fut en revanche marquée de manière indélébile. Réciproquement, en vertu de la séparation de principe entre les individus et la société qu'ils ont instituée, les théories du contrat stimulèrent la réflexion sur l'objectivité du social, qui paraissait désormais tout aussi omniprésent et cependant tout aussi éloigné du sujet individuel que l'univers physique.

Dans la création romanesque, la diffusion de ces théories convergea avec une nouvelle manière d'imaginer les liens qui attachent le personnage de roman à son ambiance sociale. Avant l'époque moderne les genres hauts avaient traité la cité et son peuple comme des réalités parfaitement unitaires, laissant à la satire et aux genres narratifs qui dénonçaient l'imperfection morale le soin de décrire les déterminations concrètes de la société, qui étaient conçues, à l'instar de la matière sensible et des détails corporels, comme des occasions d'asservissement et de dégradation. Dans le roman de l'âge moderne en revanche, cessant de figurer le bourbier où s'enlisaient les âmes imparfaites, la société acquit une objectivité et une dignité propres et entoura tous les personnages, les meilleurs et les pires, de sa présence.

Enfin, le roman du XVIIIe siècle et la réflexion morale de la même époque contribuèrent ensemble à la constitution d'une nouvelle figure de la perfection humaine : la belle âme amoureuse, réponse moderne à la vieille question axiologique et point de départ d'une nouvelle vision du couple. Comme nous l'avons déjà constaté, cette question consistait à savoir pourquoi, si l'idéal appartenait au monde humain, celui-ci en demeurait si éloigné, et pourquoi, si l'idéal ne s'y trouvait pas, sa valeur normative était tellement évidente aux yeux de tous. L'époque prémoderne avait placé les normes à l'extérieur du domaine humain, et l'idéal, tel qu'elle l'avait conçu, s'éloignait de l'univers ambiant, lui étant à la fois extérieur et supérieur. L'homme, être intermédiaire, pouvait soit céder à sa propre imperfection et s'asservir à la matière, soit suivre sa vocation héroïque et se conformer à l'idéal. Aussi les êtres dont l'âme captait et intensifiait, tel un vaste réflecteur, l'éclat des normes offraient-ils le modèle de l'excellence humaine. Le roman du XVIIIe siècle reprit la question et lui donna une nouvelle réponse dont l'orientation était subjective, éminemment compatible avec le dualisme et avec l'idée de contrat social. Tout comme le sujet connaissant était censé tirer de son propre sein les principes qui gouvernent l'univers et tout comme la principale mission de la société était de sauvegarder les droits inaliénables de l'individu, l'idéal moral se trouva désormais inscrit dans le cœur de l'homme. Après avoir longtemps été la caisse de résonance d'une loi extérieure, l'intériorité crut pouvoir lire en elle-même les tables sur lesquelles étaient gravées les normes éternelles de la perfection. En vertu d'une opération qu'il est permis d'appeler *l'intériorisation de l'idéal*, ou encore *l'enchantement de l'intériorité*, tout être humain, quelle que fût sa place dans le monde, se vit appelé à chercher la perfection de la norme dans le secret de son intériorité, la belle âme se distinguant des autres par le succès qui couronnait perpétuellement sa recherche.

Réorienté à la fois vers les richesses de la vie intérieure et vers la matérialité de l'univers, le roman garda la perfection morale au centre de son attention, mais comme il n'y avait plus aucune raison de chercher les belles âmes qui l'incarnaient dans un espace idéal fort éloigné de la réalité quotidienne, cette réalité acquit une dignité égale à celle des belles âmes qui l'habitaient. Celles-ci ne sentirent donc plus l'impulsion qui les poussait à se séparer de leurs semblables : la noblesse intérieure les distingua *sur place*, pour ainsi dire, et puisque leur destin consista désormais à aimer, à souffrir et à rayonner parmi les leurs, la traversée du monde et l'éparpillement épisodique qui caractérisaient les romans idéalistes anciens ne furent plus de mise dans les romans idéalistes modernes. Le roman abandonna par conséquent la méthode idéographique, et, se concentrant sur le rapport individuel de la grande âme avec le monde, il insista sur la perspective subjective et sur la spécificité du décor matériel et social. Or, puisque le rapport singulier entre le personnage et son ambiance sociale avait déjà fait l'objet de la nouvelle sérieuse, les romanciers de l'âge moderne ne cessèrent de méditer les leçons de ce sous-genre. S'intéressant simultanément à la perfection subjective et à l'objectivité du monde, le roman de l'âge moderne tenta à la fois de représenter l'isolement de l'individu parfait dans toute sa splendeur, spécialité des anciens romans, et d'imaginer, comme la nouvelle, des drames frappants causés par des raisons complexes. Du coup, l'unité d'action, spécialité de la nouvelle qui la différenciait des grands romans à multiples épisodes, devint une exigence avec laquelle les auteurs de romans idéalistes modernes durent compter. Enfin, l'intérêt simultané porté à l'intériorité du protagoniste et à son rapport individuel avec son milieu encouragea les écrivains à développer la vraisemblance descriptive et les effets d'immersion évoquant le vécu immédiat du personnage dans toute sa richesse psychologique et sensorielle.

L'INTÉRIORISATION DE L'IDÉAL.
PAMELA ET *JULIE OU LA NOUVELLE HÉLOÏSE*

Bien que tout au long du XVIIIe siècle on continuât à lire les grands romans idéalistes des siècles précédents, comme en témoigne la *Bibliothèque universelle des romans*, vaste *Rea-*

der's Digest couvrant toute cette littérature et publié à la veille de la Révolution, dans le premier tiers du siècle la production de nouvelles œuvres se plaçait le plus souvent dans la tradition du picaresque et de la nouvelle. Les prodigieux récits de Robert Challes (*Les Illustres Françaises*, 1715) témoignaient de la vitalité de la nouvelle, alors que les romans sérieux de Marivaux (*La Vie de Marianne*, *Le Paysan parvenu*) et le *Cleveland* de l'abbé Prévost (dont le dernier volume a été publié en 1739) alliaient les leçons du roman héroïque et picaresque, mais en peuplant leurs univers de personnages naïfs et sincères, en partie semblables à ceux de la nouvelle.

Marivaux imagina une forme de roman qui s'adapte à la nouvelle conjoncture intellectuelle et morale, en satisfaisant une partie de ses exigences. Dans *La Vie de Marianne* (1731) et dans *Le Paysan parvenu* (1734), la beauté morale est logée dans l'intériorité et chaque être humain, quels que soient son origine et son destin, est appelé à la manifester. *La Vie de Marianne*, qui évoque une jeune fille de haute naissance que les circonstances ont séparée de sa famille, rappelle l'intrigue des *Éthiopiques*, l'enjeu de l'histoire (inachevée) étant la reconnaissance par la société du véritable rang de la vertueuse narratrice. *Le Paysan parvenu*, en revanche, brode sur le thème picaresque de la promotion sociale d'un jeune campagnard qui conquiert le cœur d'une brave femme considérablement plus âgée que lui. Le ton amical et précieux des deux romans fait oublier au lecteur la différence entre leurs modèles, et sur le terrain moyen imaginé par Marivaux, ses héros, doués d'une noblesse spontanée, attirent irrésistiblement la sympathie et la bienveillance des honnêtes gens. Empruntant au roman picaresque le discours à la première personne, l'auteur le met aussi bien dans la bouche du picaro au bon cœur que dans celle de la jeune fille qui a perdu sa famille, personnage dont l'heureuse ingénuité tranche sur la déchéance morale des anciens picaros.

La solution de Marivaux, qui consiste à civiliser le genre picaresque, converge avec la réflexion sur l'exotisme poursuivie à la même époque par Addison (1711) et par Montesquieu, dont *Les Lettres persanes* avaient été publiées en 1721. Le rôle de l'ingénu est joué chez ces auteurs par l'étranger, amérindien ou persan, qui, étonné par la bizarrerie des mœurs européennes, les décrit longuement et en détail. Il faut cependant noter que les Persans de Montesquieu, qui ne sont naïfs qu'à Paris et uniquement tant qu'il s'agit d'observer les coutumes et les institutions françaises, font preuve, dans leurs rapports avec les personnages demeurés en Perse, d'une remarquable lucidité. Chez Montesquieu l'ingénuité est le support de la satire sociologique plutôt que l'objet de la réflexion romanesque, alors que pour Marivaux l'innocence de Marianne est le ressort même de l'action, la qualité qui, lui assurant la sympathie générale, mitige la sévérité de son destin. Le thème de la naïveté fut repris plus tard aussi bien par le roman sentimental (Oliver Goldsmith, Bernardin de Saint-Pierre) que par le roman de mœurs (Tobias Smollett, Fanny Burney). La formule de Marivaux occupe une place essentielle dans la grande réforme de l'idéalisme romanesque, sans doute parce qu'elle réalise l'effet d'immersion en s'appuyant uniquement sur l'analyse morale, sans mettre en valeur le relief sensoriel du monde ni l'immédiateté du vécu des personnages.

Le premier roman qui allia avec succès et d'un seul mouvement la noblesse des êtres humbles, la richesse de la vie intérieure, la matérialité de l'univers et l'unité d'action fut *Pamela ou la Vertu récompensée* de Samuel Richardson (1741). Cette œuvre réussit à opérer une synthèse inédite entre le roman idéaliste, le picaresque et la nouvelle : elle inventa une nouvelle incarnation de l'héroïne vertueuse, la plaça dans une intrigue dont les multiples épisodes convergeaient vers une seule fin, et lui fit tenir un discours à la fois secret et hautement moral. L'héroïne du roman, Pamela Andrews — simple servante dans la maison de Monsieur B. — raconte à la première personne sa résistance aux tentatives de séductions entreprises par le jeune aristocrate. Monsieur B. attaque et Pamela se défend inlassablement, mais au cours du combat la position réciproque des personnages se modifie et après chaque acte de résistance, le respect du maître pour la servante augmente. Ayant dérobé et lu le journal de Pamela (le texte même du roman) Monsieur B. est ébloui par la noblesse intérieure de la jeune fille et la demande en mariage. Pamela, qui au fond ne regarde pas son maître d'un œil indifférent, accepte.

La parfaite chasteté d'une jeune fille d'origine modeste est un thème vénérable de nouvelle ; la double nouveauté de *Pamela* a été de créer par l'entremise de ce thème l'équivalent moderne des héroïnes du roman hellénistique et d'en faire raconter les tribulations à la première personne. L'alliance entre la perfection éclatante du personnage, sa condition sociale modeste et le discours confessionnel contredisait les conventions en vigueur, qui assignaient aux subalternes un rôle comique et réservaient les récits confessionnels aux aveux des mauvaises actions. Dans son impitoyable parodie *Shamela* (1741), Henry Fielding n'a pas manqué de souligner l'improbabilité de cette jeune fille de basse condition qui témoigne elle-même de sa perfection. Dans le petit roman de Fielding, Shamela est une servante de médiocre vertu qui raconte elle-même ses tentatives de séduire son maître afin de l'épouser. Une série d'épisodes cocasses modelés d'après l'intrigue de *Pamela* remplacent l'idéalisme de l'héroïne de Richardson par le cynisme éhonté de la jeune Shamela. La parodie atteint son but, qui consiste à démontrer que l'héroïne de *Pamela* n'est pas de ce monde, mais le roman de Richardson ne s'en trouve pas discrédité pour autant.

Car Pamela, descendante des héroïnes de roman idéaliste, est comme celles-ci un individu-hors-du-monde, un être qui vit sous la protection de la Providence et dont la force inflexible est apte à résister à toute adversité. Sa naissance a beau être humble, sa beauté exceptionnelle est la marque extérieure de son élection quasi divine et sa vertu inflexible est le signe qu'elle ne dépend pas du milieu où le hasard l'a placée. Les racines de Pamela sont ailleurs. Certes, l'idéographie des romans idéalistes est abandonnée, et l'anecdote tente de se maintenir dans les limites de la vraisemblance. En vertu de l'enchantement de l'intériorité c'est le cœur brave de Pamela et non pas la vocation divine qui la guide sur la voie étroite conduisant au bonheur. Mais le contraste — hérité des romans idéalistes — entre, d'un côté, la perfection et l'invulnérabilité de l'héroïne et, de l'autre, le monde traître et corrompu qu'elle affronte et finit par dominer est évident à chaque moment du récit.

L'enchantement de l'intériorité est rendu immédiatement perceptible grâce au récit à la première personne. Tant que l'idéal est conçu comme extérieur, la vertu et la noblesse, qualités impersonnelles, brillent au loin, alors que l'ignominie se cache dans la profondeur de l'âme et le regard dirigé vers soi-même découvre au fond du cœur le secret, inaccessible aux autres, de la bassesse. Chez Defoe, auteur qui prête à ses narratrices une remarquable subtilité morale, l'identification entre le discours à la première personne et la déchéance demeure une des prémisses de la narration. Chez Richardson, en revanche, la narration à la première personne subit une profonde conversion morale. La source de l'idéal étant l'âme de l'héroïne, celle-ci irradie spontanément — et en secret — la beauté et la force intérieures. Si, par conséquent, elle doit parler d'elle-même, c'est que personne d'autre ne saurait comprendre et décrire de l'extérieur les trésors de sensibilité et de courage qui se dissimulent dans son cœur. La nouveauté de cette perspective est précisément le trait que *Shamela* de Fielding souligne et rejette, car, raisonne le traditionaliste Fielding, si Pamela était une personne véritablement vertueuse, pourquoi tiendrait-elle un journal? Et pourquoi l'auteur nous communiquerait-il les lettres d'un tel personnage sinon pour dévoiler sa misère morale? Nonobstant la consternation de Fielding, c'est Richardson qui a bien compris la nouvelle perspective subjective : désormais l'intériorité allait devenir le site d'une richesse morale insoupçonnée et la belle âme allait être traitée comme l'autorité la plus sûre pour tout ce qui concerne cette richesse.

La beauté morale révélée par le témoignage à la première personne est plus forte que les rapports sociaux extérieurs. Si le jeune maître de Pamela change d'attitude envers sa victime aussitôt qu'il lit son journal, c'est que la servante, objet réputé inférieur de ses désirs désordonnés, s'y révèle l'égale de son maître, car elle possède une sensibilité et une conscience morale dont elle sait exprimer la teneur. La conscience morale de la servante affirme son excellence et dompte, par le simple spectacle de son attachement à l'idéal, le maître demeuré l'esclave de ses instincts. Intériorisée, la leçon des romans hellénistiques et héroïques porte fruit, et l'individualité-hors-du-monde qu'ils évoquaient dans des termes idéalisés et peu vraisemblables devient ici accessible à tous ceux qui, dans la vie de tous les jours, savent cultiver leur intériorité. La protection de la Providence libérait les héros des romans hellénistiques des chaînes de la contingence terrestre; ici, l'enchantement de l'intériorité corrode inévitablement l'inégalité sociale.

Cette beauté morale ne comporte cependant pas toujours la parfaite connaissance de soi : Richardson emprunte à la tradition du vraisemblable moral la pénombre intérieure et le flottement du regard sur soi. En dépit de l'attention qu'elle accorde aux moindres événements et aux moindres réflexions, Pamela n'explique jamais pourquoi elle, la femme la plus vertueuse du monde, s'attarde sans raison plausible dans la maison d'un homme qui représente un grave danger pour sa chasteté. L'épisode de l'évasion ratée est le plus éloquent dans une longue série d'hésitations mal éclaircies. Enfermée par les ordres de Monsieur B. dans une maison de campagne, Pamela parvient à sortir du jardin et avance dans le pré voisin, lorsqu'elle rencontre un taureau qui, raconte-t-elle, « me regarda droit dans le visage avec ses immenses yeux ardents, *comme mon antipathie pour cette créature me fit penser* [1] ». Terrorisée, la jeune femme rentre au jardin. De son propre aveu, l'aspect de l'animal n'est effrayant que parce que son « antipathie pour cette créature » lui prête ce visage : la peur éprouvée par la prisonnière exagère à dessein l'obstacle qui l'empêche de s'échapper. Au fond, la jeune femme souhaite demeurer à la merci de son persécuteur, qu'elle aime sans s'en rendre compte. Dans *Clarissa* (1748) du même auteur, l'héroïne s'éprend à son insu d'un séducteur dépourvu de scrupules qui la viole pendant son sommeil. Comme dans *Pamela*, les sentiments de la jeune femme sont évidents au lecteur, mais non pas à la narratrice elle-même. Avec Richardson, l'art de la vraisemblance morale parvient ainsi à décrire non seulement des comportements énigmatiques et sans nom (comme celui d'Anselme dans *Le Curieux impertinent*), non seulement l'ignorance de soi aperçue de l'extérieur (comme celle de M. de Clèves dans *La Princesse de Clèves*), mais également l'auto-illusion morale saisie dans l'acte même du discours à la première personne.

En même temps que la beauté intérieure et la méconnaissance de soi, la perspective subjective soutient et rend crédible l'unité de l'action au sein même de la diversité épisodique. Dans *Pamela* cette unité est assurée par la simplicité de l'anecdote et par le nombre réduit de personnages. Un maître libertin cherche à séduire sa belle servante par des moyens brutaux; en lui résistant, elle fait son éducation morale et les deux êtres, qui ignorent la force de leurs sentiments, avouent à la fin qu'ils s'aiment d'un amour vrai. Si l'anecdote prise dans son ensemble exhibe l'unité d'une nouvelle, la découverte réciproque des personnages, thème pastoral, est susceptible d'un développement temporel plus ample. Par conséquent, Richardson présente la principale péripétie — l'enlèvement et la captivité de Pamela —, à la fois comme un événement inhabituel et foudroyant et comme

---

1. Samuel Richardson, *Pamela*, édition Peter Sabor, Harmondsworth, Penguin Books, 1980, p. 191 (ma traduction ; je souligne).

une suite interminable de malheurs minuscules imposés par le destin. La brutalité d'un maître envers sa servante vertueuse est une de ces occurrences révoltantes qui font l'objet des nouvelles, mais les détails de la captivité, divisée en une suite d'épisodes de plus en plus désagréables, font penser au thème de l'exil ou de l'emprisonnement injuste, si fréquent dans les romans idéalistes anciens. Le nombre réduit de personnages et le décor domestique sont hérités de la nouvelle, mais la succession linéaire d'événements inattendus est un procédé favori du roman idéaliste.

La décision de présenter l'ensemble des événements du seul point de vue de Pamela intensifie à la fois l'effet de sa captivité perçue dans son ensemble et celui des nombreux épisodes qui le composent. L'effet d'immersion est tel que le lecteur ressent l'enlèvement et la captivité de la protagoniste comme des actes profondément injustes. Au cours de l'enfilade d'épisodes, le lecteur se trouve, pour ainsi dire, enchaîné à la prisonnière qui, attendant le prochain geste de Monsieur B., griffonne dans la solitude ses lettres et son journal [1]. Le résultat est un récit à caractère obsessionnel, dans lequel chaque agression venant de l'extérieur est amplifiée par l'angoisse de l'attente. Alors que les coups du destin dans les romans idéalistes réussissent pour autant qu'ils prennent les héros par surprise, ici, au contraire, c'est en grande mesure l'anticipation des persécutions exercées par Monsieur B. qui terrorise leur victime. Le récit de la captivité de Pamela a une forte composante dilatoire, les quelques événements proprement dits étant précédés par de longues périodes d'attente, par des conversations futiles avec Mme Jewkes, la méchante gardienne de l'héroïne, et par l'angoisse croissante de celle-ci devant les menaces à venir. Une des grandes découvertes que *Pamela* a léguées à ses innombrables imitateurs a été l'art d'évoquer l'immédiateté temporelle du vécu prospectif, le jeu intime de l'aveuglement, de l'anticipation, de l'angoisse et de l'espoir.

---

1. Diderot a bien senti qu'il s'agissait là de l'innovation la plus frappante apportée par Richardson à la technique du roman : « Ô Richardson ! s'exclame-t-il en 1761, en évoquant *Clarissa*, on prend, malgré qu'on en ait, un rôle dans tes ouvrages, on se mêle à la conversation, on approuve, on blâme, on admire, on s'irrite, on s'indigne. Combien de fois ne me suis-je pas surpris, comme il est arrivé aux enfants qu'on avait menés au spectacle pour la première fois, criant : *Ne le croyez pas, il vous trompe. Si vous allez là, vous êtes perdue* » (Diderot, *Éloge de Richardson*, in *Œuvres*, édition André Billy, Bibliothèque de la Pléiade, Gallimard, 1951, p. 1060).

Comme le récit se déroule au gré de la temporalité vécue, la vraisemblance descriptive y acquiert une dimension à la fois sensorielle et psychologique saisissante. À la différence de Defoe, dont les descriptions scrupuleuses et le sens de la langue parlée offrent au lecteur une image fidèle et objective de la position sociale des personnages, chez Richardson les interminables détails qui sortent de la plume de Pamela évoquent en égale mesure la vérité concrète du monde et les états affectifs du personnage qui l'observe. L'art descriptif de Richardson n'a donc pas simplement une fonction *testimoniale*, comme si le lecteur était membre d'un jury qui passe en revue tous les faits disponibles à la recherche des pièces probantes. Cet art a aussi et surtout la fonction de *révélateur psychologique* : l'immersion nous fait voir le monde fictif tel qu'il apparaît au personnage, contribuant ainsi à la représentation indirecte mais combien efficace de ses états d'esprit. Voici Pamela cachée dans son petit cabinet de travail, songeant à l'évasion et à ses parents et ne s'arrêtant pas d'écrire pendant même que l'action se déroule : « *Après onze heures.* Mme Jewkes est montée et s'est mise au lit ; elle me prie de ne pas rester tard après elle. Ô que cette bête cruelle dort profondément ! Je ne l'ai jamais vue si ivre, et ceci me donne de l'espoir. J'ai essayé de nouveau, et j'ai découvert que je peux passer la tête à travers les barreaux. Je suis maintenant prête. J'espère l'entendre ronfler bientôt ; et maintenant je vais sceller ces papiers-ci et les autres, mon travail récent, et vouer le reste à la Providence ! Encore une fois, que Dieu vous bénisse tous les deux ! et qu'Il veuille nous réunir ! sinon ici-bas, du moins dans son royaume céleste ! Amen » (*Pamela*, p. 209). À noter la minutie de la description : la gardienne ivre vient de monter, et Pamela « espère l'entendre ronfler bientôt ».

C'est en fin de compte l'enchantement de l'intériorité qui, en rendant infiniment précieux et digne d'intérêt tout ce que le personnage voit, écoute ou éprouve, se trouve, bien qu'indirectement, à la source de la nouvelle technique descriptive. La représentation de la temporalité vécue et la saisie des détails matériels à travers l'expérience immédiate du personnage ont comme résultat une immense profusion de notations banales, voire inutiles du point de vue du récit raconté. Au lieu d'aller droit à l'essence de chaque événement, comme l'auraient fait ses prédécesseurs, Richardson choisit de présenter au lecteur non pas ce qui est effectivement pertinent pour le déroulement du récit, mais ce qui semble momentanément important pour Pamela. Il s'ensuit que la langue, qui d'ordinaire sert à communiquer de manière efficace l'abstraction du monde extérieur, s'infléchit pour suivre pas à pas et avec d'interminables détours le monde tel qu'il est perçu ici et maintenant par la conscience de l'héroïne. La beauté intérieure de celle-ci communique sa dignité aux aspects les plus minuscules et les plus futiles de l'expérience, à tout ce dont la rhétorique narrative pré-moderne avait cherché à débarrasser le récit pour le rendre efficace. Dans un univers où la conscience morale fait sien l'ancien rôle de la Providence, le regard individuel, exprimé par le discours à la première personne, sanctifie tout ce qu'il touche. D'où la soudaine, l'immense, l'irrésistible expansion de la représentation de l'expérience immédiate dans le roman, au détriment de l'intelligibilité et de la concision.

*

Dans les années qui suivirent immédiatement la publication de *Pamela* et de *Clarissa*, l'audacieuse synthèse de Richardson suscita deux importantes réactions polémiques. D'un côté, *Tom Jones* de Fielding (publié en 1749, un an seulement après la fin de *Clarissa*) mit vigoureusement en question la validité du système richardsonien, de l'autre côté, *Julie ou la Nouvelle Héloïse* de Jean-Jacques Rousseau (publié en 1761, à peine treize ans après *Clarissa*), défendit l'enchantement de l'intériorité tout en rejetant les effets d'immersion fondés sur la représentation de la temporalité vécue et de la richesse sensorielle du monde. En cela Rousseau était le disciple de Marivaux, dont il développa les choix, au point qu'il est tentant de proposer une distinction entre la version anglaise de l'idéalisme moderne, qui insiste sur l'immédiateté du vécu, et la version française, qui accorde la priorité à l'analyse en termes de psychologie morale.

Le roman épistolaire de Rousseau, ouvrage dont la finalité converge avec celle des œuvres de Richardson, met en scène une problématique qui est redevable aux récits de chevalerie (la passion irrésistible, consommée en secret et sans l'accord explicite des parents), à la pastorale (le jeu de l'amour et de l'amitié) et à la nouvelle sérieuse (la non-coïncidence entre l'amour et le mariage). La première partie raconte les amours illégitimes de la belle Julie, fille du baron d'Étange, et de Saint-Preux, son précepteur. Les obstacles extérieurs entravent cette liaison téméraire et, à première vue, contraire à la vertu : le baron refuse l'idée d'avoir pour gendre un maître d'études, la grossesse secrète de Julie s'achève prématurément, la mère de Julie meurt de douleur après avoir découvert la correspondance des deux amoureux. Dans la seconde moitié du roman, Julie, qui adore son père, épouse l'homme qu'il a choisi pour elle : M. de Wolmar, l'athée vertueux. Après le bonheur torturé de la passion, Julie découvre la paix du mariage. Wolmar, devenu ami de Saint-Preux, lui confie le rôle de précepteur de ses enfants. Heureuse et sachant rendre heureux tous ceux qui l'entourent, Julie meurt après avoir sauvé son fils de la noyade.

Comme Richardson, Rousseau souhaite peindre des héros modernes aussi dignes d'admiration que ceux des anciens romans idéalistes et, suivant l'exemple du romancier anglais, il continue et approfondit l'intériorisation de l'action et des normes. Chacun des trois personnages principaux du roman (Julie, Saint-Preux et Wolmar) ont de vastes âmes qui abritent la plupart des événements de l'intrigue. Ressemblant à Pamela et à Clarissa, l'héroïne de *La Nouvelle Héloïse* n'appartient pas à ce bas-monde, bien que le repoussoir de Rousseau ne soit pas le roman hellénistique aux héros impavides mais le roman de chevalerie et la pastorale, genres dont les personnages sont tourmentés par la passion et par le doute. Julie est aussi belle qu'Astrée, aussi libre et aussi fière qu'Oriane ; ses pensées sont toujours nobles, ses actions généreuses, elle inspire un amour et un respect quasi religieux à tous ceux qui l'entourent, mais son âme, à la différence de celle de Chariclée et à l'instar de celle des bergères et des princesses médiévales, est vulnérable, susceptible d'être troublée, capable de sentiments contradictoires. Et comme dans *Pamela*, le décor romanesque est transporté sur terre : la forêt où se réfugie Amadis, l'Arcadie, le Forez de rêve empruntent l'aspect d'une Suisse laborieuse et pacifique ; les sentiments puissants et stylisés des chevaliers et des bergers font place ici à l'amour libre et au mariage dicté par la sagesse ; la vaillance romanesque et le bonheur pastoral se convertissent en l'amitié durable qui unit ces belles âmes. Un double mouvement désenchante le décor et sacralise l'intériorité des personnages.

Dans le roman de Rousseau l'intériorité finit par devenir le principal théâtre des événements romanesques, peu d'épisodes ayant de véritable corrélat dans le monde extérieur. Parmi les épisodes « réels » qui portent à conséquence dans ce vaste roman on compte à peine une demi-douzaine : Julie se donne à son précepteur, le baron d'Étange s'oppose à l'alliance avec Saint-Preux, la grossesse de Julie prend fin, sa mère découvre la correspondance des deux amoureux, Julie épouse M. de Wolmar, elle sauve la vie de son fils et meurt. Les autres événements sont purement intérieurs. « Que mon état est changé en peu de jours ! Que d'amertumes se mêlent à la douceur de me rapprocher de vous ! Que de tristes réflexions m'assiègent ! Que de traverses mes craintes me font prévoir ! Ô Julie ! que c'est un fatal présent du ciel qu'une âme sensible ! » s'exclame Saint-Preux (Iʳᵉ partie, lettre XXVI) peu de temps après que Julie lui avoue son amour [1]. Il erre dans les bois, s'élance sur les rochers, rêve de son amie, l'implore d'abandonner la chimère de la chasteté. Cette tempête intérieure persuade Julie (Iʳᵉ partie, lettre XXIX). Oriane ne s'était offerte à Amadis qu'après l'avoir d'abord éprouvé en le bannissant de sa présence. Attendant d'être rappelé auprès de sa bien-aimée, le beau ténébreux passe de longs jours de désespoir au fond des forêts. Saint-Preux obtient ces faveurs grâce à quelques pensées mélancoliques.

Par ailleurs, *La Nouvelle Héloïse* peint des personnages dont l'âme abrite non seulement la tempête des sentiments, mais également la norme morale qui doit les gouverner. Julie est parfaitement maîtresse d'elle-même et ce n'est assurément pas à Saint-Preux seul que revient la responsabilité de sa séduction. Céladon publiant dans le temple d'Astrée les douze Tables des Lois d'Amour précisait que ces lois avaient été promulguées par Amour lui-même, divinité transcendante qui commande à tout amant de les observer « sous peine d'encourir sa disgrâce [2] ». Les personnages de *La Nouvelle Héloïse* gouvernent leur amour selon les lois qu'ils découvrent eux-mêmes dans leur vaste intériorité : absorbée et digérée dans les entrailles du personnage, la divinité a passé ses pouvoirs au cœur de Julie. C'est ce cœur qui est désormais le centre directeur de l'être humain, le guide des sens et le garant des comportements.

La première des lois promulguées par le cœur établit un nouveau régime de la chasteté. Il ne s'agit plus de vaincre le corps — la prison matérielle de l'âme — pour se conformer à

---

1. Jean-Jacques Rousseau, *La Nouvelle Héloïse*, in *Œuvres complètes*, vol. 2, Bibliothèque de la Pléiade, Gallimard, 1964, p. 89.
2. Honoré d'Urfé, *L'Astrée*, éd. Vaganay, Genève, Slatkine, Reprints, 1966, vol. 2, p. 181.

un idéal d'ordre spirituel, mais au contraire de guider ce corps, dont le cœur seul a la charge. Le sacrement du mariage n'est donc pas requis pour sanctifier l'union des amants, puisque le vrai amour est déjà un sacrement. « Je ne sais si je m'abuse, écrit Julie à Saint-Preux au plus fort de leur liaison secrète (Ire partie, lettre L), mais il me semble que le véritable amour est le plus chaste de tous les liens. C'est lui, c'est son feu divin qui sait épurer nos penchants naturels, en les concentrant dans un seul objet. [...] Le cœur ne suit point les sens, il les guide ; il couvre leurs égarements d'un voile délicieux. [...] Le véritable amour toujours modeste n'arrache point ses faveurs avec audace ; il les dérobe avec timidité. [...] Sa flamme honore et purifie toutes ses caresses » (p. 138).

Le devoir et la vertu s'étant retirés dans l'intériorité du personnage, l'appréciation des actions individuelles par la collectivité n'est plus fondée sur leur comparaison avec la norme extérieure mais sur l'acceptation bienveillante des raisons intimes qui les motivent. Le jugement moral présuppose donc la sympathie, la compréhension de l'autre, la reconnaissance de son droit à légiférer sur lui-même. M. de Wolmar abonde dans ce sens lorsque, plus tard, il reçoit avec sérénité les aveux de Julie et honore Saint-Preux de son amitié. Dans la petite communauté idéale que forment ces trois personnages, la perfection humaine réside dans l'accord entre les préceptes intérieurs et la conduite adoptée ; le principal critère de jugement consiste à s'assurer que pour chaque action l'instance suprême — le cœur — l'a approuvée. Il est vrai qu'en se détachant de son premier amant, Julie découvre l'existence d'un Être éternel, témoin de nos vertus et véritable modèle de nos perfections (IIIe partie, lettre XVIII), mais cette découverte n'abolit pas le règne du cœur, elle le renforce. Les seuls conflits possibles, semble dire Rousseau, sont causés par les partisans de la norme extérieure, en l'occurrence le père de Julie qui s'oppose à l'alliance avec Saint-Preux par préjugé social et sa mère, dont l'attachement exorbitant à l'ancienne idée de chasteté la fait mourir de douleur lorsqu'elle découvre les amours de sa fille. Mais ces conflits ne sont pas insolubles, puisqu'en vertu du principe de sympathie et de compréhension, il revient aux tenants du nouvel ordre moral d'épargner la sensibilité des autres, en reconnaissant la force de *leurs* convictions. C'est une des raisons pour laquelle Julie épouse l'homme choisi par son père.

L'intériorisation de la moralité donne lieu ici à ce qu'on pourrait appeler une *idéographie subjective* : Rousseau représente ses personnages par le biais d'idées abstraites qui se réalisent inlassablement dans des myriades de circonstances intérieures. L'effet idéographique est souligné par la simplicité de l'intrigue et par l'absence presque complète de suspense. Rousseau évite à dessein la surenchère dramatique des romans de Richardson, le haut-relief formé par l'attente, l'anticipation et l'angoisse. Les rares événements décisifs du roman ont lieu rapidement, presque sans préparation. Julie avoue son amour à Saint-Preux dès la lettre IV de la première partie et s'unit à lui quelques pages plus loin. La mère de Julie meurt tout aussi brusquement — d'un coup Julie annonce : « Elle n'est plus » (début de la lettre V de la troisième partie), sans donner d'autres précisions sur la nature et sur la progression du mal qui l'a emportée. Lorsqu'elle s'attarde sur ses propres sentiments, Julie les désigne par des termes abstraits plutôt que d'en suivre le déroulement : « Âme pure et chaste, digne épouse, et mère incomparable, écrit-elle à propos de Mme d'Étange, tu vis maintenant au séjour de la gloire et de la félicité ; et moi, livrée au repentir et au désespoir, privée à jamais de tes soins, de tes conseils, de tes douces caresses, je suis morte au bonheur, à la paix, à l'innocence ; je ne sens plus que ta perte ; je ne vois plus que ma honte ; ma vie n'est plus que peine et douleur » (p. 315).

L'abstraction du discours influence la représentation de la temporalité. Alors que dans *Pamela* le lecteur a accès à la pointe même du vécu temporel de l'héroïne, ici le discours des personnages résume avec éloquence les émotions qu'ils ont vécues. « Enfin, le voile est déchiré », écrit Saint-Preux après avoir appris que Julie, bouleversée par la mort de Mme d'Étange, ne veut plus le voir ; « cette longue illusion s'est évanouie ; cet espoir si doux s'est éteint. [...] Le temps a repris sa lenteur dans les moments de mon désespoir, et l'ennui mesure par longues années le reste infortuné de mes jours » (IIIe partie, lettre VI, p. 317). Sur le ton de la rêverie, Saint-Preux nous présente ici l'abrégé du sentiment intime du temps, et non pas l'expérience même de ce sentiment.

L'intériorité rousseauiste est, comme celle représentée par Marivaux, une intériorité rhétorique. Dans la prose de Richardson, le discours à la première personne permet au lecteur de regarder le train du monde par la même fenêtre et en même temps que les personnages, qui, spontanés et transparents, racontent ce qu'ils voient et ce qu'ils entendent effectivement. Chez Rousseau, les personnages ne permettent jamais au lecteur de regarder lui-même ce qu'ils ont effectivement vu, mais formulent leur vécu comme une suite d'abstractions. Voici Saint-Preux solitaire évoquant le souvenir de Julie (Ire partie, lettre XXVI) : « C'est là, ma Julie, que ton malheureux amant achève de jouir des derniers plaisirs qu'il goûtera peut-être en ce monde. C'est de là qu'à travers les airs et les murs il ose en secret pénétrer jusque dans ta chambre. Tes traits charmants le frappent encore ; tes regards tendres raniment son cœur mourant ; il entend le son de ta douce voix ; il ose chercher encore en tes bras ce délire qu'il éprouva dans le bosquet. [Saint-Preux fait allusion au premier baiser accordé par Julie, qu'il a raconté dans la lettre XIV.] Vain fantôme d'une âme agitée qui s'égare dans ses désirs ! Bientôt forcé de rentrer en moi-même, je te contemple au moins dans le détail de ton innocente vie : je suis de loin les diverses occupations de ta journée, et je me les représente dans les temps et les lieux où j'en fus quelquefois l'heureux témoin » (p. 91). Chaque phrase proclame le raffinement de la parole et l'art de la distanciation. Le narrateur se désigne lui-même à la troisième personne (« ton malheureux amant »), il ne précise jamais la teneur de ses rêveries autrement que par un terme général, de préférence accompagné d'un épithète commun (« tes traits charmants », « tes regards tendres », « ta douce voix »). La référence au détail est annulée par l'abstraction de ses déterminations au moment même où le narrateur la prononce : « le détail de ton innocente vie » résume « les diverses occupations de ta journée » et « les temps et les lieux où j'en fus quelquefois l'heureux témoin ». Écrire « détail », c'est éviter d'en donner.

La précision abstraite du discours se retrouve dans les descriptions de l'ambiance extérieure. Dans la quatrième partie du livre, Saint-Preux raconte à son ami anglais milord Edouard Bomston une promenade sur le lac de Genève en compagnie de Mme de Wolmar : « ... nous nous trouvâmes bientôt à plus d'une lieue du rivage. Là j'expliquais à Julie toutes les parties du superbe horizon qui nous entourait. Je lui montrais de loin les embouchures du Rhône, dont l'impétueux cours s'arrête tout à coup au bout d'un quart de lieue, et semble craindre de souiller de ses eaux bourbeuses le cristal azuré du lac. Je lui faisais observer les redans des montagnes, dont les angles correspondants et parallèles forment dans l'espace qui les sépare un lit digne du fleuve qui les remplit » (IVᵉ partie, lettre XVII, p. 515). Saint-Preux raconte non pas un paysage, mais un discours sur un paysage (« j'expliquais à Julie », « je lui montrais », « je lui faisais observer »). Ce discours prend la forme d'une dissertation parfaitement structurée et agrémentée d'épithètes et de prosopopées (« l'impétueux cours » du Rhône, qui « semble craindre de souiller [...] le cristal azuré du lac »). Le personnage ne quitte jamais son poste de contrôle rhétorique, d'où il trie soigneusement les premières impressions, les détails illogiques, tout ce qui pourrait suggérer la densité indomptable du concret.

Si la rhétorique de Rousseau expulse le concret, c'est pour mieux faire valoir sa parfaite maîtrise de toutes les nuances de la psychologie morale. La précision des analyses et la richesse du vocabulaire moral font de *La Nouvelle Héloïse* un véritable sommet de la littérature « casuiste », celle qui explore la complexité intérieure visible. Saint-Preux revoit Julie après son mariage : « Je me retourne, je la vois, je la sens. Ô milord !, ô mon ami... je ne puis parler... Adieu crainte ; adieu terreur, effroi, respect humain. Son regard, son cri, son geste, me rendent en un moment la confiance, le courage, et les forces » (IVᵉ partie, lettre VI, p. 420-421). Le personnage multiplie les termes qui décrivent les passions de l'âme — crainte, terreur, effroi, respect humain, confiance, courage — avec l'assurance d'un peintre juxtaposant les nuances des couleurs. C'est assurément grâce à l'admirable assurance de ce vocabulaire que le roman de Rousseau a connu son durable succès.

Jugée par rapport à l'histoire du roman, la psychologie de Rousseau signale cependant un repli stratégique de l'observation morale. *La Nouvelle Héloïse* décrit avec une exactitude inégalée les surfaces intérieures accessibles au regard subjectif, mais néglige en revanche tout ce qui échappe à ce regard. Nous sommes bien loin ici de la pénétration augustinienne de Cervantès ou de Mme de Lafayette, auteurs dont les personnages ne se comprennent pas bien eux-mêmes et ne maîtrisent pas leurs passions, et encore plus loin de l'art de Richardson, qui savait suggérer au moyen du discours des acteurs eux-mêmes les penchants et les désirs qu'ils éprouvent sans s'en rendre compte. La vie intérieure des personnages idéalisés de Rousseau ne manque certes pas de profondeur : comment pourrait-elle en manquer, étant donné l'immense quantité de sentiments et d'opinions qui s'y agite, étant donné aussi la scrupuleuse attention avec laquelle Rousseau réalise l'enchantement de l'intériorité ? C'est à cet enchantement qu'il faut par ailleurs attribuer l'optimisme moral de Rousseau et la distance qui sépare *La Nouvelle Héloïse* de la nouvelle sérieuse : faire suivre l'amour-passion d'un mariage de raison sans qu'aucune rivalité n'oppose les protagonistes, c'est opter, à l'inverse de la nouvelle, pour une dédramatisation quasi totale du conflit. Car les analyses de Rousseau ne cherchent pas à dépister les traces conflictuelles de l'imperfection humaine, mais au contraire exhibent complaisamment les paisibles richesses des belles âmes. Peu importe, par conséquent, que ces personnages à l'intériorité enchantée, qui se délectent à scruter indéfiniment leurs propres entrailles, décrivent leurs émotions dans un langage abstrait. La force de *La Nouvelle Héloïse* vient non pas de l'immersion dans le vécu concret, mais de la grandeur des âmes, la principale réussite de son auteur étant la création d'un idéalisme moral cohérent et complet. Les rivaux de ce livre, les anciens romans idéalistes, sont ainsi remplacés (et du même coup perpétués) par un nouveau genre de récit qui, loin d'employer les riches ressources de la vraisemblance morale et descriptive, parie uniquement sur l'enchantement de l'intériorité.

LA COMÉDIE HUMAINE.

TOM JONES ET DON QUICHOTTE

Rousseau, qui approuve la recherche de la vertu moderne, ne prend ses distances à l'égard de Richardson qu'en ce qui concerne le choix des procédés narratifs destinés à servir la représentation de cette vertu. Et quoique la solution de Jean-Jacques, qui consiste à rejeter autant l'analyse morale augustinienne que les effets d'immersion dans l'immédiateté du vécu, puisse paraître à première vue une option rétrograde, en réalité *La Nouvelle Héloïse* radicalise la représentation de la vertu moderne inaugurée dans *Pamela* et dans *Clarissa*, en faisant reposer la quasi-totalité des ressorts narratifs sur la connaissance de soi des personnages, une connaissance qui s'exprime avec toute la force de la rhétorique classique.

Fielding, en revanche, qui s'oppose ouvertement au projet de Richardson, rejette non seulement le centre vital de l'idéalisme moderne, à savoir l'enchantement de l'intériorité, mais, en s'appuyant sur la tradition comique, résiste également aux autres innovations de l'imagination moderne. Fielding écrit (et avec quelle assurance) comme si ni le sujet-hors-du-monde, ni l'objectivité de la nature et de la société, ni la splendeur de la belle âme n'avaient été inventés. Son univers fictif ne connaît aucune séparation entre l'individu et le monde : ni celle des romans hellénistiques — qui libérait les protagonistes de la prison de la matière —, ni celle des romans idéalistes modernes — qui exilent l'âme d'exception « sur place », dans un décor et dans une société objectivés. Chez Fielding, le décor et la société, loin de défier le personnage, l'entourent plutôt comme une ambiance naturelle qu'il s'agit non pas de conquérir mais d'intégrer. La belle âme conçue comme modèle de perfection inimitable est absente de la presque totalité des œuvres de Fielding, dont les héros imparfaits sont sujets à l'erreur même lorsqu'ils aiment sincèrement la vertu.

Le roman en prose, pense Fielding, a pour fin de saisir la vérité éternelle de la nature humaine et non pas de prêter un visage moderne à la vertu imaginaire : par conséquent, il n'est pas destiné à faire concurrence aux genres élevés, mais doit se conformer à sa véritable position dans la hiérarchie des genres. Théoricien qui s'inspire d'Aristote — et qui explique patiemment ses options dans les chapitres qui ouvrent chacun des dix-huit livres de *Tom Jones* —, Fielding tient pour évidente la vérité selon laquelle la représentation de l'imperfection et de la faillibilité a, par définition, un côté comique. Étant donné que le roman, en tant qu'entreprise narrative de longue haleine, appartient à la famille épique, son parent le plus proche est l'épopée héroï-comique, genre parodique illustré par Matteo Boiardo et par l'Arioste, dont les œuvres (respectivement, *Roland amoureux*, ca. 1484, et *Roland furieux*, 1516) prennent pour objet de leurs railleries les chansons de geste. Écrit en prose et parlant non pas de héros et de princes, mais d'hommes et de femmes rencontrés dans la vie de tous les jours, le roman est un « poème héroï-comique en prose » qui s'éloigne de manière décidée de l'idéalisme héroïque, tout en gardant le niveau stylistique propre aux parodies nobles.

Dans son opposition à l'idéalisme, Fielding mobilise également la grande parodie des romans de chevalerie, *Don Qui-chotte* de Cervantès, œuvre qui acquiert au début du XVIIIe siècle une nouvelle importance dans l'évolution du genre. Pendant longtemps après sa parution (1605 pour la première partie, 1615 pour la seconde), le succès de *Don Quichotte* avait été celui d'un texte infiniment drôle et intelligent, mais dont les lecteurs auraient été fort surpris d'apprendre qu'il inaugurait un nouvel âge dans l'histoire du roman. Ce public avait d'une certaine manière raison car bien que la cible principale de *Don Quichotte* fût l'idéalisme chevaleresque, l'œuvre ne se réduisait pas à ses aspects comiques, mais présentait au lecteur un véritable florilège des espèces narratives et sapientiales contemporaines, incorporant la pastorale, la nouvelle, l'histoire picaresque, le dialogue érasmien, la critique littéraire et l'éloquence morale, chacune préférable à l'irréalisme obstiné des récits de chevalerie. Homme de son temps, Cervantès savait faire la distinction entre les aptitudes des divers genres narratifs à représenter l'idéal et l'imperfection et se gardait bien de condamner en bloc tous les romans idéalistes. Par la bouche de ses personnages (*Don Quichotte*, première partie, chap. VI), Cervantès avouait son affection pour l'*Amadis*, la première victime de la parodie quichottesque, décrit comme le meilleur de tous les livres qui ont été composés de ce genre, auquel il faut pardonner comme unique en son espèce. Auteur de la pastorale *Galatée* (1585), Cervantès, qui, comme nous l'avons déjà vu, allait finir sa carrière avec *Persilès et Sigismonde* (publié en 1617), « éthiopiques » chrétiennes dont il était immensément fier, faisait partie des gens de lettres qui, à la fin du XVIe siècle et au début du XVIIe, ne condamnaient le roman de chevalerie que pour lui préférer l'idéalisme du roman grec, nouvellement redécouvert. C'est seulement au XVIIIe siècle, avec l'essor de l'enchantement de l'intériorité et du *nouvel* idéalisme romanesque que les adversaires de ce courant — notamment Fielding et son contemporain Tobias Smollett — conférèrent à *Don Qui-chotte* la place, qui est restée la sienne, d'ancêtre du roman ironique, sceptique et anti-idéaliste.

L'homme, semblera désormais dire *Don Quichotte*, ne peut se détacher en aucune manière du monde auquel il appartient : ses racines ne plongent pas dans le ciel des romans idéalistes, mais dans le sol de sa condition mortelle. L'individu-hors-du-monde muni d'une force inflexible et le héros aux prises avec la contingence universelle ne sont que chimères et fictions livresques, et l'idéal poursuivi par le chevalier de la Triste Figure n'est pas inspiré par les dieux ou par l'amour eux-mêmes, mais provient de lectures mal digérées. Pour exaltant qu'il soit, l'exemple d'Amadis n'en est pas vraiment un : la lecture correcte de l'*Amadis* et des autres romans de chevalerie doit distinguer entre la teneur morale du texte — le plaidoyer en faveur des devoirs de chevalerie et de courtoisie — et la sur-idéalisation du récit qui traduit ce message. L'erreur de don Quichotte est de faire foi à cette sur-idéalisation et de prendre comme modèle littéral de vie ce qui n'est en réalité qu'une représentation idéographique des valeurs promues. Il n'en est pas moins vrai que le bon Quichotte découvre dans ses lectures une sagesse supérieure, qui informe ses belles manières et ses beaux discours, si bien qu'une des occurrences les plus fréquentes du roman de Cervantès est la perplexité des amis du chevalier lorsqu'ils sont confrontés à tour de rôle avec sa folie et avec son discernement. Si seulement, ont-ils l'air de dire, le pauvre hère avait pu se contenter de faire sien l'*esprit* dégagé par les récits de chevalerie, sans se laisser égarer par leur *lettre*.

Les adversaires de l'idéalisme richardsonien, et notamment Fielding, voyaient bien que la greffe du roman idéaliste sur la vie quotidienne, greffe opérée par don Quichotte à la vue de tout le monde et au moyen de références explicites aux récits de chevalerie, était précisément ce que les héroïnes de *Pamela* et de *Clarissa* tentaient de faire, mais subrepticement. Alors que l'honnête chevalier de la Triste Figure proclamait à haute voix sa dévotion à ses modèles Roland et Amadis, le sournois Richardson obligeait Pamela à émuler les héroïnes d'Héliodore et de Madeleine de Scudéry, sans que personne en fût prévenu. Comment ne pas conclure que l'œuvre de Cervantès avait bien réfuté *Pamela* et l'enchantement de l'intériorité longtemps avant leur apparition, démontrant une fois pour toutes que la nature humaine n'était pas susceptible d'intérioriser durablement l'idéalisme de roman ?

D'autres traces des prises de positions anti-idéalistes sont perceptibles dans la synthèse de Fielding. Il n'est pas le seul à avoir compris l'importance de *Don Quichotte* : une multitude de romans parodiques influencés par Cervantès, dont le mieux connu est *Pharamon ou les Nouvelles Folies romanesques* (1713), œuvre de jeunesse de Marivaux, s'acharnent à montrer l'absurdité de l'idéalisme. *Candide* (1759) de Voltaire, parodie des « éthiopiques », vise plus haut, se mettant au service d'une thèse philosophique explicite : la critique de l'optimisme leibnizien. Le roman satirique, exemplifié par *Les Lettres persanes* (1721) de Montesquieu, décrit la diversité concrète des usages vue à travers les yeux étonnés d'un prince persan, que le désir de s'instruire conduit en France. Le roman picaresque, dont nous avons constaté, chez Defoe, l'inflexion sérieuse, tragique même, se divise au XVIIIᵉ siècle en deux grandes branches, dont une, représentée par Lesage (*Le Diable boiteux*, 1707 ; *Histoire de Gil Blas de Santillane*, 1715-1735), adopte un ton léger, voisin de la littérature burlesque, alors que l'autre, représentée par Tobias Smollett, cadet de Fielding de quatorze ans (*Roderick Random*, 1748 ; *Les Aventures de Peregrine Pickle*, 1751 ; *L'Expédition de Humphrey Klinker*, 1771), exhibe un pessimisme moral amer et cruel. Enfin, les romanciers libertins, tel Crébillon fils (*Les Égarements du cœur et de l'esprit*, 1736-1738), peignent la séduisante image d'une humanité heureuse de son imperfection, de sa frivolité et de son asservissement aux plaisirs évanescents.

Fiers de cette ascendance, *Joseph Andrews* (1742) et surtout *Tom Jones* (1749) défient donc courageusement l'enchantement de l'intériorité et la perspective subjective. L'intrigue de *Tom Jones*, célèbre pour l'habileté de ses agencements, raconte le destin d'un enfant trouvé qui est élevé dans la maison de l'honorable M. Allworthy en compagnie de Blifill, fils légitime de la sœur d'Allworthy. Jeune homme impulsif et étourdi mais dont l'âme est toujours généreuse, Tom rivalise avec l'hypocrite Blifill pour le cœur de la belle Sophie Western, mais à la suite des intrigues de celui-ci, il est chassé de la maison d'Allworthy. Sophie, qu'on veut marier à Blifill, prend, elle aussi, la fuite. Une suite d'épisodes conduit Tom, homme à nombreuses bonnes fortunes, à Londres, où Sophie le cherche assidûment. À la suite de diverses aventures Tom est sur le point d'être pendu, lorsqu'on découvre qu'il est en vérité le fils naturel aîné de la sœur d'Allworthy. Son demi-frère Blifill reçoit la punition de ses machinations, alors que Tom, reconnu comme héritier d'Allworthy, épouse Sophie.

Les intrigues de Richardson, qui n'ont d'ordinaire qu'un seul fil principal, s'organisent dans une structure obsessionnelle qui subordonne le récit à la perspective individuelle des personnages. Fielding, en multipliant les fils de l'intrigue, domine dans son ensemble un sujet qui demeure trop complexe pour que les personnages individuels en maîtrisent les tenants et les aboutissants. L'avantage de la solution richardsonienne est, bien entendu, son intensité psychologique. Mais elle laisse insatisfait le besoin, bien servi par Fielding, de saisir le destin humain d'un point de vue impersonnel et irréductible à l'égocentrisme des personnages. En cela Fielding refuse d'émuler la concentration de la nouvelle, et bien qu'il rejette l'idéalisme des romans héroïques de Gomberville, La Calprenède et Mlle de Scudéry, il imite la construction de ces chefs-d'œuvre de complexité et d'harmonie, dont les intrigues embrouillées sont développées et résolues de manière irréprochable.

Le rejet de la perspective individuelle est tout aussi apparent dans la manière dont le raconteur, imbu de la noble ironie propre aux parodies héroï-comiques, considère les motivations de ses personnages. Dans une scène célèbre à juste titre (livre V, chap. V), Tom, tombé amoureux de Sophie, se présente chez sa maîtresse Molly Seagram, jeune paysanne de mœurs légères, pour lui signifier la fin de leur relation. La famille de la jeune femme informe d'abord Tom que Molly est sortie, mais la sœur de celle-ci l'avertit, avec un sourire malicieux, que Molly est alitée au grenier. Sans soulever d'objection, Tom monte et se trouve, à sa grande surprise, devant une porte fermée à clé. Le protagoniste (et le lecteur) découvrira plus loin que Molly a un rendez-vous amoureux dans le grenier, mais pour l'instant, ils aperçoivent la jeune villageoise dans l'embrasure de la porte enfin ouverte assurant Tom qu'elle ne l'avait pas entendu. Pour décrire la mine confuse de Molly sans cependant vendre la mèche, le conteur, devenu raisonneur, formule, dans un langage distingué qui contraste avec la vulgarité de la situation, un jugement sur la nature humaine : « On a remarqué qu'un chagrin extrême et une joie extrême produisent des effets fort semblables ; et lorsque l'un ou l'autre nous fond dessus à l'improviste, il est susceptible de créer une perturbation et une confusion si totales que nous en perdons souvent l'usage de toutes nos facultés. » Molly, déconcertée par l'apparition inattendue de M. Jones, « durant quelques minutes fut incapable d'exprimer l'extrême ravissement dont le lecteur pourra la supposer saisie en cette circonstance ». Du côté de Tom, « il était si entièrement dominé et, pour ainsi dire, envoûté par la présence de sa bien-aimée, qu'il oublia pour un moment Sophie, et, par suite, l'objet principal de sa visite [1] ».

Cette petite comédie met en présence deux personnages dont l'un, surpris en flagrant délit de duplicité, ne parvient pas à affecter assez rapidement la fausse joie et l'autre, ébloui par le désir, ne peut ni mener à terme le projet vertueux qu'il avait entrepris, ni même interpréter correctement les signes de la tromperie. Le conteur présente les événements sur un ton faussement grave, en faisant semblant d'adopter à chaque instant le point de vue partiel et erroné des personnages, pour l'abandonner calmement aussitôt que la situation change. Quelques instants plus tard, Tom se reprend et explique à Molly la nécessité de leur séparation. Éclatant en sanglots, elle assure Tom de son amour. Mais un tapis suspendu qui cache un coin du grenier se détache, découvrant, adossé au mur, un homme qui n'est autre que le philosophe Square, précepteur de Tom et de Blifill. « Aussitôt que Square fit son apparition », nous informe l'auteur, Molly « se rejeta sur son lit et, criant qu'elle était perdue, s'abandonna au désespoir ». La détresse du personnage inspire à l'imperturbable raisonneur une pitié narquoise : « La pauvre fille, encore novice dans le métier, n'était pas encore parvenue à l'assurance parfaite qui permet aux dames de la ville de se tirer de tout mauvais pas » (*Tom Jones*, p. 201). Le philosophe Square, présenté dans les chapitres antérieurs comme un pédant qui prêche les vertus de l'antiquité gréco-romaine, est traité sur le même ton. Comment concilier la prédication de la vertu avec les amours clandestines de Square ? « Les philosophes sont faits de chair et de sang, comme les autres humains, répond le raisonneur d'une voix sagace. « Ils savent fort bien comment dompter tous les appétits et les passions et comment mépriser la douleur et le plaisir ; cette connaissance procure maintes contemplations délicieuses et il est aisé de l'acquérir ; mais la pratique en serait contrariante et pénible ; cette même sagesse par conséquent, qui leur enseigne cette théorie, leur enseigne aussi à éviter de la mettre en exécution » (p. 199).

Comme le montre cet exemple, les personnages de Fielding, loin d'être guidés par une volonté de perfection ou de déchéance — comme c'est, respectivement, le cas des héros des romans idéalistes et des picaros —, ou de poursuivre

1. Henry Fielding, *Tom Jones*, trad. Francis Ledoux, Folio, Gallimard, 1990, vol. 1, p. 197.

pour le moins une délibération morale articulée, agissent dans la majorité des cas sous l'emprise d'impulsions mal justifiées, qu'ils tentent de dissimuler par l'entremise de discours peu vraisemblables. À l'insu de tout le monde, l'acteur navigue entre ses hauts principes et sa conduite lamentable ; seul le conteur devine sa misère et l'expose au grand jour. Mais cette dénonciation n'est jamais effectuée sur un ton amer ou révolté : les hommes sont ainsi faits, semble dire Fielding, et leurs faiblesses et leurs vices, ainsi que la pauvreté de leur connaissance de soi, sont les marques naturelles de leur condition. La sagesse du genre héroï-comique en prose consiste à décrire ces traits avec une ironie indulgente.

Les protagonistes de *Tom Jones* ne se détachent jamais véritablement de leur milieu, bien qu'une révolte passagère les fasse abandonner pour un temps la maison paternelle. Le vaste monde auquel ils croient accéder se révèle en fin de compte un petit ensemble de sites familiers, fréquentés par les mêmes habitués. Trois procédés empruntés à Cervantès, l'ubiquité de la famille et des amis, la multiplicité des masques et le magnétisme des lieux évoquent un univers qui, par-delà les épreuves auxquelles il semble soumettre les protagonistes, demeure au fond un endroit amical, hospitalier, protecteur. Grâce à l'ubiquité des amis et à la multiplicité des masques, un petit nombre de personnes est susceptible de peupler efficacement l'espace fictif. Ainsi, dans *Don Quichotte*, les chevaliers errants qui défient le protagoniste, les belles dames en détresse qui implorent son aide sont en réalité ses voisins et ses amis qui complotent pour le faire rentrer dans son village. Dans *Tom Jones*, l'action met le héros en rapport avec une population réduite d'acteurs récurrents, qui appartiennent en majorité à la famille et à la maisonnée d'Allworthy et portent parfois plusieurs masques (ainsi Partridge est tour à tour professeur de latin, barbier et compagnon de route de Tom, Mme Waters, épouse du capitaine Waters et séductrice de Tom à Upton n'est autre que Jenny Jones, sa mère présumée, etc.). La lente progression du protagoniste depuis son village natal jusqu'à la ville d'Upton et Londres n'est en fin de compte qu'une occasion de faire le tour de ses parents et relations.

L'hospitalité de l'univers fictif est augmentée par le magnétisme de l'espace, qui attire les acteurs précisément là où l'action a besoin d'eux. Tout comme dans la première partie de *Don Quichotte* la quasi-totalité des personnages converge vers l'auberge de Maritorne (chap. XXXII et suivants), dans *Tom Jones* l'auberge d'Upton rassemble Tom, Sophie, le père de celle-ci, Partridge, Mme Waters, un certain M. Fitzpatrick qui jouera un rôle secondaire dans le dénouement et l'avoué Dowling, détenteur du secret de la naissance de Tom, qui traverse le roman dans toutes les directions sans jamais s'arrêter. Se bousculant les uns les autres sans autre raison apparente que le besoin de l'intrigue, les personnages semblent arriver sur scène, uniquement pour qu'ils puissent se poursuivre, s'éviter, se tomber dans les bras et s'arroser réciproquement de coups devant le public. Et comme dans la comédie, on sent, derrière les faibles prétextes et les coïncidences invraisemblables, la cohésion et la bonté ultime de l'univers fictif, qui résoudra à la fin les malentendus, déjouera les projets des méchants, donnera aux orphelins des parents fortunés et réunira les amoureux.

L'inventeur-conteur qui mène à bien l'intrigue à nombreux fils, le raisonneur qui met à jour l'écart entre le discours glorieux et la conduite souvent répréhensible des personnages et le poéticien qui explique le sens de l'œuvre sont réunis chez Fielding dans un seul rôle d'une force considérable. Observateur impartial et amusé de ses personnages, dont il dévoile habilement les faiblesses, Fielding ne se prive pas de parsemer le récit de prudentes remarques, souvent tout aussi pénétrées d'ironie que la mise en scène des épisodes eux-mêmes. Cet inventeur-conteur-raisonneur, qui a une physionomie morale propre et qui manie le gouvernail moral du récit, n'est pas réductible à un simple narrateur, car il ne se contente pas de présenter et de commenter l'histoire, mais assume ouvertement le rôle d'organisateur, voire de créateur du récit. Cette voix, qui converse avec la même bonhomie de la comédie humaine et du métier du romancier, appartient-elle de manière immédiate à l'écrivain? Difficile de le nier. On peut cependant distinguer entre le personnage historique en chair et en os du nom de Henry Fielding et la personne morale qui invente et raconte *Tom Jones*. Cette personne ne saurait être désignée d'un autre nom que celui de l'*auteur* — être idéal qui crée et contrôle l'histoire, qui la met en page, la commente, en assure l'équilibre moral et artistique et l'offre lui-même de vive voix au lecteur.

Défini de la sorte, l'auteur a bien entendu toujours été présent de manière plus ou moins visible dans les textes romanesques. Ce que réalise néanmoins Fielding est une promotion sans précédent de ce rôle, un véritable *sacre de l'auteur*. Inaugurant un nouveau rapport entre la voix qui raconte le roman et l'univers fictif que celui-ci met en place, cette promotion est un événement de premier ordre dans l'histoire du roman moderne. Dans le roman idéaliste, la perfection des héros, destinée à inspirer l'admiration et la modestie du lecteur, impose à l'auteur une certaine discrétion. De temps à autre, l'auteur intervient dans le roman de chevalerie par des propos d'ordre moral, voire même par de brèves considérations sur l'organisation du récit. Mais ces interventions intermittentes demeurent naïves : les discours du raconteur, du raisonneur et de l'artisan ne fusionnent pas encore dans un tout harmonieux. C'est peut-être la raison pour laquelle la pensée morale et la réflexion sur la société humaine dans le roman de chevalerie se concentrent dans le discours des personnages. L'éloquence morale est la province d'Amadis — et de don Quichotte — plutôt que celle de l'auteur. Dans le genre picaresque, en revanche, la misère des personnages est telle que l'auteur préfère leur laisser la parole, comme s'il craignait de tenir des propos en son propre nom sur des créatures aussi déplorables. La nouvelle tragique prend pour objet des formes moins méprisables de l'imperfection humaine, et par conséquent va de pair aussi bien avec le récit à la troisième personne qu'avec les épanchements moralisateurs. Il reste que la brièveté du genre et le caractère foudroyant de l'événement central découragent les interventions trop évidentes de l'auteur, dont la voix moralisatrice risque de diluer la concentration du récit. Ce n'est pas un hasard si les meilleurs nouvellistes (Boccace, Cervantès, Saint-Réal, Mme de Lafayette) se gardent de trop prendre la parole en tant qu'auteurs, alors que ceux qui le font (un François de Rosset, un Jean-Pierre Camus) ont été à juste titre considérés comme excessivement loquaces. La méthode richardsonienne, enfin, en investissant les gens ordinaires de la force morale naguère réservée aux héros idéalisés, leur cède la parole pour des raisons symétriquement contraires à celles qui motivaient les écrivains picaresques : en face de Moll Flanders et de Roxane, qui doivent se défendre elles-mêmes puisque personne d'autre ne saurait concevoir de tels abîmes de corruption, le témoignage de Pamela est fiable précisément parce qu'il s'agit d'un personnage à la fois réel et parfait.

Chez Fielding, le rejet de l'idéalisme richardsonien ne

signifie pas un retour à l'indignité picaresque, mais conduit à la création d'un univers dans lequel les personnages se placent à mi-chemin entre la noblesse et l'abjection. Un tel univers, surtout lorsqu'il est représenté dans une œuvre aussi complexe que *Tom Jones*, réclame la présence d'un conteur investi d'une vaste autorité sur les divers aspects de l'intrigue. L'imperfection comique et la contingence des événements convergent, mais cette contingence n'est qu'un nuage passager cachant l'ordre universel, qui à la longue finit bien par prévaloir : raison de plus pour que derrière les myriades d'événements s'affirme la présence d'un inventeur et d'un maître de la contingence, véritable providence artistique qui calcule soigneusement la part de l'ordre et du désordre pour le plaisir du lecteur. La maladresse morale des personnages, ensuite, produit à son tour comme une sorte de turbulence axiologique, qui demande l'intervention permanente d'un timonier moral. Enfin, la nouveauté des décisions artistiques mérite d'être expliquée et défendue. Ces diverses tâches (coordinateur de l'univers fictif, maître de la contingence, guide moral, théoricien) peuvent bien être remplies de manière tacite, comme il arrive dans *Don Quichotte*. Si Fielding choisit de les formuler explicitement dans le corps même de l'œuvre, c'est que dans son opposition à l'enchantement de l'intériorité, il cherche à reconquérir de manière délibérée et manifeste non seulement la vérité de l'imperfection humaine, mais également la maîtrise du discours narratif, que l'auteur de *Pamela* avait entièrement mise à la disposition du personnage. La promotion de l'auteur dans le texte du roman est donc à l'origine une réaction contre l'idéalisme du roman moderne et contre sa conséquence immédiate, l'abandon simultané du discours narratif et de l'autorité morale entre les mains du personnage.

LE ROMAN LUDIQUE. *TRISTRAM SHANDY* ET *JACQUES LE FATALISTE ET SON MAÎTRE*

Bien que dans son intention première la promotion de l'auteur opérée par Fielding fût dirigée contre l'enchantement de l'intériorité, elle alla dans le même sens que le règne de la bienveillance universelle, dont Rousseau allait bientôt montrer si justement le caractère inévitable. Car une fois que la vertu et le devoir se retirent dans l'intériorité de l'être humain, la communauté ne juge plus ses membres en comparant leur conduite avec la norme extérieure, mais accepte avec bonté les raisons intimes qui les motivent. Chez Fielding, la voix de l'auteur a beau se moquer de l'imperfection des personnages, le respect obséquieux avec lequel elle traite leur droit de se tromper, l'indulgence même de son ironie, montrent bien qu'un nouveau régime moral était en train de s'installer et que désormais le respect accordé aux vertus du sujet s'étendait également à ses égarements. Sans l'exemple de cette voix, de sa précision, de son autorité morale, de sa tolérance, de son urbanité et de son humour, il est difficile d'imaginer comment Lawrence Sterne et Denis Diderot auraient pu écrire respectivement *Tristram Shandy* (1760-1767) et *Jacques le fataliste et son maître* (1773-1775 ?).

Tout en profitant de la leçon enseignée par Fielding, les deux ouvrages de Sterne et de Diderot se placent dans la tradition des narrations parodiques et burlesques du XVIe au XVIIIe siècle, qui sortent à bon escient des conventions mimétiques pour s'amuser au compte de l'art de raconter : il s'agit de la prose de Rabelais, de Sorel et de Swift. Avec l'arrivée de Sterne et de Diderot, il devient évident qu'à l'intérieur de cette tradition il faille opérer une distinction entre les œuvres véritablement inclassables autant du point de vue du genre que de celui des techniques de représentation (*Pantagruel*, *Francion* et *Gulliver*), et les ouvrages ludiques dont la fin est la mise en scène, sur un ton badin, des procédés mêmes de l'art de la prose, aux dépens de la transparence narrative. C'est dans cette dernière catégorie de textes que se situent les romans cités de Sterne et de Diderot, œuvres qui n'auraient peut-être pas existé si la nature même du roman n'avait pas été mise en doute par le débat qui opposa le nouvel idéalisme défendu par Richardson et Rousseau au scepticisme ironique incarné par Fielding.

Tristram Shandy prend le contre-pied de l'intériorisation idéaliste moderne et en réfute tous les présupposés : ici l'histoire racontée à la première personne n'est pas celle du narrateur, l'intrigue est à toutes fins pratiques non existante, l'énergie fait défaut aux personnages. L'œuvre se présente au premier abord comme l'autobiographie d'un personnage qui ne réussit à présenter, dans des centaines de pages bien remplies, que les cinq premières années de sa vie, les digressions ayant occupé tout son temps. Pris au piège de sa propre voix, Tristram préfère pérorer sur son père, Walter Shandy, et sur son oncle Toby, ajournant indéfiniment la jonction des rôles, ici incompatibles, de raconteur et d'acteur. Des rudiments d'intrigue subsistent néanmoins, car Walter Shandy souhaite accéder à la paternité et Toby, son frère et l'oncle du narrateur, s'évertue à trouver une épouse. La félicité familiale demeure cependant hors de leur portée : Walter, qui déteste accomplir ses devoirs conjugaux, a perdu son premier fils et ne peut guère espérer grand-chose de son puîné, Tristram, dont la laideur et la vulnérabilité à la castration (signalée par une blessure génitale) ne présagent rien de bon. Toby, qui de son côté a subi une blessure de la même espèce pendant le siège de Namur et n'a plus véritablement le droit d'aspirer au bonheur conjugal, passe son temps à reconstituer de manière obsessionnelle l'opération militaire qui l'a privé de sa masculinité. Ainsi, le récit raconte l'absence des conditions mêmes de possibilité d'un roman ou d'une biographie habituels, à savoir la présence de personnages jeunes, sains, dotés d'un fort appétit de s'affirmer malgré les obstacles, que ce soit à la façon de l'aventurier Tom Jones, ou à celle de la trop vertueuse Clarissa. L'énergie vitale, indispensable pour le développement d'une intrigue, manque aux personnages de *Tristram Shandy*.

En l'absence d'une anecdote bien construite et de personnages énergiques qui la mettent en marche, seuls les sinueux caprices du discours font vivre le texte. Le suspense, dans *Tristram Shandy*, ne provient pas de la surprise des actions inattendues, mais de celle des tournants imprévus pris par les propos du narrateur. La joie de l'invention linguistique met en échec la logique des événements, et le discours, brimant le récit, prend le dessus. Sautant de l'anglais au latin, de la description au sermon, du récit (toujours interrompu par d'innombrables apartés) aux digressions érudites, le narrateur captive l'attention du lecteur, l'étourdit, l'hypnotise. L'effet est jusqu'à un certain point semblable à celui des romans dans lesquels les caprices de la Fortune persécutent les personnages, sauf qu'ici la tension est causée non pas par le jeu des événements, mais par celui du discours qui les prend en charge et les occulte. La voix du raconteur devient le véritable site de la contingence narrative.

La volubilité de Tristram libère le langage de ses liens — si importants chez Richardson — avec l'évidence empirique : celle-ci n'est évoquée que pour être aussitôt congédiée avec une indifférence malicieuse. La description du caporal Trim, le valet de l'oncle Toby (deuxième partie, chap. XVII), en est un exemple éloquent : « Il se mit debout devant eux, son corps tourné et penché en avant juste pour faire un angle de 85 degrés et demi par rapport à l'horizon ; — ce quoi, les orateurs habiles, à qui je m'adresse maintenant, savent pertinemment être le vrai angle d'incidence persuasive ; à tout autre angle l'on peut discourir et prêcher ; — cela est certain, — on le fait tous les jours ; — mais avec quel succès ? — je laisse le monde juger là-dessus [1]. » Ce n'est, par ailleurs, que le début d'une longue envolée. Mais la direction en est déjà perceptible : à partir d'un détail concret raconté sur le registre comique (la courbette du caporal et l'angle qu'elle décrit), le narrateur change de ton et d'interlocuteur, comme s'il se moquait du détail en question. Quelques lignes plus loin, la description, qui continue d'afficher l'objectivité et la précision, transforme le personnage en marionnette : « Il était debout, — et, pour faire son portrait à partir d'un angle unique, je le répète : avec son corps tourné, et quelque peu penché en avant, — sa jambe droite ferme en dessous, soutenant sept huitièmes de la totalité de son poids, — avançant légèrement le pied de sa jambe droite [...], — non pas latéralement, non pas en avant, mais sur une ligne entre les deux ; — son genou plié, mais non pas violemment, etc. » (*Tristram Shandy*, p. 87). Comme chez Rabelais, les flots linguistiques débordent de tous les côtés le noyau du message, réduisant les personnages au rôle de simples prétextes pour les envolées du conteur. Mais alors que dans *Gargantua* et dans *Pantagruel* ces personnages sont des géants mythiques regorgeant d'énergie et de vitalité, *Tristram* est construit à partir du contraste entre la loquacité irrépressible du narrateur et la misère des avortons qui peuplent son monde. À lire ces divagations infinies, le lecteur éprouve le sentiment qu'entre la virtuosité du discours et la tristesse de l'intrigue s'ouvre un écart profondément déconcertant, comme si l'ancienne coupure entre le héros et le monde faisait ici place

---

1. Laurence Sterne, *Tristram Shandy*, édition Howard Anderson, Norton, New York, 1980, p. 87 (ma traduction).

à la rupture entre la fable racontée et le discours qui la prend pour prétexte.

Est-ce dire que le récit de Sterne est le premier à représenter, comme on l'a soutenu, la subjectivité dans toute sa liberté ? La liberté et la flexibilité des propos humains sont en effet mieux rendus par Sterne que par tout autre auteur antérieur, Rabelais mis à part. Encore peut-on légitimement soutenir qu'à la différence de Rabelais, Sterne nous fait entendre, en sus de la liberté de la parole, ses inflexions individuelles, les idiosyncrasies de l'oralité, l'immédiateté de sa physionomie. Et pourtant, cette immédiateté demeure un effet de la *présentation* du récit, sans véritablement se communiquer aux personnages *présentés* à l'intérieur du récit, qui sont, bien au contraire, réduits à des dimensions caricaturales. Tristram exprime librement tout ce qui lui vient à l'esprit — esprit délié, s'il en fut —, mais il le fait en tant que *digresseur* et non pas en tant que personnage. À vrai dire, la représentation de la subjectivité libre *dans l'acte même de son insertion dans le monde* est la tâche que se proposaient d'accomplir les fondateurs de l'idéalisme moderne — Richardson et Rousseau —, tâche que Sterne ne cesse de ridiculiser.

*

Moins ambitieux que *Tristram Shandy* en ce qui concerne l'ampleur de la gamme discursive, *Jacques le fataliste* de Diderot va plus loin que son modèle dans la réflexion sur les rapports entre la force inventive de l'auteur et les jeux discursifs. Alors que chez Sterne la source de l'intérêt sont les divagations d'un conteur qui prend plaisir à s'éloigner de son récit, Diderot se propose à la fois de libérer la voix du narrateur et de présenter, en dépit de cette libération, une histoire vraisemblable et complète. Chez Diderot toutes les instances du récit : inventeur, conteur, raisonneur, sont présentées dans le vif de leur action, mais cette mise en évidence des procédés narratifs ne prend jamais le ton d'une démystification burlesque : au contraire même, l'enchantement propre à la fiction gagne les coulisses de la représentation et communique son magnétisme aux tireurs de ficelles, en leur prêtant le charme envoûtant qu'auparavant seuls les acteurs et les événements fictifs pouvaient exercer sur le public. Dans *Tom Jones*, l'auteur est bien là, à mettre les lecteurs au courant de ses intentions et des secrets de son art, mais sa bonhomie volubile, tout comme l'ironie discrète du raisonneur, demeurent bien séparés de l'histoire racontée, censée jouir de l'indépendance propre aux univers fictifs. Chez Diderot, entre les sortilèges de l'anecdote, d'une part, et la présence fuyante du narrateur qui la raconte ou de l'auteur qui l'invente, d'autre part, il n'y a pas de différence marquée. Une sorte de « fondu » couvre aussi bien la fiction que le discours de l'auteur, en préservant soigneusement la primauté de l'anecdote, et en imprimant aux digressions la tendre irisation de la fiction.

L'histoire, racontée à plusieurs voix par l'auteur, par Jacques, par son maître et par d'autres intervenants, représente une agréable synthèse entre la technique des intrigues multiples mise au point par les grands romans héroïques du XVIIᵉ siècle, la procédure des enchâssements narratifs sans fin, dont le modèle était fourni par la traduction Galland des *Mille et une nuits* (1704-1707), l'univers picaresque peuplé d'escrocs et de femmes de mœurs légères, la nouvelle sérieuse (l'histoire du maître, l'épisode de Mme de la Pommeraye raconté par le marquis d'Arcis), et les effets d'immersion inventés par Richardson, dont le récit de Jacques parodie l'obstination. Le tout est enveloppé dans un discours dont la désinvolture rappelle celle de Rabelais et de Sterne (cités explicitement par l'auteur), mais qui évoque également, par l'insistance sur les pouvoirs de l'auteur, les interventions théoriques et les commentaires ironiques mis à la mode par *Tom Jones* de Fielding. Dans ce labyrinthe, l'anecdote principale ne devient compréhensible que vers la fin de l'ouvrage, lorsqu'il faut bien fermer les grandes parenthèses successivement ouvertes, et que le cours des histoires racontées par le maître rejoint graduellement celui du récit de Jacques. Le lecteur comprend alors que, victime d'une abominable escroquerie amoureuse, le maître s'en est vengé en tuant dans un duel l'homme qui l'avait trompé ; Jacques, arrêté et condamné pour ce meurtre, qu'il n'avait pas commis, s'échappe de prison, devient brigand, et retrouve à la fois sa belle et son maître, non sans que l'auteur s'amuse à soutenir, avec la fausse modestie d'un simple éditeur, que le dénouement a quelque chose d'apocryphe.

La voix de l'auteur est fière de pouvoir arranger le récit à sa discrétion. Le début du texte met d'emblée cette liberté en relief : « Comment s'étaient-ils rencontrés ? Par hasard, comme tout le monde. Comment s'appelaient-ils ? Que vous importe ? D'où venaient-ils ? Du lieu le plus prochain. Où allaient-ils ? Est-ce qu'on sait où l'on va ? Que disaient-ils ? Le maître ne disait rien ; et Jacques disait que son capitaine disait que tout ce qui nous arrive de mal ici-bas était écrit là-haut [1]. » L'inventeur semble faire peu de cas de son lecteur qui souhaite se retrouver dans le dédale de l'histoire ; mais ces questions capricieusement posées et laissées sans réponse conduisent sans transition à la première phrase du récit raconté, phrase qui, après avoir nommé explicitement le maître et Jacques (malgré le « Que vous importe ? » qui tout à l'heure passait ces noms sous silence), esquisse d'un trait rapide leurs caractéristiques les plus visibles dans l'histoire : la placidité du maître et le fatalisme du valet. Ayant à peine entamé son récit, l'auteur s'interrompt aussitôt que Jacques s'apprête à raconter ses amours, et sur un ton persifleur se tourne de nouveau vers le public : « Vous voyez, cher lecteur, que je suis en beau chemin, et qu'il ne tiendrait qu'à moi de vous faire attendre un an, deux ans, trois ans, le récit des amours de Jacques, en le séparant de son maître et en leur faisant courir à chacun tous les hasards qu'il me plairait. Qu'est-ce qui m'empêcherait de marier le maître et de le faire cocu ? d'embarquer Jacques pour les îles ? [...] Qu'il est facile de faire des contes ! » (*Jacques le Fataliste*, p. 476). Ce passage, dont la cible apparente est l'ancien roman idéaliste, fait allusion en même temps à la très réelle liberté d'invention de l'auteur. En effet, la question : « Qu'est-ce qui m'empêcherait de marier le maître et de le faire cocu ? », est susceptible de recevoir deux réponses, l'une (« Mon honnêteté de conteur fidèle ») plaidant *pro domo*, l'autre (« Personne ! ») soulignant le droit à la fantaisie. On nous rappelle ainsi que l'invention a un lieu d'origine, que l'orateur qui s'y trouve est bien le meneur du jeu, et que c'est bien lui qui interrompt le cours de l'histoire aussi souvent qu'il le souhaite, soit pour y enchâsser des récits dont le rapport avec les intrigues principales demeure indéterminé, soit pour donner la parole à d'autres personnages (l'hôtesse de l'auberge, le marquis d'Arcis) qui proposent à leur tour des récits de leur choix.

Parmi ces autres voix, celle de Jacques est la plus mémorable. Elle se charge de raconter une seule histoire, celle des

---

1. Diderot, *Jacques le Fataliste et son maître*, in *Œuvres*, édition André Billy, Bibliothèque de la Pléiade, Gallimard, 1951, p. 475.

amours du personnage, sans jamais se détacher du fil des événements et sans en sauter aucun détail. Le voilà, blessé au genou, marchander sur le prix des soins : « Le chirurgien. — Vingt-cinq sous, serait-ce trop ? Jacques. — Beaucoup trop ; allons, docteur, je suis un pauvre diable : ainsi réduisons la chose à moitié [...]. Le chirurgien. — Douze sols et demi, ce n'est guère ; vous mettrez bien les treize sous ! Jacques. — Douze sous et demi, treize sous... Tope » (p. 536). Le maître, exaspéré par l'inutilité de ces détails et curieux d'apprendre la suite des amours de son valet, le supplie d'aller plus rapidement au but. (« Ah ! Jacques [...] fais-moi grâce, je te prie, et de la description de la maison, et du caractère du docteur, et de l'humeur de la doctoresse... », p. 538). Jacques fait alors semblant de se plier à cette demande et saute à la fin de son histoire : « J'aime donc, puisque vous êtes si pressé. » Et de décrire une grande brune aux jolies mains que le maître, ajoute Jacques, a « prises plus d'une fois à la dérobée ». « Tâche de t'expliquer », lui demande alors le maître piqué de curiosité, et Jacques, dont on exige maintenant des *détails*, consent à les donner, à condition de revenir à la méthode de l'immersion, et de rentrer, donc, dans la maison du chirurgien (p. 538).

Les diverses voix incarnent des visions différentes de l'acte de raconter : du côté de l'auteur, l'élégante dispersion des renseignements, tantôt prodigués, tantôt refusés, sans qu'aucune règle puisse en prédire la disponibilité, taquine et séduit le lecteur, le préparant pour la réception des histoires racontées par le maître et par le marquis d'Arcis, qui, elles, appartiennent à la tradition de la nouvelle française, ressemblant aux cas racontés par Robert Challes dans ses *Illustres Françaises* (1715). Ce sont des anecdotes foudroyantes à caractère sentimental (frôlant parfois le scabreux) et qui mettent en scène un monde cruel où les scélérats, les rancuniers et les corrompus côtoient la générosité et l'innocence. Diderot, comme tous ses contemporains, était à la recherche de la vertu moderne, qu'il peint ici, selon la formule découverte par Marivaux, sous les espèces de la douce naïveté. L'élégance légère de la narration, la *sprezzatura* parvenue à son sommet jettent un voile pudique sur la sentimentalité et sur le moralisme invétérés de ces histoires.

Du côté du valet, le point de référence est la nouvelle esthétique narrative richardsonienne, qui valorise le témoignage du vécu dans le détail de son immédiateté. Jacques attrape le récit par le bout et, pour ainsi dire, y tient bon, quelle que soit l'impatience de son auditoire. Cet homme, dirait-on, n'a qu'une seule histoire à faire valoir, la sienne, et ne s'en sépare jamais. La voix de l'auteur survole les multiples récits et leurs méandres ; Jacques, lui, pris à l'intérieur de son récit, regarde le monde à partir du seul hublot auquel il a accès, ses propres yeux. Cette méthode, qui fait écho à celle de Richardson, reçoit, cependant, une justification inédite : philosophe, Jacques est convaincu du déterminisme universel et donc de la pertinence propre de chaque événement, aussi insignifiant qu'il puisse paraître au premier abord. Seule cette conviction fataliste rend légitime la promotion des gens humbles au rôle de héros respectable, car pour que ce rôle ne soit plus occupé uniquement par des individus dont l'éclat social attire spontanément le regard, les chances de visibilité doivent être rendues égales. C'est seulement, par conséquent, dans un monde déterministe, où chaque événement est à la fois unique et essentiel, que tous les hommes reçoivent le droit de raconter avec fierté ce qui leur arrive. La confiance faite par l'idéalisme moderne à l'âme enchantée n'a aucun sens, Jacques semble dire : l'égalité entre les hommes, à supposer qu'elle existe, est le résultat de la physique, et non pas de la vertu.

CHAPITRE IV

Le sujet vulnérable

LE ROMAN GOTHIQUE

Nous avons vu que Fielding s'est opposé à l'idéalisme romanesque moderne au nom de la faillibilité humaine, dont le caractère comique lui paraissait évident. Selon l'auteur de *Tom Jones*, en inventant une nouvelle espèce d'héroïne, Richardson se serait éloigné de la vraisemblance autant sinon plus que les vieux romans : la noblesse intérieure de Pamela et de Clarissa évoque à s'y tromper celle des princesses de roman hellénistique et baroque, à ceci près que ces princesses vivent dans un milieu dont l'invraisemblance va de pair avec leur vertu irréprochable, alors que la perfection des personnages féminins de Richardson est mal à sa place dans le décor, réaliste jusqu'à l'obsession, qu'elles habitent. « Trop loin de la nature ! » est le verdict que Fielding, pour qui l'imperfection est la marque des êtres humains, semble prononcer contre Richardson. Réciproquement et parce que le roman idéaliste moderne tente précisément d'acclimater la splendeur des anciens héros romanesques au monde de la vie quotidienne, on n'a pas manqué de faire à Richardson le reproche complémentaire, qui est celui de s'être trop laissé tenter par l'observation attentive de la nature et de négliger du coup la puissance de l'imagination.

Le roman gothique, sous-genre inventé dans la seconde moitié du XVIIIe siècle, prend la défense de l'imagination et se détourne de la réalité empirique pour célébrer ouvertement et sans fausse honte l'invraisemblance la plus extrême. Se proposant d'opérer un véritable retour au récit de chevalerie, ce genre en ressuscite les donjons, les cachots et les monstres fabuleux, destinés à produire dans l'esprit du lecteur une impression plus forte — et dans un certain sens plus facile à accepter — que l'admiration engendrée par la grandeur naturelle mais strictement intérieure, invisible à l'œil nu et par conséquent impossible à prouver, des héroïnes de Richardson et de Rousseau. Toujours au nom de l'imagination, le décor médiéval met efficacement en question l'objectivité nouvellement acquise du milieu matériel et social et rend au monde environnant la vieille fonction symbolique de prison de l'âme.

Ce genre développe en même temps une nouvelle figure du héros romanesque — le personnage démoniaque, animé par une malveillance irrépressible et disposant d'une quantité infinie d'énergie. L'essor de ce type de héros a sans doute été conçu comme une réponse à l'enchantement de l'intériorité, qui, tout en affirmant la supériorité de la vertu, la conçoit, à l'instar des romans hellénistiques, comme une force inflexible, mais passive. Aussi, au long du XVIIIᵉ siècle, la constance et l'énergie semblent-elles mutuellement exclusives, et les seuls personnages qui débordent d'énergie sont les filous, les coureurs et les scélérats, les Roderick Random, les Tom Jones et les Lovelace. Réciproquement, le roman gothique dépouille les belles âmes du pouvoir quasi surnaturel dont elles disposaient dans les œuvres idéalistes, et, les rendant timides et mélancoliques, les livre sans défense aux mauvaises intentions de leurs ennemis. Faut-il ajouter que si la vulnérabilité devient la marque extérieure de la vertu, les forces maléfiques se sentent invincibles ? S'il est vrai que le dénouement des romans gothiques comporte un rétablissement providentiel de l'ordre et de la justice, ce rétablissement a d'ordinaire son origine dans l'excès autodestructeur des forces maléfiques plutôt que dans la résistance le plus souvent dérisoire que leur opposent les personnages vertueux.

Tous ces traits — l'invocation de l'imagination, la scandaleuse invraisemblance du cadre historique, le décor médiéval figurant la prison du monde, et le contraste entre la force du personnage maléfique et la faiblesse de la vertu — sont déjà présents dans *Le Château d'Otrante* (1765). Faisant l'éloge de l'imagination, Horace Walpole explique ses intentions dans la préface à la deuxième édition. L'œuvre tente, écrit-il, « d'allier deux genres de romans (*romance*), l'ancien et le moderne. Dans le premier, tout appartenait à l'imagination et à l'improbabilité; dans le dernier [ajoutait-il non sans mépris], la nature a toujours été censée être, et parfois elle a été, copiée avec succès [1] ». Dans les romans modernes, continue-il, « l'invention n'a pas fait défaut; mais la grande ressource de la fantaisie (*fancy*) a été endiguée par l'observation stricte de la vie ordinaire ».

S'agit-il d'une véritable synthèse entre les deux factures? De son propre aveu, Walpole emploie les ressources de la fantaisie pour faire agir les principaux acteurs et réserve ceux de la nature à la représentation des domestiques. Concernant les personnages principaux, Walpole souligne le caractère extraordinaire des situations dans lesquelles ils sont placés : « Souhaitant accorder aux puissances de la fantaisie la liberté de parcourir les domaines sans limites de l'invention afin de créer des situations plus intéressantes, il [l'auteur] s'est proposé de conduire les acteurs mortels de son drame selon les règles de la probabilité, bref de les faire penser, parler et agir comme tous les hommes et les femmes le feraient dans des situations extraordinaires (*as it might be supposed mere men and women would do in extraordinary positions*) » (*Le Château d'Otrante*, p. 43-44). Quant aux domestiques, « la simplicité de leur conduite, propre à provoquer presque le sourire et paraissant à première vue contredire le ton sérieux de l'œuvre, non seulement elle ne m'est pas parue inadéquate, mais elle a été conçue délibérément de cette manière ». Concernant les domestiques, explique Walpole, « ma règle a été la nature », et d'ajouter : « Ce grand maître de la nature, Shakespeare, a été le modèle que j'ai copié » (p. 44). Mais alors que la fantaisie empruntée aux romans anciens procure à l'intrigue sa trame narrative principale, les moments comiques ne servent qu'à l'agrémenter de temps à autre. Faisant référence à Shakespeare, l'auteur revendique les privilèges de l'imagination prémoderne et rétablit du même coup l'ancienne stratification sociale des rapports au monde, l'idéal de grandeur étant réservé aux échelons supérieurs de la société et l'insuffisance comique aux gens du peuple. La passion égalitaire d'un l'idéalisme qui anoblit de l'intérieur les êtres appartenant à la condition la plus humble est donc abandonnée.

---

1. Horace Walpole, *The Castle of Otranto*, in *Three Gothic Novels*, édition Peter Faircough, Harmondsworth, Penguin Books, 1968, p. 43 (ma traduction).

L'intrigue du roman raconte la chute de la maison du tyran Manfred, dont les ancêtres ont usurpé la succession à la principauté d'Otrante. Avant de mourir, Alphonse, souverain légitime d'Otrante, avait engendré à l'insu de tout le monde une lignée d'héritiers, dont le jeune Théodore est le dernier représentant. La chute miraculeuse d'un immense casque guerrier devant le château d'Otrante écrase Conrad, fils unique du tyran. Souhaitant s'assurer une descendance masculine, celui-ci décide d'abandonner sa femme légitime Hippolyta pour épouser Isabelle, la fiancée de son fils défunt. Ces projets matrimoniaux sont tenus en échec par une alliance qui rassemble Hippolyta, Isabelle, Théodore, et Matilda, la fille de Manfred. Alors qu'Isabelle cherche refuge dans les vastes souterrains du château, d'où elle s'échappe avec l'assistance de Théodore, Matilda trouve la mort, assassinée par son propre père. La vérité sur l'usurpation du trône est enfin rendue publique, obligeant Manfred à renoncer à la couronne, et permettant à Théodore, qui lui succède, d'épouser Isabelle.

Rien dans cette intrigue n'est plausible parce que rien ne cherche à l'être. L'archaïsme patent de l'ambiance trahit la recherche délibérée d'une version démodée de l'idéalisme : sans doute, le thème de la légitimité de la famille régnante pouvait-il évoquer des résonances contemporaines dans une Angleterre où les partisans légitimistes des Stuarts étaient encore nombreux, mais l'idée selon laquelle l'usurpation politique provoque l'intervention des forces surnaturelles était assurément tenue pour superstitieuse. De même, le désir naturel d'avoir des descendants masculins atteint chez Manfred un paroxysme monstrueux, dont le lecteur contemporain ne pouvait ignorer l'artificialité. Le destin des enfants de Manfred (Conrad et Matilda), qui meurent afin que leur père soit puni, devait paraître fort incongru aux yeux d'un public habitué à lire des romans dans lesquels les personnages étaient punis ou récompensés eux-mêmes, sans le détour par leur progéniture.

Le recours à l'imagination et à l'improbabilité, loin d'avoir pour résultat le retour de l'exquise luminosité qui baigne les romans hellénistiques et leurs imitations du XVIᵉ et du XVIIᵉ siècle, s'inscrit dans une nouvelle conception des effets de l'art sur le public, qui est celle du sublime moderne. La sombre mélancolie qui enveloppe *Le Château d'Otrante* converge avec les idées d'Edmund Burke sur le sublime, qui venaient d'être publiées en 1757. Selon Burke, le spectacle du sublime a sa source dans « tout ce qui est propre à exciter les idées de douleur et de danger, c'est-à-dire dans tout ce qui est effrayant en quelque manière que ce soit ou se réfère à des objets effrayants ou agit de façon analogue à la terreur [1] ». L'idée de douleur étant, aux yeux de Burke, beaucoup plus forte que celle de plaisir, l'association entre le sublime, la douleur et le danger provoque l'émotion la plus puissante que l'esprit humain soit susceptible d'éprouver. Comme s'il souhaitait mettre en pratique l'observation à caractère spéculatif de Burke, Walpole accumule à tort et à travers les objets, les situations et les propos effrayants afin de donner le change aux faibles émotions engendrées par la lecture des œuvres trop proches de la nature.

La simplicité de sa narration, qui s'efforce de renouer avec l'écriture idéographique, poursuit le même effet. Nulle place dans *Le Château d'Otrante* pour les descriptions précises, pour les myriades de notations subjectives, pour les commentaires faussement naïfs de l'auteur, pour les digressions et pour les jeux métafictifs. Dans ce roman, comme dans *Amadis* et dans certains romans héroïques du XVIIᵉ siècle, le récit ne s'attarde jamais sur les détails inutiles. Cette rapidité est d'ordinaire motivée par la volonté de susciter la terreur. Au premier chapitre, par exemple, après la chute du casque surnaturel qui écrase le corps fragile de Conrad, le texte commente : « *L'horreur* du spectacle, l'ignorance générale concernant l'origine de ce *malheur*, et surtout *l'effrayant phénomène* qui l'avait précédé, *réduisirent le prince au silence*. Et pourtant ce silence fut plus long que celui que la *douleur* aurait pu provoquer. Il fixa ses yeux sur ce qu'il souhaitait en vain être une illusion ; et parut moins préoccupé par la *perte* qu'il avait subie que par l'objet *prodigieux* qui l'avait provoquée. Il toucha, il examina le casque *fatal*... » (*Le Château d'Otrante*, p. 53). Les mots en italique répètent impitoyablement — et de manière abstraite — la référence au malheur, au danger et à l'effroi.

Dans la pratique des romanciers gothiques, l'effet de terreur est obtenu par deux méthodes différentes, dont l'une met l'accent sur le caractère suffocant du décor et l'autre sur les personnages démoniaques. *Le Château d'Otrante* met au

---

1. Edmund Burke, *A Philosophical Enquiry into the Origins of Our Ideas of the Sublime and Beautiful*, édition J. T. Boulton, Londres, Routledge, 1958, p. 39 (ma traduction).

point la première de ces méthodes. Si l'intrigue et le style du roman n'ont qu'un intérêt médiocre, si les personnages en sont déficitaires autant du point de vue psychologique que dans une perspective idéographique, l'ambiance demeure inoubliable. Le foyer de rayonnement du roman est le château, présent dans la quasi-totalité des scènes et pesant lourdement sur l'action et sur l'atmosphère. D'accès facile pour ceux qui l'abordent de l'extérieur, il se laisse difficilement quitter, jouant ainsi le double rôle de piège et de prison. Dans ce château-souricière, Manfred contrôle tout ce qui s'élève au-dessus du sol, les salles, les couloirs, la cour et les cachots, mais son pouvoir ne s'étend pas jusqu'au labyrinthe du sous-sol. Par une inversion remarquable du symbolisme ordinaire, les espaces ouverts et bien éclairés — la cour du château, les grandes salles — évoquent la servitude et la mort, alors que les endroits obscurs et étouffants — les caves du château, une grotte près du bord de la mer — désignent la liberté, une liberté toujours fragile et menacée. Jouant sur la claustrophobie instinctive du lecteur, le château fictif s'empare de son attention et la garde prisonnière. Le lecteur du *Château d'Otrante* n'a pas besoin (comme celui de *Pamela*) de sympathiser avec les héros ou avec les héroïnes du roman pour en subir l'envoûtement : celui-ci opère par l'entremise du décor.

Les Mystères d'Udolphe (1794) d'Ann Radcliffe produit une nouvelle version de ce décor, désormais inséparable des états d'âme du personnage qui le contemple. Dans un style paré de toutes les grâces mélancoliques dont disposait à la fin du XVIIIᵉ siècle l'écriture sentimentale, Ann Radcliffe raconte la captivité d'Emily de Saint-Aubert, jeune orpheline de bonne famille, qui accompagne sa tante, Mme Cheron, au château de son époux, un certain Montoni.

Voici la description du château (deuxième partie, chap. V) : « Vers la chute du jour, la route tourna dans une vallée plus profonde qu'enfermaient, presque de tous côtés, des montagnes qui paraissaient inaccessibles. À l'orient, une échappée de vue montrait les Apennins dans leur plus sombre horreur. La longue perspective de leurs masses entassées, leurs flancs chargés de noirs sapins, présentaient une image de grandeur plus forte que tout ce qu'Émilie avait déjà vu. Le soleil se couchait alors derrière la montagne [...], mais ses rayons horizontaux, passant entre quelques rochers écartés, doraient les sommités de la forêt opposée, et brillaient sur les hautes tours et les combles d'un château dont les vastes remparts s'étendaient le long du précipice. La splendeur de tant d'objets bien éclairés était rehaussée par l'obscurité de la vallée. "Voilà, dit Montoni, rompant un silence qui avait duré plusieurs heures, voilà Udolphe [1]." »

Emily regarde avec une crainte mélancolique cette belle mise en scène, qui allie de magnifiques effets spatiaux (les chaînes de montagnes qui encerclent la vallée) aux jeux de lumière (l'obscurité déchirée par les feux jaunes du soleil couchant). La forteresse qu'elle aperçoit n'est pas une chose mais un état d'âme : « Pendant qu'ils attendaient que le serviteur ouvrît les portes de l'intérieur, elle embrassa l'édifice d'un regard angoissé ; mais l'obscurité qui l'avait recouvert ne lui permit de distinguer qu'une partie de son contour, celle que dessinaient les murs massifs des remparts, et d'apprendre qu'il était vaste, ancien et lugubre » (p. 227).

Si l'image du château demeure imprécise, surtout si on la compare au savoir archéologique que saura déployer plus tard un Walter Scott, c'est que dans *Les Mystères d'Udolphe* le décor se trouve à la source d'un mouvement onirique qui emporte dans un même élan le personnage et l'univers.

Ce même mouvement anime *Le Moine* de Matthew Lewis (1796), mais cette fois les effets de terreur tiennent à l'intervention massive de l'élément démoniaque. Les couvents, les châteaux hantés et les prisons souterraines abondent certes dans cette œuvre, mais son véritable centre d'intérêt est le protagoniste et non la scénographie. Le moine Ambroise, prédicateur renommé pour son zèle, se laisse séduire par la belle Mathilde, qui s'est introduite dans sa communauté déguisée en novice. Désormais asservi aux plaisirs des sens, Ambroise s'enflamme pour la jeune Antonia, une de ses ouailles. Avec l'assistance maléfique de Mathilde, le moine enlève et cache la jeune fille dans un souterrain, où il la tue après l'avoir violée. Arrêté, Ambroise reçoit la visite de Satan lui-même, dont il apprend qu'Antonia est sa propre sœur et que Mathilde a été envoyée par l'Enfer pour le perdre. Afin d'échapper à la peine capitale, Ambroise signe un pacte avec le démon, mais aussitôt après l'avoir libéré de son cachot, son nouveau maître lui donne la mort. Une

---

1. Ann Radcliffe, *Les Mystères d'Udolphe*, trad. V. de Chastenay revue par Maurice Lévy, Folio classique, Gallimard, 2001 (traduction légèrement modifiée).

intrigue secondaire, qui relate les souffrances d'une jeune fille enfermée dans les caves d'un deuxième couvent, une histoire enchâssée dont la protagoniste est la légendaire « nonne ensanglantée » ont beau accentuer l'horreur ambiante, le lecteur retient avant tout la scélératesse du personnage principal.

Mal écrit, médiocrement construit, le roman de Lewis exerce néanmoins une fascination indéniable sur ses lecteurs, car il réussit à mener à terme l'inversion gothique du roman idéaliste moderne. Au centre de l'action nous retrouvons le personnage isolé du monde, mais à la place des jeunes femmes angéliques du roman idéaliste, nous avons affaire ici à un homme parfaitement corrompu et malveillant : la belle âme, sûre de trouver en elle-même la force d'affronter le monde, fait place à une âme à la fois noire et faible, qui cède volontiers aux pulsions les plus basses, et qui a besoin, pour persévérer dans l'infamie, de l'assistance des forces démoniaques. La violence du conflit, qui dans la littérature prémoderne était la spécialité du réalisme moral (et de la nouvelle), est dépourvue ici de toute motivation psychologique. L'horreur des actions dans *Le Moine*, comme celle du décor chez Walpole et chez Ann Radcliffe, est une donnée primitive, qui n'a pas besoin d'explication.

Cette configuration inédite dévoile les conséquences imprévues de la doctrine idéaliste moderne et surtout, en son sein, celles de la divinisation du moi : on découvre maintenant que l'enchantement de l'intériorité et l'absorption des sources du bien dans l'âme individuelle ont créé une situation irréversible, qui, interdisant tout véritable retour à l'imaginaire prémoderne, rend impossible l'évocation d'une Providence bienveillante. Sa force bénéfique une fois aspirée par le moi, l'effort d'humilier la belle âme pour réinventer l'enchantement du monde ne réussit à convoquer désormais que les démons. Cette découverte, qui aura un retentissement considérable au xixe siècle, se diffuse déjà dans les dernières décennies du xviiie siècle, bien au-delà du roman gothique, dans *Les Liaisons dangereuses* (1782) de Choderlos de Laclos et les romans du marquis de Sade.

LE ROMAN DE MŒURS ET LE ROMAN
SENTIMENTAL

Et pourtant la réforme opérée par Richardson et par Rousseau, en dépit de l'opposition qu'elle suscite, n'en demeure pas moins le point de repère du roman sérieux dans la seconde partie du XVIIIᵉ siècle. Le roman sentimental, illustré par une multitude d'œuvres dont la plupart ont mal vieilli, n'aurait pas existé sans l'exemple de *Pamela* et de *La Nouvelle Héloïse*. De même, il n'est pas sûr que le roman de mœurs aurait pris la forme qui a été la sienne à cette époque s'il n'avait pas eu devant les yeux le débat entre idéalisme et scepticisme.

Evelina (1778) de Fanny Burney, par exemple, se place à la confluence de la satire des mœurs et du roman idéaliste moderne et brosse un tableau critique de la société de Londres, vue à travers les yeux d'une jeune fille de province innocente et généreuse. Le ton des lettres d'Evelina est aussi enjoué que celui des *Lettres persanes*, mais ici l'intrigue amoureuse est placée au centre de l'action et a pour objet le bonheur de l'observatrice elle-même. Jeune fille de bonne souche, mais dont les débuts sont rendus difficiles par l'adversité du sort, l'héroïne est une réincarnation de Marianne, le personnage de Marivaux, dont elle hérite la charmante naïveté, agrémentée d'un esprit d'observation digne de Matthew Bramble, l'auteur de la plupart des lettres qui forment *L'Expédition de Humphrey Klincker* (1771), le dernier ouvrage de Tobias Smollett. Les plaisirs de la capitale et les divers prétendants qu'Evelina y rencontre forment la substance de ses lettres adressées à son tuteur, et dont les véritables destinataires sont les jeunes lectrices désireuses de s'instruire sur la manière de choisir un bon mari. Le généreux lord Orville, après avoir éprouvé au début de l'action quelques doutes concernant la situation mondaine de la jeune personne, se laisse convertir par l'extraordinaire délicatesse d'âme dont elle fait preuve et finit par la demander en mariage. En revanche, sir Clement Willoughby, fat incorrigible, multiplie les faux pas pour devenir la cible du mépris d'Evelina et de ses amis. Plus vraisemblable que Pamela,

Evelina ne dispose pas de la force d'âme qui lui permettrait de convertir ce descendant de Monsieur B., mais elle dégage le charme requis pour la conquête d'un honnête homme placé plus haut qu'elle dans la hiérarchie sociale. La supériorité morale des belles âmes prend ici la forme, plus vraisemblable, de la réussite sociale des personnes bien élevées.

Par-delà des traits qui rattachent *Evelina* aussi bien à la tradition richardsonienne qu'aux physiologies picaresques du vieux Smollett (la noblesse innée du personnage, le discours à la première personne, les longues descriptions du milieu londonien), ce texte n'en participe pas moins du mouvement inauguré par Fielding et qui consiste à regarder la comédie de la vie humaine avec une méfiance indulgente et généreuse. La voix omnisciente de l'auteur a été remplacée ici, comme chez Marivaux et chez Richardson, par celle des personnages, à ceci près que l'attention d'Evelina se dirige non pas vers les inépuisables trésors de sa propre beauté intérieure, comme c'est le cas dans les discours résolument narcissiques de Marianne et de Pamela, mais vers la vanité, les faiblesses et très souvent les qualités innées des autres personnages.

Le roman sentimental va dans le même sens, en créant, dans une ambiance vraisemblable, des personnages vertueux mais non sublimes, des situations difficiles, mais non tragiques, des solutions morales souhaitables, mais non éblouissantes. Une œuvre comme *Le Vicaire de Wakefield* (1766) d'Oliver Goldsmith se propose de modérer l'invraisemblance de l'idéalisme moderne pour le rendre supportable au public. Cette opération ne va cependant pas sans risques, car il suffit d'accepter comme plausible l'existence des belles âmes dans le monde prosaïque auquel nous appartenons pour acquérir aussitôt le droit de se demander si leurs chances de victoire et de survie sont aussi grandes que le bon Goldsmith a l'air de le croire. La question se pose de savoir si l'intériorité enchantée l'emporte toujours sur l'hostilité du monde et sur l'imperfection inhérente à l'être humain.

Dans *Clarissa*, Richardson avait déjà soulevé ce problème, qui refait surface et reçoit une solution nouvelle dans *Les Souffrances du jeune Werther* (1774) de Goethe. Ce récit réconcilie l'enchantement de l'intériorité avec la vraisemblance psychologique et résout de la sorte la difficulté la plus notable du système richardsonien et rousseauiste, mais en sacrifiant résolument la force du personnage : la constance des grandes héroïnes de Richardson, devenue simple réserve dans le roman sentimental, se réduit ici à une déplorable faiblesse. Par ailleurs, cette faiblesse assure l'unité de l'action, qui exhibe à la fois les traits de la nouvelle classique (le milieu confiné, le petit nombre de personnages, le conflit insoluble entre passion et mariage) et ceux du récit élégiaque (le ton lyrique, l'absence d'un geste décisif, le dénouement fondé sur la résignation). Le récit reproduit le journal du protagoniste, dont l'impuissance d'agir garantit dans une certaine mesure la vraisemblance : le roman a l'air de vouloir nous persuader que la confiance de Werther est crédible simplement parce que personne ne saurait s'inventer un rôle aussi peu digne d'admiration.

On connaît l'anecdote : le jeune héros Werther, amoureux de la belle et tendre Charlotte S. qui doit bientôt épouser un autre homme, cherche en vain à se consoler de son malheur. Ne pouvant ni haïr son rival, qui est l'homme le plus bienveillant du monde, ni abandonner ses rêves d'amour pour se consacrer à une carrière mondaine — car la société l'humilie et le rejette —, Werther choisit le suicide.

Chacun de ces thèmes — l'enchantement de l'intériorité devenu plausible grâce à la faiblesse du héros, la distance entre celui-ci et son milieu, l'impuissance des désirs les plus nobles à trouver satisfaction dans ce bas-monde, enfin le suicide du personnage — témoigne de l'attention avec laquelle l'auteur de ce petit roman a réfléchi à la méthode de Richardson et encore plus à celle de Rousseau. À l'exemple de ses prédécesseurs, Goethe invente son personnage en retravaillant et en actualisant un volet de la vieille matière romanesque, et tout comme Pamela hérite de l'inflexible Chariclée, Werther descend (par l'intermédiaire de la pastorale du XVIIIᵉ siècle) du croisement entre dame Fiammetta et le mélancolique Céladon, l'amoureuse et le berger dont les existences sont empoisonnées par la cruauté de l'être aimé. Mais alors que les personnages de la pastorale vivent dans un milieu riche en prodiges, coïncidences et déguisements, dans le petit roman de Goethe (un peu comme dans le récit de Fiammetta) c'est l'âme de Werther qui, par l'intermédiaire de son regard amoureux, anime un décor par ailleurs tout à fait banal et lui confère un charme poétique invisible aux autres personnages.

La force de l'idéalisme moderne cède donc la place à la magie du romantisme, avec son supplément de vraisemblance, tant il est plus naturel d'accepter que l'enchantement de l'intériorité produit, comme chez Werther, un état poétique subjectif et dépourvu de conséquences extérieures palpables, que d'admettre comme probable la prodigieuse influence morale que la vertu de Pamela et celle de Julie exercent sur les gens qui les entourent. Aussi la vraisemblance du héros et son impuissance puisent-elles à la même source. « Wilhelm, écrit-il le 18 juillet, qu'est-ce que le monde pour notre cœur sans l'amour? Ce qu'une lanterne magique est sans lumière : à peine y introduisez-vous le flambeau, qu'aussitôt les images les plus variées se peignent sur la muraille [1]. » Comme une lanterne magique, l'amour du héros baigne le monde environnant d'une aura multicolore, formée uniquement, hélas, d'ombres passagères.

Il s'ensuit que les aspirations de Werther n'ont pas, comme celles des personnages des romans idéalistes, la vertu de se réaliser en dépit des obstacles. Au beau milieu des revers que subissent les amours de Chariclée, d'Amadis et de Céladon, le lecteur sait pertinemment (et les personnages obscurément) que leurs désirs forment une espèce à part dont l'émergence, voulue par la Providence, appelle inévitablement la satisfaction : ce sont des *désirs-destins* qui au moment même de leur naissance semblent s'être déjà logés, tels de javelots invisibles, au cœur de leur cible. Les héroïnes modernes à l'intériorité enchantée, détournant à leur profit la certitude qui accompagne cette sorte de désir, jouent elles-mêmes le rôle de Providence et, après avoir purifié les appétits de leurs partenaires, consentent à les exaucer. Rien de tel chez Werther. Son désir demeure sans portée, il ne saisit pas son objet, il n'annonce pas, à l'instant de son apparition, autre chose que sa propre ivresse. Ce n'est certes pas un hasard si le soir du coup de foudre, Lotte, contemplant les éléments déchaînés, prononce le nom d'un poète à la mode : « Elle promena ses regards sur la campagne, elle les porta vers le ciel, elle les ramena sur moi, et je vis ses yeux remplis de larmes. Elle posa sa main sur la mienne, et dit : "Ô Klopstock!" », et le jeune homme d'enchaîner : « Divin Klopstock! Que n'as-tu vu ton apothéose dans ce regard! Et moi puissé-je ne plus entendre de ma vie prononcer ton nom si souvent profané! » (*Les Souffrances du jeune Werther*, p. 27). Détournée de son

1. Johann Wolfgang von Goethe, *Les Souffrances du jeune Werther*, trad. Bernard Groethuysen, in *Romans*, Bibliothèque de la Pléiade, Gallimard, 1954, p. 36.

objet mondain, la force de la passion s'oriente vers le royaume de l'imagination, et l'admiration que les deux protagonistes ressentent pour le poète présumé génial donne lieu à la plus émouvante et à la plus oiseuse des communions.

Mais comment le désir pourrait-il se fixer sur sa cible avec la fermeté d'un projectile, quand le personnage ne parvient pas à croire lui-même à la vérité de l'enchantement répandu par son amour ? Dans les romans idéalistes prémodernes, la magie des passions jouissait d'une redoutable efficacité ; ici, nous avons affaire aux charmes inoffensifs de l'atmosphère, de la nostalgie, des soupirs poétiques. Certes, cette magie-ci est plus vraisemblable que celle qui la précède et en un sens il est plus facile de prêter foi à l'intrigue des *Souffrances du jeune Werther* qu'à celles des *Éthiopiques* ou de *Pamela*. Il n'en est pas moins vrai qu'en se résignant aussi bien à la distance entre l'âme enchantée et le monde qu'à l'inefficacité du désir, le romantisme opère un retrait spectaculaire par rapport à l'idéalisme (ancien ou moderne), qui, lui, professait de croire à la force et à l'invulnérabilité de l'individu. Le suicide de Werther est la conclusion naturelle de cette nouvelle configuration. L'amoureux chez qui la vénération décourage le désir (« Elle est sacrée pour moi ; tout désir se tait en sa présence », p. 35), l'âme qui rêve sans espérer véritablement, découvrent l'obligation de se retirer d'un monde sur lequel ils ne peuvent agir.

Dans le débat sur la grandeur et la vraisemblance de l'âme enchantée, *Les Souffrances du jeune Werther* ne se rallie donc ni à la solution richardsonienne — l'intériorisation réussie, mais invraisemblable, de l'idéalisme romanesque — ni aux auteurs qui la critiquent, que ce soit au nom de la vérité comique (Fielding, Sterne), ou, au contraire, pour promouvoir un retour complet à la sauvagerie de l'imagination (le roman gothique). Rejetant implicitement le scepticisme moral de Fielding, Goethe décrit avec simplicité et conviction les âmes véritablement enchantées de Werther et de Lotte ; mais à l'opposé de Richardson et de Rousseau, il conclut à l'impossibilité de réconcilier ces âmes avec le monde opaque qui les entoure.

LA NOUVELLE VAGUE IDÉALISATRICE

Pour mieux saisir les enjeux de l'option romantique, il est utile de prendre en considération, en sus du débat entre l'intériorisation de l'idéal et la vraisemblance, une tradition narrative dont le succès à l'époque des Lumières a été considérable, mais qui a cessé d'être fertile après la première décennie du siècle suivant. Prenant leurs distances à l'égard du réalisme descriptif, du burlesque et du picaresque, bref de tout ce qui rendait un son commun, voire vulgaire, les œuvres appartenant à cette tradition aspiraient à satisfaire les goûts les plus raffinés à une époque à laquelle le roman passait encore pour un genre suspect. Elles faisaient par conséquent écho aux genres narratifs hauts (l'épopée, l'idylle, la pastorale) en pratiquant une écriture informée par les principes idéographiques. Illustrée par *Les Aventures de Télémaque* de Fénelon (1699) et *Le Temple de Gnide* de Montesquieu (1725), cette formule est reprise dans un registre relativement moins élevé par les *Lettres d'une Péruvienne* (1747) de Mme de Graffigny, les récits pastoraux et les idylles de Gessner (1761, 1773), l'*Agathon* de Wieland (1766-1773), le *Bélisaire* (1767) et *Les Incas* de Marmontel (1777), et, convertie au romantisme naissant, elle réapparaît à la fin du siècle dans *Paul et Virginie* de Bernardin de Saint-Pierre (1787), *Hypérion* de Hölderlin (1799), *Atala* de Chateaubriand (1801) et *Corinne ou l'Italie* de Mme de Staël (1807). Dans l'amalgame de cette liste on distingue immédiatement la *filière antique*, qui comprend aussi bien les œuvres faisant écho aux poèmes épiques grecs que les reprises modernes du genre pastoral, et la *filière exotique*, dont l'origine thématique doit être cherchée dans les romans idéalistes du siècle précédent qui attribuent aux civilisations non européennes un visage aussi séduisant que peu plausible, tels le *Polexandre* de Gomberville, la *Zaïde* de Mme de Lafayette et l'*Oroonoko* d'Aphra Behn.

Cette nouvelle incarnation de l'élégance idéographique est mise au service de deux objectifs complémentaires. Les œuvres qu'elle suscite poursuivent, d'abord, une perspective résolument didactique, renouant ainsi avec une tradition qui remonte à *La Cyropédie* de Xénophon, et mettent la narration au service d'idéaux d'ordre moral et politique présentés de manière fort explicite, la matière épique de la filière antique étant utilisée pour exalter la monarchie modérée et l'idéal de civilité aristocratique (*Télémaque*, *Bélisaire*), alors que la pastorale et la filière exotique défendent la supériorité de l'état de nature et des civilisations encore proches d'elle (Gessner, *Les Incas*, *Paul et Virginie*). C'est grâce à l'effort d'instruire sous une forme agréable que des œuvres explicitement philosophiques, voire érudites (*Agathon*, *Le Voyage du jeune Anacharsis en Grèce* de l'abbé Barthélemy, 1768) connaissent un succès qui leur sera refusé plus tard, lorsque la méthode idéographique aura été entièrement abandonnée et que ces histoires d'initiation à la sagesse se seront métamorphosées en romans de formation. Des *Aventures de Télémaque* et de l'*Agathon* de Wieland aux *Années d'apprentissage de Wilhelm Meister* (1795-1796) de Goethe et, de manière encore plus frappante, à *L'Arrière-saison* (1857) d'Adalbert Stifter, il n'y a qu'un pas à franchir, celui qui consiste à abandonner le décor antique pour placer l'initiation à la sagesse dans le monde contemporain. Et, dans un mouvement parallèle à celui qui oppose Fielding à Richardson, des œuvres comme *Les Voyages de Gulliver* (1726) de Swift, les récits philosophiques de Voltaire, *Zadig* (1747), *Micromégas* (1752), *Candide* (1759), le *Rasselas* (1759) de Samuel Johnson (dans la filière exotique) et *Les Abdéritains* (1774-1781) de Wieland (dans la filière antique) reprennent la thématique didactique de cette littérature dans le registre du comique élégant.

Cette prose évoque, en second lieu, des mondes imaginaires éloignés de la vérité empirique et provoque chez le lecteur le « transport » qui est la marque de l'élévation. C'est dans ce but que, sous la plume des admirateurs des littératures classiques (les partisans des anciens), elle récupère à la fin du xviie siècle l'héritage anecdotique de la mythologie païenne que les épopées modernes à sujets chrétiens (du Tasse à Desmarests de Saint-Sorlin) avaient exclu du domaine épique, et l'utilise pour redonner à l'idéalisme ancien sa vigueur, minée par le déclin du grand roman héroïque. Et c'est dans le même but que les partisans des littératures modernes font usage de l'exotisme du Nouveau Monde. Agissant également sur la pastorale, soit qu'elle fût conçue dans le goût antique, soit qu'elle racontât des histoires d'amour colonial, cette élévation de l'invention et du

style a conduit à une véritable « ré-idéalisation » de la nouvelle et du roman bref, qui ont acquis, grâce au talent de
Gessner et de Bernardin de Saint-Pierre, la grâce de l'idylle.
Cette ré-idéalisation, qui, d'une part, profite de l'élégance stylistique propre à la tradition pastorale, fait, d'autre part,
écho à l'intériorisation moderne de l'idéal, car les personnages qui peuplent ces œuvres, tout en exhibant la perfection
des bergers imaginaires, sont le plus souvent censés appartenir au monde réel (*Paul et Virginie*). C'est la raison pour
laquelle, dans les pastorales et dans les récits d'amours exotiques du XVIIIe siècle, on reconnaît autant les traces du vieil
idéalisme romanesque que celles de sa récente intériorisation. *La Nouvelle Héloïse* (1761) ne contient-elle pas des passages dont l'élan poétique et la portée didactique feraient
honneur aussi bien à Fénelon qu'à Wieland ?

La pulsion didactique est optimiste par nature, et la nouvelle vague idéographique ne rejoint la réflexion plus récente
et plus pessimiste sur le rapport entre le héros et le monde
ambiant que dans le dernier tiers du siècle, lorsqu'elle
s'engage à représenter des héros détruits par les forces maléfiques du destin ou de l'histoire : ainsi, dans *Les Incas* — épopée tragique en prose, *Iliade* racontée uniquement du point
de vue des Troyens — le fanatisme religieux et la barbarie
des conquérants espagnols annihile les généreux Incas ; ou
encore dans *Paul et Virginie*, le bonheur du couple innocent
est ruiné par l'intervention *ex machina* des ouragans tropi-
caux. L'adversité du destin et celle des forces historiques agi-
ront de concert dans le rejeton le plus réussi de cette
tradition, l'*Hypérion* de Hölderlin, œuvre dont le décor est
une Grèce contemporaine qui hérite, malgré sa déchéance,
de la beauté classique célébrée par Fénelon, par Wieland et
par Winckelmann.

Mieux que tout autre œuvre narrative de la période, le petit
roman épistolaire de Hölderlin décrit le destin d'un personnage qui croit avoir été élu par les dieux, mais qui apprend
graduellement que la nature divine de sa mission n'est pas
confirmée par les circonstances. Comme dans *Werther*, la
vraisemblance du récit est établie grâce à la défaite du héros
à l'âme vaste et aux aspirations impossibles à réaliser,
comme si ces deux narrations souhaitaient prouver que le
point vulnérable de l'idéalisme moderne tenait non pas à
l'existence même de héros aux aspirations surhumaines,
mais au succès et au bonheur qui récompensent leurs vertus.

Et comme dans le récit de Goethe, l'unité de l'action ne résulte pas de la convergence des fils de l'intrigue vers un nœud conflictuel unique, comme c'était le cas dans la nouvelle classique, mais de l'unité conceptuelle de la destinée du personnage principal, selon la formule mise en valeur par les romans didactiques, *Télémaque* et *Agathon*. Le prosaïsme du monde environnant, par ailleurs, n'est pas évoqué d'emblée ni au moyen de descriptions empiriques détaillées, comme dans la prose de Richardson, mais est présent indirectement et par allusion, à travers la douleur du personnage déçu.

Éternel pèlerin qui se cherche lui-même en cherchant la cité idéale, Hypérion reste maître de lui-même dans le bonheur et dans l'adversité. Ce qu'il poursuit est sa propre maturation, qu'il cherche dans l'amitié, dans l'amour et dans l'action. Or cette maturation comporte tout au long du roman l'exigence de la séparation. Bien que sa vie soit ponctuée par trois rencontres privilégiées, celles d'Adamas, son maître, d'Alabanda, son ami de jeunesse, et de Diotima, sa bien-aimée, et que dans chacune de ses rencontres le jeune homme communie avidement et joyeusement avec les âmes de ses proches, Hypérion ne parvient pas à accepter ces amitiés comme durablement siennes. Adamas abandonne lui-même son disciple après l'avoir formé, mais c'est Hypérion qui prend l'initiative de la rupture avec Alabanda, dont l'engagement dans une société secrète lui répugne, et c'est toujours le protagoniste qui décide de son propre gré de s'éloigner de Diotima. Le bonheur de l'amour ressemble trop à celui de l'oubli. L'ancêtre de ces sentiments n'est évidemment pas le roman grec, dans lequel la sainteté de l'amour n'est jamais mise en question, mais le destin des héros médiévaux Érec et Yvain, qui, à cause du parfait bonheur d'amour, oublient leurs devoirs de chevalerie. Comme eux, Hypérion découvre le bonheur de l'amitié et de l'amour, et comme eux, il éprouve le besoin de se dévouer à une cause plus grande. Dans ceci, le destin d'Hypérion respire une majesté qui est refusée à celui de Werther : tandis que ce dernier ne rêve que de vivre tranquillement auprès de Lotte, son âme-sœur, Hypérion méprise le bonheur privé pour se consacrer à la liberté de sa patrie.

Cependant le monde des hommes, apprend-il au cours de la guerre de libération de la Grèce, est irrémédiablement déchu, en sorte que la communauté de beauté et de justice pour laquelle il est prêt à donner sa vie se révèle impossible à réaliser. Lors du siège de Mistra, ses soldats massacrent sans distinction leurs propres compatriotes retenus à l'intérieur de la ville. Avant cette bataille, Hypérion pensait que la chute de l'homme l'avait conduit de l'innocence sauvage à l'abrutissement de la domestication : « Nul doute que l'homme n'ait été heureux un jour comme le cerf des forêts. Après d'innombrables années couve encore en nous la nostalgie de ces jours premiers où nous parcourions la terre semblables à des dieux [1]. » Il comprend maintenant avec horreur la barbarie de l'homme et désespère de son salut.

La défaite de la flotte dans laquelle il s'était engagé, la captivité, le dépérissement et la mort de Diotima, anéantie par la conviction qu'Hypérion est disparu, approfondissent la blessure morale reçue à Mistra. Resté seul, le jeune homme erre à travers un monde dont il déplore l'inhumanité. Celui qui croyait naguère, auprès de Diotima, que la source de la beauté éternelle n'était pas encore tarie est frappé, lors d'un voyage en Allemagne, par l'avilissement de l'homme moderne. Éloigné de ses proches dont il a compris la corruption, le héros finit par retourner à la Nature et se console dans un élan panthéiste des dissonances du monde. Car, quand bien même le miroitement et le souvenir du sacré transfigurerait la solitude du protagoniste, l'autonomie et la force de la transcendance se sont perdues. Et c'est l'inévitable repli du héros sur ses propres forces, malheureusement insuffisantes, qui nous rappelle qu'avec toute sa grandeur romanesque et héroïque, *Hypérion* continue à sa façon la tradition du pessimisme moral incarnée par la nouvelle sérieuse.

L'APOTHÉOSE DE L'AMOUR ET SA CRITIQUE

Ce pessimisme prend pour cible, à la toute fin du XVIIIe et au début du XIXe siècle, l'exaltation de l'amour qui accompagne l'enchantement de l'intériorité. Si *Werther* et *Hypérion* soulignent l'opacité du monde environnant, insensible à la beauté du cœur, d'autres œuvres insisteront sur l'incompétence morale des êtres humains eux-mêmes. Elles

1. Friedrich Hölderlin, *Hypérion*, trad. Philippe Jaccottet, Poésie/Gallimard, 1973, p. 181.

critiqueront donc non pas l'univers qui refuse de reconnaître la poésie de l'âme élue, mais l'âme elle-même, que cette poésie ne parvient pas à guider sur la voie de l'intégrité morale. C'est à Goethe que revient le mérite d'avoir formulé de la manière la plus limpide la principale difficulté soulevée par la croyance moderne dans la capacité des êtres humains de se gouverner eux-mêmes : la doctrine de l'autonomie oublie l'existence des passions, qui déterminent nos comportements de manière souvent incompréhensible et sans rapport avec la loi morale.

En prenant pour objet le conflit entre l'autonomie morale et les passions, *Les Affinités électives* (1809) répond avec un demi-siècle de retard au défi de *La Nouvelle Héloïse* (1761). Déjà, chez Rousseau, l'idée que les hommes puissent se gouverner eux-mêmes en puisant la loi morale dans leur cœur se trouve contredite dans une certaine mesure, à l'intérieur des cœurs par l'essor capricieux des passions, à l'extérieur par la majesté des normes sociales. La solution proposée par l'auteur de *La Nouvelle Héloïse* consiste à dédramatiser, d'une part, le conflit entre amour et loi morale — puisque le sentiment que Saint-Preux inspire à Julie donne lieu à la manifestation la plus sublime de son autonomie morale —, et à imaginer, d'autre part, une réconciliation volontaire de l'autonomie avec la norme sociale — car la jeune femme, n'ayant aucun moyen de faire bénir par son père l'union avec Saint-Preux, se résigne noblement à obéir à sa famille et à épouser Wolmar. Cette solution, qui sépare habilement la passion et le mariage, les désirs impulsifs et la décision raisonnée de réintégrer la norme sociale, est pourtant défectueuse, du moins en ce qui concerne l'intrigue romanesque. Pour obtenir le consentement de son père, Julie espère tomber enceinte des œuvres de Saint-Preux, sachant qu'entre le déshonneur et la mésalliance, son père préférerait cette dernière. Son espoir étant déçu, elle doit rompre avec son amant. Le lecteur a par conséquent moins l'impression de se trouver devant une véritable réconciliation entre l'autonomie et l'autorité des normes, que d'assister aux effets combinés du hasard et des préjugés concernant les mères non mariées. Pire, l'amitié sans ombrage qui plus tard unit Saint-Preux, Julie et Wolmar, sans être invraisemblable en elle-même, n'en produit pas moins l'impression que les êtres humains pourraient parvenir à se libérer définitivement des passions[1]. Le mariage conclut ici, comme dans les romans héroïques et pastoraux, les tourments des protagonistes, mais sans clore le roman lui-même. Après le mariage, la vie continue, dit Rousseau. Les passions aussi, ajoutera Goethe.

Les fondateurs de l'idéalisme romanesque moderne — faut-il en convenir — avaient bien compris que la force législative de la belle âme présupposait comme une condition essentielle de son autorité la maîtrise absolue sur les passions. C'est la raison pour laquelle Pamela ne s'avoue pas à elle-même son amour, pourtant réel, qu'elle porte à Monsieur B. et n'agit jamais en conformité avec les intérêts immédiats de cette passion. Clarissa, à son tour, maîtrise admirablement son affection pour Lovelace. Quant à Julie, on dirait qu'elle n'épouse pas Wolmar *en dépit* de l'absence de l'amour-passion, mais *à cause* de cette absence. L'ancien schéma hérité du roman hellénistique continue ainsi de régir les rapports entre le devoir et la passion, si bien que l'individu n'est autorisé à ressentir l'amour que s'il professe le respect le plus scrupuleux de la chasteté et, plus généralement, de la norme morale. Dans l'amour idéalisé moderne, comme dans l'ancien, s'il arrive aux amants de contourner les lois de la cité, c'est qu'ils obéissent à des normes plus hautes encore. Seul Rousseau, dans la première partie de *La Nouvelle Héloïse*, évoque un amour qui ne se conforme qu'à sa propre règle, et qui par conséquent passe outre aux normes de la chasteté ; mais l'auteur, comme s'il reconnaissait la gravité de cette transgression, n'ose pas accorder à cet amour la palme du mariage.

Ce sont les romantiques allemands qui, les premiers, ont explicitement inclus l'amour-passion dans la sphère de l'autonomie humaine. Pour eux, la passion, loin de perturber l'exercice de la maîtrise de soi, lui donne un sens plus profond, voire cosmique, la passion étant à leurs yeux l'instinct de l'âme en quête de beauté et de plénitude, la manifestation palpable de l'infini qu'elle recèle. Les incarnations narratives de cette conception, *Heinrich von Ofterdingen* (1798-1800) de Novalis et *Lucinde* (1799) de Schlegel, peignent l'amour-passion sous les espèces de la poésie, dont l'origine est, dans

---

1. Rousseau devait assurément se rendre compte que l'existence idyllique menée par Julie, Wolmar et Saint-Preux manquait pour ainsi dire de sel ; c'est peut-être la raison pour laquelle il a ajouté en appendice l'épisode des amours de milord Edouard Bomston. C'est comme s'il voulait rappeler au lecteur qu'en dehors du paradis terrestre de Clarens, l'humanité est toujours capable d'attachements et de souffrances déraisonnables.

les termes de Novalis, « la joie de révéler, au sein d'un monde, ce qui est hors de lui et de réaliser ainsi la tendance originelle de notre être [1] » (p. 470). La poésie et l'amour révèlent la transcendance au sein même de l'expérience vécue, ils permettent aux forces cosmiques de rayonner à travers le voile de la vie quotidienne. Et tout comme la poésie mène un combat sans répit contre son antagoniste, appelé « sourde convoitise, insensibilité et inertie stupide » (*Heinrich von Ofterdingen*, p. 468), l'amour-passion n'est pas lié par les conventions sociales. Novalis, pour qui l'essence de l'âme participe de la lumière, conçoit les rapports entre l'esprit et le monde qui l'entoure comme une forme d'éclairage. « Même le corps le plus obscur peut être amené, par l'eau, le feu et l'air, à un état de luminosité extraordinaire », affirme un de ses personnages, alors qu'un autre enchaîne : « Les hommes, pour notre âme, sont les cristaux : ils sont la transparente nature » (p. 463). Il faut donc comprendre que la poésie, à l'instar de la lumière, respecte les êtres, dont elle éclaire la singularité et la beauté, écartant ainsi les conflits actifs, car la lumière suffit à dissiper les nuages. De même, en présence du véritable amour, tous les obstacles — y compris la mort — s'évanouissent. Quoique dans *Heinrich von Ofterdingen* l'amour n'occupe pas la première place, il y prend la forme, en conformité avec cette vision, d'une illumination soudaine et infinie.

Dans la *Lucinde* de Schlegel, cependant, l'amour-révélation n'est découvert qu'au terme d'une trajectoire parsemée de déceptions et d'erreurs. *Lucinde*, comme *Werther*, se situe dans la tradition du récit élégiaque, dont l'objectif est moins la construction d'une intrigue convaincante et plausible que l'évocation à la première personne des états d'âme du protagoniste. Le cheminement du jeune Julius, narrateur de *Lucinde*, n'est donc perçu qu'obscurément et à travers de longs passages méditatifs. Une fois habitué à l'éloquence poétique des propos du narrateur, le lecteur distingue néanmoins dans la pénombre du récit lyrique les étapes que le protagoniste parcourt pour parvenir au grand amour. Julius est d'abord amoureux d'une jeune fille à peine nubile qui est prête à se donner à lui, mais dont il hésite à « déchirer la couronne de l'innocence [2] » (p. 561). Tourmenté par le désir, il

---

1. Friedrich Novalis, *Heinrich von Ofterdingen*, trad. Y. Delétang-Tardif, in *Romantiques allemands*, vol. 1, Bibliothèque de la Pléiade, Gallimard, 1963, p. 470.
2. Friedrich Schlegel, *Lucinde*, trad. Y. Delétang-Tardif, in *ibid.*, p. 561.

se consacre ensuite à Lisette, courtisane dont il admire l'esprit et « les étincelles d'intelligence solide, naturelle » (*Lucinde*, p. 564). À la suite d'une dispute avec Julius, Lisette s'automutile en s'offrant « comme victime à la mort et à l'anéantissement » (p. 567). Le profond désespoir causé par la mort de la belle courtisane n'est guéri qu'à l'instant où le jeune homme rencontre la femme « qui pour la première fois toucha son esprit dans sa totalité et dans son principe » (p. 570). Hélas, cet être hors du commun est l'épouse d'un ami de Julius. Sous son influence céleste, cependant, le héros se consacre à l'art, « dans l'espoir d'achever un jour une œuvre éternelle » (p. 573). Quelques autres amours sans conséquence l'occupent, qu'il oublie lorsqu'il rencontre enfin Lucinde, jeune artiste romantique qui a « délibérément rompu avec toutes les contingences et toutes les chaînes » (p. 576). Cette fois, la volupté précède le véritable amour, mais celui-ci ne tarde pas à couronner le bonheur des corps. Auprès de la belle Lucinde, la vie de Julius acquiert la perfection d'une œuvre d'art : « l'énigme de sa vie était résolue, [...] tout lui semblait déterminé d'avance et établi depuis les temps les plus reculés, afin qu'il le trouvât dans l'amour auquel, dans sa juvénile incompréhension, il s'était cru totalement inapte » (p. 580).

Lucinde réaffirme donc la thèse de Novalis concernant la ressemblance entre l'art et l'amour, mais cesse d'envisager la passion comme une forme d'illumination unique et définitive. « L'esprit de l'homme est son propre Protée ; il se transforme et ne veut se répondre qu'alors même qu'il voudrait se saisir », écrit Julius (p. 582). L'amour, en tant que révélation de l'esprit à lui-même, participe à ce perpétuel ressaisissement. De surcroît, la passion n'embrase pas nécessairement d'un seul coup l'âme et le corps, puisqu'il est fort possible de fonder une communion sur la volupté avant que l'amour véritable se déclare. Mais s'il acquiert la mobilité et la corporalité propres à l'être humain, l'amour-passion n'en est pas pour autant déchu de son rôle primordial dans le développement du destin individuel. Bien que Lucinde ait été précédée par de nombreuses autres femmes dans le cœur de Julius et que l'amour absolu ne se révèle au jeune homme qu'après deux ans de bonheur auprès de la jeune artiste, une fois compris, cet amour — qui pour l'homme ne peut être qu'un « mélange de passion, de sensualité et d'amitié » (p. 579) — marque de son sceau le destin de Julius. Il s'ensuit que la découverte de la personne qui mérite seule d'être aimée, mieux, qui concentre seule en elle le Mot de l'existence, tient à la fois de la nécessité, car sans l'amour de cette personne l'individu ne serait jamais entièrement lui-même, et de la contingence, car cette découverte dépend du hasard des rencontres. Pour ne pas rater cette découverte, la belle âme est donc obligée de rester perpétuellement aux aguets.

Or puisque l'âme en quête d'amour doit être prête à accepter les changements les moins prévisibles, ses liens avec les normes sociales se compliquent considérablement. Ce n'est pas un hasard si l'être qui rend Julius heureux à la fin de son apprentissage a « délibérément rompu avec toutes les contingences et toutes les chaînes ». Ni les devoirs sociaux, ni la vie de famille ne troublent le paradis de Julius et de Lucinde : seule une société libre, une sorte de famille spirituelle toujours renouvelée, finit par graviter autour de l'heureux couple. Comme pourtant la majorité des êtres humains vivent en société, la question se pose inévitablement de savoir qu'en serait-il arrivé si au moment de sa rencontre décisive avec Lucinde, Julius, loin d'être libre de toutes les contingences et de toutes les chaînes, avait été l'époux d'une autre femme ? Et que se passerait-il si Julius, Protée perpétuellement assujetti aux métamorphoses, trouvait un jour une nouvelle muse, dont les charmes lui promettent une solution plus exacte encore de l'énigme de son existence, une plongée plus profonde encore vers le noyau de la vie, vers l'endroit où « la volonté créatrice mène son jeu magique » (p. 582). Comment être certain d'aimer l'être qui nous est destiné et non pas simplement une préfiguration imparfaite d'un être encore plus sublime, dont nous avons le devoir d'attendre l'apparition ? Et comment négocier l'essor d'un nouvel amour ?

La valeur révélatrice des amours tardives est le sujet des *Affinités électives*. Mais bien que la polémique avec *Lucinde* oriente le conflit du roman de Goethe, les critiques qu'il formule s'en prennent également à l'idéalisme de *La Nouvelle Héloïse*, dont Goethe adopte partiellement la thématique et le décor, tout en y opérant plusieurs changements significatifs. La situation évoquée par *Les Affinités électives* — la vie d'un couple riche retiré à la campagne et qui partage sa vie avec un ou deux amis — ressemble, par son caractère idyllique, à la vie que mènent Julie, son époux et Saint-Preux à Clarens dans la seconde moitié du roman de Rousseau, sauf que la petite communauté rousseauiste plane sereinement au-dessus des passions, alors que les personnages de Goethe en subissent toute la violence.

Le baron Édouard et son épouse Charlotte en sont à leur deuxième mariage (ayant donc, comme Julie, comme Julius et comme Lucinde pu profiter de l'expérience de la vie), et s'aiment tendrement. Pour ajouter un peu d'animation à leur paisible vie, Édouard invite au château son meilleur ami, capitaine de son métier (tout comme Anselme, le personnage de Cervantès, ne cesse de convier Lothaire à visiter son domicile conjugal). Charlotte, de son côté, fait venir au château sa nièce Odile, jeune fille pourvue d'une personnalité calme et attrayante. Charlotte et le capitaine d'une part, Odile et Édouard de l'autre éprouvent un penchant mutuel inexplicable, que l'auteur compare aux affinités électives qui assurent la compatibilité des substances en chimie. La sympathie qui rapproche Charlotte et le capitaine demeure innocente, mais l'inclination réciproque d'Édouard et d'Odile acquiert graduellement une force irrésistible. Le langage équilibré de Goethe évite certes l'exaltation qui anime celui de Schlegel, mais le lecteur ne peut se dissimuler que le baron est convaincu d'avoir trouvé dans son amour tardif pour Odile « le Mot » de sa vie, la solution de son énigme. La preuve en est que la mort lui paraît préférable à la vie loin de la jeune fille, et que, pour mettre fin à ses tourments, il part à la guerre, d'où il rentre tout aussi amoureux. Lorsque peu de temps après Odile s'éteint, Édouard ne lui survit pas.

Plus robustes, les personnages de Rousseau sont, de surcroît, sensibles aux enseignements de l'expérience. Dans sa jeunesse, Julie se laisse emporter par la passion, mais elle finit par comprendre la sagesse des contraintes morales imposées par la société, qu'elle fait siennes avec calme et noblesse. Saint-Preux suit volontiers son exemple. Chez Schlegel, en revanche, l'amour-passion entretient des rapports essentiels avec la maturation spirituelle de l'individu, mais rien ne suggère que l'exercice de la faculté amoureuse facilite en quoi que ce soit l'établissement des liens entre l'individu et la société. Alors que l'expérience décrite par Rousseau assure l'intégration et celle imaginée par Schlegel justifie l'isolement, il est frappant de constater combien peu les personnages des *Affinités électives* apprennent de leur propre passé. Ce roman raconte un amour tardif, qui naît longtemps après que Édouard et Charlotte, parvenus à la maturité, ont conclu un mariage d'amour. Tout conspire à rendre ce couple heureux, n'eût été la nature remuante d'Édouard, à qui la solitude à deux ne convient pas. Le passage du temps, l'accumulation de l'expérience, semble dire l'auteur, n'infléchissent pas les traits constitutifs d'une personnalité, et le destin peut frapper à n'importe quel âge de la vie, la maturité et le souvenir des épreuves passées étant incapables d'amortir ses coups.

Cette vérité s'applique en particulier aux effets de l'amour-passion, qui, comme les romantiques l'ont bien vu, suscite dans l'esprit de l'amoureux la certitude que l'être aimé est l'unique réponse à l'énigme de l'existence. Selon l'idéalisme romanesque ancien ou moderne, cette certitude ne peut être ressentie qu'une seule fois dans la vie : l'amour-passion, dicté par la Providence ou venant du sein même d'un être humain qui sait se dominer, se déclare dans la première jeunesse et conduit naturellement au mariage indissoluble. Dès lors cependant que le romantisme assigne à l'individu autonome la latitude de décider des passions et que cet individu est conçu comme un être perpétuellement à la recherche de lui-même, aucune norme extérieure ne saurait contenir l'accomplissement progressif du soi à travers la succession toujours éblouissante des grandes amours précoces ou tardives. Dans le système romantique, rien ne protège l'amoureux d'aujourd'hui contre le nouvel amour qui, demain, lui promettra de le conduire encore plus loin dans les profondeurs du soi, sous la protection encore plus émouvante d'une nouvelle idole.

Goethe, qui se garde bien de dénoncer l'amour romantique comme une illusion (on le fera inlassablement au cours du XIXᵉ siècle), respecte chez Édouard et chez Odile leur certitude subjective d'être faits l'un pour l'autre. Il en souligne néanmoins le caractère relatif et circonscrit. Avant de partir à la guerre, Édouard, surexcité, partage une dernière fois la couche de sa femme, qui tombe enceinte. Pour Édouard, il s'agit d'un simple malentendu, mais Charlotte interprète l'incident comme « une indication du ciel, qui a pris soin de former entre nous un nouveau lien, à l'instant où le bonheur de notre vie menace de se décomposer et de disparaître [1] ». Édouard n'a qu'un seul critère, son amour ; Charlotte invoque le ciel, le passé, l'existence d'un nouvel être. Loin d'être de

---

1. Johann Wolfgang von Goethe, *Les Affinités électives*, trad. Pierre du Colombier, in *Romans*, Bibliothèque de la Pléiade, Gallimard, 1954, p. 236.

simples « contingences et chaînes », loin d'appartenir au domaine de la sourde convoitise, de l'insensibilité et de l'inertie stupide dont parlait Novalis, les attachements formés par les individus dans le passé et approuvés par la société ont chez Goethe une valeur égale à ceux qui sont issus des nouvelles révélations amoureuses. L'enfant mourra dans un accident, par la faute d'Odile, cette mort figurant la destruction et la douleur que la passion tardive sème autour d'elle dans le monde déjà constitué.

En relativisant les certitudes subjectives de la passion, en rejetant la prétention de celle-ci à gouverner seule le destin de l'individu, *Les Affinités électives* accepte le verdict de Rousseau en faveur des normes sociales, tout en critiquant néanmoins sa prémisse, à savoir l'idée que l'homme saurait parvenir à la parfaite maîtrise de soi et de ses sentiments. Plus sceptique, Goethe met en évidence le caractère incompréhensible et indomptable des passions ; c'est ce qu'il appelle, d'un mot intraduisible, *das Dämonische*, l'esprit rebelle enfoui dans chaque individu. Reconnaître l'existence et la force de cet esprit rebelle ne signifie cependant pas en approuver sans réserves les manifestations. Tout en rendant hommage à la vision romantique de l'homme — à sa soif d'absolu, au mouvement perpétuel de la personnalité humaine, à la signification profonde des rencontres —, le roman de Goethe formule une sévère critique de l'amour romantique, dont il déplore les conséquences, en particulier le mépris pour la société constituée et la confiance excessive accordée aux capacités des individus de discerner seuls le sens de leur destin.

L'attitude circonspecte de l'auteur à l'égard de l'amour-passion et, plus généralement, de la perspective subjective est mise en évidence par les effets d'écriture. Contrairement à ce qui se passe dans le roman épistolaire de Rousseau et dans le récit élégiaque de Schlegel, les personnages des *Affinités électives* n'exercent pas le monopole du discours, le roman étant raconté à la troisième personne par l'auteur — signe, sans doute, de sa méfiance à l'égard de la lucidité des protagonistes. À la différence des œuvres citées et de *Werther*, ce roman ne cherche pas à communiquer au lecteur, ne fût-ce que de manière homéopathique, par le biais de l'immersion, l'égarement amoureux du personnage. C'est la raison pour laquelle le versatile Édouard n'a pas droit de parole en dehors des répliques prononcées dans la conversation et de quelques courtes lettres. La décision de garder le discours des person-

nages sous le contrôle de l'auteur a l'avantage d'être facilement réversible, car lorsque ce dernier souhaite laisser
entendre qu'un des héros est particulièrement digne de
confiance, rien ne l'empêche d'en communiquer au lecteur le
journal intime, comme c'est le cas avec celui d'Odile dans la
seconde partie du livre. Odile se voit de la sorte attribuer le
rôle du raisonneur, et la beauté de ses réflexions la rend
proche du lecteur, qui comprend, sans être tenté de l'approuver, la passion qu'elle inspire à Édouard.

L'abondance des développements qui ont peu à voir avec le
fil de l'intrigue principale (constructions et améliorations
faites à la propriété d'Édouard, visites de voisins et d'amis,
considérations sur l'art et sur les mœurs) va dans le même
sens : l'auteur se propose d'éloigner autant que possible son
lecteur de la folie amoureuse d'Édouard, ou pour le moins de
lui offrir sans arrêt d'autres sujets de réflexion et de sympathie. Tous ces développements soulignent l'intérêt, la beauté,
la diversité des activités intramondaines, et suggèrent par
contre-coup le danger d'un amour qui menace l'harmonie du
monde constitué. Lorsqu'il décrit la vie de la petite communauté qui englobe et entoure les protagonistes, le langage de
Goethe demeure abstrait, observant ainsi les contraintes du
style moyen, toujours vivantes à cette époque. Rousseau, dans
La Nouvelle Héloïse, ne procédait pas autrement. Chez lui,
comme chez Goethe, l'univers évoqué est « saturé » de notions
morales et non pas de détails physiques [1], procédé qui devait
assurément laisser entendre au public de l'époque que la
richesse et la dignité morales de la vie en commun n'ont rien à
envier à l'emportement de l'amour-passion.

*

Tout en exprimant ses réserves sur la glorification romantique de l'amour-passion, Goethe ne met pas en doute l'existence de ce sentiment, ni sa profondeur et sa sincérité. Ses
objections, toutes rousseauistes, soulignent la difficulté d'agir
comme si devant les revendications de la passion, toutes les

---

1. La notion de « saturation » a été forgée par Lubomir Doležel, *Hetero-
cosmica. Fiction and Possible Worlds*, Baltimore, Johns Hopkins University
Press, 1998, p. 169-184. Doležel cite l'étude de Félix Martínez-Bonati,
« Erzählstruktur und ontologische Schichtenlehre », in W. Haubrichs, édi-
teur, *Erzählforschung : Theorien, Modelle und Methoden der Narrativik*, vol. 1,
Göttingen, Vandenhœck & Ruprecht, 1976, p. 175-183.

autres considérations devaient s'évanouir. Nous sommes des êtres assujettis au passage du temps et aux devoirs de la vie en commun, et nous devons nous méfier, par conséquent, des sentiments les plus beaux et les plus ardents lorsqu'ils mettent en danger l'équilibre fragile de nos rapports avec le passé et avec les autres. *Adolphe* de Benjamin Constant (écrit en 1806, revu en 1810 et publié en 1816) critique plus sévèrement encore la version romantique de l'intériorité enchantée, en montrant que l'amour-passion, loin de représenter le Mot qui résout l'énigme de l'existence, n'est souvent qu'une illusion, un terrible alibi que le moi invoque pour se dissimuler l'empire de la vanité, de la sensualité, de l'inertie et de la lâcheté.

Pour faire obstacle à l'idéalisme romantique, le récit de Constant renoue avec la tradition de la nouvelle « augustinienne » et, par son biais, avec la réflexion sur le néant des vertus et des passions mondaines. Cette réflexion, qui réduit la constance, la modération et la magnanimité à la vaine gloire, la fidélité à la crainte et l'amour à l'amour-propre, mesure avec sévérité l'écart qui sépare l'idéal moral et la faiblesse du cœur humain. « Nos vertus ne sont souvent que des vices déguisés », écrivait La Rochefoucauld. Armé de cette doctrine, le regard sur soi ne se laisse pas éblouir par les élans de passion et de générosité qui nous traversent, mais considère, au-delà des apparences intérieures, les mobiles inavouables de notre conduite. La logique suivie étant celle du pire, la vérité d'une hypothèse sur les mobiles de nos actions dépend en raison directe de la corruption qu'elle découvre : il va donc de soi que l'utilisation d'un langage moral transparent et précis est fort avantageuse pour cette méthode. C'est la rhétorique de la grandeur et celle de l'absolu qui, par le moyen de notions morales frappantes mais vagues, flatte le soi et endort sa vigilance.

Adolphe est un jeune Allemand de bonne famille éduqué à Göttingen, qui refuse tôt dans la vie la fâcheuse lourdeur du bon sens : « J'avais contracté [...] une insurmontable aversion pour toutes les maximes communes et pour toutes les formules dogmatiques. Lors donc que j'entendais la médiocrité disserter avec complaisance sur des principes bien établis, bien incontestables, en fait de morale, de convenance ou de religion [...] je me sentais poussé à la contredire [1]. » Le jeune

1. Benjamin Constant, *Adolphe*, in *Œuvres*, édition Alfred Roulin, Bibliothèque de la Pléiade, Gallimard, 1957, p. 16.

frondeur gagne la réputation, qui finira par se révéler exacte, d'un homme immoral et « peu sûr ». Passant outre aux maximes qui gouvernent les rapports entre hommes et femmes dans son milieu — les liaisons sont permises, le mariage seul est sérieux, rien n'est pire pour un jeune homme que de « contracter un engagement durable avec une personne qui ne fût pas parfaitement son égale pour la fortune, la naissance et les avantages extérieurs » (*Adolphe*, p. 19) — Adolphe décide d'entreprendre la conquête d'Ellénore, la maîtresse d'un comte polonais, femme passionnée que la société considère « avec intérêt et curiosité comme un bel orage » (p. 21). Déchiré entre sa timidité et son amour-propre (« Je ne croyais point aimer Ellénore ; mais déjà je n'aurais pu me résigner à ne pas lui plaire », p. 22), Adolphe ressent « une agitation qui ressemblait fort à l'amour » (p. 13). Les souffrances causées par la résistance d'Ellénore aiguisent son désir : « il n'était plus question dans mon âme ni de calculs ni de projets ; je me sentais, de la meilleure foi du monde, véritablement amoureux » (p. 27). Assidu, Adolphe envoie à Ellénore des lettres qui parlent le langage de l'amour-passion, des affinités électives et de la rencontre fatalement tardive (« Et si je vous avais rencontrée plus tôt, vous auriez pu être à moi ! J'aurais serré dans mes bras la seule créature que la nature ait formée pour mon cœur, pour ce cœur qui a tant souffert parce qu'il vous cherchait et qu'il ne vous a trouvée que trop tard ! », p. 31). Ellénore, dont la principale crainte est de se voir méprisée à cause de son passé irrégulier, n'a pas l'habitude d'être traitée, à la mode romantique, comme une créature céleste. Émue par la dévotion du jeune homme, elle finit par lui céder. Adolphe éprouve le charme de l'amour, « cette persuasion que nous avons trouvé l'être que la nature avait destiné pour nous, ce jour subit répandu sur la vie et qui nous semble en expliquer le mystère... » (p. 33). Nous sommes très proches de ce que Schlegel appelle le Mot, la solution de l'énigme de la vie.

Sauf qu'Ellénore n'a pas été destinée par la nature à rendre Adolphe heureux. Inquiète, jalouse, très vite elle commence à ennuyer son jeune amant (« elle n'était plus un but : elle était devenue un lien », p. 34) ; la disproportion des âges et des situations, la jalousie du comte, les exigences de la carrière d'Adolphe sont autant d'écueils qui menacent leur liaison. L'adversité, qui contrarie Adolphe, rend Ellénore encore plus amoureuse, en tous cas plus acharnée. Elle rompt avec le

comte, défie l'opinion, offense le père d'Adolphe. Ses sacrifices obligent celui-ci à la suivre, mais son amour disparu a
fait place à la pitié. Une lettre de son père avertit le jeune
homme : « Songez qu'on ne gagne rien à prolonger une situation dont on rougit » (p. 48). Adolphe se sent bien obligé de
rester auprès de sa maîtresse, mais il ronge son frein : Ellénore est l'obstacle qui le sépare du succès dans le monde. Les
deux amants mènent une vie empoisonnée par l'aigreur et
par le mécontentement. Pressentant que la rupture est inévitable, l'héroïne tombe malade et meurt. Dans une lettre qu'il
trouve, elle avait écrit à Adolphe : « Quel est mon crime ? De
vous avoir aimé, de ne pas pouvoir exister sans vous. Par
quelle pitié bizarre n'osez-vous rompre un lien qui vous pèse,
et déchirez-vous l'être malheureux près de qui votre pitié
vous retient ? [...] Pourquoi vous montrez-vous furieux et
faible ? » (p. 79).

La réponse à cette question est qu'Adolphe a livré sa
propre vie au spectre de l'amour romantique, qui, par conta-
gion, s'est emparé également de celle d'Ellénore. Mû par les
exigences de la sensualité et de la vanité (« Offerte à mes
regards dans un moment où mon cœur avait besoin d'amour,
ma vanité de succès, Ellénore me parut une conquête digne
de moi », p. 21), le jeune conquérant emploie le langage de
l'amour infini comme moyen de séduction. Or l'influence de
ce langage, l'attrait des attitudes qu'il évoque (prédestination
réciproque des amants, résolution de l'énigme de la vie, don
gratuit des personnes, mépris pour le monde des « principes
bien établis ») sont si puissants, que le chasseur se prend à
son propre piège. L'ivresse de la victoire une fois dissipée,
Adolphe découvre que la majesté des maximes qui l'ont assurée l'enchaîne plus efficacement à Ellénore que tous les
« principes bien établis ». Son amour, se rend-il compte,
n'est certainement pas le sentiment infini qu'il a proclamé au
départ, mais peut-on jamais se dédire de l'absolu ? L'inertie
des poses sublimes est invincible, et la lâcheté empêche
Adolphe de reconnaître ouvertement qu'à force d'agiter un
leurre, il s'est leurré lui-même.

Réciproquement, une fois qu'Ellénore entre dans ce jeu,
elle a trop d'intérêt à racheter ses erreurs passées par un
amour enfin pur de tout calcul et de toute bassesse pour
qu'elle puisse consentir à sa disparition. Chacune de ses
imprudences, chaque défi qu'elle lance à la stabilité sociale et
à la sagesse, semblent à première vue découler naturellement

de la passion la plus noble et la moins calculatrice. À la réflexion on se rend cependant compte que ses gestes sont loin d'être entièrement désintéressés. En sacrifiant à sa nouvelle liaison sa position sociale auprès du comte — position certes moins enviable que celle d'une épouse, mais acceptée néanmoins pas la société —, Ellénore signifie à Adolphe qu'elle prend à la lettre les maximes de l'amour-passion, et que, par conséquent, elle se sent en droit d'exiger de lui une conduite analogue. De même, lorsqu'elle défie le père du jeune homme, elle suit le principe selon lequel l'amour n'est pas obligé de respecter ce que Schlegel appelait les contingences et les chaînes. Or la motivation d'Ellénore n'est pas entièrement au-dessus du soupçon, car s'étant elle-même, par les erreurs de sa jeunesse, privée du droit à aspirer au mariage, peut-on être certain que son mépris pour les liens de famille n'est dû qu'à la force de son amour ?

Dans l'enfer à deux qui engloutit les protagonistes, le choix entre l'amour et les exigences de la société ne fait pas l'objet de véritables délibérations, comme c'est le cas chez Rousseau ou dans *Les Affinités électives*, si bien que les raisons d'agir des deux amants demeurent ambiguës. Si Ellénore tranche ses liens avec la société, est-ce à cause de l'amour, ou à cause de sa réputation douteuse ? Si Adolphe est impatient de regagner le monde, est-ce par devoir, ou parce qu'il a cessé d'aimer ? Dans *Adolphe*, l'amour au sens romantique du terme joue le rôle d'une norme factice, d'un point de référence exaltant mais imaginaire. Les deux personnages font appel à cette norme, ils se mettent sous son égide, ils ont l'air d'en suivre les maximes les plus pointilleuses, mais la vérité de leur conduite est l'impulsivité, l'hypocrisie, le manque d'égards pour l'autre. La prédestination, la résolution de l'énigme de la vie, le mépris pour le monde constitué — ces marques que l'amour-passion exhibe avec fierté — sont autant d'artifices destinés à déguiser la rapacité des amants, leur égoïsme, leur indifférence. L'exaltation romantique de l'amour-passion, loin d'avoir réfuté la science de l'imperfection humaine, l'a en réalité rendue plus utile que jamais.

Conclusion de la deuxième partie

À la fin du XVIIIᵉ siècle, le roman a achevé dans ses grandes lignes la conversion de l'idéalisme ancien, fondé sur l'alliance entre le héros ou le couple solitaires et la norme transcendante garantie par la Providence, à l'idéalisme moderne, qui célèbre l'énergie normative et l'autosuffisance de la belle âme. Cette conversion, loin d'emprunter la forme d'une coupure radicale avec le passé, s'est plutôt manifestée sous les espèces d'un dialogue polémique entre les romanciers, qui ont réagi chacun à sa manière,

— à l'acquis de l'idéalisme ancien et à la manière dont il avait dégagé l'individu d'exception de l'emprise de son milieu pour l'associer à l'ordre providentiel,

— à la pastorale et à sa réflexion sur l'imperfection humaine et sur les moyens de la dépasser,

— aux succès de la nouvelle, genre spécialisé dans la peinture des conflits bien circonscrits qui mettent en scène des personnages affectés par des défauts incurables, et, enfin,

— au roman picaresque et aux genres comiques qui imagine un monde à la fois humble et ridicule.

Situés à mi-chemin entre le sur-enchantement des « éthiopiques » et l'humilité du picaresque, Richardson et Rousseau ont accompli le grand œuvre de la narration moderne, qui consiste à sacraliser l'intériorité en plaçant la source de l'idéal normatif dans le for intérieur du personnage, quelle que soit l'ascendance sociale de celui-ci. Proposant aux lecteurs une nouvelle exemplarité dont la leçon dégage de fortes résonances égalitaires, les romans de Richardson et de Rousseau décrivent des êtres dont l'âme, étant parvenue au sommet de la force du jugement et de la noblesse des sentiments, devient le site de la norme morale. Cette perfection, guère étonnante pour le lecteur des romans hellénistiques dont l'univers fictif est idéalisé dans son ensemble, est placée dans les romans idéalistes modernes dans une ambiance censée ressembler de près à la réalité. Les prodiges suscités par la grandeur d'âme continuent à former la substance de la narration, mais l'atmosphère quasi miraculeuse des romans grecs, médiévaux et pastoraux cède désormais la place à des univers fictifs plus prosaïques.

Bien qu'en dernière analyse au XVIIIᵉ siècle le réalisme du décor et la grandeur d'âme du personnage représentent les deux côtés de la même médaille, pour le lecteur habitué à l'idéalisme ancien le contraste entre la platitude de l'ambiance et la beauté intérieure des personnages a assurément dû paraître aussi invraisemblable qu'incongru. Dès lors que l'enchantement de l'intériorité met la grandeur morale à la portée de tout le monde, la banalisation de la vertu modifie sensiblement la fonction des personnages d'extraction modeste, qui avaient jusqu'à date figuré le réel dans ses aspects les plus humbles et par conséquent les plus comiques, mais qui sont désormais investis de la splendeur morale propre aux héros à l'ancienne. Or, en réalité, l'incorruptibilité et la parfaite maîtrise de soi que le système richardsonien attribue aux petites gens n'en demeurent pas moins des vertus exceptionnelles : malgré le soin avec lequel l'idéalisme romanesque moderne peint la vérité de la vie quotidienne menée par ses personnages, les aspirations et les tourments intérieurs que ceux-ci éprouvent n'en paraissent pas moins improbables, voire extravagants. Quittant le théâtre extérieur de l'action pour se réfugier dans l'intimité des personnages, l'idéalisation romanesque y engendre des situations tout aussi extraordinaires que celles qu'elle suscitait lorsqu'elle gouvernait l'ensemble de l'univers fictif. Pour le dire autrement, si les décors et les acteurs sont décrits avec une scrupuleuse fidélité, la vie intérieure des héroïnes et des héros fait toujours l'objet d'une représentation idéographique, voire hagiographique. Pamela et Julie ont beau vivre dans la vraie province anglaise et, respectivement, dans la vraie campagne suisse, leurs passions et leur volonté continuent d'habiter l'Éthiopie céleste des vieux romans. De la sorte, les œuvres de Richardson et de Rousseau posent avec acuité la question que devra hanter pendant tout le XIXᵉ siècle la prose narrative moderne, et qui consiste à savoir s'il est possible de concilier les normes de la grandeur romanesque avec la vérité de la perception quotidienne.

Cette question, évidemment, ne devient urgente que dans la mesure où la représentation de la norme morale est désormais censée obéir à la nouvelle exigence de vraisemblance, exigence qui, considérée du point de vue qui est devenu le nôtre semble parfaitement justifiée, mais qui, à la lumière des pratiques narratives prémodernes, ne cesse de surprendre. On a vu, en effet, que la question axiologique posée dès ses origines par le roman était de savoir si l'idéal moral s'inscrit ou non dans l'ordre du monde : car s'il en fait partie, pourquoi le monde est-il si éloigné de lui, et si cet idéal est étranger au monde, d'où vient l'évidence de sa force normative ? Formulée de cette manière, la question axiologique ne présuppose nullement l'exigence de la vraisemblance, puisque l'invraisemblance narrative contient une réponse implicite — et parfaitement valide — au dilemme axiologique. « Il est vrai, semblent dire les romans idéalistes prémodernes, que la perfection de Chariclée, celle d'Amadis et celle de Céladon n'appartiennent pas à la réalité quotidienne du monde sublunaire, mais l'invraisemblance de ces personnages exemplaires rend précisément visible l'écart entre la pureté transcendante de la norme et la misère du monde dans lequel nous sommes condamnés à vivre. »

Aux yeux des adeptes de cette option, qui consiste à assumer ouvertement le caractère idéal et extramondain de la norme morale, les efforts fournis par les écrivains modernes pour allier la représentation de la norme à celle du monde dans sa concrétion physique et sociale (auparavant objet du mépris et de la risée générale) ont dû paraître étranges et inattendus. De manière quasi inconcevable pour un esprit prémoderne, la nouvelle alliance entre la grandeur morale et la vraisemblance signalait l'éclosion d'une confiance sans bornes dans la capacité effective des êtres humains à incarner la perfection. L'exigence de vraisemblance donc, loin de posséder une validité intemporelle, dépendait en réalité de la nouvelle anthropologie fondamentale présente dans les romans de Richardson et de Rousseau. Étant donné la dissémination et l'intériorisation de l'héroïsme décrites par ces romans, on se demandait immanquablement s'il était possible de représenter les humains et le monde dans le style mimétique humble, tout en plaçant au centre de l'action l'héroïsme et l'exemplarité.

La réponse résolument affirmative qu'en proposèrent les œuvres de Richardson et de Rousseau suscita au cours du xviiiᵉ siècle plusieurs développements polémiques. Tout d'abord, Fielding s'efforça de discréditer l'idéalisme romanesque en dotant ses personnages d'une force intérieure bien plus modeste, la tradition de la satire morale cultivée par le roman et par le théâtre comique servant ainsi de foyer de résistance à l'enchantement de l'intériorité. Plus tard, le scepticisme psychologique développé par cette critique fera front commun avec le réalisme cru du roman picaresque tardif (en particulier dans la version développée par Smollett) et sera repris par le roman de mœurs dans la forme que lui ont donnée Fanny Burney à la fin du xviiiᵉ siècle et Jane Austen au début du xixᵉ siècle.

Une deuxième option, celle de Sterne et de Diderot, traite les personnages de roman avec une verve comique égale à celle de Fielding, tout en plaçant au centre de l'attention non pas l'intériorité du personnage, mais la voix du conteur. La thématique — la représentation des gens humbles — n'étant jugée ni suffisante ni même nécessaire pour engendrer le comique, le style ironique de ces auteurs se détache du sujet traité pour acquérir une indépendance qui fournira à l'occasion un modèle aux écrivains romantiques allemands (en particulier à Jean Paul) et fera de nouveau surface au début du xxᵉ siècle.

Le roman gothique, ensuite, s'est révolté contre les techniques de représentation qui, sous couvert de fidélité à la nature, célébraient en fait l'asservissement du roman à la banalité de la vie quotidienne. Comme si l'invraisemblance homéopathique mobilisée par les romans de Richardson et de Rousseau ne pouvait assouvir le besoin d'imaginaire des lecteurs, le roman gothique proposa un retour, par ailleurs purement velléitaire, à l'ancienne méthode idéaliste. À l'occasion, ce sous-genre engendra un vaste répertoire de décors faussement archaïques, peuplés de personnages dont le seul trait mémorable — par opposition au règne des belles âmes — fut la méchanceté démoniaque. Par-delà son importance comme repoussoir par rapport auquel le roman historique définira plus tard sa thématique et ses moyens, le roman gothique se trouve à la source de la littérature dite de masse avec sa production stéréotypée de personnages et de décors invraisemblables. Quant à la rage démoniaque contre l'intériorité enchantée, une riche descendance à la fin du

XVIIIe et au long du XIXe siècle a prolongé ses avatars gothiques.

L'option romantique consista à reprendre la peinture de l'intériorité enchantée et séparée du monde, en la concevant, afin de la rendre plausible, comme irrémédiablement atteinte de faiblesse. Acceptant l'incompatibilité des belles âmes avec le milieu prosaïque qui les entoure, Goethe et Hölderlin se résignent à sacrifier l'âme supérieure à la froideur du monde humain. Incapables de projeter à l'extérieur la richesse poétique qui les habite, ces belles âmes s'épuisent dans le regret et la mélancolie. C'est encore le romantisme qui, par la plume de Novalis et de Schlegel, tente à la toute fin du XVIIIe siècle de promouvoir une nouvelle vision de l'amour-passion, qui cesse d'incarner l'appel sublime de la norme transcendante et devient, au contraire, la raison au nom de laquelle l'individu autonome se sent justifié à rejeter les conventions sociales. Goethe et Benjamin Constant formulent bientôt de fortes critiques de ce point de vue, le premier arguant que, sujet aux passions, l'homme n'est jamais parfaitement maître de soi, le second mettant en doute jusqu'à la sincérité de ces passions, dont la source doit souvent être cherchée dans la vanité et dans l'ignorance de soi, voire dans le désir de paraître plus grand et plus généreux qu'on ne l'est en réalité. En déplorant la déchéance de l'homme individuel, ces critiques rejoignent à leur manière la vieille conception augustinienne, naguère développée par la nouvelle sérieuse.

Ces débats montrent que l'ancien différend entre les narrations qui idéalisent les êtres humains et celles qui en saisissent l'imperfection n'est toujours pas résolu, mais qu'une nouvelle conviction est en train de s'imposer : on ne peut ni abandonner l'idéalisme, ni le défendre sans tenir compte des exigences, de plus en plus difficiles à contourner, de la vraisemblance empirique et sociale.

TROISIÈME PARTIE

La naturalisation de l'idéal

CHAPITRE V

Les racines de la grandeur

Le roman a atteint son apogée à l'époque où la réflexion sur l'homme s'efforçait de l'intégrer sans résidu dans la société et dans la nature. Ces efforts et les multiples interrogations qu'ils ont suscitées ont engendré de nouvelles figures de l'individu dans son rapport avec l'univers : l'enracinement, la communauté et l'amour impossible.

La figure de l'enracinement fut une réponse au dualisme, dont elle tenta de mitiger le caractère radical. Au nom de l'alliance avec la divinité, l'ermite des sociétés anciennes méprisait le monde ; se fondant sur la puissance de sa propre pensée, l'homme imaginé par le dualisme réduisait l'univers à l'état d'objet et s'en séparait pour mieux l'examiner. En acceptant le postulat de son enracinement dans son milieu social et naturel, l'individu est censé abandonner le privilège de la singularité pour se soumettre à une loi qui régit depuis longtemps le milieu dans lequel il a vu le jour. Le bonheur qu'on lui promet en échange demeure cependant incertain, car la croyance à l'enracinement limite nécessairement la liberté de mouvement consentie à l'individu. Une nouvelle contradiction axiologique tenaille l'homme enraciné : parce que la norme à laquelle il obéit maintenant est l'œuvre d'une collectivité humaine, elle n'a à ses yeux qu'une valeur relative, mais puisque cette norme est anonyme et contraignante, il lui est impossible de l'éviter, voire de la changer. Cette situation incite l'individu à respecter les normes par simple fidélité à la communauté, l'assujettissant donc à son milieu. Il en résulte un mélange d'exaltation et de passivité, en vertu duquel d'une part l'homme enraciné est, de manière symbolique, son propre maître car il appartient à la collectivité qui a créé la loi, mais d'autre part il est l'esclave de tous les autres hommes, dont la part dans cette création est par définition considérablement plus grande que la sienne. Pris dans ce dilemme, l'individu n'arrive pas à effacer de sa conscience le sentiment qu'il est à la fois convoqué et protégé par une loi plus haute que la loi communautaire.

La communauté, elle, s'affirme comme un état de fait catégoriquement opposé au rêve du contrat social volontaire. Pris dans l'étau d'une tradition immémoriale, les hommes sont ce qu'ils sont grâce aux coutumes, aux habitudes et aux institutions au sein desquelles ils voient le jour. Et comme si la difficulté d'accepter cette situation à la fois rassurante et asservissante ne suffisait pas à accabler l'homme enraciné, l'héritage, en principe immémorial, qu'on s'est efforcé de redécouvrir au lendemain de la Révolution française et des guerres napoléoniennes, loin d'être immédiatement disponible, n'a cessé de s'esquiver. Donnant lieu à d'interminables conflits d'interprétation et d'appropriation, cet héritage ne parvint à exister qu'à force d'être réinventé.

Dans ces conditions, le couple amoureux affronte un défi sans précédent. Selon l'idéalisme ancien, le couple prédestiné échappait à l'hostilité de l'univers sublunaire en s'alliant (à l'exemple de l'ermite) avec la loi transcendante. Plus tard, l'enchantement de l'intériorité, qui place la source de la loi morale dans le sein de l'individu d'exception, affirme du coup la splendeur morale de l'amour qu'il éprouve. S'il y a conflit entre cet amour et les exigences de la société, la belle âme prend la bonne décision et le reste de l'univers la suit. Dans une situation, pourtant, où l'instance normative ultime est la communauté, l'amour qui contredit cette instance a peu de chances de succès. Or comment l'amour ne contredirait-il pas cette instance, lui qui, dans ce système, représente une des rares manifestations possibles d'un choix personnel qui soit irréductible aux exigences de l'enracinement ? En échappant à la norme communautaire, l'amour-passion acquiert une importance exceptionnelle pour l'expression de l'individu dans ce qu'il a de plus profondément individuel. Du même coup, cependant, la passion amoureuse risque de contredire la volonté législatrice de la communauté. Il est donc inévitable que cette passion soit conçue sous le biais contradictoire du bonheur individuel ultime et du malheur social inévitable, et que, par conséquent, l'adultère devienne à cette époque un des objets favoris du roman.

Cette nouvelle configuration n'empêche pourtant pas la question posée par l'idéalisme moderne (comment concilier la représentation de l'âme héroïque avec celle de la vraisemblance du monde) de demeurer vivante tout au long du XIXᵉ siècle, la vérité sociale et historique des conflits représentés occupant désormais le centre d'intérêt du roman. Du temps de l'idéalisme ancien le principal souci de la vraisemblance était la représentation exacte de la norme morale — dans sa force transcendante s'il s'agissait des romans idéalisateurs ou dans sa différence avec le comportement imparfait des hommes, s'il était question des genres comiques et pessimistes. Le roman du XVIIIᵉ siècle s'efforce de rendre vraisemblable le décor dans lequel la belle âme déploie sa grandeur, mais garde intact le contraste entre cette grandeur et le milieu dans lequel elle fait son apparition. Attentifs à l'enracinement des hommes dans la communauté, les romans du XIXᵉ siècle n'examinent pas simplement leur dépendance générale et relativement uniforme par rapport au milieu, mais insistent sur l'influence concrète et différenciée que celui-ci exerce sur les personnages.

L'intérêt pour la vraisemblance sociale manifesté par la quasi totalité des romanciers du XIXᵉ siècle modère, sans l'abolir, la différence entre les partisans de l'idéalisme moderne et ceux du scepticisme moral. Les adeptes de l'idéalisme s'efforcent désormais de loger les belles âmes de manière crédible au sein même du monde empirique. Partis à la recherche de la beauté et de la force morale, ils passent au peigne fin l'ensemble de l'univers pour y découvrir les héros ensevelis dans les brumes de l'histoire, perdus dans les pays exotiques ou embusqués dans le labyrinthe de la société moderne. Parmi les adversaires de l'idéalisme romanesque, certains s'attachent à décrire sur le ton de la bienveillance ironique l'imperfection morale dans ses incarnations sociales, alors que d'autres examinent avec un mélange de sympathie et de sévérité la perspective individuelle des acteurs. Partant du principe que l'idéalisme romanesque est un mirage qui déguise la misère morale des êtres humains, l'anti-idéalisme radical s'acharne à dissiper ce mirage pour révéler aux lecteurs l'atroce vérité de leur condition sociale. Quelques grands écrivains tentent, enfin, dans la seconde moitié du siècle, d'opérer une synthèse entre idéalisme et anti-idéalisme.

LA VÉRITÉ HISTORIQUE DE L'IDÉALISME

Nous avons constaté plus haut que le pessimisme romantique excelle dans l'évocation du conflit irréconciliable entre le personnage d'exception et la déchéance du monde dans lequel il est obligé de vivre, conflit dont l'issue est la défaite du protagoniste (Werther, Hypérion). Éclairés par ces exemples, les prosateurs idéalistes du XIXe siècle ont bien dû admettre la difficulté pour les âmes idéales de vivre dans le monde contemporain, envahi par la médiocrité et par le prosaïsme, mais au lieu d'accepter leur inévitable défaite, ils se sont proposés de découvrir les milieux sociologiques et historiques où elles naissent et prospèrent. Les écrivains du XIXe siècle ont cherché les traces de l'idéal dans l'histoire, comme l'avaient déjà fait les grands représentants du roman hellénistique et héroïque depuis Héliodore jusqu'à Madeleine de Scudéry. La prose idéographique du XVIIIe siècle avait par ailleurs exploré, elle aussi, la filière antique et l'exotisme, et installé ses personnages exemplaires dans des époques et des espaces peu influencés par le progrès de la civilisation moderne. Le roman gothique, à son tour, avait bien senti que la renaissance de la grandeur avait partie liée avec le mirage de l'histoire, mais avait exploité cette veine sans porter de véritable intérêt à l'authenticité documentaire des univers décrits. Dans leur franche opposition au roman richardsonnien, les Walpole, les Ann Radcliffe avaient cru pouvoir retrouver la poésie du monde visible en imaginant un passé pittoresque, cruel, traversé encore par les échos du surnaturel. Ils avaient élaboré des architectures fantastiques aux teintes faussement médiévales, aptes à abriter des intrigues d'une violence peu vraisemblable, et créé un répertoire d'émotions dont la force primitive côtoyait souvent l'infantilisme. Tant la nouvelle prose idéographique que le roman gothique ne s'intéressaient au fond qu'au pur éloignement temporel ou géographique de leurs sujets, au brouillard qui enveloppait leurs détails autorisant les excès de l'imagination. Le lendemain de ces tentatives, les écrivains qui cherchèrent à capter non pas l'inaccessibilité du passé, mais sa vérité, n'avaient pas d'autre choix que celui d'abandonner aussi bien les conventions idéographiques que les fantasmes gothiques. Il s'agissait pour ces écrivains de retourner à la tradition de l'analyse morale inaugurée par la nouvelle et à la précision descriptive richardsonnienne, en les mettant au service de la vraisemblance sociale et historique.

La première tâche fut accomplie avec brio par Heinrich von Kleist qui, dans *Michael Kohlhaas* (1808, l'année du premier *Faust* de Goethe et du *Discours à la nation allemande* de Fichte), réaffirme la convergence, déjà exploitée par les nouvellistes du xviie siècle, en particulier par Saint-Réal, entre la thématique historique et l'analyse morale. La seconde, liée au nom de Walter Scott, fut à l'origine d'une véritable révolution dans la manière d'évoquer la physionomie de l'univers fictif.

Plus dramatique que les paisibles récits de Goethe et de Hölderlin, le conflit de *Michael Kohlhaas* renoue avec la violence traditionnelle de la nouvelle tragique et, à l'instar de celle-ci, prend comme objet de réflexion les fondements mêmes des liens entre les hommes. Comme dans *Werther* et dans *Hypérion*, la conviction du protagoniste qu'il est protégé par la Providence est mise en contraste avec l'échec apparent de son entreprise. Mais à la différence du romantisme pessimiste qui se contente de noter avec tristesse l'hostilité du monde à l'égard des grandes âmes, le récit de Kleist analyse froidement les raisons anthropologiques de leur apparition. Il en résulte une vision du passé qui est à la fois universaliste, car à toute époque des liens du même ordre attachent les hommes et des passions semblables les agitent, et historiciste, car chaque époque décrite a sa place bien définie dans le vaste déroulement de l'histoire universelle et que les passions et les institutions des temps révolus possèdent aux yeux de Kleist une noblesse et une force exemplaires.

Tableau aussi vaste que fulgurant de l'Allemagne au temps des guerres de religion, *Michael Kohlhaas* propose une sombre réflexion sur les rapports entre l'ordre social et l'aspiration individuelle à la justice. Michael Kohlhaas, marchand de chevaux en Saxe, est humilié par le baron von Tronka, qui, sous un prétexte futile, lui confisque un transport de coursiers. Les tentatives d'obtenir justice par voies légales buttent contre l'influence exercée par la vaste famille von Tronka aux différents échelons du pouvoir. La femme de Kohlhaas perd la vie au cours de ces tentatives. Celui-ci choisit désormais les voies de fait et, après avoir dévasté le château des Tronka en compagnie d'une poignée d'aventuriers, le marchand rebelle attaque et met le feu à la ville de Wittenberg où von Tronka s'est caché. Suivi par un nombre croissant de partisans, Kohlhaas défait l'armée du prince von Meissen et se déclare le représentant sur terre de l'archange Michel, porteur du glaive et de la flamme, et gouverneur provisoire du monde. À la suite d'une médiation entreprise par Martin Luther en personne, le rebelle dépose les armes et, pourvu d'un sauf-conduit, se présente au tribunal de Dresde pour un nouvel examen de son affaire. Ses partisans poursuivent néanmoins la guerre civile, et, à la suite d'autres péripéties, Kohlhaas est condamné à mort par la cour suprême de Vienne pour avoir violé la paix de l'Empire, non sans avoir toutefois obtenu gain de cause contre von Tronka auprès de l'électeur de Brandebourg. Les persécuteurs de Kohlhaas sont punis, mais le marchand doit payer de sa vie sa rébellion contre la paix civile.

Ce qui frappe tout d'abord dans ce récit, c'est la justesse de la peinture des institutions et des mœurs historiques. Les rapports tendus entre les marchands et les seigneurs, la mainmise des nobles sur les leviers du pouvoir étatique allemand, l'agitation populaire à l'époque de la Réforme naissante, l'organisation fédérale de la justice du Saint Empire, tous ces aspects sont évoqués avec une sûreté qui trahit le lecteur assidu des ouvrages historiques. À l'intérieur de ce monde fidèlement reconstruit, le protagoniste n'est nullement destiné par sa naissance à devenir un héros : il s'agit d'un brave marchand, fort bien enraciné dans son milieu, heureux dans les affaires, débordant d'affection pour sa famille. Personne ne saurait prévoir qu'il assumera un jour la tâche de défendre l'ordre du monde ni qu'il y perdra sa vie.

Or Kohlhaas constate avec surprise et terreur la décomposition de l'ordre qui gouverne la communauté. Le brave homme ne se heurte pas simplement au caprice d'un potentat local, mais au refus répété des autorités à tous les niveaux de réparer l'injustice commise. Ce terrible, cet inexplicable échec de la justice institutionnelle le convainc qu'il ne s'agit pas simplement d'une urgence locale, d'un temps mort, d'un des nombreux interstices d'un ordre qui dépend nécessairement de la coopération de tous ses membres, mais qu'au contraire la structure des obligations sociales s'est effondrée dans son ensemble. Lorsque les institutions sociales cessent d'assurer la justice, la responsabilité de rétablir l'ordre social

incombe à chaque individu, quelle que soit sa condition
sociale antérieure. La guerre déclarée par Kohlhaas à tous
les hommes au nom de son pouvoir inné d'instaurer la justice est donc à ses yeux une guerre légitime.

Un des thèmes du récit de Kleist est la grandeur d'âme
naissant sur les ruines de la communauté. Les âmes fortes,
semble-t-il dire, sont appelées à se montrer là où la trame de
la société se déchire et où les rôles habituels perdent leur
sens : Kohlhaas se bat parce qu'il est homme. Kleist hérite
donc à sa façon de la conversion moderne de l'idéalisme et
des résonances égalitaires qu'elle dégage : la source de la
force d'âme est placée dans le for intérieur du personnage,
indépendamment de sa place dans la société. Du même coup,
Kleist enracine l'âme forte dans son milieu historique, la faisant surgir précisément pendant la période d'agitation
sociale et de déclin de la justice qui ont accompagné la
Réforme.

Le verdict final du récit ne justifie cependant pas l'individu
exceptionnel. Prendre les armes contre l'ordre établi est
chose facile, et le rebelle trouve sans difficulté de nombreux
alliés. Déposer les armes, en revanche, rétablir la paix une
fois troublée, s'avère beaucoup plus difficile. Kohlhaas, persuadé par Luther de se rendre en échange d'une promesse de
justice, le fait volontiers et sans arrière-pensée. Mais la
guerre de tous contre tous, une fois lancée, ne peut être arrêtée, et les alliés de Kohlhaas continuent de semer le trouble.
Pendant ce temps, par des voies détournées, le système fédé-
ral et décentralisé du Saint Empire finit par se saisir de
l'injustice commise. Tard, maladroitement, la communauté
parvient quand même à accomplir son devoir à l'égard du
marchand. La révolte de celui-ci, pour légitime qu'elle ait pu
paraître, met en évidence, en fin de compte, la stabilité des
institutions sociales.

*

Le récit de Kleist place l'âme d'exception dans un contexte
historique vraisemblable, mais étant donné que dans *Michael
Kohlhaas* la grandeur du héros est suscitée non par l'organisation même de la société mais par sa décomposition, les
liens entre les qualités héroïques ou romanesques et l'état
social n'y sont pas examinés en détail. La méthode de Kleist
permet de représenter les manifestations historiques de la

grandeur humaine comme des réactions aux troubles publics, non comme des produits de la société elle-même. La question demeure de savoir s'il est possible de concevoir des héros qui soient historiquement plausibles et qui exhibent leur générosité non pas *en dépit* de leur naissance, mais *à cause* d'elle.

Les instruments conceptuels nécessaires pour répondre à cette question avaient été mis en place depuis le second quart du XVIIIe siècle par la nouvelle philosophie de l'histoire. Fait notable, une des raisons d'être de cette philosophie avait précisément été le besoin de rendre compte de l'inactualité profonde des vieilles œuvres littéraires célébrant les vertus des sociétés guerrières (en premier lieu l'*Iliade*) et d'expliquer, en même temps, la séduction que ces œuvres continuaient d'exercer sur les membres des sociétés polies. Pour résoudre cette contradiction, les *Principes de la science nouvelle* (1744), de Vico, distinguait trois étapes dans l'évolution de la nature humaine et des sociétés qui l'incarnent, étapes qu'il plaçait respectivement sous les signes de l'imagination religieuse, de l'héroïsme guerrier et de la raison, notant également que l'humanité arrivée à la maturité continue d'apprécier les œuvres littéraires engendrées par sa jeunesse. À la suite de Vico, de nombreux autres penseurs définirent et réduisirent en système la diversité et l'évolution historique des sociétés humaines : Montesquieu dans *L'Esprit des lois* (1748), David Hume dans l'*Histoire d'Angleterre* (1754), Rousseau dans son *Discours sur l'origine de l'inégalité* (1755), Voltaire dans l'*Essai sur les mœurs* (1756), Winckelmann dans l'*Histoire de l'art antique* (1763-1768), Adam Fergusson dans l'*Essai sur l'histoire des sociétés civiles* (1767), Herder dans *Encore une philosophie de l'histoire* (1774).

Le génie de Walter Scott fut de découvrir la solution à un problème *interne* qui préoccupait la prose narrative — la vraisemblance de l'héroïsme romanesque —, en profitant des progrès réalisés par la pensée historique. Son innovation consista à présenter au lecteur des personnages tout aussi grandioses et tout aussi éloignés du présent que ceux qu'avait inventés le roman gothique, mais de les rendre vraisemblables en mettant les techniques mises au point par le réalisme descriptif au service d'une vision plus générale de l'histoire. Grâce à cette vision, qui rattache la grandeur d'âme aux mœurs archaïques des nations guerrières, ces mœurs peuvent être à la fois justement célébrées dans leur milieu d'origine et soigneusement séparées des exigences normatives du monde moderne. Scott se concilie de la sorte aussi bien la sympathie des lecteurs qui cherchent dans les romans les hauts faits des personnages d'exception, que l'amitié de ceux qui se méfient des exagérations romanesques. Les moyens du réalisme descriptif permettent à l'écrivain d'évoquer un milieu historique avec la précision dévolue par Defoe et Richardson au décor des romans à sujet contemporain, et par Smollett, Fanny Burney et Maria Edgeworth à la diversité des mœurs sociales. Pour créer une distance critique entre le public et les situations évoquées en rassurant du même coup le lecteur sur la fiabilité de l'auteur, celui-ci se présente comme un ennemi juré de l'invraisemblance et discourt sur le ton empreint de bonhomie ironique qui avait été utilisé avec tant de succès par Fielding.

Cette synthèse inédite entre la présence de l'héroïsme, son explication — et sa neutralisation — à l'aide de la conception whig de l'histoire, la richesse de la couleur locale et le ton amical du discours narratif explique l'immense succès du premier roman de Scott, *Waverley* (1814). L'ouvrage raconte le voyage d'un jeune aristocrate anglais en Écosse en 1755, date de la dernière tentative faite par les jacobites, partisans légitimistes des Stuarts, pour rétablir cette maison sur le trône anglais qu'elle avait perdu lors de la Glorieuse Révolution de 1688. Le choix est significatif, car en 1814 les événements de 1755 étaient encore perçus comme relativement récents par la plupart des lecteurs, qui ne pouvaient par conséquent attribuer à l'auteur l'intention de les mystifier avec des histoires invérifiables de caractère gothique. Mais bien que récente, cette période avait aux yeux de l'auteur l'avantage de témoigner d'un état de civilisation beaucoup plus ancien, dont la survivance, suggérait-il, était en grande partie responsable des chimères légitimistes. En l'occurrence, il s'agissait du système archaïque des clans écossais, réseaux communautaires féodaux dont les chefs bénéficiaient de la foi inconditionnelle de leurs sujets. Ce système, traité par Scott avec une affection tempérée par l'ironie, prévalait encore au milieu du XVIIIᵉ siècle dans les montagnes de l'Écosse (les Highlands), où il alliait la tradition martiale et chevaleresque célébrée par les romans médiévaux à un fort penchant au désordre et au banditisme. En 1755, ces montagnards obéissaient encore aux vieux devoirs de chevalerie, de courtoisie et de révolte, pratiquaient l'hospitalité et jusqu'à un certain point le respect des promesses, et cultivaient généreusement l'esprit d'aventure. Ils demeuraient cependant dans un état social perçu par les lecteurs de Scott comme émouvant certes, mais étrangement primitif.

Comme l'explique l'auteur lui-même dans le *Post-scriptum qui aurait dû être une Préface*, l'Écosse en 1814, intégrée dans le monde moderne grâce au progrès du commerce et des mœurs, n'était plus celle de 1755. « Il n'y a pas de nation en Europe qui, dans le cours d'un demi-siècle ou guère plus, ait subi un changement aussi complet que le royaume d'Écosse », écrit-il [1]. Les « gens du vieux levain » ont disparu, et quoique leur dévouement désespéré à la maison Stuart fût en définitive un préjugé absurde, il n'est pas interdit de regretter les « exemples vivants d'attachement remarquable et désintéressé aux principes de la loyauté qu'ils avaient reçus de leurs pères, et de la foi, de l'hospitalité, du courage, et de l'honneur propres à la vieille Écosse » (*Waverley*, p. 365-366, traduction légèrement modifiée). Détruites par le progrès, les qualités appréciées par le roman idéaliste ont bel et bien existé, en sorte qu' « en effet, les événements les plus romanesques de cette histoire sont précisément ceux qui sont fondés sur des faits réels » (p. 366).

Scott affecte donc de décrire la grandeur d'âme comme une réalité parmi les autres, d'en parler simplement parce qu'elle a existé naguère à la faveur d'une civilisation obsolète qui, grâce à ses indéniables qualités, est digne de ne pas être oubliée. Dans *Waverley* en l'occurrence, cette grandeur marque, aux divers échelons de la hiérarchie sociale, le brigand Donald Mac Bean, les rebelles jacobites, en particulier Fergus Mac Ivor et sa sœur Flora, et, enfin, le prétendant Charles Stuart. L'archaïsme de l'Écosse est découvert avec surprise par Edward Waverley, jeune Anglais aux aspirations vaguement romantiques et grand liseur de romans, qui se laisse charmer par le courage quasi fanatique des légitimistes. Scott emploie à dessein cet observateur-raisonneur sympathique et naïf pour peindre à loisir les beaux paysages et les mœurs surannées des Highlands et pour affirmer sa propre résistance raisonnée à l'excès d'héroïsme. Capable de romantisme et de générosité — car Waverley s'engage imprudemment aux côtés des jacobites et, dans la bataille de Pres-

1. Walter Scott, *Waverley*, trad. Auguste Defauconpret, Bouquins, Laffont, 1981, p. 365.

tonpans, sauve la vie du colonel anglais Talbot —, le jeune Anglais demeure un être fondamentalement prosaïque, qui aime à la fois l'Écosse où il finit par s'établir et le progrès qu'impose à celle-ci l'union avec l'Angleterre.

Le personnage modéré et raisonnable qui observe les conflits historiques avec des yeux impartiaux revient dans *Old Mortality* (1816), qui est probablement dans l'œuvre de Scott le roman historique le plus achevé. Il s'agit de Henry Morton, témoin et participant au conflit ayant opposé, à la fin du XVIIe siècle, les partisans du Covenant religieux écossais, qui bénéficiait de la sympathie des classes populaires, à l'Église épiscopale imposée par la couronne anglaise avec l'assentiment de la noblesse d'Écosse. La grandeur de la société guerrière est considérée ici sous un jour beaucoup plus sombre. L'intrigue du roman détaille les efforts de Morton pour empêcher la ferveur religieuse du Covenant, représentée par son ami et allié John Balfour de Burley, d'entrer en conflit ouvert avec la noblesse royaliste, incarnée par le commandant royal Claverhouse et par lord Evandale. Les partisans des deux camps, également aveuglés par la dévotion à leur cause, sont considérés par Morton avec une répugnance égale. Horrifié aussi bien par le fanatisme des partisans du Covenant que par la cruauté morbide de Claverhouse, Morton penche vers le Covenant, mais voudrait bien pouvoir finir la guerre sans remporter de victoires sanglantes. Dans *Waverley*, le personnage modéré et raisonnable était encadré par une multitude de jacobites généreux et imprudents, dont la famille des Mac Ivor ; ici, seul le magnanime lord Evendale, qui sauve la vie de Morton, incarne la grandeur d'âme des époques révolues. L'accent tombe dans *Old Mortality* sur la violence, l'oppression et l'injustice de ces époques, et le résidu d'admiration nostalgique pour la virilité des races guerrières fait désormais place au mépris libéral pour le fanatisme idéologique.

Mais le pessimisme de *Old Mortality* ne livre pas le dernier mot de Scott au sujet des âmes héroïques. Dans *Le Cœur de Mid-Lothian* (1818) Scott réfléchit à la puissance morale de la dissidence religieuse et à sa capacité d'engendrer une grandeur plausible. L'action, dont les lignes qui suivent ne présentent qu'une version fort simplifiée, se passe à Édimbourg en 1737. David Deans, agriculteur pauvre et presbytérien fervent (hostile donc à l'épiscopalisme et fidèle à la réforme écossaise), élève ses deux filles, Jeanie et Effie, selon

les principes de la moralité et de la religion les plus rigou-
reuses. Loin de profiter de ces leçons, Effie se laisse séduire
par George Stanton, jeune aristocrate anglais qui, sous un
nom d'emprunt, vit en Écosse parmi les brigands. Ayant mis
au monde un enfant qui disparaît mystérieusement, Effie est
accusée d'infanticide. Le tribunal ne dispose pas du corps du
délit, mais comme la prévenue n'avait communiqué à personne le secret de sa grossesse, le juge conclut qu'elle avait
très tôt conçu le projet de se débarrasser de l'enfant. Pour
qu'Effie ne soit pas condamnée, il suffirait donc que sa sœur
Jeanie témoigne d'avoir été au courant de sa grossesse. Mais
Jeanie, ayant ignoré, comme tout le monde, l'état de sa sœur,
n'accepte de mentir sous aucun prétexte, et d'autant moins
sous serment. Le tribunal condamne par conséquent Effie à
mort. S'estimant quitte avec sa conscience, Jeanie s'engage
maintenant à sauver sa sœur et entreprend sans l'aide de personne un voyage à Londres, où, grâce à l'appui du duc
d'Argyle, protecteur des Écossais, elle est reçue en audience
par la reine Caroline, dont elle obtient le pardon d'Effie. De
retour en Écosse, Jeanie se marie avec le modeste pasteur
Reuben Butler, alors qu'Effie devient l'épouse de son séducteur, le riche Stanton, revenu de ses erreurs. Leur fils, dont
on apprend maintenant qu'il est vivant, avait été enlevé par
Madge Wildfire, une jeune femme atteinte de folie, qui l'avait
cédé à une bande de voleurs écossais. Stanton tente de le
faire quitter cette profession, mais le jeune récalcitrant tue
son père.

L'ouvrage, on le voit, est riche en péripéties et entend
racheter la précision des reconstitutions historiques par
l'exubérance de l'invention. La formule, inventée par Scott,
consiste à impliquer le personnage généreux et imprudent
(Fergus Mac Ivor dans *Waverley*, Stanton ici) dans une multitude d'aventures qui tiennent à la fois de la brutalité sordide
du genre picaresque — les échos des premiers romans de
Smollett étant fort audibles — et du répertoire thématique
des anciens romans idéalistes, toujours fertiles en déguisements, enfants perdus et jeunes héritiers de bonne famille
qui se réfugient chez les brigands. Ce mélange de niveaux,
qui deviendra la marque du roman d'aventures au xixe siècle,
est par ailleurs tout à fait conforme au programme du roman
idéaliste moderne, car cette formule confère à la thématique
picaresque une nouvelle dignité et place les vieux lieux
communs du roman idéaliste dans un décor en principe plus

vraisemblable. La méthode, qui a laissé une marque indélébile sur le mélodrame et sur l'opéra de la première moitié du XIXᵉ siècle, permet aux œuvres de fiction de présenter au public les événements extraordinaires que celui-ci souhaite contempler, sans pour autant abandonner la prétention à la vraisemblance historique. Ainsi, placer à la fin du roman un meurtre dont la victime se révèle être le père ou la mère de l'assassin est une belle manière de faire couler les larmes, et *Le Troubadour* de Verdi ou *Lucrèce Borgia* de Hugo ne se privent point d'en tirer profit. La folie, surtout la folie féminine, est une autre innovation que Scott et l'opéra exploitent vigoureusement. Irresponsable, agissant par instinct, la femme atteinte de folie figure la présence étrange et menaçante du destin parmi les hommes. Aveugle, mais sachant néanmoins frapper, la folle assume la tâche de venger l'injustice (*La Fiancée de Lammermoor*, 1819, source de l'opéra de Donizetti) ou celle de punir sans le savoir les transgressions à la morale (Madge Wildfire dans *Mid-Lothian*).

Si dans *Waverley* et dans *Old Mortality* l'intrigue trouve son équilibre grâce au contraste entre le héros généreux mais imprudent et le personnage raisonnable mais hésitant, dans *Mid-Lothian*, un des rares textes où Scott se hasarde à présenter la vraie perfection, l'excessive témérité de Stanton est contrebalancée par la grandeur morale de Jeanie Deans. La beauté intérieure de ce personnage est le résultat de sa foi dans l'omniscience et dans la toute-puissance de la Providence qui règne sur le monde et qui scrute chaque cœur dans sa profondeur. L'exemple de son père, qui rejette obstinément la religion officielle, renforce chez Jeanie le sentiment de la responsabilité morale individuelle. Sa parole est la mesure de sa rectitude. Lorsqu'elle refuse de mentir sous serment, Jeanie Deans s'engage à préserver le lien social avec la passion qui animait les chevaliers errants des vieux romans. Mais ici l'intériorisation du devoir social n'est pas simplement le thème d'une belle fiction exemplaire, mais représente un choix parfaitement plausible, étant donné la sévérité morale presbytérienne et l'insistance des religions réformées sur les liens immédiats entre les hommes et leur Créateur.

La pensée historiciste prouve de la sorte sa vigueur. Procéder au quadrillage de l'univers pour y découvrir la variété des physionomies historiques, semble dire Scott, ne conduit pas nécessairement au scepticisme ; et s'il est fort utile dans certaines circonstances de relativiser les vertus guerrières et de promouvoir le relativisme au rang de vertu, en dernière instance la méthode historique n'aboutit pas à la destruction de l'idéalisme moderne, mais parachève sa défense au nom, précisément, du vraisemblable.

*

La méthode de Scott est donc triplement novatrice. Elle mélange vigoureusement les divers motifs et procédés narratifs hérités de la prose du XVIIIᵉ siècle : la représentation de la grandeur d'âme, la brutalité des aventures picaresques, la précision des détails perceptifs et sociaux, l'usage de la voix ironique et bienveillante du narrateur omniscient. Comme le dit si bien Balzac en faisant l'éloge de Walter Scott dans l'*Avant-propos* (1842) de *La Comédie humaine* : dans le roman, cet auteur « réunissait à la fois le drame, le dialogue, le portrait, le paysage, la description ; il y faisait entrer le merveilleux et le vrai, ces éléments de l'épopée, il y faisait coudoyer la poésie par la familiarité des plus humbles langages [1] ».

Scott ouvre, ensuite, un vaste champ thématique à la prose narrative en découvrant la discontinuité et la différenciation du monde humain selon les dimensions de l'histoire, de la géographie et de la stratification sociale. Longtemps après Scott et pour beaucoup de romanciers, la tâche du roman ne sera autre que de découvrir et de classer de nouvelles espèces sociales et historiques. La pensée du roman passe de l'anthropologie générale, fondée sur des considérations normatives universelles, à l'anthropologie comparative, dont l'objet est la diversité des liens normatifs établis par les communautés humaines.

C'est Scott, continue Balzac, qui, ayant compris le premier que les personnages de roman sont « conçus dans les entrailles de leur siècle, [...] élevait à la valeur philosophique de l'histoire le roman » (*Avant-propos*, p. 10). Balzac, qui reproche par ailleurs à Scott le caractère insuffisamment systématique de sa pensée (« il n'avait pas songé à relier ses compositions l'une à l'autre de manière à coordonner une histoire complète dont chaque chapitre eût été un roman, et

---

1. Honoré de Balzac, *Avant-propos*, in *La Comédie humaine*, édition Pierre-Georges Castex, vol. 1, Bibliothèque de la Pléiade, Gallimard, 1976, p. 10.

chaque roman une époque », p. 11), identifie ainsi la troisième innovation du romancier écossais, qui consiste à avoir convoqué à l'aide de l'invention romanesque une théorie qui lui soit extérieure, en l'occurrence la philosophie de l'histoire et de la société. L'ancienne préoccupation morale est désormais remplacée par l'intérêt explicite et formulé en termes théoriques pour les états sociaux, et si au XVIIᵉ et au XVIIIᵉ siècle seuls les auteurs les moins doués se laissaient entraîner dans des digressions moralisatrices, les explications historiques et sociales fournies par Scott et ses disciples sont exhibées fièrement comme preuve de leur raffinement littéraire. L'ancienne verbosité morale était un défaut, la nouvelle prolixité sociale et historique une qualité — du moins pendant un certain temps.

Grâce à la nouvelle philosophie historique, qui limite la portée de chaque système normatif à la communauté qu'il exprime et qu'il gouverne, la question axiologique (si la norme morale appartient à notre monde, pourquoi est-elle si universellement méprisée, et si elle ne lui appartient pas, pourquoi est-elle tellement évidente aux yeux de tous ?) ne se pose plus désormais qu'à l'intérieur de chaque communauté. Elle paraîtra par conséquent moins urgente aux yeux du public du roman moderne qui, vivant au sein d'une civilisation paisible et prosaïque, ne saurait ressentir qu'une sympathie de principe pour les systèmes normatifs autres que le sien. L'écrivain qui souhaite peindre une grandeur véritablement universelle est donc appelé à découvrir, parmi la multitude de normes qui ont gouverné les hommes, celles qui, précisément, transcendent la société dont elles procèdent. *Mid-Lothian* représente une belle tentative pour obtenir ce résultat, sans parvenir pourtant à se dégager tout à fait du relativisme normatif inhérent à la méthode historique.

C'est à Giuseppe Manzoni que nous devons la tentative la plus achevée de refondre une intrigue romanesque à caractère universel dans le moule du roman historique moderne. *Les Fiancés* (1827), véritable « remake » modernisé des *Éthiopiques*, raconte, comme son modèle, les péripéties d'un couple de jeunes amoureux dont la fidélité inflexible triomphe de toutes les épreuves. Mais la nature du couple et des malheurs qui l'accablent a radicalement changé. Les amoureux sont cette fois de naïfs villageois vivant dans le duché de Milan qui, au premier tiers du XVIIᵉ siècle, se trouvait sous la domination espagnole. Les projets matrimoniaux de Lucia et de Renzo sont contrariés par le potentat local, don Rodrigo, qui tente en vain de suborner la belle fiancée. Afin de déjouer ses intentions, les amants se séparent, Renzo pour aller à Milan et Lucia pour se cacher à Côme, où elle se place sous la protection d'une grande dame. À Milan, Renzo prend part à la révolte populaire provoquée par une pénurie de pain et, craignant d'être arrêté, se réfugie sur le territoire de la république vénitienne. Lucia est enlevée — pour le compte de don Rodrigo — par le féroce chevalier Innommé et, désespérant de jamais retrouver Renzo, se donne à la Sainte Vierge en faisant vœu de chasteté. Ses prières sont écoutées, car le chevalier Innommé éprouve miraculeusement des remords pour ses innombrables forfaits et, manquant à la promesse qu'il avait faite à don Rodrigo, il prend la jeune fille sous sa protection. Entre-temps, la famine qui ravage le duché force les paysans à converger vers la capitale dans l'espoir d'y trouver des vivres. Par surcroît de malheur, les troupes allemandes de passage à Milan en route vers Mantoue y répandent la peste ; l'épidémie, aggravée par le surpeuplement et par le manque d'hygiène, dévaste la cité. Renzo et Lucia se retrouvent dans le lazaret de Milan, parmi les malades et les mourants, où le père Christophoro, ancien protecteur des fiancés, délivre Lucia du vœu qu'elle avait fait à la Vierge. Libre enfin de fonder une famille, le jeune couple quitte le pays qui l'a persécuté et s'établit dans le village vénitien qui avait accueilli Renzo.

La marque la plus évidente de la conversion au système moderne est, bien entendu, la condition sociale modeste des personnages. À l'instar du Scott de *Mid-Lothian*, Manzoni a bien compris la leçon égalitaire : la noblesse des sentiments, la perfection de la vertu, la fermeté du dévouement se manifestent indépendamment de l'extraction sociale des personnages qui les éprouvent, et, toutes choses égales par ailleurs, il est plus naturel de les retrouver chez les gens simples qui n'ont pas subi l'influence corruptrice de la richesse et du pouvoir. Par ailleurs, un vieux topos, celui du couple de villageois qui, faisant preuve d'une constance extraordinaire, demeurent fidèles à leur amour en dépit des machinations du seigneur amoureux, prête à l'intrigue de Manzoni un supplément de légitimité littéraire. Sensible aux exigences de la méthode de Scott, Manzoni couvre cette constance du voile de la vraisemblance sociale et psychologique, la fidélité des fiancés tenant un peu de l'opiniâtreté irraisonnée qu'on attribue souvent aux gens du peuple. Mais derrière ce voile le lecteur aperçoit toujours la grandeur de l'individualisme idéaliste, dont le sens est donné, comme dans les vieux romans, par la résistance du héros à l'adversité du monde et par son alliance secrète avec la Providence.

La peinture de l'adversité du monde s'appuie sur une théorie historique des conflits sociaux. À l'exemple de Scott, Manzoni conçoit le roman historique comme le lieu d'une réflexion sur l'évolution de l'humanité vers le progrès, et, d'une manière plus conséquente encore que son prédécesseur anglais, le romancier italien est l'adepte du libéralisme. Le roman de Manzoni entend prouver que l'hégémonie de la noblesse guerrière, loin d'avoir été une institution utile dans son temps mais tombée ultérieurement en désuétude, a toujours profondément nui aux peuples sur lesquels elle s'est exercée. L'auteur souhaite également montrer qu'à l'époque prémoderne la société payait cher son ignorance en matière d'économie politique, d'administration et d'hygiène. Dans ses commentaires disséminés à travers le roman, Manzoni tient pour acquise la réceptivité du lecteur éclairé, censé être au courant des découvertes modernes concernant l'économie de marché, le gouvernement rationnel et la santé publique. À la différence de Scott, selon lequel l'imperfection de l'état social prémoderne favorisait, comme une sorte d'effet secondaire et passager, l'éclosion des vertus romanesques au sein de l'aristocratie, Manzoni pense, au contraire, que ces vertus appartiennent en propre au tiers état, qui parvient à les exercer non pas à cause, mais en dépit de l'injustice sociale prémoderne. En conformité avec cette vision de l'histoire, l'adversité du monde prend dans ce roman la forme de l'oppression sociale — exercée par don Rodrigo et par l'Innommé — et de l'ineptie dont fait preuve l'administration espagnole de Milan confrontée à la pénurie de vivres et à l'épidémie de la peste.

Partisan du tiers état, Manzoni pense comme beaucoup de libéraux du début du XIXᵉ siècle que l'égalité moderne est le résultat d'un vaste projet providentiel inscrit depuis longtemps dans les vertus enseignées par le christianisme. Si, en conformité avec les préceptes de la vraisemblance sociale, Manzoni peint un bas clergé ignorant et pusillanime, le père capucin Christophoro, généreux membre du clergé régulier, et le cardinal Federigo Borromeo, prince charismatique de l'Église, se dévouent à la cause des malheureux et des opprimés. Sans l'intervention charitable de ces deux personnages — et par ailleurs sans l'intervention directe de la Sainte Vierge dans l'épisode de la conversion du chevalier Innommé — les fiancés n'auraient pas échappé aux visées sinistres de don Rodrigo. L'antagonisme social entre l'aristocratie parasite — et de surcroît étrangère — et le tiers état autochtone et productif ne dégénère pas en tyrannie non déguisée grâce uniquement au prestige moral de l'Église et à l'influence bénéfique qu'elle exerce en rappelant aux hommes que la vraie justice est irréductible aux rapports de force réels.

LA PROSPECTION EXOTIQUE

Remontant le cours de l'histoire à la recherche de la grandeur d'âme et de la poésie du monde, les auteurs de romans historiques du début du XIXᵉ siècle reprenaient sans bien s'en rendre compte la quête des littérateurs néoclassiques, aux yeux desquels seuls les héros fort éloignés dans le temps ou l'espace étaient dignes de l'attention des genres littéraires nobles. L'éloignement acquiert certes une direction nouvelle, puisque désormais l'intérêt des auteurs s'oriente non pas vers l'antiquité classique — territoire imaginaire à l'exemplarité universelle — mais vers le passé féodal, récent ou éloigné, du pays auquel ils appartiennent. Le sens profond de cette quête demeure cependant inchangé : elle affirme que le mémorable se trouve, comme son nom l'indique, dans les lieux déjà consacrés par la mémoire et non pas dans l'immédiateté de l'ici et du maintenant. La distance spatiale continue d'être perçue comme l'équivalent de l'éloignement temporel, l'exotisme pouvant remplir les fonctions réservées à la distance temporelle. Les romanciers et leur public étaient d'accord pour considérer les grandes métropoles européennes du XIXᵉ siècle (Londres, Paris, Saint-Pétersbourg, Vienne et Berlin) et le nord-est prospère des États-Unis comme étant à la pointe de la nouvelle civilisation commerciale, pacifique et prosaïque, et pour postuler qu'en dehors de ces foyers de l'époque moderne l'archaïsme temporel des mœurs augmentait en proportion de la distance spatiale. Ceux qui adhéraient à cette vision de l'humanité s'extasiaient devant la force morale des nations censées ne pas avoir encore accédé à la nouvelle étape de l'histoire du monde : les Italiens, les Corses, les Espagnols, les Grecs, les Turcs, les Égyptiens, les Amérindiens, les Cosaques et les Tchétchènes.

Nous avons cependant déjà vu, à l'occasion de *Old Mortality*, qu'en s'éloignant de l'ici et du maintenant pour chercher les restes de la vertu et de l'énergie dans les civilisations exotiques et attardées, les écrivains du xixe siècle se condamnent d'emblée à décrire une grandeur plus sauvage et plus violente que celle qui animait les romans anciens et ceux du xviiie siècle. La raison en est évidente. Les « éthiopiques », les romans de chevalerie, les pastorales et les romans héroïques concevaient la vertu, l'énergie et la découverte de soi comme les incarnations d'un état idéal de civilité, d'une humanité purifiée et rendue à elle-même dans la splendeur exemplaire de ses héros. Cet état idéal ne connaissait pas de frontières et pouvait par conséquent se retrouver autant en Grèce et à Rome que chez les anciens Persans de Mlle de Scudéry, chez les Incas de Gomberville et chez les Africains d'Aphra Behn. En revanche, les écrivains modernes qui localisent la grandeur d'âme dans des périodes ou dans des contrées éloignées la décrivent au nom de la différence qui sépare les peuples aux mœurs moins polies des peuples civilisés, mais livrés au prosaïsme, auxquels appartiennent l'écrivain et son public. Les héros de romans historiques ou exotiques modernes ne figurant plus, comme autrefois, l'aspiration universelle vers la perfection, suscitent chez le lecteur l'admiration mêlée de répulsion que les sur-civilisés ne peuvent s'empêcher d'éprouver à l'égard des cultures qu'ils estiment avoir dépassées.

Nous avons également noté que les écrivains du xixe siècle sont tous d'accord pour se soumettre à l'exigence de la vraisemblance sociale et historique. Aussi, tout comme le roman historique, les œuvres à sujet exotique abondent-elles en procédés destinés à cautionner la vérité empirique des événements et des personnages racontés : encadrage autobiographique, considérations érudites sur les populations évoquées, relief réaliste des descriptions et des scènes. La présence même de ces techniques, si différentes de l'idéalisation propre au roman prémoderne, crée d'emblée comme une sorte de décalage, de clivage entre les personnages exotiques peints par le récit et le discours qui en raconte les exploits. La voix de l'auteur ou celle du narrateur se placent résolument du côté du lecteur moderne, le mettent à l'aise, le rassurent, et soulignent par cela même l'altérité, voire l'étrangeté du sujet exotique qu'elles présentent.

Distinguons maintenant, pour saisir la portée de cette thématique, entre exotisme à caractère « historique » et exotisme « sentimental ». Le premier applique aux sociétés archaïques non occidentales les méthodes d'analyse mises au point par le roman historique de Scott, et en examine le conflit avec la société moderne. *Le Dernier des Mohicans* (1826) de James Fenimore Cooper offre un excellent exemple de cette option. Cooper traite les tribus indigènes d'Amérique avec la même réserve que l'on sent chez Scott lorsqu'il décrit les Highlands jacobites et les guerres de religion en Écosse à la fin du XVIIᵉ siècle. À l'instar du romancier écossais qui souligne à tour de rôle la noblesse et la sauvagerie de ses ancêtres, Cooper divise les tribus indigènes en plusieurs catégories, les héroïques Mohicans, les Hurons, peints comme des êtres méprisables, et les Delaware, purs encore bien que déchus de leur ancienne noblesse. Cooper souhaite persuader son lecteur que tout ce monde est voué à la disparition, car sa grandeur, incarnée par le Mohican Uncas, et sa misère, représentée par le Huron Magua, sont toutes les deux également désuètes, inadaptées, mal préparées à faire face au défi que jette la présence des colons américains. L'admiration que ces derniers éprouvent à l'occasion pour le courage et la loyauté des Mohicans n'influera pas pour autant sur l'avenir de cette nation. Le grand Manitou, prophétise le sage Tamenund, a caché sa face ; le mouvement est irréversible, l'homme blanc est maître de la terre, les temps héroïques ne sont pas près de revenir.

L'exotisme sentimental, en revanche, s'intéresse moins au destin des sociétés archaïques considérées en elles-mêmes, qu'à la surprise des civilisés lorsque, dans une rencontre individuelle fulgurante, d'ordinaire amoureuse, ils découvrent la richesse morale et affective des « sauvages ». Grâce à cette thématique, l'exotisme sentimental est plus susceptible de faire l'objet du traitement rapide, à la fois saisissant et allusif, propre à la nouvelle ou au roman bref, que de donner lieu aux développements laborieux et à la richesse documentaire du roman historique. Par un biais nouveau, la technique de la nouvelle sérieuse italienne et espagnole retrouve son actualité, comme le démontrent les *Chroniques italiennes* de Stendhal. Par ailleurs, le caractère personnel de ces rencontres encourage parfois l'expression directe des sentiments intimes, spécialité du récit élégiaque à la première personne, comme c'est le cas dans *Graziella* (1849), de Lamartine.

Dans ce récit partiellement autobiographique, le narrateur poursuit l'aventure dans un pays étranger à réputation archaïque (la région de Naples, en Italie), à une époque déjà ancienne (autour de 1808, à savoir plus de quarante ans avant la publication du récit), parmi les pêcheurs pauvres, groupe social fort éloigné des artifices de la civilisation, mais proche de la nature et de son innocence évangélique. Âgé de dix-huit ans, il est jeté par la tempête dans l'île de Procida, où il rencontre la belle Graziella, adolescente naïve, éveillée à l'amour par le texte de *Paul et Virginie*, que le narrateur lui lit à haute voix. Sous le ciel limpide de Naples l'amour est invincible et éternel : Graziella refuse d'épouser son prétendant local, le brave Cecco, et tente de chercher refuge au couvent. Le jeune Français la retrouve dans sa cachette, et après avoir passé auprès d'elle la plus chaste des nuits d'amour, il la rend à sa famille. Bientôt il rentre en France, où il apprendra que Graziella est morte d'amour pour lui. L'image de la jeune fille est mise en relief à l'aide des procédés les plus anciens du roman idéaliste : la mer et ses tempêtes, l'amour parfait qui ne tient compte ni des frontières ni des lignages, l'intervention des divinités — car Graziella est persuadée que l'homme qu'elle aime revient la chercher inspiré par la Sainte Vierge. Le récit n'insiste pas sur les traits du personnage masculin, dissimulés par son identité avec l'auteur. Mais il est facile de voir que si la logique de la situation était suivie jusqu'au bout, le jeune civilisé incapable d'aimer une créature aussi belle et aussi pure serait par nécessité un être froid et cynique.

Cet homme serait affligé de ce qu'on appelait, autour de 1830, le « mal du siècle », maladie qui rend les jeunes hommes indifférents à tout ce qui dans des conditions normales devrait leur procurer le bonheur, en particulier à l'amour, bien que ce mal rehausse curieusement chez les patients la capacité de l'inspirer. Les jeunes héritières de bonne famille en paient les frais, comme il arrive à Tatiana Larina dans *Eugène Onéguine* (1830), le roman en vers d'Alexandre Pouchkine, ainsi qu'à la princesse Mary dans le cinquième épisode d'*Un héros de notre temps* (1840), de Mikhail Lermontov. La répulsion des dandys pour les jeunes filles de leur société est par ailleurs fort compréhensible, le prosaïsme suffoquant de cette société étant censé corrompre tous ses membres, y compris les plus innocents, et toutes ses institutions, y compris le mariage. C'est par mépris pour leur propre monde que certains parmi ces enfants du siècle se jettent dans les bras de belles sauvages.

« Bela », premier récit du recueil de Lermontov, narre la liaison du jeune blasé Pétchorine avec une princesse ossète à l'âme forte, digne de figurer dans les romans de Mlle de Scudéry. Excité au début par l'exotisme romantique de la jeune fille, Pétchorine s'imagine un instant qu'il pourrait l'aimer, mais le spleen qui le dévore a vite raison de cette aventure. L'amour de la jeune sauvage l'ennuie autant que celui d'une femme du monde. Bela meurt poignardée par le jeune Circassien qui aspire à sa main. Secoué par cette perte, Pétchorine tombe malade, mais il est difficile de savoir s'il la regrette. Le cœur sec de l'enfant du siècle ne peut résister à la séduction du rêve exotique, qu'il n'a toutefois pas la force de vivre jusqu'au bout.

Ce sera Tolstoï qui, dans *Les Cosaques*, ample récit écrit entre 1852 et 1862 et publié en 1863, approfondira les conséquences morales du choc exotique. En France ou en Angleterre les chercheurs d'exotisme avaient le choix, avant de s'aventurer vers l'Orient, d'explorer l'Italie et l'Espagne, pays méditerranéens assez proches des nations censées plus avancées sur la voie du progrès, alors qu'en Russie la recherche de l'exotisme conduisait les écrivains vers le Caucase et l'Asie centrale, terres où ils rencontraient soit les Tchétchènes, culture tribale, nomade, islamique, profondément différente des habitudes mentales de la métropole, soit les Cosaques, guerriers chrétiens alliés à l'Empire russe et qui vivaient dans des communautés agricoles traditionnelles. De surcroît, en Russie la supériorité affectée par ses élites à l'égard des nations qu'elles dominaient n'allait pas de soi, l'Empire russe se trouvant lui-même dans un état de dépendance culturelle à l'égard des puissances européennes dont il imitait depuis peu le vernis institutionnel. C'est assurément une des raisons pour lesquelles le héros de Tolstoï, au lieu d'exprimer, comme les personnages de Walter Scott et ceux de Lamartine, la confiance dans les mœurs polies de la métropole et une sage réserve à l'égard des états antérieurs de civilisation, éprouve, au contraire, une répulsion profonde pour son milieu d'origine et cherche avidement chez les « sauvages » une vie plus pure et plus vraie.

Olénine, jeune homme qui n'a pas achevé ses études, ne travaille pas, et, à vingt-quatre ans, n'a pas encore choisi une carrière, décide de rompre avec l'existence dépourvue de sens qu'il mène au sein de la capitale, pour s'enrôler dans l'armée du Caucase. Arrivé à Novomlinsk, village cosaque limitrophe des territoires où se cachent les vaillants Tchétchènes, Olénine n'a plus d'autre souhait que d'embrasser la vie des Cosaques, dont il admire l'heureuse simplicité. Ami de Iérochka, vieux chasseur, et du brave Loukachka, qui courtise la mort dans les conflits frontaliers avec les indigènes, Olénine tombe amoureux de Marianka, jeune beauté du village. La parfaite inaccessibilité de la jeune Cosaque, son altérité silencieuse fascinent le jeune Russe. Bien enracinée dans son village, entourée de sa famille et de ses amies, vivant tranquillement sa vie selon un rythme ancestral qu'elle ne songe jamais à mettre en doute, Marianka ne dépend en aucune manière d'Olénine ni de son monde, dont elle ne semble même pas soupçonner l'existence. Un rapprochement passager entre Olénine et la jeune femme, qu'il souhaite désormais épouser, prend fin lorsque le brave Loukachka, blessé grièvement au cours d'une escarmouche qui oppose les Cosaques aux Tatares, est ramené presque mort au village, et Marianka se rend silencieusement compte que sa vraie place est auprès de son compatriote. Estimant que son éducation est achevée, Olénine rentre à Moscou.

Les Cosaques appartient à un groupe d'histoires qu'on pourrait désigner des termes « récits de régression et de purification ». Ces récits racontent l'insertion temporaire d'un membre de la société réputée civilisée dans une communauté plus primitive et plus proche de la nature. Venu pour se ressourcer, le protagoniste est séduit par la vie sereine et la simplicité de ses hôtes. L'amour aidant, il souhaite s'établir parmi eux. Mais l'adaptation du personnage civilisé aux mœurs innocentes de ses amis s'avère impossible. Fort de la sagesse qu'il a puisée parmi eux, le héros retourne dans ses foyers. L'intériorisation d'un idéal communautaire vécu par *les autres* opère ainsi une synthèse entre la prose du monde civilisé et la poésie primitive survivant en dehors de son orbite. Cette synthèse, qui s'accomplit dans l'intériorité des belles âmes, les anoblit, les fortifie et les dote, à travers l'expérience de l'exotisme, d'une réserve de sagesse qui les aidera à faire face aux difficultés de leur propre monde.

LA GRANDEUR DES GENS INVISIBLES

Pendant ce temps, au sein même des pays réputés civilisés, la recherche des belles âmes se poursuivait en conformité avec la formule de Richardson, qui consistait à découvrir l'idéal dans le cœur des gens ordinaires. Cette formule, qui comportait une double virtualité, incitait d'une part les romanciers à généraliser de manière égalitaire la beauté morale à tous les êtres humains, mais elle permettait également la découverte, voire l'invention d'êtres d'exception qui tranchaient vivement avec leur milieu. Or, regardées de plus près, ces deux virtualités imaginatives se révèlent contradictoires : la tendance égalitaire diminue nécessairement le caractère exceptionnel des héros choisis, car dans un monde où les âmes les plus humbles peuvent toutes parvenir au sommet de la vertu, l'exception s'abolit dans la suprématie de la nouvelle norme. Face à cette difficulté, les écrivains du xixe siècle ont adopté deux voies complémentaires, dont l'une, favorisant l'aspiration égalitaire plutôt que le caractère exceptionnel du personnage, décrit les trésors d'humanité cachés au sein des êtres ordinaires, alors que l'autre cherche dans la société des héros véritablement sortis du commun.

Les auteurs qui s'intéressent à la bonté des êtres ordinaires prospectent attentivement les échelons les plus bas de la hiérarchie sociale pour choisir comme leurs héros parmi les enfants trouvés, les paysans, les artisans pauvres, les marins sans fortune, voire même les êtres mis au ban de la communauté soit à cause de leurs crimes (les malfaiteurs, les prostituées) soit à cause des infirmités dont ils sont atteints (la gibbosité, les maladies mentales). Ces êtres ordinaires au grand cœur sont la spécialité de Dickens, qui, parmi les romanciers du xixe siècle, est un des défenseurs les plus efficaces de l'idéalisme égalitaire.

Dans *Oliver Twist* (1837-1839), la belle âme s'incarne dans un enfant trouvé. Né dans la rue d'une mère qui meurt sans révéler son nom, la faim et la mort président au début d'Oliver dans la vie. L'enfant est élevé dans un hospice, mis en apprentissage chez un entrepreneur de pompes funèbres, adopté ensuite par le vieil escroc Fagin, où il apprend le métier de pickpocket. Oliver se réfugie enfin chez Mme May-lie et sa nièce Rose, qui lui font confiance malgré les apparences défavorables sous lesquelles il arrive chez elles. Une suite compliquée d'événements conduit les protecteurs du garçon à découvrir son ascendance, malgré les machinations d'Edward, son demi-frère corrompu, qui cherche à empêcher Oliver de recevoir l'héritage qui lui est dû. Ayant finalement reçu la moitié de la fortune de son père décédé, Oliver entre dans la famille de M. Brownlow, alors qu'Edward, émigré au Nouveau Monde, finit sa vie en prison.

Il est difficile d'imaginer un contraste plus dramatique que celui qui oppose Oliver à ses persécuteurs : d'un côté la vulnérabilité d'un enfant qui n'a personne au monde sauf sa vertu instinctive, de l'autre la sinistre bande de malfaiteurs sans scrupules qui hante les bas-fonds de Londres. Heureusement, le monde n'est pas uniformément hostile au jeune héros, mais se divise en régions voisines et mutuellement exclusives : d'un côté la ville abrite un véritable enfer — dont les cercles sont figurés ici par l'hospice, l'entreprise de pompes funèbres, le repaire secret de Fagin et de ses acolytes —, de l'autre un havre de paix et de bienveillance qu'habitent les généreux protecteurs de l'innocence. C'est la coprésence topographique du mal et du salut, séparés uniquement par quelques murs et quelques rues, qui donne à la grande métropole moderne son caractère vertigineux. La laideur des quartiers pauvres, la déchéance morale et le malheur créent, par le biais de leur affinité réciproque, une sorte de champ de gravité qui attire et suborne les êtres faibles. Les îlots de bienveillance et de générosité — les quartiers bourgeois — attirent en sens contraire l'innocence et lui procurent la force de s'affirmer. L'espace démoniaque et l'espace paradisiaque, qui, dans les vieux romans, étaient séparés par de vastes distances, se superposent ici au sein de la même ville. Londres englobe une multitude secrète de continents moraux, et l'Éthiopie, la Méroé d'Oliver côtoient de près son delta du Nil et sa Memphis.

La symétrie des deux espaces n'épuise cependant pas le sens moral de l'action. Chez Dickens, l'affrontement du bien et du mal a une dimension qui échappe aux combattants eux-mêmes, puisque ses enjeux s'enracinent dans les conflits de la génération précédente. Dans *Oliver Twist*, l'objet de la dispute est un héritage, dans le double sens du terme : il s'agit à un premier niveau du legs de feu M. Leeford, legs poursuivi par les amis d'Oliver et défendu par Edward, mais à un autre niveau, derrière cette fortune on perçoit la présence posthume d'un père dont les angoisses morales ne cessent de hanter sa descendance.

Heureusement, Oliver ignore tout de ce passé. L'innocence est la seule arme de l'orphelin, qui oblige tous les gens de bien à se ranger de son côté. La faiblesse extérieure et la force de la candeur morale, qui dans les romans du xviiie siècle étaient le propre de la virginité féminine, sont ici transférées à l'orphelin. Les parents d'Oliver sont inconnus, comme si l'auteur souhaitait mettre en évidence l'absence d'attaches extérieures, la solitude complète, le comble de la fragilité. Sa condition illustre une pureté libérée de toute histoire et de tout passé familial. La lourdeur et la tristesse de ce passé seront en fin de compte dévoilées, mais non pas avant que la candeur du garçon ait triomphé des obstacles et trouvé en elle-même suffisamment de force pour que la révélation ne l'influence pas.

Ce n'est donc pas un hasard si le personnage éponyme de *La Petite Dorrit* (1855-1857) est décrit comme étant à la fois enfant et femme, jeune fille et mère de toute sa famille. Parangon de la délicatesse physique, la petite Dorrit dispose, comme Oliver Twist, d'une immense force morale. Née en prison, la petite Dorrit comprend vite que son père, enfermé pour dettes, ne saurait prendre soin de sa famille. Elle le remplace vaillamment, sans jamais se départir de son respect affectueux à l'égard de l'auteur de ses jours. La petite Dorrit gagne le peu d'argent nécessaire à la subsistance de sa famille en travaillant comme secrétaire chez Mme Clennson, femme d'affaires dure, sombre, austère, dont le fils Arthur, modeste homme d'affaires, inspire à la protagoniste du roman un sentiment qu'au début il ne partage pas. Un revirement de la fortune de son père permet à la famille Dorrit de reprendre un train de vie propre à son origine aristocratique. Devenu riche, M. Dorrit affecte une morgue insupportable, mais sa fille ne change pas de comportement ni d'amis : âme inflexible, les avatars de la fortune ne la touchent pas.

Alors que l'histoire de la famille Dorrit est celle des sortilèges de l'argent et de ses rapports visibles avec la morale, chez les Clennson, en revanche, une sombre histoire d'adultère et de dissimulation de legs hante le destin d'Arthur sans que le jeune homme s'en rende compte. La froideur de Mme Clennson à l'égard d'Arthur n'est pas uniquement le résultat des âpres convictions religieuses de la vieille dame ; à la fin du livre, le lecteur découvre en même temps qu'Arthur que Mme Clennson n'est pas sa vraie mère. Fils d'une jeune femme séduite par l'époux de Mme Clennson, l'enfant de l'amour et de la sensualité a été enlevé à sa mère, qui passe sa vie à implorer un pardon qui ne viendra pas.

Comme dans *Oliver Twist*, la splendeur de l'innocence, le mirage de la fortune, les échos des passions éprouvées par la génération précédente définissent un univers où l'individu est pris sans le savoir dans les conséquences d'un passé inavouable qu'il lui incombe de surmonter. L'enracinement, ici, n'est pas simplement d'ordre social et historique, mais possède une troublante concrétion morale : comme une sorte de péché originel à dimensions humaines, la faute cachée dans l'histoire de la famille pèse sur les descendants et défie la belle âme. La possibilité de transcender l'enracinement acquiert ainsi un nouveau sens, à la fois plus modeste et plus émouvant : le héros, tout en demeurant le produit de son milieu, le libère, par la force de son innocence, de ses tares secrètes.

L'IDÉALISME FÉMINISTE

Charlotte Brontë en Angleterre et George Sand en France continuent cette tendance, en réfléchissant à la situation des femmes dans un monde où leur position est celle d'une force auxiliaire. Les romans idéalistes anciens, parfaitement au courant de la position subalterne réservée aux femmes dans la vie publique, leur accordaient en revanche une supériorité axiologique indiscutable sur les hommes. Dans le roman hellénistique la protagoniste féminine, toujours plus avancée sur la voie de la vertu et de la constance que les meilleurs des hommes, les guide d'une main ferme sur cette voie. Dans cette affirmation de la supériorité féminine, le lecteur retrouve le rejet du monde de la contingence, élément essentiel du message du roman hellénistique : le monde sublunaire, qui réserve aux hommes le droit de décider des affaires publiques, en particulier celui de mener la guerre et d'appliquer la loi, est un monde imparfait, insatisfaisant, que les grandes âmes, et surtout les grandes âmes féminines, doivent fuir. Cela ne veut pas dire qu'une œuvre comme *Les Éthiopiques* fait l'éloge inconditionnel de la femme en tant que femme, puisque dans ce roman un des personnages les plus cruels est Arsacé, épouse du satrape persan d'Égypte, qui, dans l'absence de son mari, tyrannise la ville de Memphis. La femme, semble dire *Les Éthiopiques*, est supérieure à l'homme uniquement lorsqu'elle est chaste, parce qu'elle incarne alors un idéal plus pur, plus éloigné de la brutalité du monde des hommes, plus proche aussi de la paix et du calme divin.

Dans les récits de chevalerie, où les personnages masculins sont presque tous des guerriers, la femme est encore plus ouvertement identifiée à la force divine. Oriane, dans *Amadis*, influe, comme un astre, sur le destin du chevalier, qui reçoit d'elle toute sa force. J'ai noté plus haut l'ambiguïté implicite de cette solution : douer la femme d'une puissance transcendante, c'est d'une part la sortir du circuit de la vie terrestre, et d'autre part la charger du rôle d'épouse et de mère qui revient aux femmes réelles. Comme, cependant, l'héroïne de cette configuration contribue librement et de sa propre initiative à la formation du couple, sa divinisation n'est qu'une allégorie de la création des valeurs transcendantes avec des moyens purement humains.

Dans le roman idéaliste moderne, la femme continue d'incarner les valeurs morales les plus hautes, figurées par la chasteté, la constance, et le talent inné d'enseigner le bien. Réincarnations de Chariclée et d'Oriane, Pamela et Julie sont supérieures à leur milieu parce que, en tant que femmes, elles sont plus susceptibles que les hommes d'atteindre les sommets de la perfection. Le début de *Joseph Andrews*, de Fielding, où l'on voit un frère de Pamela, serviteur tout aussi chaste que sa sœur, résister héroïquement à l'amour de sa belle maîtresse, fait rire le lecteur précisément parce qu'il lui est beaucoup plus difficile d'attribuer aux hommes la maîtrise de soi que le roman idéaliste accorde aux femmes.

Avec la nouvelle attention que le roman du XIXᵉ siècle porte aussi bien aux conditions sociales concrètes qu'à la beauté intérieure des êtres humbles, cachés, invisibles, la supériorité féminine devient le thème explicite d'une littérature idéaliste écrite par des femmes qui souhaitent débattre publiquement la difficulté de leur condition. Les ressemblances et les différences entre *Pamela* (1741) et *Jane Eyre* (1847), de Charlotte Brontë, sont significatives à cet égard. Comme Pamela, l'héroïne de *Jane Eyre* est une femme de condition humble, qui occupe une position servile — gouvernante — dans la maison d'un homme peu scrupuleux. Comme dans le roman de Richardson, le maître et son employée tombent amoureux l'un de l'autre, mais des obstacles en apparence infranchissables (la différence de condition dans *Pamela*, un mariage antérieur dans *Jane Eyre*) les séparent. Le dénouement confirme dans les deux romans la supériorité morale de la jeune femme. Dans *Jane Eyre*, cependant, cette supériorité est devenue écrasante. Alors que chez Richardson, Monsieur B. est un jeune étourdi assagi par son amour pour une jeune fille belle et chaste, dans le roman de Charlotte Brontë l'orgueil de Rochester frôle le démonisme. Marié à une femme qui a depuis des années sombré dans la folie, Rochester cache à Jane Eyre l'existence de son épouse, qu'il garde sous clé dans le grenier de son château. Le mariage que Rochester propose à Jane est au fond une tentative de bigamie et seule la découverte de la vérité au moment même de la cérémonie matrimoniale sauve la protagoniste du déshonneur. L'infraction de Rochester a beau avoir des circonstances atténuantes — son premier mariage a été arrangé par sa famille —, sa punition sera effroyable. La folle cachée dans le grenier met le feu à la maison en sorte que son époux, qui tente de sauver la vie de cette malheureuse, est écrasé par la chute d'un escalier, accident qui lui fait perdre la vue et l'usage d'un bras. Jane Eyre, à qui, entre-temps, un héritage a rendu l'indépendance, consent à épouser son ancien maître malgré ses infirmités. Si dans *Pamela*, Monsieur B. fait preuve d'une évidente générosité en élevant sa servante jusqu'à lui, ici c'est Jane, vertueuse, constante, débordant de santé et riche de surcroît, qui, en consentant à s'unir à un homme mutilé et ruiné, bénéficie d'une supériorité absolue par rapport à celui qu'elle aime.

Moins imposante par sa grandeur morale, plus gracieuse et nuancée, la supériorité féminine défendue à la même époque par les romans champêtres de George Sand, *La Mare au diable* (1845), *La Petite Fadette* (1847) et *François le Champi* (1848), est celle de la vivacité et de l'intelligence dans un monde où les hommes sont des êtres lourds, forts, naïfs et malhabiles. Après avoir peint sous les couleurs les plus sombres la condition féminine dans la haute société

(*Indiana*, 1832 ; *Mauprat*, 1837), George Sand se tourne vers la recherche des âmes nobles qui se cachent loin de la société urbaine moderne, et les découvre avec un vif plaisir dans la campagne berrichonne. Ces êtres, l'écrivain les idéalise à dessein, car, comme elle l'affirme dans le premier chapitre de *La Mare au diable*, « l'art n'est pas une étude de la réalité positive ; c'est une recherche de la vérité idéale ». Parce que cette idéalisation doit insister sur la bonté généreuse des êtres humains, ajoute-t-elle, « *Le Vicaire de Wakefield* fut un livre plus utile et plus sain à l'âme que *Le Paysan perverti* et *Les Liaisons dangereuses* [1] ». Pour George Sand, la campagne de son temps, semblable à celle évoquée par Virgile, est à la fois le lieu d'un bonheur innocent refusé aux citadins, et celui de la pauvreté et de la servitude. Ignorant, soumis à son destin, le villageois condamné à « une éternelle enfance, [...] est encore plus beau que celui chez qui la science a étouffé le sentiment » (*La Mare au diable*, p. 43). Cette éternelle enfance, cette beauté naïve est celle de Germain et de Marie dans *La Mare au diable*, celle de la petite Fadette et de Landry, celle de Madeleine et de François le Champi. Ces couples ressuscitent la pastorale en lui prêtant un nouveau visage, plus simple et plus pur, libéré des caprices et des doutes qui rendaient mélancoliques les personnages de Sannazzaro et de d'Urfé. L'intrigue est toujours la même : un homme innocent et bon trouve dans une femme ou dans une jeune fille qui, à première vue, appartient à un monde fort différent du sien (qu'elle soit pauvre, comme Marie, plus âgée, comme Madeleine, ou exclue du village, comme Fadette), le véritable appui dont il a besoin dans la vie. La femme est supérieure à l'homme dans toutes ces histoires, parce qu'elle est plus vive, plus rapide, mieux adaptée que lui aux difficultés de la vie, mais sans faire grand cas de cette supériorité, elle se rend généreusement utile. La formation du couple, fondée sur la coopération, est le seul bonheur auquel elle aspire.

Si le féminisme défendu par Charlotte Brontë (et d'ailleurs aussi par George Sand dans les romans qui décrivent les milieux aisés) met l'accent sur la splendeur morale des femmes fortes, voire rebelles, les récits champêtres de Sand évoquent le mirage de l'enracinement, le rêve d'une communauté où les gens adhèrent sans réserves aux normes en

1. George Sand, *La Mare au diable*, Folio Classique, Gallimard, 1973, p. 33.

place, et où le rôle de la femme consiste à assurer le bonheur du couple.

ÊTRES D'EXCEPTION, ANGES DÉCHUS, DÉMONS

Concernant la seconde virtualité imaginative de l'idéalisme romanesque au XIXᵉ siècle, celle qui consiste à rechercher au sein de la société non pas uniquement des gens ordinaires au grand cœur, mais également des personnages véritablement exceptionnels, sa réalisation appartient aux grands maîtres français du roman idéaliste : Balzac, Alexandre Dumas père, Victor Hugo, et, à un niveau plus modeste, Eugène Sue.

Parmi ces romanciers, Balzac est assurément celui qui a fait le plus pour généraliser à la description de la vie contemporaine la révolution opérée par Walter Scott dans le domaine du roman historique. Comme Scott, Balzac crée des romans qui profitent de l'expérience de tous les sous-genres romanesques, alliant la verve du picaresque et du roman de mœurs, l'intérêt de la nouvelle pour le drame psychologique, et la préférence de l'idéalisme pour les héros hors du commun. De manière encore plus systématique que Scott, Balzac procède au quadrillage de l'univers visible, qu'il divise en régions sociales et géographiques, douées chacune d'une spécificité physionomique, dont la tâche de l'écrivain est de capter la spécificité. L'idée que les personnages sont le produit de leur milieu est prise très au sérieux, d'autant plus que Balzac, à l'instar de Scott, étaie ses romans sur une théorie de la nature sociale de l'homme, qui, dans son cas, s'inspire des idées, nouvelles à l'époque, de Louis de Bonald et d'Auguste Comte. Et comme l'auteur de *Waverley*, Balzac raconte ses romans en son propre nom, assumant le rôle de l'auteur omniscient, au courant de tous les faits et de leur explication théorique, prêt à converser avec ses lectrices sur le sens social et moral des événements présentés. La participation de l'auteur sûr de lui-même et complice du lecteur, ce qui au XVIIIᵉ siècle, chez Fielding et Diderot, était une des marques de l'option anti-idéaliste, se reconvertit sous la plume de Scott et de Balzac pour devenir un des principaux procédés du roman idéaliste. C'est l'omniscience de l'auteur, sa faconde, son humour qui certifient au XIXᵉ siècle la vraisemblance des événements racontés et, beaucoup plus que les confessions du personnage, persuadent le lecteur de croire à l'existence des héros à la grande âme.

La Comédie humaine de Balzac est un répertoire tellement immense de types sociaux et de comportements en tous genres qu'il serait injuste de réduire la luxuriance de cette œuvre à une seule parmi les options du roman au XIXᵉ siècle. Tout ce que les pages qui suivent souhaitent dire est donc que dans Balzac l'idéalisme trouve un de ses représentants les plus vigoureux, sans préjudice des autres formules que l'auteur de *La Comédie humaine* a pu utiliser. L'idéalisme de Balzac est lui-même complexe et divers, s'attachant aussi bien à la représentation de la vertu disséminée secrètement dans les coins les plus obscurs de la société (*Le Curé de Tours*, 1832, *Eugénie Grandet*, 1833), qu'à celle des individus dont les mérites exceptionnels, qu'ils soient reconnus ou non, les hissent au-dessus du reste des humains. Par ailleurs, Balzac savait bien qu'il y avait peu d'affinités entre ces personnages doués d'une force hors du commun et la société mercantile et pacifique qui avait été instaurée en France à la chute du premier Empire. Ébloui cependant, comme beaucoup de ses contemporains, par l'épopée napoléonienne, qui semblait rétrospectivement avoir ressuscité pour un temps la grandeur de l'antiquité héroïque, Balzac pensait que seuls les êtres véritablement extraordinaires étaient dignes de servir d'exemple au monde envahi par la médiocrité.

La Comédie humaine regorge donc de personnages animés par une énergie tout aussi inexhaustible que celle dont disposaient les héros des romans anciens et baroques. Homme de son temps, Balzac munit cependant ses personnages hors du commun de deux dimensions modernes et inédites. L'une est la spécialisation professionnelle : la grandeur de ces hommes et de ces femmes ne se résume pas au courage martial et à la chasteté, mais se manifeste par une multitude de vocations concrètes. Dans les romans de Balzac, comme dans la réalité de la civilisation industrielle et commerciale moderne, l'héroïsme obéit à la loi de la division du travail et le talent s'oriente vers la diversité des vocations. C'est pour cette raison que dans le monde balzacien chaque profession a son génie : Bianchon en médecine, Derville dans le notariat, Bridau en peinture, d'Arthez en philosophie, Nucingen dans la banque.

L'autre dimension moderne est la possibilité de la

déchéance. Si les héros des vieux romans défient sans risques l'adversité, sûrs qu'à tout moment ils peuvent compter sur l'assistance de la Providence, les personnages de Balzac, tout en recevant de celle-ci le double don initial du talent et de l'énergie nécessaire pour en manifester le potentiel, ne peuvent compter, pour obtenir la palme de la victoire, que sur eux-mêmes. Les élus balzaciens doivent s'employer à bien utiliser l'énergie et à bien développer le talent qui leur sont impartis. Nés dans une société qui se méfie profondément de la force et de l'originalité, ces personnages se trouvent devant un choix dont ils ne soupçonnent pas toujours les conséquences : ils sont libres de consacrer toute leur énergie à quelque grande entreprise sans jamais s'en laisser détourner par les tentations du monde ambiant, mais ils sont tout aussi libres de dévoyer cette énergie en la mettant au service des désirs engendrés par ces tentations, et de gaspiller ainsi la supériorité de nature concentrée dans leur talent. Ces personnages se trouvent donc dans l'obligation de puiser en eux-mêmes la constance dont ils ont besoin pour suivre leur véritable vocation : ils ont la liberté de choisir entre le bon et le mauvais emploi de leur dotation providentielle.

En sus des réussites professionnelles qui abondent dans *La Comédie humaine*, trois types de héros reçoivent chez Balzac une sorte de sur-consécration héroïque : le justicier, le génie de l'art ou de l'esprit et le bienfaiteur qui se consacre au bonheur de l'humanité. Illustrés par des personnages comme Montriveau dans *Histoire des Treize* (1835), Joseph Bridau dans *La Rabouilleuse* (1841-1843) et le docteur Benassis dans *Le Médecin de campagne* (1833), ces héros, qui font un bon usage de leurs dons, s'élèvent au-dessus du milieu au sein duquel ils évoluent et dominent de haut le reste de l'humanité.

Lorsqu'il arrive dans les brillants salons de la Restauration, Armand de Montriveau est un grand homme inconnu. Soldat de l'armée impériale, explorateur en Afrique, il est fait esclave dans le désert, s'évade, revient à Paris, où Antoinette de Langeais, reine de la mode, décide de le séduire. Le héros sombre et taciturne conçoit une vraie passion pour la duchesse, qui lui résiste en se moquant de lui. Avec l'aide d'une confrérie secrète, les Treize, Montriveau enlève Antoinette, mais, pour lui montrer son mépris, il l'abandonne. La majesté du justicier ébranle l'orgueilleuse, qui tombe désespérément amoureuse de son persécuteur. Faute de pouvoir se donner à Montriveau, Antoinette se retire dans un couvent de carmélites espagnoles.

La vengeance de Monte-Cristo, le personnage de Dumas, comme l'action justicière de Rocambole (dans l'œuvre de Ponson du Terrail) seront plus compliquées et, dans leur genre, plus convaincantes que la fureur vite assouvie de Montriveau. Surhomme mal à sa place dans les salons de la Restauration, l'ancien soldat de l'Empereur ne trouve pas dans le monde qu'il habite un terrain propice pour exercer sa force. C'est peut-être la raison pour laquelle, malgré toute l'admiration que Balzac voue à son personnage, celui-ci ne prouve sa supériorité qu'à propos d'un enjeu somme toute mesquin : la punition d'une femme frivole. Plus générale-ment, la confrérie secrète des Treize dépense l'immense tré-sor d'énergie antisociale qu'elle a amassé pour répondre à des transgressions dérisoires ou inexistantes : la vague tenta-tive de ternir l'honneur d'une femme vertueuse (*Ferragus*), l'orgueil mondain d'une grande dame (*La Duchesse de Lan-geais*), une infidélité imaginaire (*La Fille aux yeux d'or*). Pour-quoi ? Réduit à l'impuissance par le déploiement de l'État moderne, le justicier sentirait-il obscurément les limites de sa puissance ?

La réponse à cette question est esquissée par le destin du docteur Benassis (*Le Médecin de campagne*), grand solitaire qui s'efforce de racheter sa jeunesse dissipée. Ayant sacrifié aux plaisirs de la vie mondaine une femme pauvre qui l'aimait véritablement, Benassis découvre trop tard la noblesse de cet être qui, par fierté, n'avait jamais sollicité son aide. Comprenant son erreur à la mort de la jeune femme, il retrouve sa foi, subit une conversion morale profonde et se dévoue au fils qu'elle lui a donné. Lorsque le malheur frappe de nouveau et que la mort lui enlève son fils, Benassis découvre sa vocation : dans le monde moderne le seul héroïsme pratique qui ne rencontre pas de limites est la bien-faisance, éclairée dans le cas de Benassis par le repentir.

La carrière artistique, tout aussi noble, exige à son tour l'ascèse et la renonciation au monde. Les artistes de génie doivent, pour réussir, cultiver leur talent à l'abri d'une véritable ascèse, étant donné que dans leur cas l'amour est une malédiction : en dévoyant l'énergie du génie vers un objet extérieur, il détruit l'isolement indispensable à la matu-ration artistique. Joseph Bridau, dans *La Rabouilleuse*, fait le bon choix. Fils cadet aimé sans enthousiasme par une mère qui lui préfère l'aîné, Joseph grandit dans la solitude d'un grenier où il lit et peint à longueur de journée. Alors que son frère Philippe, au gré de ses aventures, descend et monte l'échelle sociale, consommant au passage l'argent de ceux qui vivent près de lui, Joseph n'a aucun besoin matériel ou amoureux, cède à sa mère et à son frère tout ce qu'il gagne et vit de la joie de créer une nouvelle manière de peindre, dont la supériorité est spontanément reconnue par les jeunes peintres au salon de 1823.

Le personnage doué de génie peut cependant faire le choix contraire. Dans *Illusions perdues* (1837-1843), Lucien de Rubempré est, au départ, comblé de faveurs par la Providence mais entouré d'obstacles : beau, intelligent, descendant par sa mère d'une famille illustre, doué de surcroît d'un vigoureux talent poétique, Lucien doit surmonter les difficultés tout compte fait contingentes que posent sa pauvreté, son manque de notoriété et sa condition de provincial. Le destin, qui lui a offert gracieusement les signes extérieurs de l'élection divine (la beauté, l'intelligence, le talent), lui accorde également les amorces de la réussite : une belle provinciale qui l'aime le conduit à Paris, la sœur et le beau-frère de Lucien assurent l'aide financière nécessaire à ses débuts, à Paris il est amicalement reçu dans un Cénacle de jeunes hommes supérieurs qui se préparent par le travail et l'abstinence à conquérir le monde de la pensée. Mais dans *La Comédie humaine* de telles amorces demeurent nécessairement insuffisantes au regard des obstacles que la fortune accumule devant le candidat au bonheur : le talent de Lucien a besoin d'œuvres pour se faire connaître, l'origine aristocratique de sa mère est viciée par le nom bourgeois de son père (Lucien est né Chardon), la provinciale qui lui donne le courage d'aller à Paris est une femme mariée, la somme d'argent procurée par sa famille semble immense en province mais s'évanouit rapidement à Paris, les jeunes génies qui prennent Lucien sous leur protection ne peuvent lui offrir que des conseils salutaires et non pas la force de les suivre. Cette force, indispensable pour la création d'œuvres à la mesure de son talent, Lucien est obligé de la fournir lui-même.

On a vu que Balzac attribue le succès intellectuel et social à l'exercice d'une maîtrise de soi digne d'un grand ascète. Daniel d'Arthez, tout aussi démuni que Lucien mais promis à devenir un des plus illustres écrivains de son époque, conseille le jeune poète en ces termes : « On ne peut être grand homme à bon marché. Le génie arrose ses œuvres de ses larmes. [...] Vous avez au front le sceau du génie [...]; si vous n'en avez pas au cœur la volonté, si vous n'en avez pas la patience angélique, si à quelque distance du but que vous mettent les bizarreries de la destinée vous ne reprenez pas, comme les tortues en quelque pays qu'elles soient, le chemin de votre infini, comme elles prennent celui de leur océan, renoncez dès aujourd'hui [1]. » Mais là où Montriveau ou Joseph Bridau aurait levé le défi sans broncher, le protagoniste des *Illusions perdues* reste indécis : pour Lucien la force morale est une possibilité qu'il s'agit de confirmer, un trait qu'il s'agit d'acquérir. Partagé entre le désir de poursuivre sa vocation et celui de goûter sans retard la récompense de ses dons, le héros hésite : « Mon Dieu ! De l'or à tout prix ! se disait Lucien, l'or est la seule puissance devant laquelle ce monde s'agenouille. Non ! lui cria sa conscience, mais la gloire, et la gloire c'est le travail ! » (*Illusions perdues*, p. 287).

Pour faire comprendre au lecteur la nature de l'échec de Lucien, Balzac a recours à deux niveaux d'explication. D'une part, conformément à la logique de l'enracinement, la personnalité de l'homme est déterminée autant par son extraction sociale et sa formation que par ses traits physiques. Lucien est le produit d'une mésalliance conclue dans une époque troublée ; élevé par sa mère, il n'a pas subi l'influence d'un père énergique. De surcroît, son corps exhibe les signes de l'androgynie : « À voir ses pieds, un homme aurait été d'autant plus tenté de le prendre pour une jeune fille déguisée que, semblable à la plupart des hommes fins [...], il avait les hanches conformées comme celles d'une femme » (p. 145). La faiblesse du personnage s'enracine donc dans son passé et dans sa constitution physique.

D'autre part et quel que soit le rôle de la formation et du tempérament dans le drame du personnage, Balzac insiste à de nombreuses reprises sur la liberté dont celui-ci dispose pour faire les bons choix. Lorsque la carrière du journalisme s'ouvre devant Lucien, les jeunes membres du Cénacle le mettent en garde contre les présumés dangers de cette profession, que ses qualités mêmes lui rendraient fatale, mais au lieu de lui inspirer la prudence, la sagesse de ses amis excite dans Lucien le désir de connaître le péril et de le vaincre. Mis devant l'alternative, le jeune poète préfère le succès à court

---

1. Honoré de Balzac, *Illusions perdues*, in *La Comédie humaine*, édition Castex, vol. 5, Bibliothèque de la Pléiade, Gallimard, 1977, p. 311.

terme. Grâce à ses dons il réussit dans le journalisme, il gagne l'amour de Coralie, belle actrice et courtisane au grand cœur, et goûte pour un temps les plaisirs du luxe et de la débauche. Il s'épuise en ruses aussi vertigineuses que dépourvues de scrupules, jusqu'à ce qu'une conversion politique mal calculée lui attire l'inimitié générale et entraîne la ruine de sa carrière et de celle de Coralie.

Son ami d'Arthez prévoit correctement l'issue de cette crise : « Lucien [...] signerait volontiers demain un pacte avec le démon, si ce pacte lui donnait pour quelques années une vie brillante et luxueuse » (p. 578). En effet, Lucien est sauvé du suicide par le prêtre damné Herrera, incarnation de Vautrin alias Jacques Collin, grand ogre et mauvais génie de *La Comédie humaine*. L'immoralité insouciante du jeune journaliste fera désormais place à l'alliance lucide et délibérée avec les forces du mal. Herrera ramènera Lucien à Paris, la cité terrestre dont il ne s'agit plus de conquérir l'estime, mais d'exploiter le désordre. Les deux hommes signent un pacte aux termes duquel ils s'assujettissent chacun aux désirs les plus bas de leur partenaire : la sensualité dans le cas de Herrera, la soif de parvenir dans celui de Lucien. La défaite du poète prouve que les êtres qui ont reçu du ciel le don du génie ne peuvent trahir ce don impunément. Cette défaite fait signe vers une nouvelle négativité, proprement moderne, que Balzac a très bien identifiée en désignant l'entente entre Lucien et Herrera comme un pacte d'homme à démon (p. 703).

En créant ce « démon », Balzac continue la méditation sur la malignité inaugurée par le roman gothique et par le roman anti-idéaliste du XVIIIe siècle. Cette période avait créé un nouveau visage de la méchanceté, visage humain au départ, mais dont les traits avaient acquis en cours de route une pâleur et une rigidité effrayantes. Le chemin qui conduit de Roxane (Defoe) à Mme de Merteuil et à Valmont (personnages de Laclos) n'est pas long, tout comme il n'y a qu'un pas de la cruauté raffinée dont font preuve les protagonistes des *Liaisons dangereuses* à la brutalité sans masque de Juliette, le personnage du marquis de Sade. La différence entre Roxane et Mme de Merteuil est que la première, comme toute vraie *picara*, est à même de contourner les lois morales et pénales afin de remplir son ventre, de garnir sa bourse et de garantir son avenir, alors que Mme de Merteuil trouve son plaisir dans l'acte même de faire le mal, indépendamment de l'objectif poursuivi. Ce renversement — l'abomination des fins l'emportant sur celle des moyens — sera, comme nous le verrons bientôt, le trait des grands scélérats du roman populaire.

Pour être véritablement intéressante, la méchanceté doit avoir des causes et des limites. Concernant ses causes, l'ouvrage qui en propose l'analyse la plus subtile est sans doute *Frankenstein* (1818), de Mary Shelley. L'invincible humanoïde créé par le savant Frankenstein, vivant caché de peur que sa laideur n'horrifie les hommes, découvre dans la forêt une valise qui contient des vêtements et des livres : *Le Paradis perdu*, *Les Vies parallèles* de Plutarque et *Les Souffrances du jeune Werther*. Extasié à leur lecture, le monstre ne tarde pas à appliquer ces histoires à sa propre existence. Le destin de Werther lui apprend le découragement et la mélancolie et lui fait répandre des pleurs, alors que Plutarque l'élève au-dessus de sa triste vie et lui fait admirer les grands guerriers et législateurs du passé. Seul le drame biblique de la création et de la chute, mis en scène par le poème de Milton, lui fournit cependant les éléments qui lui permettent de saisir sa propre singularité. Comme Adam, le monstre est le premier être de sa lignée, et pourtant combien plus grande est sa misère : comme le cœur de Satan, celui du monstre est rempli d'amertume et d'envie. Réunies, la solitude adamique et l'amertume démoniaque engendrent chez lui une haine puissante contre tout ce qui existe. Être unique, privé de semblables, incapable d'amour et donc profondément hostile à ceux qui l'éprouvent, le monstre se venge en assassinant les deux personnes pour lesquelles son créateur éprouve de l'affection : le meilleur ami et la fiancée de Frankenstein.

Singularité et solitude indépassables, force surhumaine, haine pour le monde, le monstre de *Frankenstein* exhibe déjà les traits qui seront durablement ceux du héros démoniaque dans le roman du XIXe siècle. Avec toute leur scélératesse, les personnages de Laclos et, encore plus, ceux de Sade pâlissent à côté de lui ; et bien que l'exaltation de leur infamie ait sans doute représenté un acte de courage dans un monde où la seule idéalisation concevable était encore celle de la vertu, la méthode qui consiste à renverser la perfection du bien pour en tirer de manière symétrique le mal excessif refuse en réalité à ce dernier une véritable indépendance. Le surhomme en guerre avec l'univers décrit par Balzac, Dumas, Hugo, s'apparente au monstre imaginé par Mary Shelley plus étroitement qu'aux grands scélérats de Laclos et de Sade.

Le cas de Jacques Collin/Vautrin/Herrera est exemplaire car sa méchanceté ne contredit jamais l'affection profonde qu'il éprouve à l'égard des jeunes hommes qu'il prend (ou souhaite prendre) sous sa protection, Rastignac dans *Le Père Goriot* (1835) et Lucien dans *Illusions perdues*. La grandeur de Vautrin, comme celle du monstre créé par Frankenstein, vient de sa singularité, de sa solitude et de la vision profondément pessimiste que sa position lui inspire. Roi de la pègre parisienne, doué d'un physique et d'une intelligence exceptionnels, débordant d'énergie et de talent, il est exclu de la société où ses qualités devraient lui procurer une place de choix à cause de son passé d'ancien forçat et de son homosexualité. Dans cette société, dont il comprend et méprise le mécanisme, il ne peut réussir que par l'intermédiaire d'un protégé qui lui appartient comme la créature est au créateur. La différence avec le monstre créé par Frankenstein, c'est que Vautrin ne perd pas le désir de réussir parmi les hommes, ni celui de s'attacher à l'un d'eux par les liens d'une dévotion sauvage. L'ancien forçat consacre à un seul être, Lucien, toute l'énergie que la société ne lui permet pas de dépenser de manière légitime. Son amour, loin d'éteindre dans le cœur de Vautrin le mépris de l'humain, l'exacerbe. Mais sa passion procure à la malignité de Vautrin une justification non dépourvue de grandeur, et après la mort de Lucien, l'ancien forçat se met à la disposition de la police, abandonnant une carrière qui s'était avérée impuissante à sauver l'être aimé.

LE SOMMET DE L'IDÉALISME

La force surhumaine d'un Montriveau, d'un Benassis, d'un Vautrin, demeure exceptionnelle dans l'œuvre de Balzac, dont le premier souci est la diversité du spectacle humain. Les romans populaires, en revanche, misent précisément sur ce genre de personnages. Les justiciers qu'ils décrivent (Rodolphe dans *Les Mystères de Paris*, 1842-1843, Dantès dans *Le Comte de Monte-Cristo*, 1844-1845, Rocambole converti à la vertu dans *La Résurrection de Rocambole*, 1866, de Ponson du Terrail) possèdent une force, une intelligence et parfois une fortune infinies. Ils changent d'identité aussi souvent qu'ils le souhaitent et s'adaptent avec une étonnante facilité aux milieux les plus disparates. Ils sont, de plus, des êtres profonds, sensibles, vulnérables, affligés par une profonde mélancolie, soit parce que le monde a fait preuve d'injustice à leur égard (l'emprisonnement de Dantès, dans *Le Comte de Monte-Cristo*, la conduite de lady Sarah envers Rodolphe dans *Les Mystères de Paris*), soit qu'ils portent eux-mêmes sur la conscience le souvenir de quelque terrible méfait qu'ils s'efforcent de racheter (la révolte de Rodolphe contre son père, dans *Les Mystères de Paris*). En face, leurs ennemis, peints eux aussi plus grands que nature, sont basse-ment cruels, dépourvus de scrupules, capables de machina-tions diaboliques, animés par l'intérêt ou par le pur plaisir de faire le mal : ainsi, le notaire Jacques Ferrand et la Chouette dans *Les Mystères de Paris*.

Entre le héros et ces monstres de méchanceté, le roman populaire place souvent la figure d'une médiatrice ambiguë et tragique. Il s'agit d'une femme perdue qui a gardé néan-moins sa pureté intérieure, et qui se trouve pour diverses rai-sons sous l'autorité des personnages diaboliques, une des tâches du héros consistant à lui redonner sa liberté. On reconnaît dans cette description le destin de Fleur-de-Marie dans *Les Mystères de Paris*. Conformément à l'enseignement du roman idéaliste moderne, la grandeur d'âme peut se mon-trer à n'importe quel niveau de la société et par conséquent le roman populaire, tout en mettant parfois en scène des héros généreux appartenant à la noblesse la plus haute (Rodolphe est prince régnant de Gerolstein), préfère les chercher parmi les gens ordinaires (Dantès, chez Dumas, Lagardère, dans *Le Bossu* de Paul Féval). La flétrissure ou la tare dont souffrent parfois ces héros rappelle au lecteur que la grandeur d'âme, susceptible d'apparaître chez tous les êtres humains, évite d'autant moins ceux qui ont été frappés par le malheur. C'est grâce à cet axiome que les anges-prostituées prospèrent dans ces romans, car si la véritable beauté de l'âme ne dépend pas des contingences extérieures, si elle contredit les apparences (la naissance, dans le cas de Pamela) et les préjugés (la virgi-nité, dans le cas de Julie), pourquoi la prostitution du corps ne pourrait-elle pas la laisser intacte?

Le destin de Fleur-de-Marie dans *Les Mystères de Paris* est emblématique à cet égard. Issue du mariage morganatique entre le prince Rodolphe et l'ambitieuse lady Sarah Mac-Gregor, Marie demeure avec celle-ci lorsque les circonstances obligent le couple à se séparer. Pour se débarrasser de sa fille, lady Sarah la confie au notaire Jacques Ferrand, qui s'approprie le capital de la rente viagère établie par lady Sarah pour sa fille et fait croire à la mère que la petite Marie est morte des suites d'une maladie. En réalité, Mme Séraphin, complice du notaire, a cédé la petite à la Chouette, mendiante de son état, qui lui fait subir les sévices les plus cruels. Après un séjour en prison Marie tombe sous la coupe de l'Ogresse, gérante de taverne et entremetteuse dans les bas-fonds de Paris, qui l'oblige à se prostituer. Sauvée de sa triste condition par Rodolphe, qui par ailleurs ne sait pas qu'il travaille au bonheur de sa propre fille, Marie devient ainsi l'enjeu de la confrontation entre la coalition du mal (Ferrand, Mme Séraphin, la Chouette, le Maître d'école) et les archanges du bien, Rodolphe et ses agents.

La pureté et la déchéance de la jeune femme sont toutes les deux indélébiles. En dépit du métier infâme qu'elle a été forcée d'exercer, Fleur-de-Marie garde une âme candide et une physionomie qui rayonne d'innocence et de pureté. Aucune amertume, aucun désir de vengeance ne la trouble, et tous ceux qui font sa connaissance sont instantanément séduits par sa mansuétude, par sa piété naturelle et par sa générosité. Hélas, la trace de son martyre est tout aussi ineffaçable. Apprenant sa véritable origine au terme d'innombrables aventures, Fleur-de-Marie est accueillie à la cour de Gerolstein par un père et par une belle-mère qui l'adorent. Henri, jeune noble qu'elle aime en secret, demande sa main au prince, qui serait ravi d'assurer le bonheur de sa fille. Mais la jeune princesse, ne pouvant oublier son passé, s'estime indigne des noms d'épouse et de mère. Elle se retire dans un couvent, où elle s'éteint aussitôt après sa profession.

Le plus étonnant est que cette intrigue parsemée de coups de théâtre a lieu dans une ambiance décrite avec un remarquable souci d'exactitude sociologique. L'auteur, qui souscrit évidemment à la méthode de l'enracinement, ressent une juste fierté à peindre la condition des artisans et des employés (Morel, Rigolette, Germain) avec une surabondance de détails, dans la plupart des cas corrects, concernant leur mode de vie, leur budget, leurs joies et leurs peines. De belles descriptions de décors, de costumes et de mœurs parisiens rendent le lecteur sensible à la diversité des milieux sociaux qui se côtoient dans les métropoles modernes. L'auteur nous informe également sur les carences des procédures légales et des prisons de l'époque, qu'il dénonce en son propre nom, accompagnant son discours de diverses propositions concrètes d'amélioration sociale.

Ce ne sont pourtant pas ces passages qui gagnent la sympathie et l'intérêt du lecteur, mais l'importance des enjeux axiologiques, qu'à l'instar des romans idéalistes anciens *Les Mystères de Paris* représente par le moyen d'une version populaire de l'idéographie. Rodolphe incarne la justice et la force, Jacques Ferrand la scélératesse, Fleur-de-Marie l'innocence persécutée. Les dangers qui menacent Rodolphe et Marie nous touchent par conséquent infiniment plus que s'il s'agissait d'un être quelconque. De même la perte de l'abominable Ferrand nous importe beaucoup plus que celle d'un malfaiteur ordinaire. À ce niveau d'intensité axiologique, l'invraisemblance, loin de gêner, met en relief la grandeur des principes invoqués. Sue misait bien là-dessus lorsque, en avouant l'imperfection artistique de son roman, il affirmait aussitôt que l'ouvrage n'était pas « un mauvais livre du point de vue moral[1] ».

Il ne l'est pas, et pour souligner la sensibilité morale des personnages, les dialogues abondent en épanchements sentimentaux. Voici un fragment du grand duo récité par Rodolphe et par Fleur-de-Marie, à la fin du roman :

« Épouser Henri... et un jour... passer ma vie entre lui... ma seconde mère... et mon père..., répéta Fleur-de-Marie, subissant de plus en plus la douce ivresse de ces pensées.

— Oui, mon ange aimé, nous serons tous heureux ! Je vais répondre au père d'Henri que je consens au mariage, s'écria Rodolphe en serrant Fleur-de-Marie dans ses bras avec une émotion indicible. Rassure-toi [...] car, enfin, si un jour tu es mère, ce ne sera pas seulement pour toi qu'il te faudra être heureuse...

— Ah ! s'écria Fleur-de-Marie avec un cri déchirant, car ce mot de mère la réveilla du songe enchanteur qui la berçait, mère !... moi ? Oh ! jamais ! Je suis indigne de ce saint nom... Je mourrais de honte devant mon enfant... si je n'étais pas morte de honte devant son père... en lui faisant l'aveu du passé... » (*Les Mystères de Paris*, p. 1291).

1. Eugène Sue, *Les Mystères de Paris*, édition Francis Lacassin, Bouquins, Laffont, 1989, p. 607.

L'opéra, auquel ce ton renvoie, est par-delà les *libretti* inspirés par les romans de Walter Scott, par-delà les sujets tirés de la mythologie, du Tasse et d'Arioste, si fréquents au XVIIIᵉ siècle, le continuateur direct de l'idéalisme des romans anciens, qui y a cherché refuge à la fin du XVIIᵉ siècle, lorsque leur vogue touchait à sa fin. De Mlle de Scudéry à Quinault, de Quinault à Metastasio et aux librettistes du début du XIXᵉ siècle, et de là aux auteurs de mélodrames et aux romanciers populaires, le délire sentimental se développe, s'assouplit, épouse les contours de la parole vivante, exprime la vivacité des impulsions morales dans leur dévorante simplicité. Ces tirades déchirantes, cet art de l'exaltation verbale exerceront une influence profonde sur Dostoïevski.

*

Proche du roman populaire, *Les Misérables* (1862), de Victor Hugo, conçu dans les années 1840 mais publié cinq ans après *Madame Bovary*, de Flaubert et trois ans avant *Germinie Lacerteux*, des frères Goncourt, représente sans doute la dernière tentative faite par un grand écrivain de promouvoir ouvertement l'idéalisme, à une époque où cette approche était en butte aux attaques du scepticisme moral, des critiques de l'autonomie humaine et du pessimisme naturaliste en plein essor.

Comme Walter Scott, Hugo croyait à la grandeur du passé, au progrès et à l'enracinement de l'homme dans son milieu historique et social. Mais à l'instar des chrétiens progressistes (Lamennais et, en littérature, Manzoni), il était tout aussi convaincu de la doctrine qui attribue aux êtres humains la force de se détacher du monde qui les entoure pour se mettre sous la protection directe du Créateur. On découvre ces convictions opposées dans *Notre-Dame de Paris*, aussi bien dans le soin que l'auteur prend pour évoquer l'atmosphère de Paris au Moyen Âge et pour faire penser et agir ses personnages selon ce qu'il estimait être la mentalité médiévale, que dans l'inimaginable beauté intérieure qu'il octroie à Esméralda et à Quasimodo, et dans les tons inquiétants qui assombrissent dans ce roman le portrait de Claude Frollo.

La double croyance à l'enracinement de l'homme et à son alliance avec la Providence anime également *Les Misérables*. Cette fois cependant, un écart béant s'ouvre entre l'historicisme revendiqué par Hugo et la grandeur atemporelle des protagonistes. Les nombreuses digressions de l'auteur reconstituent avec précision la physionomie historique de la Restauration et de la monarchie de Juillet ainsi que l'aspect de la ville de Paris à l'époque. De plus, à l'instar de Scott et de Manzoni, Hugo présente explicitement au lecteur sa théorie de l'histoire, qui inclut une conception de l'avenir de l'humanité.

Les protagonistes et l'intrigue sont cependant conçus à une échelle qui dépasse de loin les dimensions historiques du décor et évoque l'idéographie des romans anciens et populaires. Les justes (Mgr Myriel, Jean Valjean, Fantine, Marius et Cosette), ainsi que leurs persécuteurs (Javert et les Thénardier) ressemblent à de véritables géants qui traversent d'un seul pas de vastes pays, enjambent les rues et les bâtiments, se cherchent et s'interpellent les uns les autres par-dessus les multitudes. Ces êtres hors du commun, qui accomplissent d'énormes prouesses physiques et morales, sont de surcroît attirés les uns par les autres comme si leur magnétisme interpersonnel les gardait, contrairement à toute vraisemblance, proches les uns des autres, en dépit des changements de résidence, de nom et d'occupation. En quel lieu et sous quel nom que se cache Jean Valjean, ses persécuteurs Javert et les Thénardier ne sont jamais bien loin. Chaque fois que le héros entre sur scène, le reste de l'humanité, tel le chœur à l'opéra, recule d'un pas pour permettre à ses adversaires déjà présents de se faire voir.

Cherchant ses personnages loin de l'épicentre de la vie bourgeoise moderne, Hugo dote d'un cœur sublime Fantine, la femme déchue, et Jean Valjean, le forçat au grand cœur, dont l'histoire est celle d'un criminel converti à la vertu, et que la société empêche de se racheter. Le roman raconte la tragédie d'un héros qui pourrait agir pour le bien général, mais qui est obligé de dépenser toute son énergie pour se protéger contre le zèle aveugle de la justice.

Au message social de l'intrigue, qui exalte le désir de réintégration de l'ancien forçat et condamne la rigidité des institutions pénales, s'ajoutent deux thèmes — celui de l'appel divin et celui de la paternité selon l'esprit et non selon la chair — qui renvoient directement à la tradition du roman idéaliste. L'extraordinaire charisme de Mgr Bienvenu, saint évêque, ami des pauvres, bouleverse Jean Valjean — à peine revenu du bagne — et lui fait changer de vie. Rejeté par les hommes, le protagoniste, dont la solitude ne cesse de s'aggraver au cours du roman, est soutenu dans sa volonté de faire le bien par le souvenir du sublime évêque. Il est également soutenu par la dévotion qu'il éprouve pour Cosette, la fille de Fantine, qu'il élève après la mort de la mère. Traqué par la société, l'ancien forçat passe d'une cachette à l'autre serrant sur son sein sa fille adoptive, dont il assure le bonheur au prix d'efforts surhumains. Lorsque Cosette épouse enfin l'homme qu'elle aime, Jean Valjean n'a plus aucune raison de vivre. La convergence de ces deux thèmes — l'alliance entre la divinité et l'homme rejeté par le monde, la paternité non-charnelle — évoque l'idéalisme le plus ancien, celui des *Éthiopiques*.

La contradiction entre ces deux visions — celle qui professe l'enracinement de l'homme dans son époque et son milieu et celle qui met en valeur sa solitude et ses liens avec l'au-delà — est mise en valeur par le contraste typiquement hugolien entre le ton prosaïque (« L'inondation de 1802 est un des souvenirs actuels des Parisiens de quatre-vingts ans. La fange se répandit en croix place des Victoires, où est la statue de Louis XIV ; elle entra rue Saint-Honoré par les deux bouches d'égout des Champs-Élysées etc. [1] ») et les passages qui passent pour ainsi dire par-dessus la tête des auditeurs ordinaires pour retentir à l'échelle cosmique : « Ô marche implacable des sociétés humaines ! Pertes d'hommes et d'âmes chemin faisant ! Océan où tombe tout ce que laisse tomber la loi ! Disparition sinistre du secours ! Ô mort morale ! » (*Œuvres romanesques complètes*, vol. 2, p. 111).

Une variété lyrique du style sublime anime les grands monologues exaltés des personnages. Sur son lit de mort, Jean Valjean parle à sa fille : « Ma Cosette... Voici le moment venu de te dire le nom de ta mère. Elle s'appelait Fantine... Retiens ce nom-là : Fantine. Mets-toi à genoux toutes les fois que tu le prononceras. Elle a bien souffert. Elle t'a bien aimée. Elle a eu en malheur tout ce que tu as eu en bonheur. Ce sont les partages de Dieu. Il est là-haut, il nous voit tous, et il sait ce qu'il fait au milieu de ses grandes étoiles... » (vol. 3, p. 581). La simplicité évangélique des phrases évoque ici le lien mystérieux entre l'âme solitaire et la divine majesté de l'univers. Une telle grandeur, célébrée avec tant d'assurance et de bonne foi, s'inscrit courageusement en faux contre la logique de l'enracinement.

---

1. Victor Hugo, *Les Misérables*, in *Œuvres romanesques complètes*, vol. 3, Livre Club Diderot, 1971, p. 375.

CHAPITRE VI

L'héritage du scepticisme moral

Faisant pendant à la littérature narrative consacrée à la grandeur d'âme, les romanciers qui s'intéressent à la peinture de l'imperfection humaine continuent d'affirmer vigoureusement tout au long du XIXᵉ siècle la tradition du scepticisme moral. Parmi ceux-ci, certains, notamment Stendhal et Thackeray, gardent vivante l'*école de l'ironie*, qui, tout en profitant de la méthode de l'enracinement, souligne l'arbitraire, la légèreté et la vanité des raisons qui poussent les hommes à agir, relativisant ainsi la pertinence du déterminisme sociologique et historique. D'autres, dont Jane Austen, créent ce qu'on pourrait appeler l'*école de l'empathie*, dont le principal objet d'étude est l'incertitude de la compréhension de soi et des autres, considérée du point de vue des acteurs eux-mêmes. L'*école de l'amertume*, enfin, représentée, entre autres, par Flaubert, les frères Goncourt et Zola, prend au sérieux l'enracinement physique et social de l'homme pour en tirer une image profondément pessimiste du destin humain.

L'ÉCOLE DE L'IRONIE

L'anti-idéalisme de Stendhal se définit délibérément par rapport à la vision de Walter Scott, que l'auteur de *La Chartreuse de Parme* (1839) à la fois accepte et défie, pour opérer un retour inattendu à la liberté du roman picaresque et au scepticisme narquois professé naguère par Fielding. Formé dans l'esprit du néoclassicisme tardif, contemporain du premier romantisme, Stendhal n'en arrive au roman que tard dans sa vie, en 1827 (*Armance*), lorsqu'il atteint l'âge de quarante-quatre ans. À cette époque, les techniques qui assuraient une insertion impeccable du monde fictif dans la réalité sociale, historique et ethnographique avaient déjà été mises au point. On ne songeait plus à mettre en question l'efficacité du réalisme descriptif, ni l'importance de l'observation sociale, ni celle de la coordination entre les traits psychologiques des personnages et leur condition. Il n'était guère possible, en 1827, de décrire le monde comme Goethe et Benjamin Constant l'avaient encore fait respectivement dans *Les Affinités électives* (1809) et dans *Adolphe* (1816), en termes purement moraux et sans référence à la réalité physique ou à la physionomie historique et sociale du monde. Ces nouvelles techniques, Stendhal les a adoptées volontiers. Le relâchement des normes syntaxiques et l'importance accordée à la couleur locale, par exemple, représentent pour lui un heureux progrès par rapport au règne de la « phrase » romantique (lisez, de l'idéalisme idéographique tardif), incarné par la prose de Chateaubriand et par celle de Mme de Staël. D'où la légèreté de son style, si admiré au xxᵉ siècle, et la précision de ses notations descriptives. Mais s'il apprécie les agréments du nouveau système, Stendhal n'en approuve guère la conception anthropologique et réagit fortement contre ses principales doctrines, rejetant d'un geste décidé aussi bien la thèse qui voit dans l'héroïsme le produit définitivement révolu d'une organisation sociale archaïque, que le culte scottien de la maîtrise de soi, censée transcender de temps en temps la pression du milieu social.

Pour Stendhal, comme pour les adversaires de l'idéalisme romanesque du xviiiᵉ siècle, le cœur humain ne change guère d'une période à l'autre, encore que, en conformité avec les convictions de ses contemporains, Stendhal soit parfaitement conscient des différences considérables entre les mœurs des diverses époques et pays et en particulier de l'artifice des mœurs modernes. Pour frappantes qu'elles soient, ces différences n'agissent pas en vérité au niveau le plus profond des individus et, si elles en modifient la liberté de manœuvre et les choix de carrière, elles ne sont assurément pas responsables de l'énergie qui conduit les hommes à travers le labyrinthe du monde. Se proposant de peindre les mœurs de son temps, Stendhal saisit fort exactement l'hypocrisie religieuse et les ressorts de l'avancement sous la Restauration. Il reste que, selon lui, les passions et les ambitions des protagonistes ne peuvent être expliquées par la seule action du système social qui les accueille et les oriente. Le titre du roman *Le Rouge et le Noir* (1830), par exemple, fait allusion au contraste entre le prestige de la carrière militaire (le rouge) sous l'Empire et celui de la carrière ecclésiastique (le noir) sous la Restauration. Mais, considérée du point de vue de Julien Sorel, protagoniste du roman, cette différence demeure minime ; elle n'est responsable que du chemin choisi par Julien pour parvenir et non pas de son désir d'arriver.

À l'instar des picaros du siècle précédent, Julien consacre son inépuisable énergie à se créer une situation, en profitant des mœurs sans les juger. Privé de véritables racines, Julien demeure toujours à l'affût des occasions favorables et ne s'embarrasse ni d'un ensemble de principes ni d'un poids moral qui lui soient propres (à ceci près que le jeune homme est, comme le marquis de La Mole le remarque fort justement, « impatient du mépris [1] »). Le succès lui suffit et tous les moyens sont bons. Son livre de chevet a beau être le *Mémorial de Sainte-Hélène* (représentant le rouge), Julien sait prendre le vent : « Quand Bonaparte fit parler de lui [...] le mérite militaire était nécessaire et à la mode. Aujourd'hui, on voit des prêtres de quarante ans avoir cent mille francs d'appointements, c'est-à-dire trois fois autant que les fameux généraux des divisions de Napoléon. [...] Il faut être prêtre », calcule-t-il (*Le Rouge et le Noir*, p. 239). Julien, par ailleurs, n'est pas le seul personnage de Stendhal à considérer froidement le spectacle du monde et à changer de place et de masque avec un sans-gêne prodigieux. Le jeune évêque du *Rouge et le Noir* s'exerce paisiblement devant le miroir à donner la bénédiction (p. 314-316), le roi lui-même se précipite en public sur son prie-Dieu pour donner, comme le souligne l'évêque dans un « petit discours fort touchant », le spectacle bien calculé à l'avance de « l'un des plus grands rois de la terre à genoux devant les serviteurs de ce Dieu tout-puissant et terrible » (p. 319). Le regardant, Julien, théoriquement bonapartiste, se sent si ému, qu'en cet instant « il se fût battu pour l'inquisition, et de bonne foi » (p. 318).

1. Stendhal, *Le Rouge et le Noir*, in *Romans et nouvelles*, édition Henri Martineau, vol. 1, Bibliothèque de la Pléiade, Gallimard, 1952, p. 637.

En refusant de mettre ses personnages à la chaîne du déterminisme historique et social, Stendhal réinterprète à sa manière la nouvelle doctrine de l'exotisme et de la spécificité ethnographique. Il adore l'Italie, et *La Chartreuse de Parme* est parsemée de références à la sincérité, à la spontanéité, à l'amour italiens, si différents de leurs correspondants français. Mais ces remarques rappellent plutôt les lieux communs de l'âge classique sur le caractère des nations que la doctrine évolutionniste de l'histoire. En réalité et malgré l'abondance de ces lieux communs, Parme sous le règne du prince Ranuce-Ernest V est peuplée de gens aussi vains, hypocrites, capricieux et étourdis que ceux qui vivent dans la France peinte par *Le Rouge et le Noir*. En dépit des différences évidentes entre Julien Sorel — l'ambitieux au cœur froid — et Fabrice del Dongo — l'aristocrate au cœur généreux dans *La Chartreuse de Parme* —, les deux personnages manifestent la même désinvolture à l'égard des choix de vie, et tout comme l'amour de Julien pour Napoléon ne l'empêche pas de chercher fortune dans une famille légitimiste, Fabrice del Dongo embrasse la carrière ecclésiastique tout simplement parce que ses protecteurs estiment qu'elle le mènera loin.

Dans cette société où les convictions intimes comptent peu, les individus, pour indifférents qu'ils soient à l'habit et au masque qu'ils portent — pourvu que cet habit et ce masque leur assurent une place de marque dans le monde —, font rarement preuve de prudence, et encore moins de véritable sagesse. S'il ne croit guère à l'idéal héroïque, Stendhal ne se laisse persuader non plus par celui, professé par Scott, de la modération moderne. Julien Sorel hésite entre l'uniforme et la soutane, comme Édouard Waverley hésitait entre les jacobites et les hanovériens, non pas que la véritable force héroïque fît défaut — heureusement, dirait Scott — aux hommes modernes, mais parce que l'énergie du jeune Français, qui est intarissable, trouve sa source en dehors des déterminations sociales et morales et ne manifeste rien d'autre que la vitalité individuelle du personnage.

Fait remarquable, cette énergie n'est pas entièrement placée sous le contrôle du protagoniste, mais, sous la forme d'explosions inattendues, agit souvent à son insu. Ainsi, il arrive à Julien, au milieu de ses études en théologie, « de louer Napoléon avec furie » et sans aucune raison évidente à un dîner de prêtres (p. 239). Toujours au courant de leurs propres intérêts, les picaros et les vrais scélérats de roman ne se laissent guère surprendre par de tels écarts involontaires. Dans cet épisode, le divorce entre l'énergie mal maîtrisée de Julien et le danger de la démarche qu'elle provoque rappelle plutôt les frasques de l'impulsif Tom Jones. Cette impulsivité détermine parfois le destin du protagoniste : Fabrice del Dongo, qui, malgré sa jeunesse, vient d'obtenir un poste d'évêque, se laisse entraîner dans une rixe avec un certain Giletti, amant en titre de l'actrice Marietta, courtisée par Fabrice. Le combat se ralentit, il pourrait peut-être cesser, « lorsque Fabrice se dit : à la douleur que je ressens au visage, il faut qu'il m'ait défiguré. Saisi de rage à cette idée, il sauta sur son ennemi, la pointe du couteau de chasse en avant [1] ». Transpercé, Giletti tombe mort. Fabrice prend la fuite, mais sa carrière est compromise : il ne pourra éviter la prison, ni, ensuite, l'exil. Un instant de fureur, un geste impulsif bouleversent son existence. De la même manière, Julien Sorel, après avoir été nommé lieutenant de hussards et reçu une importante somme d'argent, apprend qu'une lettre de son ancienne maîtresse Mme de Rénal l'a démasqué aux yeux de son bienfaiteur M. de La Mole. Fou de rage (« il ne put écrire à Mathilde [...] sa main ne formait sur le papier que des traits illisibles », *Le Rouge et le Noir*, p. 644), il achète une paire de pistolets et tire sur Mme de Rénal, acte pour lequel il est jugé et condamné à mort. En un certain sens, donc, Fabrice et Julien transcendent aussi bien les consignes de leur société que leur propre désir picaresque d'y occuper une place de choix. On voit cependant que cette indépendance n'est pas toujours mise au service des intérêts personnels, comme c'est le cas pour les picaros et pour les grands scélérats du roman du XVIIIe siècle, mais qu'elle encourage de façon imprudente la liberté de satisfaire les caprices personnels, de dissiper de l'énergie pour des raisons futiles.

L'amour lui-même, passion que l'idéalisme romanesque fait descendre du ciel ou monter des profondeurs de l'âme — figurant ainsi l'indépendance des hommes par rapport au monde qui les entoure —, est ici le nom donné à un mélange instable de calcul, de vanité et d'émotions érotiques. Avant sa première nuit avec Mme de Rénal, qu'il décide de séduire pour avancer sa position dans le monde, Julien « se fatigua le cerveau à inventer des manœuvres savantes, un instant

---

1. Stendhal, *La Chartreuse de Parme*, in *Romans et nouvelles*, édition Henri Martineau, vol. 2, Bibliothèque de la Pléiade, Gallimard, 1952, p. 196.

après, il les trouvait absurdes » (p. 297). Arrivé dans la chambre de Mme de Rénal, il « oublia ses vains projets et revint à son rôle naturel ; ne pas plaire à une femme si charmante lui parut le plus grand des malheurs ». Le naturel ne l'emporte cependant pas, Julien étant ainsi fait que « dans les moments les plus doux, victime d'un orgueil bizarre, il prétendit encore jouer le rôle d'un homme accoutumé à subjuguer des femmes : il fit des efforts d'attention incroyables pour gâter ce qu'il avait d'aimable » (p. 298). Revenu dans sa chambre, il s'étonne : « Mon Dieu ! être heureux, être aimé, n'est-ce que ça ? » (p. 299).

Cette étourderie, cette absence à soi, cette incapacité d'apprécier le véritable sens de nos comportements étaient bien connues dans la littérature prémoderne, tant sous ses formes comiques (chez un Panurge ou un Quichotte), que sous sa forme sérieuse, dont les mobiles s'appelaient vanité, sens exagéré de l'honneur, irréflexion. La prise de risques pour des enjeux futiles, la confusion des rôles, la dissipation imprudente de l'énergie étaient perçues soit comme des défauts risibles soit comme des vices déplorables, dans tous les cas comme des écarts de la règle générale. Le caractère imprévisible des effets de la colère et de la mutabilité des hommes était bien connu par la pensée morale classique, mais cette pensée aussi bien que la littérature prémoderne le considéraient sous l'espèce de l'*accident* moral plutôt que sous celle de la norme. Stendhal est probablement le premier romancier qui présente les actes les plus sérieux de la vie des hommes comme étant *essentiellement* gouvernés par la fantaisie, par l'étourderie et par les impulsions du moment. Selon lui, les comportements mal motivés, difficilement compréhensibles, voire contre-productifs — comme diraient nos contemporains — sont la marque même de la nature de l'homme.

Ce qui séduit le plus chez cet auteur peu compris par son époque est que son anthropologie de la liberté fondée sur le caprice n'a pas de connotations pessimistes et n'est point obscurcie par l'amertume. Délivrés aussi bien de la lourde présomption des âmes enchantées que des liens qui immobilisent les héros enracinés, les personnages de Stendhal sont les premiers à dégager ce charme frappant et fugace qui, aux yeux de Baudelaire, allait bientôt figurer la beauté moderne.

*

En Angleterre, parallèlement à l'œuvre de Dickens et au roman populaire admirablement servi par le talent de son ami Wilkie Collins, qui continuent et développent le roman idéaliste moderne tout en profitant des enseignements du réalisme social, les héritiers de Fielding assimilent eux aussi les techniques de la vivacité perceptive, de la couleur locale et de la précision du cadrage historique. Comme Stendhal, William Makepeace Thackeray est arrivé assez tard à la profession d'écrivain — ce retard aurait-il encouragé l'aimable incrédulité des deux auteurs à l'égard des apparences morales ? — et avait trente-trois ans lorsqu'il publia son premier roman, *Les Mémoires de Barry Lyndon, Esq.* (1844), récit picaresque dans le style du XVIIIᵉ siècle, langue et manière comprises, dont le titre original était *The Luck of Barry Lyndon. A Romance of the Last Century* (« La Fortune de Barry Lyndon. Un roman du siècle dernier »). La première phrase annonce déjà le ton de l'ouvrage, qui est censé être celui de la réflexion morale intemporelle promue par la prose satirique des Lumières anglaises : « Depuis les temps d'Adam, rarement a-t-on vu malice dans ce monde sans qu'une femme ait été à sa source [1] », proclame l'auteur fictif des mémoires. Mais il ne s'agit pas d'un vrai retour à la vision atemporelle du siècle précédent. L'ironie de Thackeray déjoue la prétention de cette maxime : prononcée par le personnage principal, elle représente l'autojustification ambiguë d'un soldat-joueur qui parcourt le monde à la recherche de l'aventure. Son coup le plus audacieux consiste à se faire épouser par une riche veuve, la comtesse Lyndon, qu'il séduit au moyen d'une longue suite de manœuvres malhonnêtes. La femme n'est à la « source » de la malice que d'une manière indirecte, puisque c'est l'homme qui, souhaitant la suborner, agit de manière déloyale. À partir du point d'observation qui était le sien (les années 1840), Thackeray étudie le passé et, se servant des mémoires de Casanova, du roman *Jonathan Wild* (1743), de Fielding, et de l'histoire authentique d'un nommé Andrew Stoney-Bowes, reconstitue les mœurs et le langage d'une époque révolue. Son livre, parodique par

---

1. En anglais, la syntaxe de cette phrase a une saveur archaïque intraduisible : *"Since the days of Adam, there has been hardly a mischief done in this world but a woman has been at the bottom of it"* (William Thackeray, *Barry Lyndon*, édition Andrew Sanders, World's Classics, Oxford University Press, 1984, p. 3).

endroits mais fidèle dans ses grandes lignes à la vérité du passé, est une réussite du raffinement historiciste : faisant l'économie des commentaires explicatifs à la Walter Scott, Thackeray évoque le passé de l'intérieur pour ainsi dire et avec les yeux de ses habitants. Mais l'éloignement historique de l'auteur et l'ironie de l'entreprise sont toujours sensibles.

Dans son chef-d'œuvre *La Foire aux vanités* (1848), Thackeray choisit la période des guerres napoléoniennes pour brosser un vaste tableau des mœurs de l'Angleterre. Raconté à la troisième personne par un auteur dont la voix est aussi riche d'ironie et de tendresse que celle de Fielding, le roman met en parallèle les vies de la jeune arriviste Becky Sharp — correspondant féminin de Julien Sorel — et de l'idéaliste Amelia Sedley. Gouvernante chez sir Pitt Crawley, gentilhomme campagnard dépravé, Becky séduit aussi bien le vieil homme que son fils, qu'elle épouse en secret, provoquant la colère de la famille. De son côté Amelia, dont le père vient de faire faillite, se marie avec le frivole George Osborne, qui perd bientôt la vie dans la bataille de Waterloo (non sans avoir auparavant tenté de s'enfuir avec l'omniprésente Becky). Plus tard Amelia apprendra la vérité sur la conduite de son mari, auquel elle avait voué un véritable culte posthume. Profondément déçue, elle parvient enfin à apprécier l'amour que lui voue depuis toujours le généreux William Dobbin, ami du défunt, et consent à l'épouser.

Le romancier s'amuse beaucoup — et non sans un brin de tristesse — sur le compte des personnages ridicules et vicieux, descendus directement de *Tom Jones* et des romans de mœurs de Fanny Burney : sir Pitt (réincarnation à peine plus nuancée du père de Sophie Western), son fils Rawdon, Becky Sharp (qui fait parfois penser à Blifill) et George Osborne (qui a certains des défauts de Tom Jones, mais aucune de ses qualités). C'est l'orgueil et l'hypocrisie de ces personnages, leur assujettissement aux plaisirs de ce monde, qui figurent la « foire aux vanités ». En face, l'innocente Amelia, ne parvenant pas à imaginer la corruption de ce monde, se trompe sur la véritable nature des gens qui l'entourent, donne sa confiance à ceux qui ne la justifient pas et n'apprécie pas assez ceux qui la méritent. Ses qualités mêmes — sa pureté, son détachement de ce monde — se trouvent à la source de ses erreurs. En cela, Thackeray s'éloigne de l'optimisme inébranlable de Fielding, dont les personnages, malgré leurs imperfections et leur frivolité, savent instantanément tomber amoureux de l'être choisi par la Providence. L'aveuglement d'Amelia rappelle plutôt celui des héroïnes malheureuses des romans idéalistes modernes : Clarissa, incapable de mesurer la scélératesse de son séducteur, les innombrables femmes mal mariées ou abandonnées par leurs amants indignes dans *La Comédie humaine*, Indiana, l'héroïne de George Sand, que les hommes ne méritent pas. La nouveauté ici est que le malheur causé par l'innocence n'est pas sans remède. L'apprentissage a lieu, les yeux d'Amelia s'ouvrent et son deuxième mariage, moins romanesque que le premier, est bien plus heureux. C'est George Eliot qui donnera bientôt à cette synthèse entre la beauté de l'âme et l'apprentissage de la réalité sa forme la plus mémorable.

L'ÉCOLE DE L'EMPATHIE

L'œuvre de Jane Austen, spécialiste de l'empathie, précède chronologiquement celle de Stendhal et de Thackeray, mais sa véritable influence sur l'histoire du roman ne se fera sentir que beaucoup plus tard. Austen a appris de son prédécesseur Fanny Burney l'observation des détails, l'intérêt pour la volubilité des personnages et la bonté qu'elle manifeste envers leurs faiblesses ; chez Maria Edgeworth elle a trouvé une réflexion proprement féminine sur le coût exorbitant des conventions sociales ; Fielding, enfin, lui a enseigné comment raconter une comédie de mœurs sur un ton assuré tout en faisant appel à la complicité amusée du lecteur. Ayant écrit à l'âge de quinze ans une parodie de Richardson, *Amour et Amitié* (1790), s'étant prodigieusement moquée du roman gothique dans *L'Abbaye de Northanger* (rédigé tôt mais publié en 1818 après la mort de l'auteur), Austen est une adversaire déclarée aussi bien de l'idéalisme moderne que du sublime gothique. Pour consolider le roman de mœurs et pour le protéger contre l'éventualité d'une dérive idéaliste — toujours possible chez Burney, comme le prouvent les nombreux épisodes peu plausibles de son troisième roman, *Camilla* (1796) — Austen introduit deux innovations dont les conséquences à long terme ont été considérables : elle concentre, en premier lieu, l'action de ses romans, en la plaçant dans un milieu provincial fort limité, voire banal; elle l'intériorise, ensuite, en mettant l'accent moins sur la suite d'événements que sur la connaissance de soi et sur la compréhension réciproque des personnages.

En rétrécissant l'espace de l'action romanesque, le nombre de personnages et la richesse de l'intrigue, Austen retrouve, peut-être de manière instinctive et sans s'en rendre tout à fait compte, les anciennes recettes de la nouvelle prémoderne, qui préférait les conflits à portée limitée concernant un petit nombre d'individus réunis par des liens familiaux. Grâce à la facilité de manœuvre garantie par cet espace restreint, la nouvelle examinait les conséquences des diverses passions dans la vie de tous les jours, s'intéressant en particulier aux passions inavouables et à la méconnaissance de soi qui en favorise l'éclosion. De même, chez Austen la simplicité du théâtre de l'action, jamais bouleversée par l'exaltation sentimentale, par les personnages hors du commun et par les situations invraisemblables, favorise l'observation du comportement moral quotidien dans ses aspects les plus humbles.

Mais alors que la nouvelle prémoderne mettait en relief un événement mémorable, les romans d'Austen tournent autour des événements les plus communs, comme si, afin de continuer et de parfaire l'égalitarisme du roman moderne, qui permet à tous les êtres humains d'éprouver de grands sentiments et de vivre des aventures exceptionnelles, l'auteur d'*Emma* avait décidé de revendiquer pour ses personnages le droit supplémentaire, encore inconnu à l'époque, d'éprouver des sentiments anodins et de vivre des événements insignifiants. Et tout comme le roman idéaliste moderne avait conféré aux objets de la vie quotidienne une nouvelle dignité, l'art de la banalité morale découvert par Jane Austen examine les moindres débats et hésitations intérieurs des personnages, leurs moindres méprises et erreurs d'interprétation avec le respect et la minutie réservés auparavant à la présentation de grands dilemmes moraux et de grands choix tragiques. En cela, Austen s'éloigne dans une certaine mesure de l'exemple de son maître Fielding, qui décrivait les égarements moraux de ses personnages, leurs mensonges et leurs illusions avec une bienveillance qui n'excluait point un certain mépris. Chez Austen, les protagonistes sont présentés comme parfaitement semblables au lecteur et, en dépit des résonances comiques que dégagent parfois leurs erreurs

morales, celles-ci ont droit à un traitement entièrement
dépourvu d'éléments caricaturaux. Le résultat en est que,
suivant l'exemple des auteurs des siècles précédents, et à la
différence de son contemporain Scott, Austen considère les
situations qu'elle décrit sous le biais de leur généralité
morale, et non pas simplement en tant que conséquences
d'un ordre social donné. Ce qui l'intéresse d'abord ce ne sont
donc pas les rapports de causalité entre la spécificité du système social et les comportements qu'il tend à engendrer,
mais au contraire la valeur intrinsèque des comportements
et des choix moraux individuels.

Austen décrit ces choix à partir de la perspective individuelle des acteurs. Nous avons vu plus haut que dans la tradition prémoderne, l'introspection dévoilait l'imperfection
des êtres humains et que le regard qui scrutait l'intérieur de
l'âme y découvrait immanquablement la corruption propre à
l'homme déchu. L'enchantement de l'intériorité renverse la
perspective, et la belle âme, promue au rang de source de la
norme morale, ne se lasse jamais de contempler sa propre
splendeur. Fielding, profondément sceptique à l'égard de ce
renversement, décrit en souriant un contentement de soi
dont il souligne le côté purement illusoire. Les personnages
de Fielding se regardent en s'admirant et se croient justifiés
dans toutes leurs actions, alors que l'auteur, seul possesseur
d'une véritable perspicacité morale, comprend la vanité des
opinions des personnages et la dévoile au lecteur. Austen
apprend chez Fielding la méthode du *double regard* — celui
du personnage et celui de l'auteur —, mais remplace l'ironie
mordante du créateur de Tom Jones par un humour affectueux, voire respectueux, à l'égard des personnages.

Ce respect est le signe que l'anti-idéalisme manifeste d'Austen ne l'empêche pas d'accepter dans une certaine mesure
l'image de l'intériorité promue par le roman idéaliste
moderne. En effet, alors que le scepticisme de Fielding
rejette d'emblée l'enchantement de l'intériorité et l'idée, selon
lui absurde, qu'on pourrait faire confiance aux opinions des
hommes sur eux-mêmes, la critique formulée par Austen
contre le roman idéaliste moderne n'en repose pas moins sur
une des prémisses les plus importantes, à savoir l'idée que la
norme morale est découverte au terme de la délibération
intérieure. Loin d'être des pantins qui s'illusionnent ridiculement sur leur grandeur, les personnages d'Austen sont
à peine affectés par l'imperfection. Emma Woodhouse

(héroïne d'*Emma*) et Elizabeth Benett (personnage principal d'*Orgueil et Préjugés*, 1813) ressemblent donc aussi bien à Pamela ou à Julie qu'à Tom Jones et à Joseph Andrews car, en dépit de la méconnaissance de soi et des erreurs d'interprétation qui affligent ces jeunes protagonistes, la valeur intrinsèque de leurs débats intérieurs n'est jamais mise en question. Tom Jones s'illusionne sur lui-même parce que la nature humaine est éternellement en proie aux illusions. Emma et Elizabeth, en revanche, lisent mal leurs propres sentiments et ceux de leurs amis, mais elles auraient fort bien pu ne pas se tromper. Le respect qu'Austen voue à ses héroïnes ne va cependant pas jusqu'à passer sous silence les légers défauts dont ces jeunes femmes sont affligées — une certaine suffisance propre aux jeunes, un brin de surdité dans la conversation, la tendance à tenir pour acquise la malléabilité des autres êtres humains —, défauts qui sont calmement mis en valeur et désapprouvés, sans que leur gravité soit exagérée. La vie intérieure des personnages fait l'objet de l'empathie amicale de l'auteur, alors que leur imperfection justifie la prise d'une distance critique tout aussi amicale.

Au niveau stylistique, la synthèse entre l'empathie et la distance critique est figurée par le discours indirect libre, qui présente à la troisième personne les réflexions intimes d'un personnage. Au début d'*Emma* (Ire partie, chapitre III), par exemple, le personnage éponyme réfléchit aux qualités de sa nouvelle amie Harriet Smith, jeune fille d'origine modeste. Reçue à Hartfield, la résidence de la famille Woodhouse, Harriet s'est montrée « si discrète, si déférente, si reconnaissante [...] et si naïvement impressionnée par l'élégance, toute nouvelle pour elle, du cadre où elle se trouvait, qu'il fallait bien, pensait Emma, qu'elle eût du bon sens et méritât des encouragements. Oui, on devait l'aider. (*Encouragement should be given*) [1] ». Qui prononce la phrase : « Oui, on devait l'aider » ? Ni l'auteur, qui n'a aucune autorité pour prononcer cette injonction, ni le personnage. Au lieu d'écrire soit « Emma se disait qu'il fallait aider Harriet », soit « Emma se disait en pensant à Harriet : "Oui, on devait l'aider" », le narrateur fait sien l'énoncé du personnage et le prononce en son propre nom ("Oui, on devait l'aider"), tout en le renvoyant à Emma — par l'entremise de l'empathie — un peu comme un avocat articule, dans la chaleur de la plaidoirie, les pensées

---

1. Jane Austen, *Emma*, trad. Josette Salesse-Lavergne, 10-18, Christian Bourgois, 1982, p. 29.

de son client ou comme un prédicateur, emporté par la fougue de son éloquence, raconte en son propre nom les pensées silencieuses d'un pécheur ou d'un saint. Ce « Oui, on devait l'aider », qui superpose la voix du narrateur à celle du personnage, veut suggérer que les débats intérieurs d'Emma, pour dignes de respect et d'attention qu'ils soient, demeurent néanmoins sujets à une certaine caution. Le roman se saisit donc du discours indirect libre au moment historique précis où, d'une part, le for intérieur des êtres humains est reconnu, grâce à l'enchantement de l'intériorité, comme la source de leur dignité morale, et où, d'autre part, grâce à la critique de l'idéalisme romanesque, cette dignité ne se laisse pas assimiler naïvement avec la perfection.

Ce n'est donc pas un hasard si un des thèmes les plus importants des romans de Jane Austen est la difficulté d'allier une juste appréciation de la valeur du prochain au respect pour son autonomie. Lorsque, tentés par l'empathie, nous risquons de surévaluer nos semblables, la distance critique est salutaire, et, réciproquement, lorsque nous nous imaginons, séduits par la distance critique, que nous comprenons mieux l'intérêt du prochain que lui-même, l'empathie nous rappelle que chacun a le droit de décider de son destin. Dans *Emma* (1816), la protagoniste croit à tort qu'elle sait déchiffrer les sentiments de ses proches, aptitude censée lui conférer le droit d'intervenir dans leurs vies. Son amie Harriet, dont il était question dans le passage cité plus haut, est une jeune fille de condition modeste, peu douée et dépourvue d'ambition. Mais Emma, qui la surestime, décide de faire sa fortune. Ayant persuadé Harriet de refuser le jeune et honnête Robert Martin, fermier de son métier, Emma tente en vain de l'unir au pasteur Elton, sans se rendre compte que le jeune homme méprise son amie. Harriet, pour sa part, aspire à épouser George Knightley, le raisonneur du roman, dont Emma est elle-même amoureuse sans s'en rendre compte. Ce marivaudage — dépourvu de déguisements, mais orné de force conversations et monologues narrés — prend fin lorsque Emma abandonne la direction des consciences des autres et accepte la main de Knightley pendant que Harriet, écoutant la voix de son cœur, épouse le brave Robert Martin.

L'importance de l'œuvre de Jane Austen n'a été comprise que dans la seconde moitié du XIXe siècle, à une période où la recherche de l'idéal romanesque à l'aide de la méthode historique et sociologique avait perdu de son attrait et que les défenseurs de l'idéalisme aussi bien que ses adversaires avaient choisi comme théâtre de leur débat la société contemporaine, prise en soi et sans examen explicite de sa constitution historique. Les réussites d'Austen : la concentration et l'intériorisation du conflit, la banalité du milieu présenté, le jeu entre empathie et distance critique, la thématique de la compréhension de soi et des autres étaient désormais monnaie courante dans l'art du roman. Il est d'autant plus curieux de constater que les éloges intarissables qu'on lui distribue dans la seconde moitié du siècle sont souvent accompagnés d'une réserve mal explicitée. La raison de cette réserve réside sans doute dans une comparaison tacite entre la méthode austenienne et l'idéalisme moderne : appréciant les innovations d'Austen, ses lecteurs n'ont pendant longtemps pu s'empêcher d'éprouver le regret qu'un talent d'une telle subtilité n'ait choisi pour l'intrigue de ses œuvres un théâtre plus ample et des conflits plus dramatiques. Inutile de dire combien ce regret trahit l'incompréhension des fins artistiques que poursuivait la grande romancière.

*

Les découvertes d'Austen : la banalisation et l'intériorisation de l'intrigue, ainsi que la notation attentive des modifications infinitésimales dans les opinions des personnages à propos d'eux-mêmes et de leurs relations avec les autres formeront la matière du roman psychologique à la fin du XIXe et au début du XXe siècle, en particulier sous la forme qui lui a été donnée par Henry James, Wilhelm Raabe et Joseph Conrad. Suivant en cela une tendance plus générale de l'histoire du roman, la période injecte une nouvelle gravité morale à des préoccupations qui, jusqu'à récemment, provoquaient le plus souvent l'ironie ou le rire et parfait la séparation entre le scepticisme moral et la tradition comique dans laquelle il s'enracine.

Il en va ainsi de la thématique qui met en valeur les malentendus quotidiens entre les êtres humains, la difficulté de lire l'autre et de saisir ses raisons d'agir. Cette thématique a certes reçu un traitement sérieux, voire tragique, dans la nouvelle classique (chez Cervantès) et dans les quelques romans du XVIIIe siècle qui étudient de près la scélératesse morale (*Clarissa*, *Les Liaisons dangereuses*). Il reste que dans ces œuvres ce genre de situations est présenté comme hors la règle. Or à mesure que le roman accorde à la vie de tous les jours une nouvelle dignité, à mesure que les soucis les plus modestes deviennent l'objet d'une attention respectueuse, la difficulté de comprendre le prochain dans les situations ordinaires cesse de provoquer le sourire et, prise au sérieux, est ressentie, dans sa sphère d'action, comme une situation fort répandue et comme la source possible de grands malheurs. Du coup, les secrets les plus anodins des gens qui vivent dans notre entourage acquièrent des dimensions alarmantes.

Un facteur supplémentaire rend encore plus dramatique ce genre de situations. Dans un monde où l'universalité des normes morales est tenue pour acquise (comme chez Fielding), ou encore dans un milieu dont l'exiguïté assure l'homogénéité des valeurs (comme chez Jane Austen), la difficulté de comprendre l'autre trahit d'ordinaire l'esprit obtus d'une personne, sa mauvaise volonté ou l'aveuglement causé par la vanité. Si cependant l'univers pris en considération par l'œuvre est peuplé d'individus appartenant à des milieux ou à des nations différents, qui se conforment par conséquent à des normes parfaitement dissemblables, la difficulté de comprendre les pensées et les raisons d'agir des autres cessera d'être l'effet d'une insuffisance individuelle et prendra un caractère pour ainsi dire objectif. Mise dans une telle situation, la personne la plus ouverte, la plus bienveillante et la plus modeste risque de se tromper, tout simplement parce qu'elle ne connaît pas le code de conduite suivi par les autres.

Mais comment procéder pour parvenir à la connaissance de ce code ? Dans la littérature prémoderne, on estimait que les maximes qui gouvernaient la vie d'une collectivité sociale ou ethnique étaient clairement formulables et donc faciles d'accès tant aux membres de cette collectivité qu'aux gens qui l'observent de l'extérieur. On savait pertinemment que les gens pauvres et sans vertu ne se gênaient aucunement de mentir, de tricher et de voler, qu'il ne fallait pas confier son portefeuille aux femmes de mœurs légères, que les nations avaient chacune ses défauts, les Français étant légers, les Espagnols orgueilleux, les Italiens insondables. Cette anthropologie rudimentaire était censée épuiser l'explication de la diversité des comportements moraux, en sorte qu'il suffisait d'identifier l'origine et l'occupation d'un individu quelconque pour avoir la clé de sa manière d'agir.

Plus tard, avec l'essor de la méthode de Scott, le roman tente d'approfondir la connaissance des principes qui gouvernent le comportement des communautés historiques ou ethniques. En conformité avec la méthode historiciste, ces principes sont désormais cherchés à un niveau plus profond que celui des maximes explicites qui gouvernent le comportement des acteurs. Le courage, la courtoisie, l'hospitalité des montagnards écossais, ainsi que leur esprit impulsif et capricieux, s'expliquent par l'état social archaïque dans lequel ils se trouvent, et seule la fréquentation de ces gens permet à l'étranger d'appréhender ces traits et leurs causes. Lorsque les hasards de la vie mettent Édouard Waverley en présence des Highlanders, il ne s'habitue à leur mode de vie qu'avec un effort considérable. Car il s'agit bien d'habitude acquise — en d'autres termes de l'assimilation silencieuse d'un ensemble de routines à première vue mystérieuses — et non de la prise de possession instantanée d'une série de maximes intelligibles. De même, Olénine, dans *Les Cosaques*, de Tolstoï, se creuse l'esprit pour découvrir les maximes morales suivies par les villageois cosaques, mais ses hypothèses sont à chaque reprise démenties par les faits, tant il est difficile d'articuler le contenu des habitudes exotiques dans une forme explicite et stable.

Pour étranges qu'elles soient, les mœurs que doivent affronter Édouard Waverley et Olénine sont loin de représenter le cas le plus obscur : pour inhabituelles qu'elles paraissent, les consignes qui régissent la vie écossaise et cosaque sont suivies par tous les membres de la communauté exotique. Que se passe-t-il, en revanche, lorsque la différence entre les usages des communautés n'est pas tout à fait évidente et lorsque, de surcroît, les membres de la collectivité ne se conforment pas tous de la même manière à la règle générale ? Cette situation est précisément celle qui intéresse Henry James, auteur dont la thématique et la manière d'écrire poursuivent fidèlement la tradition austenienne.

L'anthropologie morale des romans de Henry James prolonge le mouvement égalitaire de l'idéalisme moderne en soulignant la dignité morale des soucis quotidiens. Ses romans héritent également de l'intérêt scottien pour la diversité des mœurs, mais innovent en se penchant sur le choc des cultures qui *se ressemblent*. Enfin, Henry James, en prenant ses distances à l'égard de l'idéalisme, insiste sur le caractère tacite, voire inexprimable, des maximes de conduite. Dans ce but, James reprend la méthode de l'empathie et le discours indirect libre légués par Austen en les mettant au service de l'évocation d'une vie intérieure qui évite soigneusement le vocabulaire abstrait de la morale.

S'intéressant, comme Austen, aux enjeux moraux de la vie ordinaire dans ce qu'ils ont de moins spectaculaire, James choisit des intrigues dépourvues d'aventures et de retournements. Ses lecteurs connaissent bien l'extraordinaire lenteur de la démarche, l'insignifiance des événements, les hésitations infinies des personnages, leurs conversations qui tournent gauchement autour de leur objet. Graduellement, ces lecteurs comprennent néanmoins que cet univers de mouvements infinitésimaux et de tropismes à peine lisibles est traversé par de profondes inquiétudes. L'héroïne de la nouvelle *Daisy Miller* (1879), œuvre appartenant à la première période de James, est une jeune Américaine qui visite l'Europe avec sa mère et son petit frère. Appartenant à une famille de nouveaux riches, Daisy méprise les conventions sociales et s'attire ainsi l'hostilité de ses compatriotes établis à l'étranger. Accusée d'immoralité, elle est mise au ban de la communauté américaine de Rome. Seul Frederick Winterbourne, à moitié amoureux d'elle, espère que, malgré les apparences, l'imprudente Daisy soit au fond une brave fille. Les moments décisifs de la nouvelle sont des événements strictement anodins : Daisy décide de visiter le château de Chillon en compagnie de Frederick dont elle vient à peine de faire la connaissance, à Rome, elle se montre au jardin Pincio en compagnie du jeune Italien Giovanelli, elle passe, enfin, une longue soirée au Colisée, seule avec ce même Giovanelli. Ces « faux pas » provoquent dans le milieu américain de Rome une nervosité prodigieuse et Frederick Winterbourne lui-même, l'ayant surprise au Colisée avec Giovanelli, la gronde sévèrement. Mais c'est une sévérité d'amoureux et ni Winterbourne ni le lecteur ne savent s'il faut donner raison à la communauté d'expatriés et condamner la jeune fille ou simplement hausser les épaules devant l'excentricité de sa conduite.

Dans les intrigues des romans d'amour, la vivacité de la jeunesse l'emporte d'ordinaire sur la pruderie ridicule des gens âgés, mais dans cette histoire l'irritation du milieu américain sera en fin de compte justifiée. Le lecteur comprend que le jeune Giovanelli, coureur de dot, se soit senti offensé par la désinvolture avec laquelle Daisy, après s'être montrée avec lui en public, lui fait comprendre qu'elle ne l'épousera pas. Étant lui-même immunisé contre le paludisme, Giovanelli, par négligence, ou peut-être afin de se venger du refus de Daisy, ne la prévient pas que pendant la nuit passée au Colisée, la jeune fille risque d'attraper la malaria. La jeune Américaine tombe malade et meurt quelques jours plus tard. Les raisons de la conduite de Giovanelli ne sont pas tirées au clair, mais il est certain que Daisy ne fait guère attention à la susceptibilité des gens qui l'entourent. S'il est vrai que ceux-ci ne comprennent pas son innocence, il est tout aussi vrai que, réciproquement, elle demeure insensible à leurs raisons d'agir. Au départ l'enjeu de la situation semble banal (faut-il ou non respecter les convenances ?) et la transgression de Daisy n'a rien à voir avec l'immoralité dont on l'accuse, et pourtant l'anecdote révèle une vérité morale profonde, à savoir que la liberté prise à l'égard des convenances exige qu'on prête une attention particulière à la personnalité et aux susceptibilités individuelles du prochain.

L'attention prêtée à l'individualité des autres, qualité qui fait en général défaut aux Américains peints par James, n'est cependant pas toujours présentée en termes favorables. Ce sont d'ordinaire les habitants raffinés et corrompus du Vieux Monde, les Italiens, les Français et certains parmi les Américains expatriés, qui maîtrisent l'art de déchiffrer les caractères et d'en découvrir les points vulnérables. Tout aussi sûre d'elle-même que Daisy Miller, la protagoniste d'*Un portrait de femme* (1881), l'œuvre qui a rendu James célèbre, souffre de la même incapacité de pénétrer la personnalité et les motivations des gens qui l'entourent. La belle Isabel Archer, en visite en Angleterre, reçoit un héritage inattendu de la part de son oncle. Courtisée par deux excellents jeune gens, un riche Américain et un lord anglais, Isabel leur préfère Gilbert Osmond, un expatrié beaucoup plus âgé qu'elle, veuf et père d'une jeune adolescente. Ayant fait sa connaissance par l'entremise d'une amie française, Mme Merle, Isabel est séduite par l'élégance et le détachement d'Osmond. Après le mariage, cependant, elle découvre qu'il est un raté qui l'a épousée pour son argent à la suggestion, précisément, de Mme Merle, qui se révèle être la mère de la jeune adolescente. De façon plus appuyée que dans *Daisy Miller*, James attribue la franchise et la spontanéité de l'Américaine à son manque de perspicacité et associe, par contraste, la lucidité de Mme Merle et d'Osmond à leur hypocrisie et à leur cynisme.

Ces traits jouent un rôle essentiel dans le choc culturel décrit par James. Il est si difficile aux Américains qui vivent en Europe de contourner les pièges d'une civilisation plus vieille que la leur, précisément parce que les deux mentalités apprécient en principe les mêmes qualités morales — la droiture, l'intelligence, les bonnes manières et le bon goût — et que les différences — un supplément de droiture chez les Américains, un excédent de bon goût chez les habitants du Vieux Monde — ne semblent que des nuances, le choc demeurant infinitésimal. Pour les Américains de James qui voyagent en Europe, le Vieux Continent abrite une civilisation plus mûre que la leur, plus riche en distinctions et face à laquelle ils se sentent démunis, courts de paroles. Le choc subi par les protagonistes de James n'est donc pas « régressif », comme ceux vécus par Waverley ou par Olénine, personnages qui tentent de s'adapter à des mœurs archaïques ou primitives, mais a, au contraire, un caractère « progressif », parce qu'il invite les Américains qui visitent l'Europe à s'adapter à des coutumes réputées plus civilisées. Les Américains de James ne peuvent donc pas se soustraire aux effets du choc en pliant tout simplement bagage. Ils ne peuvent pas se rassurer eux-mêmes en s'avouant, comme le font Waverley et Olénine, qu'après tout leur genre de vie, si imparfait qu'il soit, n'en représente pas moins le sommet de la civilisation. Un tel retour en arrière, dans le cas des personnages de James, serait perçu comme une défaite culturelle inconcevable. Infinitésimale et progressive, la différence entre les mœurs américaines et celles du Vieux Continent est impossible à saisir et à formuler en termes précis, et c'est la raison pour laquelle ces personnages subissent le choc culturel sous les espèces contradictoires d'un attrait irrésistible et d'un malaise impossible à définir.

Ces sentiments ambigus sont ceux qu'éprouve Lambert Strether, le protagoniste des *Ambassadeurs* (1903), roman qui appartient à la dernière facture, allusive et raffinée, de James. Mme Newsome, veuve américaine riche et autoritaire, envoie son ami Strether à Paris avec la mission de faire rentrer au Massachusetts son fils, le jeune Chadwick Newsome. En cas de succès, elle promet à Strether de l'épouser. Arrivé à Paris, Strether découvre les plaisirs inattendus de la vie en France et se rend compte que Chad s'est métamorphosé en un personnage distingué et sûr de lui qui ne songe pas à regagner ses foyers. À l'occasion, Strether fait la connaissance de l'élégante Mme de Vionnet, censée avoir

exercé une influence décisive sur les manières et les goûts de
Chad. Comprenant graduellement la supériorité de la nouvelle vie de Chad, dont il découvre également la corruption
morale (Chad, se rend-il compte, est l'amant de Mme de
Vionnet), Strether renonce à persuader le jeune homme
d'obéir à sa mère et abandonne le projet d'épouser celle-ci.
L'action fait presque entièrement défaut à ce roman, qui
raconte une découverte d'ordre moral et non pas une série
d'exploits. Mais cette découverte demeure fuyante, insaisissable. Le lecteur n'apprend presque jamais ce à quoi pensent
Strether et Chad, ni comment ils formulent leurs certitudes
et leurs perplexités. Les personnages eux-mêmes ne disposent guère d'un vocabulaire moral bien articulé et d'ailleurs ne semblent nullement en ressentir le besoin. Au terme
d'échanges prodigieusement flous, au cours desquels ils
s'épient mutuellement (et se surveillent eux-mêmes comme
s'il s'agissait de personnes qu'ils connaissent à peine), ils parviennent péniblement à des conclusions instinctives, qu'ils
ne formulent jamais explicitement. Et pourtant la force et la
justesse de ces conclusions sont étonnantes.

Au début de la quatrième partie, par exemple, Strether
déclare en grande hâte à Chad qu'il souhaite le persuader de
rentrer immédiatement aux États-Unis. Ayant lâché ces
paroles, « il fut le seul à en être littéralement déconcerté, tout
d'abord. Car Chad les accueillit de l'air d'une personne qui a
reposé gracieusement, pendant que le messager, qui vient
enfin de parvenir jusqu'à elle, dévorait deux bons kilomètres
de poussière. Durant les quelques secondes qui suivirent,
Strether eut le sentiment d'avoir réellement fait un effort
trop violent : il n'était même pas sûr que son front ne fût pas
mouillé de sueur. La conscience qu'il en eut ne put que se
féliciter avec gratitude du regard que lui accordèrent les yeux
du jeune homme, tout le temps que vibra le silence. Il y vit se
refléter l'image de son désarroi momentané (et le diable était
que ce reflet se teintait d'une sorte de retenue de bonté). Il en
résulta que notre ami sentit poindre une crainte : celle de
voir Chad "neutraliser" l'affaire — tout neutraliser — en lui
manifestant sa pitié. Une telle crainte (toute forme de
crainte) était désagréable. Mais qu'est-ce qui ne l'était pas !
C'était étrange, comme tout avait pris soudain une tournure
déplaisante [1] ! » Typique, ce passage décrit le malaise qui

---

1. Henry James, *Les Ambassadeurs*, trad. Georges Belmont, Laffont, Bouquins, 1981, p. 568.

envahit brusquement Strether aussitôt qu'il a formulé son message, la peur qu'il ressent d'avoir peut-être fait une intervention entièrement déplacée, étant donné la distance — devenue soudainement perceptible — qui le sépare du jeune homme. Aucun de ces éléments n'est formulé dans le langage explicite des sentiments moraux, comme l'aurait fait Stendhal, qui aurait sans doute écrit : « Strether se sentit gêné ; il perçut d'un coup la distance qui le séparait du jeune homme et eut peur d'avoir manqué d'adresse ». Chez James, l'évocation de ces sentiments néglige leur nomenclature, pour se concentrer sur le face-à-face silencieux des deux interlocuteurs. Le passage est raconté du point de vue de Strether, mais sans que l'auteur fasse usage du véritable style indirect libre : l'empathie ici ne consiste pas à deviner et à reproduire les paroles du personnage, mais, allant plus loin encore, à entrevoir — directement et non pas par l'entremise du monologue intérieur — les sentiments et les états d'esprit du personnage. Lorsque le narrateur note, par exemple, dans les yeux de Chad « l'image de son désarroi momentané (et le diable était que ce reflet se teintait d'une sorte de retenue de bonté) », il décrit non pas le regard proprement dit de Chad mais l'impression fugace qu'en reçoit Strether.

Cet intérêt respectueux accordé aux moindres impressions des personnages au sein même de leurs échanges converge avec le caractère parfaitement anodin des intrigues jamesiennes — un mauvais mariage (*Un portrait de femme*) ; le retour improbable d'un fils expatrié (*Les Ambassadeurs*) ; un héritage impossible à accepter (*Les Ailes de la colombe*) ; un homme marié qui revit brièvement un amour de jeunesse (*La Coupe d'or*) —, pour souligner la dignité morale des soucis quotidiens les moins spectaculaires. Chez James, la notation des tropismes éphémères souligne la subtilité, le caractère tacite, insaisissable des rapports interpersonnels. Si le propre du sujet autonome est de pouvoir formuler en termes limpides la loi morale qu'il découvre dans son cœur, comme le faisaient si bien les héroïnes des romans idéalistes du xviiie siècle, il n'est pas sûr que les personnages de James soient des sujets à part entière. C'est précisément ce qui assurera leur succès au xxe siècle.

LA MATURITÉ DE L'ANTI-IDÉALISME. FLAUBERT

Depuis Fielding, les adversaires de l'idéalisme romanesque se trouvaient devant le défi suivant : afin de combattre la sur-idéalisation des protagonistes, ils devaient en faire ressortir les imperfections, mais pour écarter également le danger de la caricature, ils étaient obligés d'en peindre une image favorable qui puisse attirer la sympathie des lecteurs. Le dosage d'ironie et d'empathie avait beau varier d'un écrivain à l'autre, la présence simultanée de ces deux attitudes n'en était pas moins ressentie comme nécessaire. Et afin de rendre ces attitudes nettement perceptibles, les romanciers anti-idéalistes ont pendant longtemps adopté la facture de Fielding, qui leur enseignait de prendre leurs distances à l'égard des personnages et de conférer à l'auteur le monopole des jugements d'ordre moral. Qu'il s'agisse du style indirect libre (le monologue narré) employé par Jane Austen ou des monologues cités chez Stendhal, ces procédés ont été conçus pour rappeler sans arrêt au lecteur que le point de vue moral des personnages était sujet à caution. C'est l'auteur qui détient, en dernière instance, le vrai savoir concernant les faits et les valeurs ; c'est lui qui, par le moyen de notations subtiles, laisse entendre au lecteur s'il lui faut déplorer ou excuser les faiblesses des personnages, si le spectacle de l'imperfection humaine doit le faire pleurer ou sourire. Le plus souvent discrètes, les interventions de l'auteur sont indispensables : elle confèrent au récit son équilibre axiologique.

Ces exigences constitutives de l'anti-idéalisme (l'équilibre entre la méfiance à l'égard des personnages et la nécessité de les rendre sympathiques au lecteur ; le besoin d'étayer le texte par l'autorité axiologique de l'auteur) ont été affectées dans les premières décennies du XIXe siècle par deux changements intervenus dans la manière d'écrire pratiquée par le courant rival, l'idéalisme romanesque. En premier lieu, comme nous l'avons déjà noté, le besoin de vraisemblance persuade les écrivains de romans idéalistes à nuancer la caractérisation des héros, à diminuer en quelque sorte leur perfection en chargeant leur passé d'erreurs et leur présent d'incertitudes, en les rendant soit trop timides, soit trop

impulsifs, soit imprudents, soit hésitants. Le lecteur se voit à
son tour contraint de modérer son enthousiasme instinctif
pour ces personnages, qui font désormais partie d'une humanité plus proche de la sienne, et d'adopter à leur égard un
point de vue à la fois plus critique et plus chaleureux. Montriveau, Joseph Bridau, Benassis, Arthur Clennson, Dantès ne
font pas naître l'émerveillement inconditionnel que le lecteur
bien informé est censé vouer à Céladon ou à Clarissa. En
second lieu, étant donné que l'idéalisme romanesque
s'appuie, depuis Walter Scott, sur des théories sociologiques
et historiques bien articulées, l'auteur des nouveaux romans
idéalistes se sent obligé de prendre lui-même la parole pour
exposer au lecteur le système qui explique l'essor des personnalités hors du commun. Les digressions de l'auteur forment
désormais le trait distinctif de cette incarnation de l'idéalisme et Scott, Balzac, Dickens et Hugo en font tous un usage
copieux.

Une double tentation devient par conséquent irrésistible
pour les adversaires de l'idéalisme. Le mélange de qualités et
de défauts, d'une part, étant devenu une des spécialités de
l'idéalisme romanesque, les rivaux de celui-ci finissent par
exagérer le côté imparfait, voire méprisable des personnages
qu'ils mettent en scène. L'ironie indulgente à l'égard de
l'imperfection humaine, perceptible chez Fielding et ses disciples, se métamorphose graduellement en froideur, puis en
dégoût. La voix éclatante de l'auteur, d'autre part, ayant été
adoptée par les partisans de l'idéalisation, les écrivains qui
s'opposent à ce courant trouvent désormais avantageux de
minimiser la présence de l'auteur dans le texte, pour se
concentrer, en revanche, sur la représentation de l'expérience vécue des personnages. Aussi, une transformation
semblable à celle accomplie un siècle plus tôt par Richardson redéfinit-elle la facture des romans anti-idéalistes, qui,
purifiés des traces du picaresque et de la satire morale, se
consacrent désormais à l'étude des exemplaires les plus
humbles de notre espèce, s'appliquant à évoquer leur existence dans son immédiateté vécue. L'anti-idéalisme s'approprie ainsi à sa façon la grande découverte de l'idéalisme
moderne, à savoir la promotion de tous les êtres humains,
indépendamment de leur condition, au rang de héros de
romans sérieux. Cette promotion attire, comme naguère
chez Richardson, un renouveau d'intérêt pour les détails de

l'ambiance qui entoure ces héros et pour leur expérience intime du monde. Sauf que cette fois, au lieu d'exalter la grandeur d'âme des gens humbles, les œuvres guident l'attention des lecteurs vers leur faiblesse et leur médiocrité.

Ces tendances, déjà perceptibles chez Jane Austen, sont portées à leur apogée par Flaubert, à qui revient le mérite d'avoir créé une forme particulièrement efficace d'anti-idéalisme, qui revendique la force et la gravité des œuvres idéalistes. Chez Flaubert, les apartés bruyants et les clins d'œil manifestement complices que les auteurs anti-idéalistes avaient l'habitude de lancer de temps en temps au lecteur ont disparu. À la place des personnages insuffisants mais en définitive sympathiques décrits avec une verve bonhomme, on trouve chez Flaubert une galerie d'êtres laids et pitoyables, qui justifient le pessimisme moral le plus sévère. Les jugements de l'auteur, invisibles, doivent être découverts par le lecteur au sein d'une narration calme, égale et neutre, qui fait rarement appel au vocabulaire moral et qui présente l'action par le biais des détails physiques et psychiques. La lecture de ces textes exige du lecteur beaucoup de patience, ainsi qu'une sorte d'équanimité morale, une volonté de suspendre provisoirement tout jugement ; mais l'effet ultime est d'une force inattendue : le sérieux imperturbable de la présentation se double, au niveau de l'ensemble, d'une ironie méprisante qui dégonfle les illusions morales concernant la vie privée et publique.

Trois aspects de l'art de Flaubert attirent l'attention : le nouveau mélange de réalisme descriptif et d'empathie qui favorise l'immersion sensorielle et cognitive du lecteur dans le monde évoqué, la faiblesse morale flagrante des personnages et le caractère ouvertement polémique de l'anti-idéalisme professé par l'auteur. Concernant l'immersion, les contemporains de Flaubert ont été surtout frappés par la patience des descriptions du milieu et par l'utilisation du dialogue moins pour faire avancer l'action que pour peindre les hommes : « Les détails y sont comptés un à un, avec la même chaleur. Chaque rue, chaque maison, chaque ruisseau, chaque brin d'herbe est décrit en entier ! Chaque personnage, en arrivant en scène, parle préalablement sur une foule de sujets inutiles et peu intéressants, servant seulement à faire connaître son degré d'intelligence... », écrit Duranty, chef de l'école réaliste, exaspéré de trouver dans *Madame Bovary* « le chef-d'œuvre de la description obstinée, mais

sans émotion, ni sentiment, ni vie [1] ». On a également soutenu que la méthode de Flaubert consisterait à imiter l'objec-
tivisme de la science, la plume se métamorphosant en
scalpel, et l'invention en dissection. En réalité, Flaubert
aspire moins à l'impersonnalité des sciences exactes (comme
le fera plus tard Zola), qu'à l'exactitude dans la représentation de l'ambiance sociale. Il obéit par conséquent aux mots
d'ordre du système de l'enracinement et s'évertue à présenter
scrupuleusement la différenciation sociale et historique des
situations décrites. Son originalité consiste dans la précision
sans précédent avec laquelle il reconstitue, du point de vue
de ses personnages, l'ambiance au sein de laquelle ils vivent.
Les descriptions de Flaubert communiquent au lecteur non
seulement la connaissance du milieu où se déroule l'action,
mais lui font également deviner les sentiments que ce milieu
suscite chez les personnages. La représentation de leur vie
intérieure ne se résume donc pas au récit des espoirs, des
projets, et des délibérations qui y sont formulées, mais inclut
une foule d'impressions, nettes ou vagues, placées au centre
de la conscience des personnages ou frôlant à peine ses
marges.

Voici la description de l'état d'esprit d'Emma qui vient de
s'abandonner à Rodolphe dans la forêt près d'Yonville : « Le
silence était partout ; quelque chose de doux semblait sortir
des arbres ; elle sentait son cœur, dont les battements
recommençaient, et le sang circuler dans sa chair comme un
fleuve de lait. Alors, elle entendit au loin, au-delà du bois, sur
les autres collines, un cri vague et prolongé, une voix qui se
traînait, elle l'écoutait silencieusement, se mêlant comme
une musique aux dernières vibrations de ses nerfs émus »
(*Madame Bovary*, p. 438). L'élan lyrique de ces phrases
appartient au narrateur, car ce n'est pas Emma qui se dit à
elle-même : « Mon sang circule dans ma chair comme un
fleuve de lait » ; c'est le styliste qui, grâce aux inflexions
expressives de son langage, évoque métaphoriquement la tor-
peur silencieuse qui engourdit l'héroïne, rendant sensible
son vécu dans son immédiateté non linguistique. Il en résulte
un effet d'empathie plus puissant et plus insidieux que celui
obtenu, chez d'autres auteurs, par la représentation des délibérations intérieures.

1. René Dumesnil cite ces passages dans son « Introduction » à *Madame
Bovary*, in Gustave Flaubert, *Œuvres*, édition Albert Thibaudet et R. Dumesnil, vol. 1, Bibliothèque de la Pléiade, Gallimard, 1951, p. 281-282.

Cette empathie semble demeurer froide à dessein, quoique, parfois, une onde de pitié traverse les romans de Flaubert, sans que le lecteur puisse décider si l'auteur compatit véritablement à la douleur de ce monde ou si la pitié qu'il lui montre n'est qu'une forme de mépris. Comme, par ailleurs, ses personnages ne sont pas des modèles de comportement, Flaubert éprouve le besoin de diminuer la distance qui les sépare de lui-même et du lecteur, un peu comme les auteurs de romans picaresques les rédigeaient à la première personne parce que la laideur humaine qu'ils exploraient avait besoin d'être pour ainsi dire « humanisée » et rapprochée du lecteur. C'est pour cette raison que Flaubert consacre de tels efforts à la représentation des rêveries et des sensations intérieures. Rentrée chez elle après avoir cédé à Rodolphe, Emma se délecte à l'idée d'avoir un amant : « Elle entrait dans quelque chose de merveilleux, où tout serait passion, extase, délire ; une immensité bleuâtre l'entourait, les sommets du sentiment étincelaient sous sa pensée, l'existence ordinaire n'apparaissait qu'au loin, tout en bas, dans l'ombre, entre les intervalles de ces hauteurs » (p. 439). Cette phrase, si semblable à première vue à la narration des pensées du personnage, est en fait entièrement exprimée dans le langage de l'auteur. Comme dans le passage cité plus haut, ce n'est pas Emma qui se dit : « Une immensité bleuâtre m'entoure, etc. », mais c'est l'auteur qui traduit le ravissement intérieur du personnage par la métaphore des « sommets du sentiment ». La description poétique des paysages intérieurs adoucit la froideur des rapports entre l'auteur et son personnage et diminue la distance qui les sépare, comme si le vague à l'âme était la principale qualité commune à ces êtres et au reste de l'humanité.

Regardé de plus près, cependant, ce vague à l'âme, loin de plaider en faveur de ces personnages, les accuse. À l'instar des autres auteurs séduits par le système de l'enracinement, Flaubert accepte l'idée d'une dépendance entre l'état social et la psychologie morale : les civilisations héroïques sécrètent naturellement la grandeur d'âme, enseigne Scott, le monde moderne la persécute, mais la récompense, nous dit Balzac, le triomphe historique de la bourgeoisie lui est fatal, pense Flaubert. L'auteur de *Salammbô* et d'*Un cœur pauvre* souscrit également à la loi de l'éloignement, selon laquelle la société moderne est l'épicentre de la médiocrité morale, des vertus comme la grandeur et l'innocence n'étant susceptibles de s'épanouir qu'en proportion directe de la distance historique et sociale qui les sépare de cet épicentre. La province où végète Emma Bovary, le Paris de Frédéric Moreau ne sauraient abriter ni la force d'âme de la princesse carthaginoise Salammbô, admirable personnage d'opéra, ni la candeur de Félicité, la servante normande descendue de *La Légende dorée*. Dans l'œuvre des auteurs idéalistes, le rapport entre le monde social et historique et la grandeur humaine ne constitue pas un véritable déterminisme, puisque la beauté morale y est considérée comme une qualité insolite qui fournit, dans un milieu dominé par la causalité sociale et historique, une exception rédemptrice, un point de repère et d'espoir. Lorsque le système de l'enracinement est en revanche adopté par les écrivains anti-idéalistes, dont l'effort principal consiste à dévoiler l'imperfection humaine, le déterminisme social et historique latent dans ce système tend à prendre le dessus : définis par la société dans laquelle ils vivent, mais privés de la perfection morale que leur assignait l'idéalisme romanesque, les êtres humains — insuffisants et défectueux — n'ont guère les moyens de dépasser leur condition.

Les écrivains qui, comme Flaubert, concrétisent cette virtualité imaginative, en tirent un double effet : d'un côté, dans leurs œuvres, le monde entièrement déterminé s'enferme sur lui-même et tient prisonniers les êtres qui l'habitent; de l'autre, l'existence de ces êtres — infiniment dominés par un univers qui les produit mais dont ils ne comprennent pas la mécanique — s'épuise dans la poursuite de fins en dernière instance futiles. Livrez le monde au démon de Hegel, la mélancolie de Schopenhauer le saisira bientôt, semblent dire les romans de Flaubert à sujet moderne. Ils sont sans doute les premières œuvres anti-idéalistes qui, par le moyen des descriptions à la fois exactes et vivantes, évoquent non seulement la présence immédiate et massive du monde ambiant, mais également la vanité des efforts faits pour y échapper.

La conséquence en est que le personnage imparfait, qui, chez Fielding et Jane Austen, finissait par comprendre ses propres carences et accédait à la maîtrise des normes morales, découvre, dans les romans de Flaubert, l'imperfection du monde et se résigne à la subir, voire à y contribuer activement. L'évolution des personnages de Flaubert n'est pas une véritable formation, une *Bildung* au sens d'une synthèse entre les aspirations individuelles et les exigences morales de la société; cette évolution conduit plutôt à la *déformation* des individus, qui, se rendant progressivement compte de la vacuité des idéaux moraux, apprennent à accepter, voire à se complaire dans leur propre déchéance. Après avoir cru pendant quelque temps à la possibilité de s'évader de la prison conjugale pour vivre le vrai amour, Emma Bovary comprend que l'adultère — avec son cortège de mensonges, de compromissions et d'irrégularités financières — est la seule consolation qui lui reste. Frédéric Moreau, ayant raté sa vie, se réconforte péniblement avec des souvenirs de jeunesse. Bouvard et Pécuchet, qui ont tenté en vain de maîtriser tous les savoirs, se résignent à abandonner leur quête.

La déchéance de ces personnages, néanmoins, n'est pas toujours complète : parfois la vertu fleurit, encouragée par une Providence discrète, et les invalides moraux eux-mêmes éprouvent de temps à autre des sursauts de dignité. Dans *L'Éducation sentimentale*, Mme Arnoux, dégoûtée par la corruption de son mari, est prête à céder à l'amour de Frédéric, lorsque son fils tombe gravement malade. Elle voit dans cette maladie un avertissement providentiel et se résigne à suivre la voie du devoir. La beauté morale, incarnée dans la vertu féminine, triomphe. Blessé, Frédéric devient l'amant de Mme Dambreuse, l'épouse d'un richissime homme d'affaires. À la mort de M. Dambreuse, sa veuve offre sa main au jeune homme, qui l'accepte, séduit par la perspective d'une mondanité luxueuse. On découvre bientôt que le testament du défunt déshérite la veuve, qui par ailleurs possède sa propre fortune, moins éblouissante que celle de son mari, mais très suffisante. Malgré sa déception, Frédéric ne se désiste pas. Entre-temps, la famille Arnoux est ruinée et tous ses biens sont liquidés au cours d'une vente à laquelle assistent Frédéric et Mme Dambreuse. Cette dernière s'intéresse à un petit coffret ayant appartenu à Mme Arnoux et qui évoque à Frédéric les souvenirs les plus chers. Malgré les avertissements du jeune homme, Mme Dambreuse fait monter les enchères et obtient le précieux objet. Frédéric sent alors « un grand froid lui traverser le cœur » et rompt à l'instant avec sa future. « Il éprouva d'abord un sentiment de joie et d'indépendance reconquise. Il était fier d'avoir vengé Mme Arnoux en lui sacrifiant une fortune, puis il fut étonné de son action, et une courbature infinie l'accabla [1] » (p. 446). L'acte de Fré-

---

1. Gustave Flaubert, *L'Éducation sentimentale*, in *Œuvres*, édition Albert Thibaudet et R. Dumesnil, vol. 2, Bibliothèque de la Pléiade, Gallimard, 1952, p. 446.

déric résulte d'une belle impulsion de courte durée, mais est-ce de la vraie grandeur morale ? Au fond le jeune homme n'aime pas Mme Dambreuse, et la déception causée par le testament défavorable contribue peut-être à sa décision. Il reste qu'il agit noblement, et que si sa force morale est pour ainsi dire *infinitésimale*, elle n'en finit pas moins par avoir le dessus. Des lueurs de vrai amour et de vraie noblesse, délivrés de tout pathos romanesque, vacillent ainsi de temps à autre dans l'univers évoqué par Flaubert.

C'est à la lumière de ce rejet du pathétique qu'il s'agit d'apprécier la polémique de Flaubert contre l'idéalisme romanesque : car bien que les héros de ses romans soient les otages d'un monde livré à la médiocrité, ils s'imaginent néanmoins habiter l'univers de l'idéalisme romanesque et nourrissent l'espoir que l'élan censé animer cet univers imaginaire leur permettra d'échapper à la tristesse du monde ambiant. D'ordinaire, cependant, ces êtres ne possèdent ni la beauté morale ni l'énergie auxquelles ils aspirent, et les vains efforts qu'ils font pour l'affecter aggravent leur désespoir. L'idéalisme romanesque, conclut Flaubert, est illusoire, et la vérité de la condition humaine est le combat inégal avec cette illusion. L'objet immédiat de la polémique varie, de l'amour romantique aux idéaux politiques. *Madame Bovary* s'en prend spécifiquement à la littérature qui diffuse l'illusion idéaliste en créant une image exaltante de l'amour. Scott est directement visé, pour avoir rempli la tête de la jeune Emma d'une nostalgie creuse pour l'ailleurs et le jadis : « Avec Walter Scott [...] elle s'éprit de choses historiques. [...] Elle aurait voulu vivre dans quelque vieux manoir, comme ces châtelaines aux longs corsages qui, sous le trèfle des ogives, passaient leurs jours, le coude sur la pierre et le menton dans la main, à regarder venir du fond de la campagne un chevalier à plume blanche qui galope sur un cheval noir » (*Madame Bovary*, p. 325). Par la suite, assistant à Rouen à la représentation de l'opéra *Lucia di Lammermoor* et se retrouvant « dans les lectures de sa jeunesse, en plein Walter Scott », Emma déplore son propre destin et imagine complaisamment une autre vie, conforme à celle décrite par les romans : « Ah ! si, dans la fraîcheur de sa beauté, avant les souillures du mariage et la désillusion de l'adultère, elle avait pu placer sa vie sur quelque grand cœur solide, alors, la vertu, la tendresse, les voluptés et le devoir se confondant, jamais elle ne serait descendue d'une vérité si haute ». Emma soupçonne déjà que ce bonheur-là « était un mensonge imaginé pour le désespoir de tout désir » (p. 497). N'importe, elle jouera cette comédie pour son nouvel amant Léon, qui aperçoit en elle « l'amoureuse de tous les romans, l'héroïne de tous les drames, le vague *elle* de tous les volumes de vers » (p. 533). *L'Éducation sentimentale* lance une nouvelle attaque contre l'idéal exaltant et mal défini de l'amour-révélation. Lorsque Frédéric Moreau voit pour la première fois Mme Arnoux, elle lui semble ressembler « aux femmes des livres romantiques ». Sous le coup de la rencontre, le huis-clos du monde ouvre ses portes : « L'univers venait d'un coup de s'élargir. Elle était le point lumineux où l'ensemble des choses convergeait ; — et... les paupières à demi closes, le regard dans les nuages, il s'abandonnait à une joie rêveuse et infinie » (*L'Éducation sentimentale*, p. 41). En réalité, le seul bonheur goûté par Frédéric est celui que lui offre la tendre et légère Rosanette, qu'il méprise.

Les illusions de la vie publique n'en sont pas moins nocives, qu'il s'agisse, en temps de paix, de la protection gouvernementale de l'industrie locale ou, en temps de révolution, des réunions de citoyens surexcités. Si les manifestations de la bêtise politique sont plus amusantes encore que celles de la bêtise érotique — le discours du conseiller Lieuvain aux comices agricoles dans *Madame Bovary* est le chef-d'œuvre du genre —, pour envoûter les individus l'idéalisme politique fait usage du même arsenal de vagues rêveries, de lieux communs et de vaines images. Voici Frédéric s'interrogeant, après la révolution de 1848, s'il ne devait pas se porter candidat aux élections : « Les grandes figures de la Convention [de 1792] passèrent devant ses yeux. Il lui sembla qu'une aurore magnifique allait se lever. Rome, Vienne, Berlin étaient en insurrection, les Autrichiens chassés de Venise ; toute l'Europe s'agitait. C'était l'heure de se précipiter dans le mouvement, de l'accélérer peut-être ; et puis il était séduit par le costume que les députés, disait-on, porteraient. Déjà, il se voyait en gilet à revers avec une ceinture tricolore ; et ce prurit, cette hallucination devint si forte, qu'il s'en ouvrit à Dussardier » (*L'Éducation sentimentale*, p. 329). À l'instar d'Emma Bovary et de ses fantasmes de bonheur personnel, le personnage se contemple sur la scène imaginaire de l'histoire, bel acteur, participant à la rédemption de l'Europe en tenue de gala.

Placés devant ce rejet désabusé de l'idéalisme romanesque,

il est compréhensible que les contemporains de Flaubert aient cru à l'immoralité foncière de l'entreprise. Sur ce sujet, c'est Barbey d'Aurevilly qui a vu juste : « M. Flaubert, écrit-il, est trop intelligent pour n'avoir pas en lui les notions affermies du bien et du mal, mais il les invoque si peu qu'on est tenté de croire qu'il ne les a pas, et voilà pourquoi, à la première lecture de son livre, a retenti si haut ce grand cri d'immoralité, qui au fond était une calomnie [1] ». La plaidoirie de Me Sénard dans le procès de Flaubert affirme la même chose : « M. Flaubert est l'auteur d'un bon livre, d'un livre qui est l'excitation à la vertu par l'horreur du vice [2] ». On peut être gêné par le ton péremptoire de l'avocat de Flaubert; mais la thèse qui voit dans l'œuvre de son client l'expression d'une vision non seulement sceptique et pessimiste, mais ouvertement amorale, demeure peu plausible. L'impression finale laissée par les romans de Flaubert demeure conforme à la tradition du scepticisme et de l'anti-idéalisme : dans ces textes on perçoit l'ironie et la tristesse de l'auteur qui, tout en refusant l'illusion idéaliste, n'en défend pas moins, avec la retenue qui est la sienne, la possibilité infinitésimale de la pudeur et de la dignité.

L'ÉCOLE DE L'AMERTUME. LES GONCOURT, ZOLA

Favorisée sans doute par la conjoncture historique, la version la plus pessimiste de l'anti-idéalisme romanesque est née en France sous le Second Empire et s'est épanouie après la guerre désastreuse de 1870, la chute du Second Empire et la Commune de Paris. La relative prospérité connue par le pays sous le Second Empire et le succès de la Troisième République, dont l'existence s'affirma lentement et contre tout espoir au cours de la huitième décennie, coïncidèrent avec l'essor d'une riche production romanesque qui décrivait le monde contemporain sous les couleurs les plus sombres. Tout en faisant leur part aux éléments sociaux et politiques qui ont encouragé ce pessimisme — la croissance spasmo-

---

1. Cité par René Dumesnil dans son « Introduction » à *Madame Bovary*, *op. cit.*, p. 287.
2. Dans Gustave Flaubert, *Œuvres*, édition Albert Thibaudet et R. Dumesnil, vol. 1, Bibliothèque de la Pléiade, Gallimard, 1951, p. 668.

dique de l'économie industrielle moderne, le choc de la
défaite dans la guerre avec la Prusse, les insuffisances du
régime libéral instauré par la République — il est indispensable, pour comprendre la vague d'amertume qui baigne le
roman français de cette période, de le considérer également
dans la perspective du développement interne du genre.

Après la mort de Balzac, l'abandon progressif de l'idéalisme par le roman sérieux coïncide avec un intérêt croissant
manifesté par les partisans de l'anti-idéalisme pour le système de l'enracinement, dont ils finissent par s'estimer les
seuls véritables défenseurs. Le retournement axiologique est
complet : lancée par Walter Scott et par ses disciples pour
expliquer et donc rendre vraisemblable la grandeur d'âme,
l'étude des liens entre les individus et l'état social auquel ils
appartiennent devient à partir de la sixième décennie du
siècle en France l'instrument d'une vision qui soit minimise,
soit nie catégoriquement la possibilité de la beauté morale
individuelle. Du coup, l'anti-idéalisme perd la bonhomie et
l'humour sceptiques qui étaient les siens au xviiie siècle et
dans la première moitié du xixe, pour acquérir les tonalités
sombres d'une certitude affermie à la fois par les conquêtes
de l'art et par celles de la science. Nous avons apprécié, chez
Flaubert, l'essor d'une nouvelle manière d'écrire, qui saisit la
tristesse de l'univers à travers la sensibilité vécue du personnage lui-même. La gamme de coloris métaphoriques développée par Flaubert s'enrichit de nouveaux tons chez les
frères Goncourt, dont l'écriture précieuse accompagne et
rend supportable la description de la misère morale. La
langue parlée aux différents niveaux de la société — étudiée
de manière si efficace par les tenants de l'idéalisme moderne,
Richardson, Walter Scott, Dickens, Hugo — est désormais
incorporée au jeu de l'empathie et de la distanciation qui,
apprise chez Flaubert, se trouve au centre de l'art de Maupassant et de Zola. La fierté du progrès stylistique chez ces
auteurs est évidente à chaque pas. Elle va de pair avec la
fierté du progrès intellectuel. En conformité avec les découvertes des sciences positives, les frères Goncourt soulignent
l'emprise exercée par les pulsions corporelles sur l'être moral
(*Germinie Lacerteux*, 1865), et l'absurdité du combat mené
par l'esprit contre sa condition charnelle (*Madame Gervaisais*, 1869). Zola s'inspire de la théorie darwinienne et des
lois de l'hérédité et de l'innéité formulées au milieu du siècle
par le docteur Prosper Lucas. L'enracinement social et histo-

rique se doublant ainsi d'un déterminisme à caractère biologique, infiniment plus contraignant, le roman revendique pour son objet la *nature* au sens scientifique du terme. Aussi, sous la bannière du naturalisme, les romanciers de cette période sont-ils persuadés de posséder la vérité ultime sur la condition humaine.

Complété par l'adjonction de la dimension biologique, le paradigme de l'enracinement est censé offrir enfin une explication totale de la personnalité humaine. La double action du déterminisme social et du déterminisme physiologique épuise le sens de la conduite individuelle, dont l'orientation générale est décidée d'avance par l'hérédité et par l'innéité, et dont la forme concrète est dictée par les facteurs d'ordre social. Grâce à ces trésors de connaissance systématique, le roman peut devenir expérimental : en posant, par pure curiosité scientifique, un ensemble de données initiales, le romancier, guidé par les lois de la biologie et de la société, se sent en mesure de développer une intrigue infailliblement vraie et, si le sujet est bien choisi, d'éclairer les aspects les moins familiers de la condition humaine. Contournant en principe la dimension proprement morale des êtres humains, cette méthode prend pour objet leur nature tout court et se propose d'étudier, comme le dit si bien Zola lui-même dans la préface à la deuxième édition de *Thérèse Raquin* (1868, première édition 1867), « des tempéraments et non pas des caractères ». « Thérèse et Laurent, continue-t-il en évoquant les personnages de ce roman, sont des brutes humaines, rien de plus. J'ai cherché à suivre pas à pas dans ces brutes le travail sourd des passions, les poussées de l'instinct, les détraquement cérébraux survenus à la suite d'une crise nerveuse. [...] On commence, j'espère, à comprendre que mon but a été un but scientifique avant tout [1]. »

Comme toute science, le roman expérimental se propose d'épuiser son objet et se penche, par conséquent, sur la totalité des comportements humains, y compris sur ceux qui, dans la perspective morale qu'il rend obsolète, sont condamnés comme vulgaires, répugnants ou obscènes. Et c'est à cause de son aspiration vers l'objectivité et vers la complétude que le roman naturaliste se sent particulièrement attiré par les bas-fonds de l'être humain et de la société, sujets que la prose narrative n'a touchés qu'en passant et d'ordinaire

1. Émile Zola, Préface à *Thérèse Raquin*, Folio Classique, Gallimard, 1979, p. 24.

dans le registre comique. L'intérêt du roman naturaliste pour la misère, pour la dégradation, pour les fonctions organiques saisies dans ce qu'elles ont de plus choquant n'hérite certes pas de l'humour scatologique de la prose de Rabelais, ni de l'ironie désabusée des romans picaresques, ni de la légèreté grivoise mise à la mode par les romans libertins, ni, enfin, de l'impudeur frénétique dégagée par l'œuvre de Sade. Toutes ces attitudes présupposent, en la défiant, la perspective moraliste, alors que l'objectivité prônée par Zola consiste à s'adonner « tout entier aux graves jouissances de la recherche du vrai ». L'auteur des *Rougon-Macquart* s'étonne de se voir accusé par ses contemporains « d'avoir pour unique but la peinture des tableaux obscènes ». Son véritable but, précise-t-il, a été de se perdre dans la copie minutieuse de la vie, quitte à négliger l'« humanité des modèles » (Préface à *Thérèse Raquin*, p. 25). S'il a pu s'oublier dans la pourriture humaine, il « s'y est oublié comme un médecin s'oublie dans un amphithéâtre » (p. 26). Son argument, qui vaut également pour l'œuvre des Goncourt, rappelle que les notions d'obscénité et de pornographie opèrent à l'intérieur de l'horizon moral habituel, horizon que l'auteur de romans naturalistes se propose précisément de dépasser. L'accusation en question est d'autant plus injuste qu'elle frappe une partie seulement des œuvres naturalistes, celles qui se préoccupent de la misère et du vice, personne n'ayant objecté aux frères Goncourt d'avoir peint la défaite d'une âme pure dans *Renée Mauperin* (1864), ni à Zola d'avoir fait le portrait d'un homme de science dans *Le Docteur Pascal* (1893). Mais on peut se demander si la défense de Zola est entièrement recevable, et si, avec tout son enthousiasme pour l'objectivité scientifique, le naturalisme s'est véritablement proposé d'oublier l'humanité de ses modèles.

Au fond, ce qui, dans la facture naturaliste, a choqué ses adversaires et enthousiasmé ses admirateurs, ce n'est pas l'ambition scientiste, mais la manière inédite dont les écrivains appartenant à ce courant représentent les couches les plus misérables de la société, considérées en particulier dans leurs rapports avec la nouvelle ère industrielle. En rejetant l'idéalisme romanesque et, plus généralement, toute perspective qui identifie l'« humanité des modèles » à leur noblesse innée, le naturalisme s'est du même coup débarrassé à la fois de l'idée que la beauté morale est susceptible d'apparaître à n'importe quel niveau de la société (comme le pensaient

Richardson et les romanciers idéalistes du XVIIIᵉ siècle) et de la « loi de l'éloignement », qui place l'innocence et la grandeur morale soit dans les couches sociales les moins favorisées, soit dans les contrées les plus éloignées

Aussi bien la formule déjà fort désuète de Richardson que l'idéalisation plus récente du malheur social chez Sue et Hugo veulent faire croire au lecteur que les déshérités de la terre sont immédiatement éligibles à la promotion sociale grâce à leur grandeur morale, Pamela pouvant devenir du jour au lendemain l'épouse de son maître, Jean Valjean amassant une immense fortune grâce à la générosité de Mgr Bienvenu, et Fleur-de-Marie passant en un clin d'œil de la fange au rang de princesse. Des œuvres comme *Germinie Lacerteux* et *L'Assommoir* (1877), en revanche, s'efforcent de réfuter cette proposition et, se consacrant entièrement à l'étude de la laideur morale du monde moderne, démontrent que les exclus y sont tout aussi corrompus que les privilégiés. Les pauvres, arguent les Goncourt et Zola, sont à plaindre non seulement à cause de leur dénuement matériel, comme le pensaient Hugo, Dickens, Sue, mais aussi et surtout à cause de l'abrutissement dans lequel ce dénuement les plonge. La mise en accusation de la société qui provoque et tolère cet état de choses est d'autant plus convaincante que la pauvreté n'y est pas présentée comme la source proprement dite de la dégradation des personnages, mais comme la condition qui l'aggrave et la rend invincible. Par une mystérieuse consonance entre la laideur des bas-fonds sociaux et celle des bas-fonds physiologiques individuels — consonance qui procure au naturalisme un de ses thèmes de réflexion les plus angoissants —, la misère sociale conduit inévitablement à la corruption morale, cette dernière s'annonçant souvent comme le triomphe incontesté des pulsions organiques.

Dans *Germinie Lacerteux*, le personnage éponyme est une servante qui, orpheline et pauvre, a quitté son village à quatorze ans pour chercher fortune à Paris. Employée chez Mlle de Varandeuil, vieille fille née avant la Révolution, Germinie est profondément dévouée à sa maîtresse, qui, se souvenant de ses propres malheurs pendant la Terreur et le Directoire, la traite fort honnêtement. Tout en remplissant avec joie les devoirs de son état de servante, Germinie, mue par le désir naturel de protéger un autre être humain, passe son temps à gâter Jupillon, fils d'une crémière qui habite dans le même immeuble. Or, la seule manière d'obtenir la sympathie de Jupillon et celle de sa mère consiste à les servir. En satisfaisant les caprices du fils Jupillon, et, plus tard, en devenant sa maîtresse, Germinie souhaite s'aménager un espace qui échappe à sa condition servile, mais ses moyens d'action sont fatalement limités aux ressources de cette condition. La bassesse de Jupillon et celle de sa mère aggravent le dilemme de Germinie, qui, voulant remplir à la fois ses obligations légitimes auprès de Mlle de Varandeuil et satisfaire les exigences déraisonnables de son amant, s'épuise à servir deux maîtres. Trahie dans son amour, auquel elle ne parvient pas à renoncer, la pauvre servante s'humilie de plus en plus devant son jeune amant, qui exige de l'argent pour consentir à la voir. Après lui avoir sacrifié ses économies, elle fait des emprunts dans le voisinage et en arrive même à dérober une petite somme à sa maîtresse. Comme si les difficultés morales de Germinie ne suffisaient pas à la briser, son corps, éveillé à la sensualité, réclame à son tour son dû. Abandonnée par Jupillon, la servante, tourmentée par sa chair, finit par chercher ses amants dans la rue. La dégradation ne cesse qu'avec sa mort : espionnant les aventures du jeune Jupillon qu'elle aime encore, Germinie passe une nuit dans le froid, tombe malade et s'éteint. Après sa disparition, Mlle de Varandeuil découvre avec stupeur la vérité sur la double vie de sa servante, mais, se souvenant de sa dévotion, lui pardonne.

Dans ce roman, les frères Goncourt reprennent à leur façon le propos polémique de *Shamela*, l'histoire de la servante délurée et hypocrite dont les actions parodient celles de son homologue, la vertueuse Pamela. Les Goncourt abondent dans le sens de Fielding lorsqu'ils montrent que, par sa nature même, la condition servile encourage la duplicité et déguise la débauche. Mais cette fois, la servante débauchée est un objet tragique. Les Goncourt, dans leur préface à *Germinie Lacerteux*, soulignent eux-mêmes la part de tragédie dans cette œuvre, une tragédie moderne, dans la mesure où le désespoir de l'héroïne n'est pas racheté par la conscience de sa dignité. Le désespoir de Germinie ressemble à celui qui conduit Emma Bovary au suicide : il est engendré par la certitude de vivre dans un monde laid, opaque aux désirs, réfractaire à l'aspiration au bonheur. L'individu n'est pas simplement vaincu dans ses efforts d'en surmonter les obstacles, il se sent lui-même gagné, pénétré et avili par la laideur du monde ; et comme la dégradation qu'il subit ne comporte pas d'appel, l'amertume qu'elle dégage n'est adoucie par aucune consolation. Il est facile de voir que cette constellation affective n'a pas de précédent. Moderne, cette tragédie est également prosaïque, car le choc entre le personnage et le monde a lieu en grande partie au niveau inframoral. La nature des forces qui animent Germinie change progressivement au cours de l'action, et l'histoire d'une passion inspirée par un être indigne devient celle d'une érotomanie inguérissable. L'amour dégradant, autre thème moderne (traité dans le registre sérieux par l'abbé Prévost et repris fréquemment au XIXᵉ siècle), est mis ici en rapport avec la condition servile de Germinie : son enfermement l'empêche de chercher attentivement un être qui mérite son affection, alors que l'habitude de la dépendance lui interdit de s'affranchir de l'amour avilissant et des pulsions érotiques déréglées. La victoire de ces pulsions, par ailleurs, figure sans doute ici l'impuissance des êtres réduits à la servitude de se saisir d'eux-mêmes, de se prendre en charge : la pratique de l'autonomie, dans le sens le plus banal du terme, leur fait défaut. Situés au niveau le plus bas de la société, n'ayant jamais l'occasion de dominer les autres, rien ne les prépare à se dominer eux-mêmes.

Ces êtres complexes et démunis, ces pitoyables victimes de forces biologiques et sociales incontrôlables peuplent également les romans de Zola. *L'Assommoir*, l'œuvre qui a valu à son auteur la célébrité, évoque le Paris des travailleurs pauvres, en particulier le milieu des ouvrières blanchisseuses. Dans l'ébauche manuscrite du roman, Zola décrit le personnage de Gervaise dans ces termes : « Une bête de somme au travail, puis une nature tendre ; un fond de femme excellent [...], chacune de ses qualités tourne contre elle. Le travail l'abrutit, sa tendresse la conduit à des faiblesses extraordinaires [1] ». Le roman concrétise ces traits lentement, le long d'un récit qui suit le destin de Gervaise, de ses mariages et de ses occupations. Gravitant entre trois hommes, son premier mari Lantier, coureur de jupons, son second époux, Coupeau, ouvrier zingueur qu'un accident de travail rend invalide juste le temps de s'habituer à la fainéantise et à l'alcool, et enfin l'honnête Goujet, ouvrier forgeron qui l'aime respectueusement, Gervaise joue pendant longtemps la carte

---

1. Cité par Henri Mitterand dans son *Étude* de *L'Assommoir*, in Émile Zola, *Les Rougon-Macquart*, vol. 2, Bibliothèque de la Pléiade, Gallimard, 1961, p. 1545.

de la probité et du travail bien fait. Mais le destin l'a placée au cœur de la jungle urbaine, dans les quartiers ouvriers du nord parisien, peuplé de gens affamés et endurcis. Les ennemis abondent, irrités par la vitalité de la jeune femme : Virginie, amante et plus tard épouse de Lantier, les Lorilleux, les Boche et les Poisson, voisins envieux et mesquins. Bien partie, l'ascension sociale amorcée par Gervaise, qui parvient à gérer sa propre blanchisserie, s'enlise. Pour affirmer son statut parmi les voisins, Gervaise et Coupeau font des dépenses gastronomiques excessives ; devenu alcoolique Coupeau s'abrutit graduellement ; Lantier réapparaît et séduit Gervaise ; celle-ci néglige la blanchisserie et perd sa clientèle. La décadence s'ensuit : Nana, la fille de Gervaise, tourne mal, Coupeau est enfermé à Sainte-Anne, Gervaise, obligée de se prostituer, meurt dans le dénuement le plus total. Bref, la jeune femme, qui au début tranche si vigoureusement sur son milieu, subit une conversion progressive de ses habitudes et finit par s'assimiler inéluctablement à la corruption qui l'entoure.

L'Assommoir est la réponse de Zola à l'exaltation balzacienne de l'énergie, et, à travers celle-ci, à la longue tradition qu'elle perpétue. Les paladins médiévaux et leurs continuateurs baroques, puisant en eux-mêmes une énergie intarissable, dominent sans difficulté leur milieu ambiant, agissant au nom de la justice et de la vertu. Le roman moderne peint l'énergie sous les espèces de l'ambiguïté : elle anime aussi bien les scélérats des romans gothiques et les héros démoniaques créés par Mary Shelley, par Emily Brontë et par le roman populaire, que les grands bienfaiteurs inventés par Sue, Dickens et Hugo. Chez Balzac, l'énergie est tout aussi dépourvue de déterminations morales et peut se mettre au service du bien (Benassis) ou du mal (Vautrin). Dans *La Comédie humaine*, la vocation d'accomplir de grandes choses a cependant toujours besoin d'énergie, et il incombe à l'individu de la trouver en lui-même. Par conséquent, un personnage comme Lucien de Rubempré, qui au lieu de puiser dans son propre sein la force d'affirmer son talent cède aux tentations avilissantes du milieu journalistique, est, du moins en grande partie, responsable de son échec. Il aurait pu résister. En revanche, beaucoup de personnages de Zola, surtout les personnages qui attirent la sympathie du lecteur, ne sont pas tout à fait maîtres de la force dont ils disposent. L'énergie émane de Gervaise comme l'eau sourd de la terre, mais Gervaise elle-même n'a pas les moyens de se saisir de ce don et de l'orienter durablement.

Entre le milieu et les personnages qui l'habitent des liens se tissent, qui pénètrent profondément dans leur intériorité : les désirs, les sentiments, les réflexions et les décisions individuels participent pour ainsi dire du champ moral et pulsionnel dégagé par le milieu ambiant. Après l'accident de Coupeau, Gervaise se dévoue à son époux blessé et déprimé, non pas tant parce qu'elle *décide* de le faire, mais parce que cette dévotion va de soi : « Son homme avait la jambe droite cassée ; ça, tout le monde le savait ; on la lui remettrait, voilà tout. Quant au reste, au cœur décroché, ce n'était rien. Elle le lui raccrocherait, son cœur. Elle savait comment les cœurs se raccrochent, avec des soins, de la propreté, une amitié solide [1] ». Cette solidarité irréfléchie, cependant, se révèle être un terrible piège. Coupeau commence à boire sous l'influence de mauvaises amitiés, qu'il n'a pas l'idée de combattre, et Gervaise, minée par la « faiblesse extraordinaire » que lui attribue l'auteur, le laisse faire. Plus tard, lors du retour de Lantier, le ménage à trois s'établit sans difficulté, engendré par la simple convergence des intérêts et des pulsions. Gervaise comprend bien sa position : « Oui, Coupeau et Lantier l'usaient, c'était le mot ; ils la brûlaient par les deux bouts, comme on le dit de la chandelle », mais elle s'accommode, parce que les désirs des autres la traversent, deviennent siens : « Puis elle pensait que les choses auraient pu tourner plus mal encore. Il valait mieux avoir deux hommes, par exemple, que de perdre deux bras. Et elle trouvait sa position naturelle, une position comme il y en a tant ; elle tâchait de s'arranger là-dedans un petit bonheur » (*L'Assommoir*, p. 344). Cette disponibilité à l'égard de ses proches continue jusqu'à la fin, et lorsque Coupeau, agité par le delirium tremens, est interné à Sainte-Anne, Gervaise, loin d'en être dégoûtée, souhaite deviner ce qui se passe dans le corps de son époux : « Ayant vu les médecins poser leurs mains sur le torse de son homme, elle voulut le tâter elle aussi. Elle s'approcha doucement, lui appliqua sa main sur une épaule. Et elle la laissa une minute. Mon Dieu ! qu'est-ce qui se passait donc là-dedans ? » (p. 501).

Est-ce de la bonté ? de la non-résistance au mal ? Chez Zola les personnages qui refusent de participer à cette inter-

---

1. Émile Zola, *L'Assommoir*, in *Les Rougon-Macquart*, vol. 2, Bibliothèque de la Pléiade, Gallimard, 1961, p. 484.

pénétration des désirs et des pulsions sont stigmatisés à bon escient comme des êtres rigides et mesquins : les Lorilleux, les Boche. Mais ceux qui s'y laissent entraîner finissent par céder à la corruption environnante. L'individu replié sur lui-même est démasqué d'emblée comme un monstre, mais celui qui s'ouvre aux autres sombre avec eux. Préservé uniquement par l'égoïsme, par l'avarice et par la méchanceté — les vices bourgeois —, l'individu s'effondre s'il pratique les vertus contraires, l'attention aux autres, la générosité, la mansuétude. Poser cette alternative dans ces termes revient à refuser à l'individu la place, jusque là privilégiée, qu'il occupait dans toutes les anthropologies romanesques antérieures. Effectivement, Zola croit, comme beaucoup de ses contemporains, que l'individu est, dans le pire des cas, le lieu de la résistance au bien, et, dans le meilleur, celui de la non-résistance au mal. Simple cellule dans le tissu de la société, l'individu ne saurait être vecteur d'énergie et d'autant moins porteur d'idéal, et cela non pas à cause de son imperfection métaphysique, mais simplement parce que sa vocation consiste à se joindre à la vie commune, à se mêler à ses semblables, dans une fusion qui est beaucoup plus intime qu'une simple association. Zola ne se contente donc pas de défendre, face à l'idéalisme romanesque, une vision mieux calibrée de l'individu dans son rapport avec les normes ; il rejette tout individualisme et déplace le point de jonction entre les normes morales et la réalité vers la société dans son ensemble. Aussi, comme *Germinal* tente de le démontrer, la collectivité est-elle le véritable porteur de l'idéal, la question du bien et du mal se résumant à savoir quelle est la forme optimale d'union intime, d'interpénétration sociale des êtres. La réponse de Zola est que cette forme passe par le travail, par un travail libéré bien entendu de la servitude, et donc de la corruption que l'injustice sociale impose aux hommes.

En effet, Gervaise et Coupeau ont bien la vocation du travail ainsi que celle de la fusion avec leurs semblables. S'ils ratent néanmoins leur existence, c'est que dans la société corrompue décrite par Zola, les deux vocations ne peuvent coïncider, le travail ne représentant une forme satisfaisante d'union avec les autres êtres humains que dans des circonstances exceptionnelles — rapidement évoquées par l'usine où travaille le brave forgeron Goujet. En l'absence du travail libre, l'instinct d'interdépendance qui pousse les meilleurs individus à s'unir à leurs semblables est détourné vers des formes vicieuses de camaraderie, la plus terrible de toutes étant l'ivrognerie. L'«assommoir», le débit de boissons empoisonnées où Coupeau et ses amis gaspillent leur jeunesse, est à l'usine ce que dans la religion l'enfer est au paradis. À la communauté des travailleurs libres s'oppose ici celle des fainéants et des abrutis. Dissociant chez Coupeau, et à travers lui chez Gervaise, la vocation du travail et celle de l'alliance avec leurs semblables, ce foyer d'avilissement les envoûte et les désarme, bref les « assomme ». Privés du sens du travail, la communauté qui les réunit est celle de la dégradation.

Portés à leurs limites, l'intérêt pour l'imperfection humaine et la méthode de l'enracinement conduisent à une vision excessivement sombre de la vie humaine. Pourtant, par une sorte de renversement imprévu, et qui n'est certes pas dû à l'ambition scientifique de Zola, l'espoir d'une société meilleure se dessine à l'horizon, dans laquelle la solidarité collective rendra obsolète la force individuelle.

CHAPITRE VII

Synthèses

Entre, d'une part, la vitalité du roman idéaliste et, d'autre part, la radicalisation progressive de l'anti-idéalisme, une voie moyenne a été frayée dans la deuxième moitié du XIXe siècle par les prosateurs qui, suivant l'exemple de Walter Scott et de Balzac, demeurent sensibles à l'appel de l'idéal, mais se proposent cependant de contourner les écueils de l'irréalisme. Dans les formes optimistes de la synthèse qui en résulte, les héros exhibent à la place de la parfaite vertu une bonne volonté spontanée et, au lieu de se conduire en conformité rigoureuse avec l'idéal, se laissent gouverner par une sorte d'instinct de la justesse morale. La perfection innée est remplacée par l'apprentissage lent et difficile de la sagesse et la force sans reproche fait place à la bonté et à la naïveté. Dans d'autres incarnations, plus dubitatives, de cette synthèse, la beauté de l'âme, lorsqu'elle est mise en sourdine, s'appelle poésie du cœur, et, dans ses formes plus nourries, frôle l'inspiration mystique ou la folie. Comme l'ont montré les travaux de Franco Moretti, la quasi-totalité de la production de romans dans la seconde moitié du XIXe siècle était concentrée en France et en Angleterre. Pourtant, à une exception près (celle constituée par l'œuvre de George Eliot), les synthèses que nous allons examiner viennent d'autres horizons, qui grâce à leur relative marginalité, ont encouragé les prises de positions originales.

L'APPRENTISSAGE DE LA SAGESSE

Nous avons déjà vu que le roman de formation plonge ses racines autant dans la tradition pastorale que dans celle des narrations qui racontent l'éducation des jeunes princes ou des âmes de choix : *La Cyropédie*, de Xénophon, *Les Aventures de Télémaque*, de Fénelon, *L'Histoire d'Agathon*, de Wieland. Le roman de Wieland, dont la première version date de 1766-1767 et la dernière de 1794, avec un épilogue écrit en 1800, raconte dans un style élégant et abstrait la vie et les voyages d'Agathon, poète grec mentionné dans les dialogues de Platon, qui découvre la valeur des divers systèmes philosophiques à partir de ses propres expériences intellectuelles et existentielles. Salué à sa publication comme une des plus grandes réussites de la prose allemande de son temps, l'exemple d'*Agathon* a été suivi par le saisissant *Anton Reiser* (1785-1790), de Karl Philipp Moritz, et par *Les Années d'apprentissage de Wilhelm Meister* (1796), de Goethe, histoires intérieures de jeunes hommes en route vers la maturité, qui ont joui, elles aussi, d'une immense popularité. Le roman de Goethe, en particulier, a été considéré par la critique de langue allemande, de Friedrich Schlegel à Georg Lukács, comme l'œuvre fondatrice du genre du *Bildungsroman*. Ce point de vue est sans aucun doute valide, et les remarques de Lukács, qui voit dans *Wilhelm Meister* la solution de l'opposition dialectique entre l'individu et le monde, ont un intérêt considérable. Il reste que par certains biais, celui de la dispersion épisodique de l'intrigue et celui de l'abstraction de l'écriture par exemple, *Wilhelm Meister* demeure plus proche des œuvres appartenant à la vague idéographique de la fin du XVIIIe siècle que du roman moderne d'apprentissage.

Ce dernier profite certes de la réflexion de Wieland, de Moritz et de Goethe sur la maturation intérieure des jeunes, sur le contraste entre l'apparence et la réalité et sur la découverte de l'individualité. *Henri le Vert* (1854-1855), de Gottfried Keller, et *L'Arrière-saison* (1857), d'Adalbert Stifter, entre autres, continuent brillamment cette tradition. Mais en sus de cette problématique, de nombreux romans de formation au XIXe siècle sont imprégnés par la réflexion plus récente sur les rapports entre l'idéalisme et l'enracinement. Le problème auquel fait face le héros de ces romans n'est pas simplement celui de son développement intérieur et de sa perception correcte du monde environnant, mais aussi et surtout celui de son insertion dans un univers finement différencié du point de vue historique, sociologique et ethnographique. Considérée sous cet angle, la formation individuelle permet au personnage de découvrir et d'accepter les conditions *spécifiques* qui président à son destin. Le mot clé ici est « spécifiques », car le but de l'apprentissage consiste d'une part à permettre au personnage de mettre ses dons au service d'une société bien définie, en d'autres termes à réussir dans sa carrière, et d'autre part, à l'amener à juger correctement les gens qui appartiennent à cette société.

Spécifiques, ces conditions sont également contraignantes, et par conséquent dans les romans du XIXᵉ siècle l'apprentissage a le plus souvent un caractère urgent et dramatique. Les personnages de Moritz et de Goethe circulent à travers le monde en accumulant tranquillement l'expérience et le savoir, comme si la résistance que leur oppose leur milieu était de peu de conséquence, ou comme s'ils avaient l'éternité devant eux. L'apprentissage de la plupart des personnages de roman au XIXᵉ siècle s'organise en revanche autour d'un petit nombre d'obstacles et de décisions critiques qui engagent concrètement les protagonistes dans des voies fort difficiles à quitter. Le cheminement de Wilhelm Meister est composé, comme celui des picaros, d'une multitude d'épisodes rattachés les uns aux autres par les liens les plus lâches, alors que dans la vie du protagoniste de *David Copperfield* (1849-1850), de Dickens, chaque étape est déterminée par les étapes précédentes et chacun des choix opérés par le personnage sous la pression du milieu et de son propre passé limite considérablement la gamme des choix ultérieurs. Au *périple* de Meister s'oppose le *destin* de Copperfield.

Ce type de cheminement dans la vie a sa raison d'être dans la nouvelle réponse que les romans d'apprentissage du XIXᵉ siècle entendent proposer à l'idéalisme moderne : ces romans nous assurent que les belles âmes existent, qu'il suffit de regarder autour de soi pour les découvrir, mais que la capacité de ces âmes de s'insérer dans leur milieu et de bien juger le prochain n'est pas le résultat d'une dotation providentielle, mais celui d'une suite d'essais infructueux et d'erreurs corrigées. Grâce à ces erreurs, la belle âme apprend à ses dépens à bien vivre et à rayonner dans le monde de manière efficace. Son épanouissement provient, dans le cas des jeunes hommes, du choix judicieux d'une carrière — celui de David Copperfield est éloquent — mais le plus souvent l'accès au bonheur et à la sagesse est signalé par la découverte, tardive et maladroite, d'un partenaire convenable.

La difficulté de trouver une âme-sœur avait déjà été soulignée dans *Télémaque* et dans *Agathon*, dont les héros éponymes, avant de rencontrer l'être qui mérite de partager leur vie, tombent amoureux d'objets peu dignes de leur passion. *La Nouvelle Héloïse* et *Clarissa* évoquent à leur tour ce problème, mais dans tous ces ouvrages l'erreur ne conduit pas à l'autel, et s'il y a mariage, il est réussi et unique. Dans de nombreux romans de formation du XIXe siècle en revanche, le protagoniste contracte un mariage qui lui cause des souffrances considérables. La sagesse acquise à la suite de cet égarement permet au héros de contracter un nouveau mariage, celui-ci heureux. Le bonheur matrimonial demeure donc le critère final de la réussite romanesque, mais à la différence de la situation qui prévaut jusqu'à la fin du XVIIIe siècle, cette réussite ne couronne plus toujours le *premier* mariage. David dans *David Copperfield*, Dorothea dans *Middlemarch* (1871-1872) de George Eliot, Pierre dans *Guerre et Paix* (1865-1869) de Tolstoï se conforment à ce schéma, qui accorde à la belle âme le privilège de se tromper une fois pour mieux chercher et apprécier le véritable bonheur.

Middlemarch, le meilleur roman de George Eliot et véritable sommet de la prose romanesque victorienne, aspire à peindre à la fois le destin individuel des personnages et la présence, parfois fort pesante mais jamais véritablement nocive, de la communauté qui les entoure, « Middlemarch » étant le nom du petit bourg où habitent les protagonistes. Ceux-ci avancent dans la vie dans un monde bien défini, celui de la province anglaise à la veille de la grande réforme constitutionnelle de 1832. La réforme, pense l'auteur, tout comme les efforts locaux d'améliorer les conditions de vie (en l'occurrence la modernisation des services hospitaliers), s'appuie sur l'épanouissement des vertus morales appropriées : le courage, l'indépendance d'esprit et la probité. Le protagoniste étant une femme, le rôle qui lui revient dans ce mouvement social et moral est d'inspirer aux hommes, par

l'entremise de ce qu'on pourrait appeler l'« amour bien
entendu », le désir de s'illustrer par de hauts faits d'utilité
publique et, par conséquent, d'avancer dans la voie de la
moralité. Un mariage malheureux, suivi de la découverte du
véritable amour, enseigne au personnage féminin principal
l'importance de ce rôle.

La généreuse Dorothea Brooke épouse un homme considérablement plus âgé qu'elle, le philologue Casaubon, en espé-
rant qu'à ses côtés elle aurait le bonheur d'apporter son aide
modeste à la grande œuvre que celui-ci prépare. Casaubon a
passé toute sa vie à rassembler les données nécessaires pour
la rédaction d'un vaste ouvrage censé procurer la clé de
toutes les mythologies ; mais comme le pauvre homme
ignore les progrès récents réalisés par l'histoire et par la phi-
lologie allemandes, sa recherche, faite selon des méthodes
désuètes, n'a en réalité aucune utilité. Graduellement, Dorothea se rend compte que l'œuvre de son époux ne verra
jamais le jour, et que de surcroît celui-ci est un homme mesquin, autoritaire et jaloux. Son existence auprès de Casaubon
devient un cauchemar.

Le conflit entre Dorothea et son mari a pour enjeu la fortune du cousin du savant, le jeune Will Ladislaw. Longtemps
avant le début de l'action, la famille de Casaubon avait
déshérité la cousine de celui-ci, à la suite de son mariage
avec un jeune Polonais sans fortune, mariage dont le fruit est
Will Ladislaw. L'héritage de Casaubon s'est trouvé, par
conséquent, fortement augmenté, et le savant homme, pour
compenser l'injustice, contribue aux dépenses de l'éducation
de Will. Dorothea voudrait cependant que le couple fasse un
effort supplémentaire en faveur du jeune homme et propose
à Casaubon de modifier son testament — qui laisse toute sa
fortune à Dorothea — pour en donner la moitié à Ladislaw.
Casaubon refuse la suggestion dans le style froid et pédant
qui est le sien, mais, comme il soupçonne injustement sa
femme d'être amoureuse de Will, il ajoute, à l'insu de Dorothea, un codicille à son testament qui interdit à celle-ci
d'épouser Will Ladislaw, sous peine de perdre l'héritage.

La force morale de Dorothea ne se laisse pas abattre par
l'échec de son mariage, ni par l'affront que lui fait le codicille. La jalousie du vieux pédant est absurde et le codicille
vain : bien que Ladislaw soit effectivement amoureux en
secret de Dorothea, celle-ci est un être parfaitement transparent, dégagé de toute impulsion obscure, incapable

d'éprouver un amour qui contredit son devoir. Lorsque plus tard, après la mort de son premier époux, elle se sentira à son tour attirée par Ladislaw, la menace du codicille ne fera pas obstacle à leur mariage. Auprès de Will, Dorothea ne sera plus l'auxiliaire modeste qu'elle avait consenti d'être durant son premier mariage, mais l'inspiratrice du jeune homme. Sous son influence, Will, qui en dépit de ses talents avait hésité longtemps avant de choisir une carrière, finira par agir en se mettant au service de la réforme constitutionnelle, dont le succès lui assurera une place de marque dans la société.

La leçon féministe de cette histoire est soulignée par antiphrase par le destin du docteur Lydgate, jeune homme talentueux qui se propose, en fondant un nouvel hôpital à Middlemarch, de réformer les pratiques médicales locales. Étant d'avis que dans le mariage le rôle de la femme est purement ornemental, Lydgate épouse la belle Rosamond Vincy. Dépourvue de force morale, Rosamond accumule des dettes sans mettre son mari au courant et répond aux reproches de celui-ci en affectant la passivité blessée. Ces dettes menacent la réputation du docteur qui, pour les acquitter, accepte un prêt de la part du banquier Bulstrode. Quelques jours plus tard, le clochard Raffles meurt dans la demeure de Bulstrode et Lydgate pose sa signature sur le constat de décès. Découvrant que Raffles avait depuis longtemps vécu aux dépens de Bulstrode, auquel il extorquait d'importantes sommes d'argent, la communauté de Middlemarch conclut naturellement qu'il s'est agi d'un meurtre dont Lydgate a été le complice. Le docteur est mis au ban de la société et Rosamond décide de quitter le domicile conjugal. Lydgate paie cher pour avoir cru qu'une femme n'est pas un être humain à part entière mais un simple ornement destiné à agrémenter la vie de son époux.

Ce que Dorothea et Lydgate comprennent au terme de leurs épreuves est qu'un mariage ne peut réussir s'il n'est pas fondé sur la reconnaissance du rôle moral de la femme. Le modèle qu'Eliot entend proposer aux femmes n'est pas celui des grandes héroïnes, d'une sainte Thérèse d'Avila, par exemple, dont la personnalité passionnée, éprise d'idéal, exigeait une vie épique, fort différente de la vocation privée des femmes ordinaires. Thérèse d'Avila a été une exception, note Eliot, mais beaucoup de femmes possédant ses qualités « sont nées qui n'ont pas su trouver une vie épique remplie par le surgissement ininterrompu d'actions éclatantes ; peut-être à la place ont-elles vécu une vie d'erreurs, le résultat d'une certaine grandeur spirituelle mal assortie à la petitesse des circonstances; peut-être ont-elles connu un échec tragique qui, faute d'être pleuré par les poètes, est sombré dans l'oubli [1] ». C'est en pensant à ces Thérèse malheureuses « dont le cœur bat tendrement et soupire après un bien impossible à atteindre » et qui, au lieu d'être reconnues grâce à quelque haut fait, « tremblent et s'éparpillent parmi les obstacles » (*Middlemarch*, p. 4) que George Eliot a écrit son roman. Auprès de son Ladislaw, Dorothea Brooke s'épanouit, mais sa force lumineuse se répand « dans des canaux qui n'ont pas de grands noms sur terre ». Et pourtant, conclut l'auteur, il ne faut pas déplorer cet anonymat : « L'effet de son être sur ceux qui l'entouraient fut incalculable : car la croissance du bien dans ce monde résulte en partie d'actes non historiques; et si, pour vous et pour moi, les choses ne vont pas aussi mal qu'elles auraient pu l'être, c'est en grande partie grâce à ceux qui ont vécu fidèlement une vie cachée et reposent dans des tombes qu'on ne visite pas » (p. 822). Tous les thèmes de l'enchantement de l'intériorité résonnent dans ces passages : l'identité axiologique entre l'héroïsme public et la grandeur privée, voire anonyme, la beauté morale des êtres humbles, la vocation du roman moderne de célébrer les porteurs inconnus de l'idéal. Anthony Trollope et Thomas Hardy continueront, chacun à leur manière, l'étude de la vie morale sous la forme que lui a donnée George Eliot.

LES INGÉNUS AU GRAND CŒUR

Le monde imaginé par Eliot est peuplé de belles âmes qui, au terme d'un parcours douloureux, apprennent à se gouverner elles-mêmes et à promouvoir autour d'elles la force et l'ambition morales. Nées dans un monde historiquement déterminé, elles n'en sont pas moins libres d'agir, voire d'influencer le train du monde par leur action. Il est frappant de constater combien les personnages d'Eliot exhibent encore la haute conscience morale et l'assurance de soi des anciens héros et héroïnes de roman idéaliste, Dorothea

---

1. George Eliot, *Middlemarch*, édition David Carroll, World's Classics, Oxford University Press, 1997, p. 3 (ma traduction).

Brooke étant sans doute le dernier grand exemple du type incarné par Chariclée, Pamela, Clarissa et Julie. En revanche, chez d'autres auteurs qui tentent de garder l'équilibre entre la vision idéaliste et l'anti-idéalisme, les protagonistes à la belle âme sont souvent affligés par une sorte de timidité, de pudeur, comme si le fait d'être différent du reste du monde les rendait confus, perplexes, embarrassés.

C'est le cas des personnages de Tolstoï, auteur qui se méfie profondément de tout ce qui rappelle la doctrine du roman idéaliste moderne : l'apothéose de l'individu, le culte de la conscience législatrice, l'idée que le devoir soit inscrit dans notre cœur d'une manière indélébile. Comme Flaubert, Tolstoï regarde avec suspicion la version sentimentale de l'idéalisme, qu'il estime responsable de la rupture entre le moi et son milieu ambiant. De surcroît, il est particulièrement sensible au caractère artificiel des mœurs sociales ainsi qu'aux aspects comiques de l'insertion individuelle dans les rôles prescrits par la société. Selon lui, la place que les individus occupent dans le monde social, loin d'être la source directe des particularités de leur personnalité, les force à modifier eux-mêmes et de leur propre gré leur façon de saisir la réalité et d'y agir. Mais cette modification ne bénéficie pas du confort normatif qui rend la tâche de Dorothea Brooke si facile à assumer : les héros et les héroïnes de Tolstoï refusent les normes toutes faites et luttent naïvement, maladroitement, aussi bien contre les exigences, souvent insupportables, imposées par la société que contre le fouillis de leurs propres intuitions morales.

Nous avons examiné plus haut les hésitations d'Olénine, le protagoniste du récit *Les Cosaques*, qui, insatisfait de la vie de Moscou, cherche en vain à s'enraciner parmi les Cosaques. Olénine finit par accepter la vie parmi ses semblables, tout en s'en distanciant afin de pouvoir lui donner la forme la plus authentique et la plus juste. Les détails de cette anthropologie de la distanciation, à peine esquissés dans *Les Cosaques*, sont développés par l'œuvre ultérieure de Tolstoï. Ainsi, dans *Guerre et Paix*, Pierre Bezoukhov découvre graduellement que sa lenteur à comprendre ses propres intérêts n'est pas en fin de compte un vrai défaut; au contraire même, ce trait de caractère lui procure une certaine indépendance à l'égard des circonstances, indépendance grâce à laquelle il pourra créer autour de lui un îlot d'authenticité et de justice au sein duquel il atteindra, sur le tard, le véritable bonheur.

À propos de *Guerre et Paix*, il faut préciser que cette œuvre, ainsi que Tolstoï l'a lui-même souvent dit avec raison, n'est pas un véritable roman (j'ajouterais « moderne »), en ce sens qu'il ne se contente pas de suivre, comme le font tant de romans depuis le XVIIIᵉ siècle, le destin d'un seul personnage ou celui d'un seul groupe de personnages, et qu'il ne donne pas à l'action la forme d'un conflit bien structuré. Cette œuvre abandonne la tradition moderne qui consiste à allier l'ampleur des vieux romans à la concentration de la nouvelle. Dépourvue d'unité d'action, *Guerre et Paix* ressemble, par l'immensité de son déploiement, aux romans prémodernes, en particulier à ceux qui appartiennent à la filière éducative, comme si, en éliminant la composante « nouvelle » de la synthèse romanesque moderne, l'écrivain était pour ainsi dire obligé de se rabattre sur la richesse épisodique. Le roman raconte les difficiles périples de deux personnages destinés l'un à l'autre, Natacha Rostova et Pierre Bezoukhov, personnages dont la réunion est empêchée par deux premiers mariages insatisfaisants. Sur leur parcours, comme dans les romans de formation du XVIIIᵉ siècle, les protagonistes traversent une grande diversité de milieux sociaux et ont le loisir de réfléchir à la place qu'ils occupent dans le monde. La guerre sert d'arrière-plan au déroulement de l'action et offre au héros masculin l'occasion de prouver son courage. Parfois, surtout dans la seconde moitié de l'ouvrage, la guerre passe à l'avant-scène et le général Koutouzov monopolise pendant un moment l'attention, ce qui justifie dans une certaine mesure les rapprochements qu'on a faits entre cette œuvre singulière et le genre de l'épopée.

Il est significatif, du point de vue de l'histoire du genre, qu'après avoir produit au prix d'un immense travail ce vaste texte atypique, Tolstoï ait senti le besoin de réintégrer la pratique courante et d'écrire une œuvre qui réunit l'abondance épisodique des vieux romans avec la concentration narrative de la nouvelle. Une des deux intrigues d'*Anna Karenine* (1875) est en effet organisée, comme celle d'une nouvelle classique, autour d'un événement hors du commun, voire d'un fait divers, en l'occurrence le suicide d'une femme encore jeune qui se jette sous un train. Mais comme Balzac dans *Illusions perdues*, comme George Eliot dans *Middlemarch*, Tolstoï ne peut pas se décider à réduire son roman au récit d'une seule histoire. L'autre intrigue, celle des amours de Lévine et de Kitty, reprend la thématique de la découverte réciproque déjà illustrée par l'histoire de Natacha et de Pierre dans *Guerre et Paix*, et, comme celle-ci, fait signe vers le roman de formation et, en filigrane, vers la pastorale.

Considéré du point de vue de l'anthropologie de la distanciation, *Anna Karenine* est un examen des choix offerts à l'individu qui perçoit la distance qui le sépare de son milieu. Tout au long du roman, d'abord, Tolstoï s'évertue à démontrer la vacuité des existences menées selon les règles de la haute société. À l'instar des grands promoteurs de la méthode de l'enracinement, Scott et Balzac, il fonde ses observations sur une théorie de la vie sociale, plus précisément sur une théorie de la modernisation. Selon Tolstoï, le malheur de la société russe a depuis toujours été la séparation radicale entre le peuple et les classes supérieures fascinées par la culture européenne. Bien que ces dernières se soient dans le passé ralliées au peuple et aient consenti à d'immenses sacrifices pour assurer la survie de la nation — en particulier au cours de la guerre contre Napoléon —, ces classes sont demeurées trop inféodées aux modèles de civilisation empruntés à l'Europe occidentale et, par conséquent, trop éloignées de la réalité des mœurs populaires russes. Il ne faut pas en conclure que Tolstoï ait été un écrivain révolutionnaire ; au contraire même, les solutions qu'il prêche comptent sur l'efficacité de l'initiative individuelle au sein de l'ordre établi. Le portrait du frère de Lévine, anarchiste aigri par la rancune qu'il garde contre le monde, être incapable d'accepter sa place dans un univers à peine compréhensible, est une des plus sévères mises en accusation du révolutionnaire professionnel, qui, dans l'esprit de Tolstoï, manifeste à l'égard des véritables besoins des classes pauvres une indifférence égale à celle des classes possédantes. Lévine, pour sa part, tout en étant fort sensible à l'imperfection et à l'injustice de l'organisation sociale, se garde bien d'en tirer des conclusions certaines ni de proposer des solutions dogmatiques. L'incurable perplexité du jeune propriétaire terrien, tout comme la maladresse et la lenteur de Pierre Bezoukhov, représente une étape indispensable vers l'idéal humain proposé par l'auteur.

Séparée du peuple, l'élite s'affaire à diriger le pays selon des méthodes qui viennent d'ailleurs, exhibant à l'occasion une admirable maîtrise de soi. La personnalité de Karenine, l'époux d'Anna, exprime dans toute leur force l'honorabilité, la tenue, l'égalité d'humeur, le sens du devoir, qualités maî-

tresses d'une élite responsable et pénétrée de son importance. Karenine est, à beaucoup d'égards, un véritable héros,
dont l'existence, mise au service du bien public, ne connaît
d'autres satisfactions que celles procurées par le devoir bien
rempli. En vrai modernisateur, il consacre toute son énergie
au projet d'améliorer les conditions de vie des populations
indigènes de l'Empire (tâche qu'il entreprend par l'entremise
de la bureaucratie et qui est, par conséquent, vouée à
l'échec). Lorsque le destin lui réserve la surprise d'apprendre
que son épouse entretient une liaison coupable avec l'officier
Vronsky, l'infortune personnelle rehausse à la fois la
noblesse du personnage et son sens du devoir. La naissance
de la fille adultérine d'Anna, surtout, le rend généreux : il
pardonne à sa femme, se réconcilie avec Vronsky et se trouve
être la seule personne qui s'intéresse au sort du nouveau-né.
Étonné, l'amant ne saisit pas bien les raisons qui font agir
l'époux trompé, mais se rend compte « qu'il y avait quelque
chose de supérieur, qui était incompatible avec sa conception de l'existence [1] ». Et pourtant les conventions sociales
gardent leur emprise sur l'admirable fonctionnaire. « À côté
de la force spirituelle sublime qui guidait son âme, il y en
avait une autre, élémentaire, aussi puissante sinon plus, qui
dirigeait sa vie, et cette force ne lui donnerait pas la quiétude
modeste qu'il désirait » (*Anna Karenine*, vol. 1, p. 534). Le
caractère artificiel de la vie de société finit en effet par avoir
raison de la bonté de Karenine, surtout après que celui-ci se
laisse convertir au spiritualisme mondain, fléau des classes
élégantes.

Le rôle, tout aussi artificiel, que la société assigne à son
épouse Anna semble au premier abord lui convenir, mais les
attentions dont la comble l'élégant officier Vronsky lui
tournent la tête. Sa décision de lui céder tient-elle ou non du
caprice ? Anna, en tout cas, est convaincue que les remords
qu'elle éprouve après la conquête l'attachent à Vronsky par
des liens indestructibles : « Elle se sentit si criminelle et si
coupable qu'il ne lui restait qu'à s'humilier et à demander
pardon ; maintenant elle n'avait plus que lui au monde, aussi
était-ce de lui qu'elle implorait son pardon » (vol. 1, p. 217).
Et quelques lignes plus loin : « Tout est fini, dit-elle. Il ne me
reste plus que toi. Souviens-t'en » (vol. 1, p. 218). On sent
dans ces paroles — qui évoquent la passion d'Ellénore dans

---

1. Léon Tolstoï, *Anna Karenine*, trad. Sylvie Luneau, vol. 1, GF-Flamma-
rion, 1988, p. 529.

Adolphe — la volonté de racheter la faute de la liaison adultérine par un attachement féroce à l'amant. On reconnaît
également dans le raisonnement d'Anna la trace, pervertie,
de celui de Julie qui, dans *La Nouvelle Héloïse*, se donnait
sans hésiter à Saint-Preux. Les différences entre les deux
héroïnes sont pourtant évidentes : Julie choisit Saint-Preux
en femme libre, alors qu'Anna est épouse et mère; Julie
exerce sur elle-même une maîtrise parfaite, Anna chancelle à
chaque pas. Tolstoï, comme Constant, analyse froidement
l'illusion de ceux qui s'imaginent pouvoir se dégager des
conventions sociales en faisant fond sur l'amour-passion.
Karenine refuse de consentir au divorce, et Anna, pour se
consacrer exclusivement à Vronsky, quitte la Russie avec son
amant.

À l'étranger, cependant, Anna est sujette aux accès de lan-
gueur et aux crises de jalousie, alors que Vronsky sent « que
la réalisation de ses désirs ne lui donnait qu'un grain de sable
de la montagne de bonheur qu'il avait rêvée » (vol. 2, p. 40).
Accablés par l'ennui de la solitude à deux, les amants
finissent par comprendre que l'agréable mensonge de l'existence mondaine est préférable à la fausse vérité de l'amour
vécu loin du monde. Le bel officier et sa maîtresse
retournent en Russie, où une suite de faux pas commis par
Anna leur attire le mépris de la bonne société. Vronsky, qui
n'aspire qu'à régulariser leur situation et à mener avec Anna
une vie plus ou moins normale, ne parvient pas à cacher sa
déception. Il n'envisage pourtant à aucun moment d'abandonner sa maîtresse, et la tragédie finale est due presque uniquement aux angoisses de celle-ci. L'amour qu'elle exige de
Vronsky comporte non seulement le don absolu de soi — don
auquel le jeune homme consent volontiers —, mais également une concentration parfaite de l'attention adoratrice sur
la personne aimée.

Or, semble dire le roman, cette exigence est impossible à
réaliser : les êtres humains ne peuvent vivre les yeux fixés sur
un seul parmi leurs pareils, et, réciproquement, aucun
d'entre nous n'a le droit d'exiger qu'un autre être humain
passe son existence à l'adorer. Rejeter la société pour se
vouer entièrement à l'amour n'est pas la marque d'une belle
âme, pour la simple raison que l'amour ne peut être conçu
comme une vocation exclusive. Anna descend les marches
d'une dépression de plus en plus profonde lorsqu'elle
comprend que Vronsky, tout en se résignant à la vie déclas-

sée qu'ils mènent à Moscou, aspire néanmoins à un minimum d'indépendance. Hantée par la peur de se voir abandonnée, elle en arrive au suicide lorsque, à cause d'un contretemps, Vronsky n'obéit pas assez rapidement à son ordre de rentrer la voir.

En revanche, tout dans la vie de Lévine, le futur beau-frère d'Anna, contredit l'idée que celle-ci se fait de l'amour romanesque. Lévine appartient, comme Olénine et Bezoukhov, à la famille des héros perplexes et maladroits, qui ne se connaissent pas bien eux-mêmes, sont rongés par le doute, ne savent pas comment exprimer leurs sentiments de manière intelligible et efficace, mais prennent la vie très au sérieux et examinent sous tous les angles chaque chose qui leur arrive. La belle âme — car, à leur façon, ces héros maladroits en sont tous des exemples — n'exhibe pas sa vertu aux yeux de l'univers (le manque de retenue étant, chez Tolstoï, le défaut capital des êtres imparfaits), mais cherche avec modestie et persévérance la règle de la bonne vie. Ces personnages finissent par saisir la splendeur de la norme morale dans leur propre cœur, mais non pas sous la forme d'une vérité lumineuse qu'il leur suffirait de regarder pour saisir. Chez Tolstoï, les belles âmes se rendent compte, par une sorte d'avertissement silencieux, si les actions qu'elles entreprennent se conforment ou non à la norme morale et si les principes que ces actions mettent en œuvre sont justes ou non. Ce que la belle âme tolstoïenne découvre — maladroitement mais sûrement — en se mettant à l'écoute d'elle-même et du monde, ce ne sont donc pas des règles et des interdictions explicitement formulées (comme c'était le cas pour les protagonistes des ouvrages de Richardson, de Rousseau, de Balzac et de Dickens), mais des illuminations ou des avertissements intérieurs, des états intimes de joie, d'incertitude ou d'insatisfaction. S'ignorant eux-mêmes, mais s'efforçant à se connaître, ces êtres exemplaires à qui le langage péremptoire de la morale fait défaut, évoquent l'innocence scrupuleuse des héros de pastorale, pour qui, comme pour Bezoukhov, Lévine et Olénine, le monde est un abri bienveillant qui permet aux cœurs sincères de progresser sur la voie de la vertu.

Accompagnée de plaisirs champêtres, l'histoire des amours de Lévine et de Kitty a, plus encore que celle de Bezoukhov et de Natacha, une saveur pastorale. À chaque reprise, qu'il s'agisse des cultivateurs dont Lévine est responsable, de la société des propriétaires terriens de sa région, des parents et des amis qui vivent dans la capitale, de Kitty, la femme qu'il aime, le brave jeune homme s'ingénie à deviner leurs besoins et la manière dont lui-même, avec ses qualités et ses défauts, pourrait contribuer à leur satisfaction. À chaque reprise, au bout de ces efforts, il a la joie de se rendre utile et d'aider les autres à l'être à leur tour. Aussi Lévine sait-il gagner le respect et l'affection de sa bien-aimée, auprès de qui il finit par goûter un bonheur sans nuages. Et en guise de conclusion, Lévine parvient à trouver en lui-même la raison de croire en Dieu, raison qui n'est autre que son propre altruisme.

La synthèse tolstoïenne incorpore d'une part la critique de l'amour-passion formulée par l'anti-idéalisme et, par le moyen de la chute d'Anna, désapprouve les droits imaginaires conférés par le cœur. Rival d'Austen (qu'il n'avait sans doute pas lue) et de Thackeray, Tolstoï se moque en pleine connaissance de cause de la cruauté des préjugés mondains (qui excluent Anna et Vronsky de la bonne société), de l'absurdité des motivations individuelles, de la fausse noblesse du cœur et de l'inépuisable capacité humaine de s'auto-illusionner. Vronsky et Karenine, ainsi que bien d'autres personnages mondains moins importants, sont les cibles de son ironie aussi cinglante — et aussi sereine — que celle de Stendhal. D'autre part, en suivant l'exemple de Dickens, l'auteur d'*Anna Karenine* crée sa propre version de l'idéalisme. La belle âme tolstoïenne est autonome, mais uniquement dans une certaine mesure (la bonne), l'auteur ayant compris que pour un être humain l'autonomie doit faire l'objet d'une négociation toujours ouverte avec le monde et avec soi-même. Inhabiles, hésitantes, ces belles âmes finissent par suivre avec joie l'appel de l'altruisme, et leur réussite, évoquant le topos de l'« ingénu au grand cœur », se révèle à la fin plus enviable que celle des plus astucieux parmi leurs proches.

La recherche de l'autonomie, l'altruisme, la bonté maladroite, ces traits définissent des créatures qui, loin de polariser l'attention de l'univers entier, rayonnent dans leur proximité immédiate, où ils assurent à leurs proches un havre de paix et de bonheur. Dépourvus d'ambition, ces êtres admirables interagissent avec leur milieu de manière strictement locale. Le rayon de l'influence bénéfique exercée par l'« ingénu au grand cœur » et réciproquement celui du prestige maléfique déployé par les âmes égarées étant tous les deux limités, l'univers tolstoïen se divise naturellement en sphères d'influence (celle de Karenine, celle du couple Vronsky-Anna, celle de la famille d'Oblonsky, celle de Lévine) dont la coexistence et l'activité forme le sujet du roman. L'intervention locale — et la forme inédite d'enracinement que son étude suscite — produit des effets durables autant sur le milieu que sur l'individu : Lévine rassemble autour de lui une communauté de gens diligents et bien intentionnés, et devient en cours de route lui-même un admirable chef de famille. À l'inverse, la passion d'Anna, après avoir blessé Karenine et démoralisé Vronsky, conduit l'héroïne à l'autodestruction. L'art de peindre le changement intérieur des personnages, qui est une des grandes réussites de Tolstoï, découle directement de son intérêt pour l'action réciproque de l'homme et de son milieu, au sein de ces sphères d'influence.

Le regard et les réflexions de l'auteur suivent de près ceux de l'« ingénu au grand cœur », nous livrant ainsi le sens du procédé stylistique tolstoïen que les formalistes russes ont désigné du terme de « défamiliarisation » et qui consiste à décrire des objets familiers sous un angle perceptif inattendu et à l'aide de détails frappants. Dans une étude sur les détails dans *Guerre et Paix*, Victor Chklovski note qu'afin de rendre inoubliable la mort ou la guerre, il suffit à Tolstoï de la particulariser, de montrer qu'il ne s'agit pas de la guerre ou de la mort en général, mais de la mort d'un homme en chair et en os [1]. Le détail frappant, poursuit Chklovski, est la manière la plus économique d'obtenir cet effet. Dans *Guerre et Paix* par exemple, pendant le combat singulier qui l'oppose à un officier français, le jeune Rostov observe le visage pâle et couvert de boue du jeune Français aux yeux bleus, visage orné d'*une fossette au menton*. La fossette, note le critique, « marque » le Français, le rendant digne de compassion.

Comme tout procédé formel, le détail frappant a sans doute son origine dans l'anthropologie mise en scène par l'œuvre. Fixer l'attention sur un détail naïvement choisi en raison de son insignifiance rend présente au lecteur l'attitude de l'« ingénu au grand cœur », l'innocence d'un regard qui glisse sur les choses sans en saisir toutes les particularités, mais s'arrête d'un coup, surpris par un élément parmi d'autres. Cet arrêt implique un point de vue frais, dépourvu

1. Victor Chklovski, *Material i stil v romane L. Toltogo « Voyna i mir »*, La Haye, Mouton, 1970 (1928), p. 86-108.

de préjugés, un émerveillement quasi enfantin devant la multiplicité du monde, un regard qui se laisse éblouir par des
bagatelles. Richardson, dans *Pamela*, faisait correspondre à
la parfaite maîtrise de soi de l'héroïne vertueuse des descriptions minutieuses de son environnement. Ici, Tolstoï met
l'« ingénu au grand cœur » devant l'éclat passager du monde,
qui le surprend et l'émerveille.

LA GRÂCE INFINITÉSIMALE

Nous avons vu plus haut (chapitre III) qu'à partir du
XVIIIᵉ siècle le roman emprunte à la nouvelle l'art de l'analyse
psychologique et celui de l'unité d'action. Obligée de réfléchir à sa place dans l'ensemble des sous-genres narratifs, la
nouvelle explore au cours du XIXᵉ siècle deux solutions divergentes : l'une consiste à demeurer proche du roman, tout en
gardant des dimensions plus réduites, l'autre conduit à une
véritable réinvention du genre bref, dont la spécialité sera
désormais le croquis rapide d'une « tranche de vie ». On
reconnaît dans la première option la voie de la nouvelle allemande et dans la deuxième l'invention de la « short story »,
illustrée par Maupassant, Tchekhov et les maîtres américains
du genre.

L'évolution de la nouvelle moderne n'est pas l'objet du
présent ouvrage. Il est néanmoins important pour mon propos de noter que, tout au long du XIXᵉ siècle, la nouvelle allemande s'est penchée sur une famille de personnages qui se
détachent calmement de leur milieu, pour en exprimer
(comme on exprime le jus d'un fruit) toute la chaleur
humaine qu'il est susceptible de distiller. La poésie de ces
âmes, si elle manque parfois d'énergie et de tranchant, n'en
sert pas moins de lien entre la beauté du monde et le bonheur du prochain. L'œuvre de Joseph von Eichendorff, de
Gottfried Keller, de Conrad Ferdinand Meyer est peuplée
d'êtres isolés, modestes, disposant de peu de pouvoir, mais
qui sont toujours prêts à éclairer d'un rayon de bonté le
monde qui les entoure. Le plus mémorable de ces auteurs est
sans doute Adalbert Stifter, spécialiste de la bonté mise à
l'épreuve par le malheur.

Telle une lampe installée dans une pièce obscure, les personnages de Stifter sont à la fois englobés dans leur milieu, dont ils acceptent les coutumes et les lois, et détachés de lui, dans la mesure où ils l'illuminent de leur candeur silencieuse, le rendant habitable. Dans *L'Homme sans postérité* (1844 ; le titre original, *Der Hagestoltz*, signifie « Le Célibataire endurci »), le jeune orphelin Victor, prêt à quitter son village pour aller gagner sa vie dans la ville, est invité par un vieil oncle à visiter sa demeure, un couvent désaffecté sur une île qui se trouve au milieu d'un lac entouré de forêts. Dans ce décor étrange et paisible, le vieil homme et l'adolescent se mesurent en silence. À peine esquissée, l'anecdote est noyée dans un récit consacré presque entièrement au voyage de Victor à travers le pays et aux longues journées qu'il passe dans la demeure énigmatique de son oncle. On comprend à la toute fin de la nouvelle que dans sa jeunesse l'oncle avait nourri un profond amour pour Ludmilla, mère nourricière de Victor, mais que celle-ci lui a préféré son frère Hippolyte, père du jeune homme. Par la suite, se rend-on compte, Hippolyte a abandonné Ludmilla pour celle qui allait devenir la mère de Victor. Resté célibataire, l'oncle, qui dans un monde plus favorable aux affections profondes aurait pu avoir ses propres enfants, souhaite laisser sa fortune à Victor. Mais avant de l'instituer son héritier, il veut s'assurer que le jeune homme ne ressemble pas à son père. L'épreuve réussit.

Stifter utilise volontiers la méthode de l'enracinement, qui consiste à décrire en détail l'ambiance sociologique de l'action, mais il s'abstient de donner à entendre que les êtres humains sont les produits de cette ambiance. Il excelle dans les descriptions de nature, de voyages, de routines tranquilles, qui sous sa plume acquièrent une épaisseur et une concrétion dignes de celle de Balzac ; mais en alliant la précision descriptive à une technique d'éclairage qu'il emprunte sans doute à la peinture romantique, il réussit à évoquer une réalité qui est sur le point de se métamorphoser en rêve. Voici Victor dans la barque qui le conduit du hameau de la Hul à l'Ermitage de son oncle : « Ils étaient enfin arrivés dans le reflet vert que les feuillages massés sur l'île faisaient descendre droit dans l'eau du lac, et continuaient toujours leur route. On entendit sonner la petite cloche de la Hul, suspendue entre ses quatre poutres, qui invitait à la prière du soir. Les deux rameurs rentrèrent aussitôt leurs rames et dirent à voix basse les paroles de l'angélus ; la barque cependant allait comme d'elle-même le long des rochers gris de l'île qui plongeaient dans le lac. Çà et là les montagnes apparaissaient, irrégulièrement éclairées ; le lac lui-même offrait à la vue des sortes de bandes lumineuses, parfois même brillantes : des étincelles s'en détachaient encore, bien que le soleil fût couché depuis assez longtemps déjà. Et par-dessus tout cela résonnait au loin le tintement de la petite cloche, comme si elle était agitée par des mains invisibles ; car on ne voyait pas la Hul, et tout autour du lac, nul endroit n'indiquait la moindre présence humaine [1] ». Cette description évoque à la fois la calme grandeur du paysage et le frémissement d'inquiétude qui émane de cette surabondance de beauté et de bénédiction.

La tranquillité du monde, chez Stifter, n'est jamais perturbée à fond par l'agitation des êtres humains. De temps à autre, ceux-ci éprouvent des passions désordonnées qui les plongent dans le malheur (comme il arrive dans *Brigitta*, 1843) ou qui détruisent le bonheur des autres (comme dans *Tourmaline*, 1853), mais ces passions ne sont présentées au lecteur que de manière indirecte, par allusion, rapidement, comme si une sorte de pudeur empêchait le narrateur d'insister sur des choses profondément regrettables et embarrassantes. Dans le long roman *L'Arrière-saison*, la quasi-totalité du texte est consacrée aux descriptions scrupuleuses de paysages, d'habitations, d'objets d'art, de voyages à travers l'Autriche, alors que le noyau anecdotique (l'échec sentimental qui a assombri la vie du baron von Risach) n'est communiqué au lecteur que vers la fin de l'ouvrage, à l'occasion d'une conversation entre von Risach et le personnage-narrateur. De même, dans *Brigitta* et dans *Tourmaline* l'adultère qui forme le nœud de l'action est rapporté dans les termes les plus brefs et les plus vagues, comme s'il ne s'agissait que d'un incident dont il faut détourner les yeux.

Cette mise en marge du désordre moral s'accompagne d'une présentation infiniment patiente des avantages de la bonne conduite. Chez Stifter, celle-ci prend la forme de l'activité énergiquement consacrée à l'amélioration de la vie commune, par le biais des affaires (*L'Homme sans postérité*), de l'agriculture pratiquée selon les préceptes modernes (*Brigitta*), de la bienfaisance privée (*Calcaire*, 1853), du culte des beaux-arts et des belles manières (*L'Arrière-saison*). Ces avan-

---

1. Adalbert Stifter, *L'Homme sans postérité*, trad. Georges-Arthur Goldschmidt, Éditions Phébus, 1978, p. 97-98.

tages ne récompensent pas directement la personne qui persévère dans le droit chemin, mais profitent surtout à ceux qui l'entourent : les parents, les amis, les voisins, la nature. Tel le docteur Benassis dans *Le Médecin de campagne* de Balzac, les protagonistes de ces récits sont des êtres blessés par le destin et qui, plutôt que de s'abandonner au désespoir, trouvent la paix dans la poursuite d'activités utiles au prochain.

Dans *Brigitta*, nous accompagnons le jeune narrateur-témoin qui se dirige à travers la steppe hongroise vers la propriété d'un commandant d'un certain âge, bel homme poétique et mystérieux, avec lequel le narrateur s'est lié d'amitié en Italie. Nous visitons la belle maison, le domaine, les jardins, nous assistons aux travaux des champs, admirablement organisés et surveillés par le bon propriétaire. Son pays, explique celui-ci, est prêt à s'épanouir, s'il est bien cultivé, et ses hommes ont besoin d'un guide. Le commandant et quatre de ses voisins, dont l'admirable Brigitta Maroschely, ont formé une association de propriétaires terriens modèles, qui se consacre au perfectionnement de l'agriculture. Faire fructifier la terre, mériter le respect des habitants, c'est ce qui a procuré au commandant, sur le tard, le plus grand bonheur.

Le narrateur sent cependant que le passé de cet homme cache un secret et découvre peu à peu, après force tours des champs et visites d'exploitations prospères, l'histoire de Brigitta. Dans sa jeunesse, elle avait profondément souffert à cause de sa beauté étrange, qui répugnait à sa famille et aux gens de son petit monde. Stephan Murai, beau jeune homme, tombe pourtant amoureux d'elle, et la demande en mariage. Brigitta accepte, à condition que son mari lui soit toujours fidèle. « Je sais que je suis laide, dit-elle, et à cause de cela j'exigerai un amour plus grand que ne le ferait la plus belle fille du monde [1]. » Uni par le mariage, le couple vit dans le bonheur et Brigitta met au monde un garçon. Il arrive cependant à son mari d'avoir une aventure avec une jolie jeune fille du voisinage, et Brigitta, au désespoir, impose le divorce. Restée seule, elle s'occupe de l'éducation de son fils et administre énergiquement son domaine, gagnant l'admiration de ses voisins. Arrivé dans le domaine voisin quinze ans après le divorce de Brigitta, le commandant

---

1. Adalbert Stifter, *Brigitta*, trad. M.-H. Clement et S. Hass, Points, Fourbis, 1990, p. 84.

s'efforce d'émuler son exemple. Une amitié pure, entièrement consacrée aux travaux des champs, les attache l'un à l'autre. La surprise, qui arrive à la toute fin du récit, nous révèle que le commandant n'est autre que l'ancien mari de Brigitta, revenu vivre dans le voisinage de sa femme qu'il a toujours aimée. Un accident qui menace la santé de leur fils rouvre les vannes de la tendresse, et les anciens époux décident de refaire leur vie ensemble. « Ô, combien sacré, s'admoneste lui-même le narrateur-témoin, combien sacré doit être l'amour entre époux, et combien pauvre es-tu, toi qui n'as rien connu de lui jusqu'à présent et qui n'as laissé que la flamme terne de la passion s'emparer de ton cœur » (*Brigitta*, p. 119).

La morale de l'histoire ne consiste pas simplement dans le rejet des passions, puisque l'âme de Brigitta en est dévorée avec une violence et un égoïsme qui ne passent pas inaperçus : profondément orgueilleuse, possessive, elle ne sait pas accorder le pardon. Ce qui intéresse Stifter n'est pas tant la prise des bonnes décisions à l'aurore de la vie — bien que dans *L'Arrière-saison* et dans *L'Homme sans postérité*, la génération âgée regrette ses fautes et assiste les jeunes à en éviter de semblables —, ni l'art de prévenir les erreurs — art qui fait défaut à Stephan Murai et à son épouse Brigitta —, mais la capacité des êtres humains de se ressaisir et de redonner un sens à leur vie après que le malheur les a frappés. La constitution d'un milieu rayonnant de beauté et de prospérité récompense leurs efforts, comme le prouvent l'Asperhof, la belle maison d'été du baron von Risach, l'Ermitage, au milieu de son lac, qui abrite l'oncle de Victor, et le domaine florissant de Brigitta Maroschely. Il s'agit donc chez Stifter d'un véritable retournement des principes sur lesquels repose la méthode de l'enracinement. Cette méthode procède en partageant d'abord le monde en régions douées d'une physionomie historique, régionale et sociale bien accusée, pour tenter ensuite de prouver que le caractère et le destin des êtres humains qui les peuplent découlent de cette physionomie. Chez Stifter en revanche, il s'agit d'un véritable contre-enracinement. Ici, c'est le milieu qui s'enracine dans le cœur des hommes, croît, fleurit et porte fruit.

La domestication de l'idéalisme s'accompagne du culte de l'énergie intime et de la bonté. Ces forces s'animent à chaque fois que les hommes sortent d'eux-mêmes, chassés par le malheur, et s'investissent dans le bonheur des autres. Cette forme d'héroïsme domestique se retrouve chez les gens les plus en vue dans la société (tels le baron von Risach et Brigitta Maroschely) tout comme chez les plus démunis (tel le brave curé de village de *Calcaire*, qui économise maladroitement tout ce qu'il gagne pour subvenir aux besoins de l'école primaire locale), et si dans la plupart de ses récits cet héroïsme embellit les Autrichiens, si les personnages de *Brigitta* sont hongrois, dans *Abdias* (1842) le protagoniste au cœur aventureux est un juif d'Afrique du Nord, alors que *Witiko* (1865-1867) est un roman historique à sujet autrichien et bohème. Aussi la domestication de l'idéalisme romanesque encourage-t-elle chez le lecteur l'attente, le pressentiment que la grandeur secrète est susceptible d'habiter partout où l'on rencontre des champs bien cultivés, des demeures ornées avec goût, des mœurs amicales et paisibles. Apprivoisé, l'idéal peut être accueilli et nourri dans tous les foyers.

*

Alors que chez Stifter la poésie du cœur est le principe d'une association active entre le protagoniste et son milieu, chez d'autres auteurs elle peut devenir le moyen de leur séparation. Keller et Meyer, par exemple, accordent un poids égal à l'idéalisme romanesque et à sa critique, et mettent en relief en même temps l'évidence irrésistible des idéaux nourris par le cœur humain et l'impossibilité de leur réalisation dans le monde tel qu'il existe. L'œuvre de Theodor Fontane est consacrée elle aussi à la difficile réconciliation entre les belles âmes et l'hostilité du monde, mais les forces qu'elle met en présence ne sont pas marquées d'emblée comme positives ou négatives. La nouveauté des romans de Fontane, c'est la disparition de la méchanceté. Déjà Stifter, hésitant à regarder la méchanceté humaine en face, la désignait pudiquement et de manière indirecte. Fontane va plus loin encore : il doute de son existence même.

Si, pourtant, l'auteur se met avec bonté et humour à la place de ses créatures, celles-ci ne font que rarement l'effort de comprendre les soucis de ceux qui vivent près d'elles. M. von Stechlin père, dans le roman qui porte son nom (*Le Stechlin*, 1899), est un bon juge des gens, peut-être en raison de son âge et de sa bonhomie. Parmi les autres personnages de Fontane, seuls ceux pour qui l'existence ne pose pas de

véritable enjeu, les parents et les amis des couples malheureux, parfois leurs médecins (tel l'admirable Rummschüttel dans *Effi Briest*, (1895), bref les raisonneurs, s'intéressent, assez modérément d'ailleurs, aux difficultés des
protagonistes. Ceux-ci, en revanche, ne parviennent pas à se
comprendre les uns les autres, ni à se faire confiance. Ce que
dit si bien Renate Vitzewitz à propos de la famille Ladalinski
dans *Avant la tempête* (1878) est vrai de beaucoup de héros
masculins de Fontane : « C'est une famille insaisissable, et ce
qu'ils ne possèdent pas eux-mêmes : la lumière et le bonheur,
ils ne peuvent le donner aux autres. Leur destin fut toujours
d'éveiller l'amour, mais non la confiance [1] ». Ces hommes,
dont le baron von Innstetten dans *Effi Briest* est peut-être le
type le plus accompli, obéissent volontiers aux normes de la
vie en société, mais sans pour autant placer leur confiance
dans les êtres qui leur sont proches, parce qu'ils ne saisissent
pas la différence entre les préceptes du devoir et les aléas du
destin individuel. Ils sont profondément indifférents aux
besoins obscurs des autres, à leurs moments de mélancolie
sans raison, aux lueurs de poésie qui traversent leur vie,
parce qu'ils se sont fixé des principes inébranlables de
conduite, qu'ils suivent sans hésitation.

Von Innstetten, qui a courtisé en vain dans sa première
jeunesse la mère d'Effi Briest, demande la main de cette dernière lorsqu'elle atteint l'âge de dix-sept ans. Effi ne connaît
pas très bien son cœur, mais rêve d'une vie confortable, agrémentée d'amusements mondains, et accepte d'épouser cet
homme de quarante ans, promis à un grand avenir. Les
époux s'installent à Cassin, chef-lieu d'une province prus-
sienne, où Effi met bientôt au monde une fille. Fort poli et
affectueux envers sa femme, Innstetten sait cependant résister à ses souhaits. Il n'accepte pas, par exemple, de faire
rénover l'étage supérieur — à moitié abandonné — de sa
maison, bien que le flottement nocturne des vieux rideaux
fasse peur à Effi, convaincue que l'endroit est hanté par les
spectres. L'éloignement de ses parents, l'ennui de la vie de
province, l'étrangeté de sa demeure rendent Effi mélancolique et inquiète, au point qu'elle finit par céder aux avances
du major Crampas, qu'elle n'aime d'ailleurs pas. Leur liaison
prend fin lorsque Innstetten est nommé sous-secrétaire
ministériel à Berlin et la famille s'installe dans la capitale, où

---

1. Theodor Fontane, *Avant la tempête*, trad. Jacques Legrand, Aubier,
1992, p. 518.

Effi connaît enfin le bonheur mondain qu'elle avait toujours souhaité.

Quelques années plus tard, cependant, le baron découvre par hasard dans la maison un paquet de lettres adressées par Crampas à sa femme. Terrassé, il rompt avec Effi, lui interdit de revoir sa fille, provoque Crampas au duel et le blesse mortellement. Le scandale déshonore Effi, qui est reniée par ses propres parents. Seuls sa servante catholique, Roswitha, et son médecin Rummschüttel lui demeurent fidèles. Après un certain temps, à la suite de l'intervention d'un ami, Innstetten permet à son ancienne épouse de revoir sa fille, qui n'éprouve plus d'affection pour sa mère. La voyant dépérir, le bon Rummschüttel persuade les parents d'Effi de la reprendre chez eux, où elle meurt bientôt, non sans avoir pardonné dans son cœur à Innstetten.

Écrit par les frères Goncourt, ce roman aurait sans doute mis en valeur le déchirement intérieur de la femme adultère, ses regrets, son amertume, les vertiges de la luxure, la nullité de l'amant, la cruauté du mari. Rien de cela dans l'ouvrage de Fontane, qui met en scène des personnages calmes, bien intentionnés, prêts à accomplir les devoirs de leur état, désireux de contribuer, dans la mesure de leurs possibilités, au succès de l'entreprise commune. Aucune trace de romantisme mal à propos ne menace de les dévoyer, le seul être capable d'élans romantiques étant le brave pharmacien Gieshübler (l'anti-Homais par excellence), personnage secondaire débordant de gentillesse. Aucune révolte contre leur milieu n'agite ces piliers de la société, aucun ressentiment contre leurs proches ne les dévore durablement. Soit dit en passant, ce sont peut-être la mise en sourdine des principes conflictuels et l'attention accordée au désir unanime de coopération qui ont desservi les œuvres de Stifter et de Fontane aux yeux de commentateurs tels que Lukács et Erich Auerbach. Ces grands critiques auraient peut-être mieux apprécié ces œuvres s'ils avaient été plus sensibles au type de monde qu'elles évoquent.

L'univers peint par ces auteurs, en particulier celui qui se dégage des romans de Fontane, exhibe deux caractéristiques distinctives. En premier lieu, bien qu'il soit déterminé dans tous ses points grâce aux principes de l'enracinement, et qu'il donne pour cette raison à ceux qui l'habitent l'impression d'y être enfermés, voire séquestrés, cet univers n'est jamais pris en grippe par sa population. Loin de vouloir y échapper, comme le font les grands héros de l'idéalisme romanesque et aspirent à le faire les personnages de Flaubert, les protagonistes des romans de Fontane demeurent fidèles au monde au sein duquel ils mènent leur vie. Cette bonne volonté générale à l'égard du milieu ambiant désamorce l'opposition qui différencie normalement, dans la plupart des romans, les personnages perçus comme « positifs » des personnages présentés comme dangereux, nocifs, nuisibles.

En second lieu, dans l'œuvre de ces auteurs l'idéalisme romanesque pénètre encore plus profondément dans l'univers tenu pour réel qu'il ne le fait chez leurs prédécesseurs et chez leurs contemporains, mais du même coup, la force de cet idéalisme diminue, au point que sa présence est perçue de plus en plus difficilement. Chez Stifter, la poésie du cœur se dissimule chez des êtres que ni leur beauté physique, ni leurs faibles succès sentimentaux ne désignent comme les élus du destin. Ces individus aux apparences fort banales et persécutés par la vie regorgent néanmoins d'énergie et de bonté. Ils font figure d'êtres exemplaires, et l'exemple qu'ils proposent est efficace précisément en vertu de sa banalité. Fontane, en allant encore plus loin dans cette voie, s'évertue à découvrir la poésie cachée au fond des cœurs encore plus ordinaires, ceux d'une Effi Briest, d'un Innstetten, d'une Cécile, d'un St Arnaud (dans la nouvelle *Cécile*, 1887), êtres plutôt prosaïques qui se soumettent sans broncher aux consignes de leur milieu. Et c'est pour mettre en évidence leur désir de vivre en conformité avec ces consignes et de goûter la paix d'un monde à leur mesure que Fontane adoucit, au début de l'action, l'hostilité entre les personnages.

Ce n'est pas le moindre avantage de cet adoucissement — ni de l'atmosphère pacifique qu'il évoque — que celui de rendre la crise infiniment poignante. Sans même penser aux intrigues des romans idéalistes anciens et modernes, dont les principaux enjeux sont toujours annoncés dès le début, il suffit de considérer le destin d'Emma Bovary — inscrit à l'avance dans le contraste immédiatement perceptible entre ses rêves de bonheur romanesque et la personnalité de Charles Bovary — pour se rendre compte à quel point le lecteur de romans tient pour acquis le caractère prévisible de la crise. Le malheur d'Effi Briest, en revanche, est d'autant plus émouvant qu'il aurait fort bien pu ne pas arriver. Les différences de personnalité et de vision entre elle et Innstetten sont en fin de compte minimes, la preuve étant qu'une fois

arrivés à Berlin, leur vie conjugale est un succès notoire. Effi
ne se jette pas dans les bras de Crampas avec l'élan d'une
femme qui, déçue par le mariage, cherche désespérément le
véritable amour. En fait, on ne comprend pas très bien les
raisons de son adultère, et l'auteur prend soin, comme le fait
également Stifter lorsqu'il s'agit d'infractions à la morale, de
ne pas trop insister là-dessus. Est-ce un caprice, une faiblesse momentanée? On ne nous le dit pas, et bien que les
lettres de Crampas lues par Innstetten semblent suggérer que
la liaison, commencée à la légère, n'est pas dépourvue par
moments d'intensité, Effi est visiblement soulagée de pouvoir mettre fin à cette aventure.

La vengeance de son mari est tout aussi dépourvue de passion. Lorsque, à Berlin, il découvre les lettres compromet-
tantes, son premier mouvement est de pardonner à sa
femme, qu'il aime. Ne s'agit-il d'ailleurs pas d'une histoire
finie et enterrée depuis six à sept ans déjà? Hélas, explique-
t-il à son ami Wüllersdorf, « on n'est pas seulement un individu isolé, on appartient à un tout, et c'est à ce tout que nous
devons avoir constamment égard [...] Avec cette vie que les
hommes mènent ensemble a pris forme un je-ne-sais-quoi
qui existe bel et bien, et d'après les articles de quoi nous
avons pris l'habitude de tout juger, les autres et nous-mêmes.
Et il est impossible d'enfreindre ces règles; sinon la société
commence à nous mépriser, et nous finissons par le faire
nous-mêmes, et nous nous faisons sauter la cervelle [1] ». Un
mariage au fond assez réussi, une aventure sans amour, une
vengeance sans haine : le malheur aurait très bien pu ne pas
frapper. Le fait qu'il frappe tout de même est d'autant plus
bouleversant.

La question se pose donc de savoir pourquoi cette catastrophe, qui aurait pu être évitée, a néanmoins lieu. En mini-
misant l'hostilité qui sépare les protagonistes au début de
l'action, Fontane accorde du même coup un grand poids aux
différences impondérables qui les éloignent l'un de l'autre
par la suite. En dédramatisant, de surcroît, les rapports entre
les protagonistes et le milieu qui les entoure, il crée un type
de situation dans laquelle ces différences infimes sont susceptibles d'avoir des effets incalculables. Puisque Effi et
Innstetten sont tous les deux des êtres bien élevés, entourés
d'amis, heureux de vivre dans leur époque et dans leur pays,

---

1. Theodor Fontane, *Effi Briest*, trad. Pierre Villain, in *Romans*, Bouquins,
Laffont, 1981, p. 774.

puisqu'ils n'ont pas de soucis d'ordre matériel et qu'ils
éprouvent de l'affection et de l'admiration l'un pour l'autre,
l'unique raison possible de discorde gît dans la perspective
légèrement divergente sous laquelle ils considèrent chacun
l'existence.

Le génie de Fontane consiste à puiser ces deux perspectives divergentes à la même source, qui est la beauté des
grandes âmes romanesques. Chez les protagonistes des
romans idéalistes, le sentiment impérieux du devoir et la
spontanéité de leur charme sont des aspects inséparables de
leur personnalité : Pamela est charmante parce qu'elle est
vertueuse, la séduction de Julie consiste à affirmer ses principes. Chez Fontane, les composantes de cette grandeur, le
charme et le sens du devoir, se dissocient, et cette dissociation engendre la crise. Effi n'est assurément pas un personnage frivole, mais simplement un être dont la vitalité et le
charme ne sont pas en même temps ni grâce au même élan
les porteurs des principes moraux les plus élevés. Innstetten,
en revanche, est un homme à principes. Sans entrer en
conflit ouvert, la spontanéité d'Effi — insuffisamment modérée par la réflexion — et le sentiment impérieux du devoir
chez Innstetten — mal soutenu par la générosité — se
trouvent en défaut de concordance, situation qui mène, indirectement mais sûrement, au désastre. Mais ce défaut de
concordance est-il une raison suffisante de la crise ? Dans
Effi Briest, les éléments qui vérifient cette hypothèse ne sont
pas décisifs : il pourrait au fond très bien s'agir simplement,
sur fond de malentendu, d'un de ces événements hors du
commun qui forment depuis toujours la matière des nouvelles. C'est *Cécile*, récit écrit quelques années avant *Effi
Briest*, qui, en confirmant l'hypothèse, livre la clé d'*Effi Briest*
et celle de l'anthropologie morale de Fontane.

Dans *Cécile*, comme chez Stifter, une longue suite de descriptions de voyage et de scènes sans pertinence immédiate
conduisent insensiblement à une révélation bouleversante.
Pendant les vacances qu'il passe dans les montagnes du
Harz, le jeune ingénieur civil von Leslie-Gordon fait la
connaissance de Cécile von St Arnaud et de son époux, le
colonel von St Arnaud. La digne sobriété du colonel
contraste avec la sensibilité et la nervosité de sa belle épouse.
Envoûté par le charme mélancolique de Cécile, Gordon lui
fait une cour assidue, qu'il poursuit lors du retour du couple
à Berlin. Dans la capitale, il ne tarde pas à apprendre l'his-

toire des St Arnaud. Descendante d'une famille de nobles
slaves ruinés, Cécile n'a reçu aucune éducation, sa mère
étant convaincue qu'une « jeune et jolie femme est faite pour
plaire, et dans ce but, mieux vaut savoir trop peu que trop [1] ».
Âgée à peine de dix-sept ans, Cécile devient, avec le consentement de sa mère, lectrice (et concubine) du vieux prince de
Welfen-Echingen, qui l'installe au château de Cyrillenort. À
la mort du prince, Cécile reprend les mêmes fonctions
auprès de son fils, qui s'éteint peu de temps après. Ayant reçu
un bel héritage de la part du vieux prince, Cécile revient vivre
auprès de sa mère en haute Silésie, où elle fait la connaissance du colonel von St Arnaud et accepte sa demande en
mariage. Mis au courant du passé de Cécile, le corps d'offi-
ciers cependant exprime son désaccord dans une lettre
signée par le lieutenant-colonel. St Arnaud provoque celui-ci
au duel et le tue.

Gordon croit donc comprendre les raisons de la nervosité
de Cécile, hantée par les ombres de son passé désordonné.
Averti et par conséquent plus audacieux, le jeune homme
intensifie ses assiduités, mais Cécile le prie de ne plus la
troubler. « Il y a tellement de choses qui pèsent sur moi, se
confie-t-elle au jeune homme. Vous avez vu comment nous
vivons : il y a tant de raillerie autour de moi, une raillerie que
je n'aime pas et que souvent même, je ne comprends pas. Car
les grandes questions ne m'intéressent pas, et je préfère
prendre la vie, maintenant encore, comme un livre d'images
à feuilleter. [...] N'essayez pas d'en savoir plus. Il y a ici une
plus grande part de tragédie que vous ne croyez » (*Cécile*,
p. 174-175). Prendre la vie comme un livre d'images à feuilleter, c'est le bonheur et la résignation des cœurs poétiques.
Mais il est tout aussi évident que Cécile, ayant gagné à la
suite de son mariage le droit d'être respectée, ne veut pas le
perdre : « Je l'ai juré — ne me demandez pas quand ni à
quelle occasion — et je respecterai mon serment » (p. 175).

En dépit de la marque de confiance représentée par cet
aveu, Gordon, au lieu d'avoir la délicatesse de s'écarter, rend
visite à Cécile à une heure inopportune, risquant ainsi de la
compromettre. Inévitablement, le colonel le provoque au
duel et, après lui avoir offert la réconciliation, que Gordon
refuse avec fierté, le tue d'une balle en pleine poitrine. Réfugié sur la Côte d'Azur pour éviter la prison, St Arnaud invite
sa femme à le rejoindre : « Ne prends pas cette histoire plus

1. Theodor Fontane, *Cécile*, trad. Jacques Legrand, Aubier, 1994, p. 165.

au tragique qu'il ne convient, lui écrit-il : le monde n'est pas une serre où cultiver des sentiments ultradélicats » (p. 202). Or il apprend que son épouse s'est donné la mort plusieurs jours après avoir lu dans le journal la nouvelle du duel. Pourquoi ? On ne le saura pas avec précision, tout comme on ne sait pas pourquoi Effi a cédé à Crampas. Cécile était-elle amoureuse de Gordon ? Assurément pas au point de le suivre dans la mort. Voulait-elle échapper à la difficulté de sa position dans la société ? Rien ne le prouve.

Ses dernières volontés exigent qu'elle soit inhumée à Cyrillenort — le château où elle a passé sa jeunesse demi-mondaine —, près de la chapelle funéraire de la famille princière. « Je veux être à tout le moins, écrit-elle, proche de l'endroit où reposent *ceux* qui me donnèrent à profusion *ce que* le monde m'a refusé : l'amour, l'amitié et les égards dus à l'amour... » (p. 203). Le lecteur se rend compte avec surprise et émotion que la nervosité, que la mélancolie de Cécile n'étaient guère dues aux *remords* qu'une femme perdue et sauvée est censée éprouver au souvenir de son ancienne vie, mais que, au contraire, cette mélancolie était le symptôme des *regrets* de la vie menée au château de son séducteur. « La noblesse des sentiments et la bonté du cœur, conclut-elle, ne sont pas tout, mais elles sont *beaucoup* » (p. 203-204). Cette formule laconique adresse en termes voilés un reproche à la règle de l'honneur qui gouverne les actions de son époux, règle terrible qui lui commande de semer la mort autour de lui-même et de Cécile. Nous savons que les « grandes questions » n'intéressent pas celle-ci et qu'en leur absence elle aime prendre la vie légèrement, comme une belle histoire, « comme un livre d'images ». C'est peut-être ce sentiment de légèreté, cette grâce que l'amour de Gordon lui a procurés, tant qu'il ne s'est pas transformé en véritable assaut. C'est également ce que Cécile a dû ressentir dans sa jeunesse à la cour du prince de Welfen-Echingen, bien que les détails nous en soient refusés, et que nous ne puissions les inférer qu'à partir de ses dernières volontés. Le mariage avec le colonel von St Arnaud, modèle d'intégrité et de courage, parangon des vertus masculines, ne pouvait malheureusement pas la satisfaire. La morale du devoir et de la dignité a beau garantir à ses partisans le respect de soi et la déférence des autres, pour certains êtres la bonté et la générosité qui accompagnent l'amour, fût-il contraire aux préceptes de la société, n'en sont pas moins indispensables, parce que seules cette bonté et cette générosité donnent à la vie sa plénitude.

L'écart qui sépare le cœur poétique du monde humain s'est donc à la fois rétréci et approfondi. S'il emprunte désormais la forme à peine perceptible d'une incompatibilité infinitésimale entre les gens, il n'en reste pas moins redoutable. Les efforts les mieux intentionnés pour vivre selon la loi sociale ne sauraient guère combler l'aspiration intime au don de soi, à la confiance inconditionnelle, à l'amour-passion. Des rêveries semblables à celles de Werther troublent en secret et de manière homéopathique les êtres les plus comblés par le destin, ceux dont le bonheur mondain semble parfait. Infime, cette dose suffit néanmoins dans certains cas pour tuer le rêveur.

LA RÉVOLTE CONTRE L'AUTONOMIE

Les bardes de la poésie du cœur opèrent, comme nous venons de le voir, une synthèse entre l'idéalisme et le système de l'enracinement par le biais de personnages qui, tout en s'insérant à cœur joie dans leur milieu, préservent au plus profond de leurs âmes une étincelle d'extramondanité. Que cette étincelle de poésie soit en définitive salvatrice, comme il arrive chez Stifter, ou que son existence comporte au contraire de grands dangers, comme le font penser certains récits de Keller et de Fontane, elle est toujours présente et toujours dissimulée avec soin. C'est peut-être le besoin de figurer l'invisibilité de la véritable poésie du cœur qui oblige ces auteurs à insister interminablement sur les descriptions du milieu (Stifter) et sur les conversations somme toute frivoles entre les divers personnages (Fontane), alors que le véritable drame de la beauté intérieure n'occupe d'ordinaire que quelques pages placées vers la fin de l'ouvrage. L'incessant bavardage, raconté par ailleurs avec beaucoup de bienveillance, qui inonde les romans de Fontane tranche avec la rareté des témoignages venus des profondeurs de l'âme. Ces derniers — l'appel de Cécile von St Arnaud à la sympathie de Gordon et les dernières volontés de la protagoniste dans *Cécile*, les fragments des lettres échangées par Effi et Crampas dans *Effi Briest* — sont toujours voilés par la pudeur, incomplets, allusifs, comme si les personnages craignaient que la formulation explicite des exigences du cœur en dégrade inévitablement la pureté.

Cette discrétion contraste vivement avec le verbe exalté des héros de Dickens, d'Eugène Sue et de Hugo. Dans les romans populaires, débordants d'idéalisme, la force de l'âme, ses liens avec la Providence sont affirmés dans un registre sublime, apte à rendre plausibles les affirmations les plus extraordinaires. L'invention hyperbolique et le délire des monologues se retrouvent tels quels dans l'œuvre de Dostoïevski, qui emprunte au roman populaire, en particulier à Sue, toute la panoplie des effets propres à l'idéalisme : l'invraisemblance de l'intrigue, la division des personnages en anges et démons, le décor de la misère urbaine, la splendeur morale des êtres déchus. Mais ces procédés reçoivent, chez l'auteur de *Crime et châtiment*, un usage inattendu : au lieu de figurer la force de l'âme, la volubilité propre à l'idéalisme devient ici l'instrument d'une polémique violente dirigée contre l'idéalisme moderne.

Dostoïevski réagit contre l'idée, propre à ce courant, selon laquelle l'homme peut et doit se déclarer son propre maître. En Russie, cette idée était défendue à l'époque aussi bien par les romanciers libéraux comme Tourgueniev, dont le roman *Pères et fils* (1862) peignait en l'idéalisant un jeune anarchiste, que par Tchernychevski, dont le *Que faire ?* (1863) prêchait la révolution. Profondément sceptique à l'égard de ces options, Dostoïevski part d'une question fort simple : dès lors que l'homme se déclare son propre maître, comment s'y prend-il pour savoir s'il agit bien ou mal ? Car si les êtres humains sont autorisés à se donner à eux-mêmes la loi morale, rien n'empêchera certains parmi eux de promulguer une loi qui les favorise exclusivement tout en condamnant leurs semblables, une loi qui, par exemple, les autorise à tuer. Imaginons un individu profondément convaincu de sa supériorité sur ses semblables, cas familier aux lecteurs des narrations idéalistes anciennes et modernes dont les héros sont tous forts de cette conviction. Puisqu'il est le seul arbitre de sa propre conduite, cet individu s'arroge le droit de tuer une voisine qui pratique le métier honteux d'usurière et qui, par conséquent, ne mérite pas de vivre, pour le moins selon l'opinion tranquillement mûrie de notre personnage. Qui aura le droit de juger des prétentions de notre héros, tant que le postulat fondamental du roman idéaliste moderne, l'autonomie morale des belles âmes, reste en vigueur? Et qui dira au héros qu'il n'appartient pas à la famille des belles âmes?

Admettons que notre homme, ou plutôt notre surhomme, après avoir commis l'acte en question, réussit à échapper aux poursuites de la police et de la justice — institutions illégitimes à ses yeux puisqu'elles n'ont pas été fondées par la seule instance légale qu'il reconnaît : son propre jugement. Supposons également qu'il ait envie, pour se prouver à ses propres yeux sa supériorité sur le reste des êtres humains, de jouer avec les enquêteurs judiciaires le jeu dangereux de l'innocent qui se porte volontairement témoin du crime. Supposons qu'il s'imagine les avoir convaincus. Son impassibilité devant les enquêteurs, l'intelligence surhumaine avec laquelle il prévoit et contourne tous les pièges qu'ils lui tendent ne suffisent-elles pas à prouver qu'il a droit d'imposer sa propre loi à ses semblables? La démonstration ne serait cependant probante si le personnage en question était un scélérat endurci, un homme qui vive dans le mensonge et dans le crime comme dans son élément naturel. Car défendre la grandeur des scélérats en tant que scélérats — comme l'avait déjà fait le marquis de Sade — reviendrait à reconnaître implicitement la hiérarchie des valeurs qu'il s'agit précisément de subvertir. Pour que le surhomme de Dostoïevski mérite d'exercer l'autorité à laquelle il aspire, il doit être dépourvu de malice, il doit pouvoir tuer en vertu de la loi qu'il s'impose, sans éprouver la satisfaction bestiale des criminels endurcis. De surcroît, étant censé posséder la force morale requise pour mener à bien sa décision, le remords lui sera interdit.

L'étudiant Raskolnikov, protagoniste de *Crime et châtiment* (1866), satisfait à la première de ces exigences : ses mouvements sont d'ordinaire généreux et s'il décide de mettre fin à la vie de la vieille usurière Aliona Ivanovna, ce n'est pas sous l'impulsion de la méchanceté, mais uniquement afin de se prouver à lui-même qu'il est capable d'exercer la liberté d'action qui définit les êtres d'exception. Il reste cependant à savoir s'il peut résister au remords.

Une première série de facteurs qui déroutent Raskolnikov tient à la densité du monde qui l'entoure : la sœur de la victime, Lisaveta Ivanovna, le surprend pendant le crime, et le jeune homme est obligé par les circonstances de la tuer elle aussi. Des voisins passent dans l'escalier, des visiteurs tentent d'entrer dans l'appartement de l'usurière. Raskolni-

kov réussit à les éviter, mais de justesse. Plus tard, pendant
l'enquête judiciaire, un certain Nikolaï, peintre en bâtiment
qui se trouvait non loin de la scène du crime, soutiendra
l'avoir commis. La décision de Raskolnikov d'assassiner la
vieille usurière met en jeu l'existence d'autres êtres humains :
ceux, comme Lisaveta, qu'il doit tuer pour échapper aux
poursuites judiciaires et ceux qui sont prêts à s'immoler à sa
place, comme Nikolaï.

Le surhomme qui promulgue sa propre loi butte également sur un deuxième genre d'obstacles, venant cette fois de
l'intérieur. Il s'agit de son propre état d'esprit à la suite du
meurtre, état décrit par le texte dans les termes suivants[1] :
« Il était de plus en plus terrifié... S'il avait été capable de
mieux réfléchir... (p. 124). Il se disait qu'il était peut-être
devenu fou... (p. 125). Il semblait en proie au délire... (p. 129).
Ses pensées s'embrouillaient... (p. 130). Il n'avait plus sa tête
à lui... (p. 131). » Rentré chez lui sain et sauf, Raskolnikov
demeure pendant plusieurs jours dans « un état fiévreux et à
demi lucide entremêlé de délire » (p. 162). Cette surexcita-
tion maladive ne l'abandonne pas, comme si son corps et son
esprit, incapables de supporter la tension engendrée par le
crime, lui faisaient faux bond. Cet « état fiévreux [...] entremêlé de délire » soulève la question de savoir comment le
héros peut espérer promulguer sa propre loi, lorsqu'il ne
parvient même pas à contrôler son corps et ses facultés
mentales. Bien que l'auteur ne nous le dise pas de manière
explicite, il est évident que la révolte du corps et de l'esprit
de Raskolnikov signale l'existence d'un équilibre moral
naturel, profondément perturbé par le crime du jeune
homme.

Au-delà de ces obstacles immédiats — l'intervention
imprévue de nouveaux acteurs, la résistance que lui oppose
son propre corps —, l'aventure de Raskolnikov est entourée
d'un milieu humain qui assume un double rôle régulateur :
ce milieu propose au héros une collection de destins exemplaires qui croisent le sien, et il lui oppose la force et l'intelligence des institutions sociales, la famille et la justice. La
famille, incarnée par Dounia, la sœur de Raskolnikov, et par
la mère du jeune homme, est par définition une source de
devoirs. Elle dispose d'une créance sur le jeune homme, qui
est responsable non seulement des fortes sommes d'argent

---

1. Les citations sont tirées de la traduction de D. Ergaz : Fedor Dostoïevski, *Crime et châtiment*, Bibliothèque de la Pléiade, Gallimard, 1950.

qu'il a reçues, mais aussi du bonheur de sa sœur, qu'il doit protéger contre les prétendants indignes. Quant à la justice, elle fait preuve, dans la personne du juge d'instruction Porphyre Petrovitch, d'une ruse et d'une pénétration psychologique redoutables. Le juge est convaincu de la culpabilité de Raskolnikov, mais comme les preuves lui manquent, il préfère laisser le futur prévenu en liberté, lui refusant ainsi le *repos* de la prison. Ce qui, pendant longtemps, semble au jeune protagoniste représenter la supériorité de son intelligence sur celle de la police se révèle en fin de compte n'avoir été qu'un sursis procuré au coupable par le juge, qui compte ainsi l'affoler et l'amener, tôt ou tard, à se trahir.

Les membres de la famille Marmeladov, en particulier Marmeladov père et sa fille Sonia, tendent à Raskolnikov deux miroirs — fort différents — de son visage possible. La déchéance du père, dont Raskolnikov fait la connaissance dans un cabaret au tout début du roman, le met en garde contre le désespoir de l'égoïsme. Ivrogne incurable, Marmeladov réduit sa famille à la misère, au point que, pour nourrir sa mère et ses petits frère et sœurs, Sonia est obligée de se prostituer. Ne suivant que sa propre loi dictée par son vice, Marmeladov offre à Raskolnikov une triste image de la rébellion contre le devoir de son état. Malade, il s'éteindra bientôt. Sonia, en revanche, qui a choisi la fange pour nourrir sa famille, figure la perfection de la générosité. « Cette demi-bouteille que vous voyez, explique Marmeladov, a été payée de son argent... Elle m'a remis trente kopecks de ses propres mains, les derniers, tout ce qu'elle avait, je l'ai vu moi-même, elle ne m'a rien dit et s'est bornée à me regarder en silence... Un regard qui n'appartenait pas à la terre, mais au ciel, ce n'est que là-haut qu'on peut souffrir ainsi pour les hommes, pleurer sur eux, sans les condamner » (p. 60). La bonté et la douleur de Sonia ne sont pas de ce monde : son oubli céleste de soi rachète l'égoïsme monstrueux de son père.

Enfin, de temps à autre, des lueurs surnaturelles traversent le récit, comme si derrière l'action visible le diable et le bon Dieu se livraient combat, se disputant, comme dans une moralité médiévale, l'âme du protagoniste. La veille du crime, Raskolnikov rentre chez lui après une longue promenade, mais au lieu de prendre le chemin le plus court, il retourne, sans véritable motif, par la place des Halles centrales, où il apprend que la sœur de l'usurière qui habite le même appartement que la future victime doit s'absenter de chez elle le lendemain entre six et sept heures du soir. Ce détail décide l'heure du crime. Plus tard dans la journée, il s'arrête dans un cabaret, où il surprend à la table voisine un entretien qui est l'écho de ses propres pensées. Un des interlocuteurs, étudiant de son métier, délibère du droit de tuer l'usurière Aliona Ivanovna (« vieille femme imbécile, méchante, mesquine, malade »), c'est-à-dire précisément la personne que Raskolnikov projette d'assassiner. L'étudiant inconnu développe l'argument utilitariste (qui faisait horreur à Dostoïevski) selon lequel il est permis de sacrifier la vie d'un individu nuisible afin de procurer le bonheur au grand nombre. Cette conversation met Raskolnikov dans un état d'agitation extraordinaire. Pourquoi a-t-il fallu qu'il entendît ces idées au moment même où elles tourbillonnaient dans son cerveau ? « Cette coïncidence devait toujours lui paraître étrange. [...] Il semblait en effet qu'il y eût là une prédestination... le doigt du destin... » (p. 109). Quelle que soit l'interprétation donnée à ces passages — et l'auteur les rend délibérément ambigus —, ils mettent inévitablement en question la prétention de Raskolnikov à disposer de droits supérieurs à ceux du reste des mortels. Car soit le diable met lui-même en scène ces épisodes pour tenter le protagoniste, et alors la force législative que celui-ci s'arroge converge en fait avec l'œuvre du mal ; soit il s'agit de pures coïncidences, auquel cas la prétention à la grandeur morale d'un être dont les actions dépendent de manière si intime du hasard des rencontres a quelque chose de profondément ridicule.

Dieu, pour sa part, agit, comme toujours chez Dostoïevski, au moyen de la Révélation, prêchée par des êtres qui se sont laissé toucher par la grâce. Dans ce roman, la prédicatrice de la bonne nouvelle est Sonia, qui lit à haute voix à Raskolnikov l'évangile de la résurrection de Lazare. L'exemplaire du Nouveau Testament qu'elle utilise lui avait été naguère offert par Lisaveta Ivanovna, comme si la morte elle-même voulait s'adresser à son assassin, lui parlant du Christ et du pardon.

Piégé par le caractère imprévisible des circonstances et de son propre corps, par le milieu humain — cadre institutionnel et répertoire d'exemples — et par le combat surnaturel qui a pour enjeu le salut de son âme, Raskolnikov se rend compte graduellement que sa place au monde, et d'autant plus sa liberté d'action, dépendent en vérité d'un ordre qui transcende de loin ses ambitions. Sa prétention à devenir son propre maître, à n'obéir qu'à sa propre loi, est rendue vaine par la présence des liens sociaux. La densité du milieu humain qui l'entoure lui prouve que sa première victime a beau être une vieille femme imbécile et nuisible, immolée uniquement par principe, une fois entré dans la voie du crime, il ne saura éviter de sacrifier pour des raisons égoïstes des êtres innocents, voire admirables, tels Lisaveta Ivanovna et Nikolaï. De plus, la puissance institutionnelle de la justice réduit notre surhomme à vivre dans un état d'alerte ininterrompu : la faiblesse de son corps et de ses nerfs l'oblige à tenir compte de la pauvreté de ses moyens d'action. Loin de représenter la première action d'un surhomme qui se libère de chaînes sociales, le meurtre commis se révèle n'être qu'un crime ordinaire, et le choix de Raskolnikov est désormais de se punir soi-même, en mettant fin à ses jours, ou bien de réintégrer la société des hommes en avouant sa culpabilité.

À ces facteurs d'ordre humain s'ajoute l'opération de la grâce, qui, agissant par l'intermédiaire de Sonia, détourne le jeune homme du suicide et l'engage à se dénoncer. Dans la dernière scène qui précède l'épilogue du roman, Raskolnikov se rend au commissariat, décidé à s'accuser. Il y découvre qu'on ne le soupçonne plus. Les institutions humaines lâchent prise et le jeune homme, soulagé, sort du commissariat. Mais le regard de la justice surnaturelle le tient : non loin de la porte il voit Sonia, « qui, pâle comme une morte, le regardait d'un air égaré. Il s'arrêta devant elle. Une expression de souffrance et d'affreux désespoir passa sur le visage de la jeune fille » (p. 595). Ce regard, comme l'avait noté Marmeladov au début du roman, « n'appartenait pas à la terre, mais au ciel ». Prouvant que « ce n'est que là-haut qu'on peut souffrir ainsi pour les hommes, pleurer sur eux, sans les condamner » (p. 60), ce regard, grâce à son magnétisme surnaturel, a raison des hésitations de Raskolnikov. Ayant échappé aux poursuites des hommes, le jeune homme capitule devant cette force infiniment supérieure : « Il attendit un instant, sourit amèrement et remonta vers le commissariat » (p. 595).

Dans ce roman dont les épisodes convergent si efficacement pour en mettre la thèse en valeur, Dostoïevski examine la première étape, strictement individuelle, de la conquête de l'autonomie. Raskolnikov est parfaitement conscient du caractère propédeutique de son meurtre, et le sacrifice de la vieille usurière constitue dans son esprit une épreuve dont la réussite devrait lui ouvrir la carrière de chef des multitudes.

Faire violence sans broncher à un être humain, c'est ce qui, dans son système de pensée, donne le droit de faire violence à la société dans son ensemble. Protégé par la divinité, Raskolnikov échoue à cette horrible épreuve, que Stavroguine, protagoniste des *Démons* (1870), passe avec succès. Comme ce dernier l'avoue lui-même dans sa confession écrite qu'il confie à l'évêque Tikhone, il a fait ses premières armes dans la scélératesse en violant une petite fille, qu'il laisse par la suite se suicider bien qu'il eût facilement pu la sauver. (On sait qu'à la demande du directeur du *Messager russe*, qui trouvait cet épisode trop choquant, le chapitre a été supprimé. Il est néanmoins essentiel non seulement pour comprendre le sens du roman *Les Démons*, mais également pour saisir le rapport qu'il entretient avec l'intrigue de *Crime et châtiment*.)

Après avoir rejeté avec succès la loi de ses semblables, Stavroguine s'apprête à leur en donner une nouvelle. La société secrète qu'il établit avec l'aide de son ami Piotr Verkhovenski se propose de fonder un monde nouveau, inventé de part en part par l'intelligence humaine et censé assurer la liberté et l'égalité parfaites entre les hommes. Lors d'une réunion mondaine de révolutionnaires et nihilistes, un nommé Chigaliov décrit ses idées, scientifiques, affirme-t-il, sur la réforme du monde. Son système est inachevé et la logique lui fait défaut, car, comme l'avoue son propre créateur : « Je me suis embrouillé dans mes propres données et ma conclusion se trouve en directe contradiction avec l'idée fondamentale du système. Partant de la liberté illimitée, j'aboutis au despotisme absolu [1] ». Ici Dostoïevski se moque visiblement de l'invention d'utopies sociales, spécialité de son siècle. Mais ce qui l'intéresse véritablement n'est pas la forme concrète de la société utopique, mais la personnalité morale et la conduite de ceux qui travaillent à assurer son avènement.

Cette conduite comporte d'abord le mépris des lois et de la morale en vigueur. Verkhovenski explique à Stavroguine sa vision dans ces termes : « Savez-vous que nous sommes déjà maintenant terriblement forts ? Non seulement ceux qui égorgent et incendient travaillent pour nous, ceux qui manient le revolver à la manière classique et les enragés qui se mettent à mordre... Écoutez, je tiens compte de tous : le maître d'école qui se moque avec les enfants de leur Dieu et

---

1. Fedor Dostoïevski, *Les Démons*, trad. Boris de Schloezer, Bibliothèque de la Pléiade, Gallimard, 1955, p. 425.

de leur berceau est des nôtres. L'avocat qui défend un meur-
trier cultivé en indiquant qu'il était plus instruit que ses victimes et se trouvait dans l'obligation de tuer pour se procurer
de l'argent, celui-là est des nôtres. [L'allusion à *Crime et châtiment* est transparente.] [...] Les jurés qui acquittent des criminels à tour de bras sont des nôtres » (*Les Démons*, p. 443).
Verkhovenski exagère, bien entendu, la puissance de son
mouvement, mais en comptant parmi ses succès toutes les
formes de pathologie sociale, il exprime sa préférence pour
l'injustice et le désordre.

Les partisans d'une société nouvelle doivent ensuite s'assurer qu'à l'intérieur de leur mouvement règne la discipline.
Conspirateurs, ils ne peuvent pas tolérer la dissidence.
Lorsque Chatov, membre de la cellule de Verkhovenski, se
convertit à la russophilie, Verkhovenski décide de le faire
exécuter par les autres membres de la cellule. La punition du
traître, espère-t-il, servira d'exemple aux combattants et
assurera, grâce à leur culpabilité collective, la cohésion du
groupe. Portés à leurs limites, l'aspiration à l'autonomie et le
désir de trouver la source de la loi au sein de l'être humain
mènent inévitablement au crime. Partie de tels principes,
l'auto-fondation humaine de la loi ne saurait réussir, et,
naturellement, le meurtre de Chatov ne produit pas les
résultats escomptés. Loin d'assurer la solidarité de la cellule,
le crime collectif a pour résultat sa décomposition. Pris de
peur et de remords, les révolutionnaires abandonnent leur
combat, se cachent, se dénoncent les uns les autres. Sauf
dans le cas du criminel le plus endurci, Stavroguine, l'inspiration divine n'a même pas besoin d'intervenir cette fois,
comme elle l'avait fait dans *Crime et châtiment*. Selon Dostoïevski, Dieu ne parle qu'aux âmes individuelles ; pour le
crime collectif la peur de la juste répression exercée par la
société suffit.

De la sorte, l'auteur des *Démons* rejette dos à dos l'idéalisme romanesque, qui exalte la grandeur et l'autonomie
humaines, et l'anti-idéalisme, qui trouve dans l'imperfection
du genre humain une source d'amusement, voire d'amertume. Contre la tradition idéaliste, Dostoïevski se fait un
devoir de prouver que la magnanimité et la constance des
héros romanesques anciens sont des chimères. Les légen-
daires mesquinerie, duplicité et égoïsme des personnages
qu'il met en scène dépassent de loin ceux que peignaient les
romans picaresques du XVIIe et du XVIIIe siècle — bien que la

déréliction humaine fût la grande spécialité de ces ouvrages. Le mélange de bassesse, de fierté et de plaisir honteux que ressentent un Marmeladov, un Svidrigaïlov, un Stavroguine lorsqu'ils exhibent leur misère morale évoque certes le cynisme des personnages de Quevedo et de Daniel Defoe; chez Dostoïevski cependant, les personnages corrompus — à l'exception peut-être de Stavroguine — sont d'ordinaire dépourvus de la grâce intelligente, de la méchanceté précise et toujours adaptable, et surtout de la parfaite discrétion des picaros et picaras. Les vices des protagonistes dostoïevskiens sont lourds et maladroits, leur scélératesse est loin de leur faciliter la survie, et, comble d'impertinence, cette scélératesse et ces vices forment le principal objet du discours des personnages, comme si leur propre déréliction était un spectacle digne de l'attention universelle [1]. Concernant le roman idéaliste moderne, qui exalte la capacité des êtres d'exception de se donner à eux-mêmes la loi morale, le destin de Raskolnikov est censé en prouver la vacuité de manière irréfutable. *Les Démons* insiste là-dessus, et, par le biais du portrait de Stavroguine, démontre que le surhomme est en réalité une bête de proie. De plus, et comme si l'auteur souhaitait éloigner de lui le moindre soupçon d'idéalisme, la majorité des personnages, y compris ceux qui jouissent de sa sympathie, sont le plus souvent décrits comme des êtres malpolis, parfois résolument mesquins, souvent incapables d'exprimer clairement leurs intentions et leurs désirs, et toujours capricieux et fantasques.

La critique littéraire a parfois interprété l'incapacité de s'exprimer et l'inconstance des personnages dostoïevskiens comme un indice de la liberté dont ils jouissent. Certains critiques (dont Mikhail Bakhtine et François Mauriac) sont allés jusqu'à soutenir que ces personnages exercent leur liberté indépendamment de la volonté de l'auteur. Il est vrai que les protagonistes des romans de Dostoïevski surprennent le lecteur par leurs innombrables excentricités et volte-face, ainsi que par le décalage fréquent entre leurs paroles et leurs véritables intentions. À mon avis, ces traits ne tiennent

---

1. Les picaros se racontent aussi, mais uniquement au lecteur. Lazarillo, Moll Flanders, Roxane se confessent en écrivant leurs mémoires, mais font preuve de prudence et de discrétion lorsqu'il s'agit de communiquer à leurs proches des informations sur eux-mêmes. La raison de cette différence tient à ce que, pour les picaros, l'immoralité est une arme dans la lutte pour la survie, alors que dans la plupart des cas, chez Dostoïevski, elle est un poids mort qui immobilise le personnage dans la fange.

cependant pas tant à la *liberté* des personnages, qu'à leur irrémédiable *imperfection*. Considérons Raskolnikov, qui arrive au commissariat pour se dénoncer, change d'avis, sort du bâtiment, retrouve Sonia dans la rue, change de nouveau d'avis et rentre au commissariat. Agit-il de la sorte par excès de liberté ? Pas du tout ; sa conduite est celle d'un homme qui ne parvient pas à se maîtriser. De même, l'exaltation verbale qui anime ces personnages et les fait pérorer, voire radoter, n'est nullement le propre d'une subjectivité libre qui s'épanouit dans le discours, comme le soutient Bakhtine, mais simplement la marque d'une détresse profonde qui empêche ces malheureux de voir clair à l'intérieur d'eux-mêmes et d'exprimer leurs tourments avec simplicité. La clarté du discours tenu par le prince Mychkine, le héros innocent de *L'Idiot*, fournit une preuve *a contrario* de cette vérité.

L'existence d'un personnage comme Mychkine montre également que, à la différence des anti-idéalistes pour qui l'imperfection humaine est la vérité incontournable de notre condition, Dostoïevski croit malgré tout à la possibilité de la perfection, qu'il identifie, à la manière chrétienne orthodoxe, à la sainteté contemplative, à l'auto-immolation pour le bien des autres, et surtout à l'incapacité d'agir. Cette perfection ne saurait bien entendu être atteinte par des moyens purement humains : elle est soit l'attribut d'êtres qui sont visiblement inspirés par la grâce divine (Sonia, Zossima dans *Les Frères Karamazov*), soit l'effet d'une anomalie d'ordre physiologique, comme dans le cas du protagoniste de *L'Idiot*. De temps à autre, des personnages égarés, comme Raskolnikov ou comme Chatov dans *Les Démons*, retrouvent la bonne voie, mais ces conversions ont toujours lieu sous l'influence de la divinité ou de ses représentants sur terre, les âmes pures prises individuellement, et le peuple russe en général. Mais par réaction contre l'habitude de peindre de belles âmes qui sont parfaitement maîtresses de leurs pensées et de leurs actions, Dostoïevski confère à ceux parmi ses personnages qui ont été touchés par la grâce (Sonia, Mychkine, Chatov) une sorte de maladresse alliée à une profonde humilité, comme si ces messagers d'un monde meilleur, se rendant compte qu'ils n'ont guère accédé à l'état de grâce par leurs propres mérites, demandaient pardon à leurs frères d'avoir été élus par la divinité malgré leur imperfection. Ces belles âmes, à la fois sublimes et maladroites, nous les avons déjà observées chez Tolstoï. Dans un monde profondément corrompu (par le péché, chez Dostoïevski, par la civilisation, chez Tolstoï), la seule beauté est celle des rares êtres naïfs, spontanés, inadaptés. La maladresse de ces êtres est une marque de leur innocence, et leur difficulté d'agir (pathologique chez un Mychkine, fort éprouvante chez Pierre Bezoukhov dans *Guerre et Paix* et chez Lévine dans *Anna Karenine*) figure la coupure qui les sépare du monde ambiant.

De la sorte et sans opérer à proprement parler une synthèse entre l'idéalisme et l'anti-idéalisme, Dostoïevski s'éloigne en égale mesure des deux options, qu'il remplace par une formule romanesque fondée sur le contraste entre les formes les plus répugnantes de l'abjection humaine et la sainteté la plus éthérée. Cette formule a son origine dans le roman populaire français et anglais, elle prolonge et porte à leur apogée les efforts déployés par Dickens, Sue et Hugo pour frapper l'imagination des lecteurs en juxtaposant la perfection et la fange, le crime et la sainteté. Mais alors que les personnages de Dickens, Sue et Hugo exhibent, dans le bien ou dans le mal, des qualités morales remarquables, chez l'auteur russe les individus sont représentés par le biais de leur détresse, de leur incapacité à se conformer de leur plein gré à des normes d'ordre moral ou de rompre une fois pour toutes avec ces normes. Aussi, les romans de Dostoïevski sont-ils peuplés par des êtres profondément instables, inaptes à formuler et à poursuivre des projets cohérents d'action, esclaves des impulsions du moment, bref, par des êtres travaillés par un grave déficit normatif. Leur complexité est celle d'un terrain livré aux mauvaises herbes, qui échappe pour ainsi dire à l'œil du propriétaire, et où le bon grain ne survit que grâce à la protection surnaturelle.

Tout aussi essentiel que le rejet de l'autonomie est le rejet symétrique de la réduction des êtres humains à leur milieu ambiant. Tout en faisant siennes les techniques de la vraisemblance descriptive (au point que plus tard, dans le *Manifeste du surréalisme*, André Breton, pour dénoncer les méfaits du roman réaliste, choisira un passage descriptif de *Crime et châtiment*), Dostoïevski ne place pas le déterminisme social et historique au centre de sa méthode de représentation, ni ne définit ses personnages en premier lieu par leur appartenance sociale. Peu soucieux des normes de la vie morale, ces personnages n'observent pas non plus de trop près les convenances de la vie sociale. Ceux qui le font, comme Verkhovenski père ou le gouverneur von Klemke dans *Les Démons*, se voient attribuer le rôle du bouffon. À regarder de près, cette espèce de non-coïncidence entre la personne humaine, les normes de la vie morale et le rôle qui revient à l'individu dans la société renvoie assurément à la difficile naissance de la société russe moderne, à la superposition imparfaite du modèle occidental et des traditions prémodernes locales, si bien que le déficit normatif des personnages de Dostoïevski et leur faible adhésion aux places qu'ils occupent dans la société correspondent certes à une situation sociologiquement déterminée. Il reste que l'imperfection métaphysique mise en lumière par cette situation préoccupe l'auteur beaucoup plus que son explication sociologique.

La seule catégorie d'ordre social qui éveille l'intérêt de Dostoïevski est celle de la nation. Mais selon l'auteur des *Démons*, être « russe » n'est pas une qualité qui s'acquiert simplement par la naissance. Les personnages de ses romans sont nés en Russie ; mais peu d'entre eux assument véritablement leur destin russe : l'enracinement n'est pas une donnée, mais une fin à atteindre. Régénérés, Raskolnikov et Chatov découvrent « une réalité totalement ignorée jusque-là » (*Crime et châtiment*, p. 613), leur propre pays. Cette Russie secrète, ce pays mystique béni par la divinité joue ainsi le rôle d'une véritable Éthiopie du roman grec, d'une contrée de rêve qui offre aux protagonistes ballottés sur la mer de la contingence un havre de paix surnaturelle. La différence est que, chez l'auteur de *Crime et châtiment*, la nouvelle Éthiopie céleste, la vraie Russie, se trouve *au même endroit* que la Russie de l'exil et de l'amertume et qu'elle se montre dans sa beauté inimaginable seulement à ceux qui, mus par la grâce, consentent à la regarder.

Considéré dans son rapport avec le roman idéaliste moderne, Dostoïevski apparaît donc comme un des plus redoutables adversaires de l'enchantement de l'intériorité, tant que celui-ci a pour ressort la capacité humaine de découvrir et de suivre librement la norme morale. Laissés à eux-mêmes, nous dit l'auteur de *Crime et châtiment*, les hommes sont des êtres imparfaits, instables, inaptes à combler par leurs propres moyens le déficit moral qui les caractérise. Seule une perfection qui n'est pas de ce monde illumine parfois quelques élus. Aussi, se plaçant dans la tradition de la spiritualité orthodoxe, Dostoïevski recommande aux hommes de s'abandonner sans arrière-pensée à la bonté divine.

LA BELLE ÂME AU BORD DE LA FOLIE

La révolution de 1868 et l'introduction en Espagne d'un régime politique relativement libéral ont permis au roman espagnol de connaître un rapide essor. À l'occasion, les écrivains espagnols se sont vus confrontés à la principale difficulté du roman de l'époque, qui consistait, comme nous l'avons noté à maintes reprises, à concilier, d'une part, le désir de représenter l'âme humaine dans toute sa générosité avec, d'autre part, l'observation attentive de la vérité sociale. Pour les prosateurs espagnols, comme pour leurs confrères français, anglais, russes et allemands, l'enjeu du roman moderne était de réussir à la fois l'intériorisation de l'héroïsme romanesque et la représentation vraisemblable du milieu qui lui permet d'émerger, voire l'oblige de le faire. Ce problème, qui a été partout le même, a reçu des solutions différentes selon la conjoncture et les traditions de chaque pays. En Espagne, le développement relativement tardif du réalisme social, la spécificité de la tradition narrative espagnole et la force des croyances religieuses dans la société ont contribué à prêter au roman de la fin du XIXe siècle une physionomie distincte.

Les imitateurs espagnols de Scott (Mariano José de Larra, Enrique Gil y Carrasco) avaient dans la quatrième et cinquième décennie du XIXe siècle exploité la veine du pittoresque local, également utilisée par les *costumbristas* (auteurs de physiologies des mœurs locales, tel Ramón de Mesonero Romanos) et par les romanciers régionalistes (Cecilia Böhl de Faber, et dans la génération suivante Pedro Alarcón et Juan Valera). Mais il importe de noter que cette production, qui du point de vue quantitatif est pendant longtemps restée assez réduite, ne satisfaisait qu'en partie les besoins des lecteurs cultivés, qui lisaient avidement les œuvres des romanciers français, anglais et parfois russes.

Le travail accompli par la génération de Stendhal, de Balzac, de Thackeray et de Dickens n'a donc pas eu de véritable équivalent en Espagne. Grâce à cet effet dilatoire, le roman espagnol de la seconde moitié du siècle se trouvait encore devant la tâche de produire une image complète et vraisemblable de la société espagnole contemporaine, image dont il n'y avait aucune raison d'exclure la représentation de la grandeur d'âme. Ayant à leur disposition l'expérience accumulée en France et en Angleterre par les partisans de l'idéalisme moderne et par leurs adversaires, les romanciers espagnols furent naturellement portés à opérer une synthèse entre les positions défendues au cours des débats antérieurs. Ils purent donc lire et apprécier les œuvres de leurs contemporains Goncourt et Zola, sans que la radicalisation de l'anti-idéalisme opérée par le naturalisme français s'imposât à eux comme l'unique vérité du roman contemporain. C'est pour cette raison que l'œuvre d'Emilia Pardo Bazán, celle de Benito Pérez Galdós et celle de Leopoldo Alas (Clarín) ne sont pas atteintes par le pessimisme et par le réductionnisme si évidents chez les naturalistes français, et que, préoccupé par la grandeur d'âme de ses protagonistes, le roman espagnol de cette période converge souvent avec les autres grandes synthèses entre l'idéalisme et l'anti-idéalisme : celles de Stifter, de George Eliot et de Tolstoï.

À une différence près, néanmoins. Stifter, Eliot et Tolstoï font l'éloge d'un idéalisme modéré, « à visage humain », et dont les formes, fort rassurantes, sont la poésie intime (chez Stifter), la force normative purement laïque (chez Eliot) et l'authenticité morale (chez Tolstoï), alors que dans les œuvres des romanciers espagnols, la grandeur d'âme est irrémédiablement atteinte de démesure, voire d'un grain de folie. L'obstination de Fortunata Izquierdo et l'amour séraphique de Maximiliano Rubin dans *Fortunata et Jacinta* (1887) de Galdós, la sainteté du protagoniste dans le récit *Nazarin* (1895), du même auteur, la féminité torturée d'Ana Ozores dans *La Régente* (1884-1885), d'Alas, révèlent une noblesse étayée par une immense réserve d'énergie vitale, mais fournissent en même temps les symptômes d'un profond déséquilibre psychique. La tradition cervantine est assurément responsable de cette alliance entre la folie et la poursuite de l'idéal, et, réciproquement, l'œuvre des romanciers réalistes espagnols ressuscite et modernise *Don Quichotte*. Sans l'exemple de l'aisance avec laquelle le chevalier de la Triste Figure vit parmi les fantasmes projetés par son esprit, Galdós et Alas auraient difficilement pu imaginer la monomanie de Maximiliano, l'angélisme de Nazarin ou l'hystérie d'Ana Ozores. Réciproquement, éclairé d'une lumière nouvelle par la folie de Maximiliano Rubin, par la sauvagerie de Fortunata et par la chasteté rebelle de Ana Ozores, don Quichotte acquiert rétroactivement le visage d'un pèlerin solitaire et dérisoire sur le chemin de l'absolu.

Tout aussi profondément enracinée dans la tradition de la prose espagnole est la distance entre ces personnages touchés par la folie et la société qui les entoure. Autant dans la première partie de *Don Quichotte* que dans la tradition picaresque représentée par *Lazarillo de Tormes*, par *Don Pablo de Ségovie*, de Quevedo, et par *Guzmán d'Alfarache*, de Mateo Alemán, la coupure entre le protagoniste et le monde environnant est une donnée initiale du récit, une réalité accablante qui n'est susceptible ni d'explication ni de véritable résolution. De même, l'inadaptation aux exigences de la vie sociale qu'exhibent, chacun à leur manière, Fortunata, Maximiliano, Nazarin, Tristana (dans le récit de Galdós qui porte son nom), Ana Ozores, le prêtre Julian Alvarez et la malheureuse Nucha Pardo, épouse de don Pedro de Ulloa (dans *La Maison Ulloa*, 1886, d'Emilia Pardo Bazán), est présentée chaque fois comme le résultat de l'irréductible singularité du personnage, singularité que rien ne saurait atténuer et d'autant moins abolir.

Dans les romans de Balzac, de Stendhal et de Dickens, le lecteur a toujours l'impression que les malheurs des protagonistes auraient en fin de compte pu trouver remède si seulement le destin avait été plus favorable à leurs aspirations. Eugénie Grandet aurait pu vivre heureuse si son père avait été moins aveuglé par l'avarice, tout comme un supplément de discrétion de la part de Mme de Rénal aurait assuré le succès mondain de Julien Sorel. Dans *Les Grandes Espérances* (1860-1861), il est apparent que Pip trouvera le bonheur si Estrella peut être guérie de sa misanthropie, au point que Dickens n'éprouve aucune difficulté à modifier la première version, pessimiste, du dénouement pour donner à son roman une fin heureuse. Chez les auteurs espagnols ce genre de réconciliation demeure inconcevable. À l'instar des picaros qui souffrent d'une sorte de maldonne irréparable qui rend les faveurs de la fortune passagères et peu fiables, Maximiliano Rubin a beau épouser la belle Fortunata, elle lui demeure éternellement inaccessible; Fortunata ne retrouve son bien-aimé Juanito Santa Cruz que pour souffrir davantage à cause de lui, Ana Ozores finit par découvrir le plaisir amoureux, mais non pas le bonheur, Nucha Pardo et Julian Alvarez sont à jamais séparés par la double sainteté du mariage et de la vocation ecclésiastique. Comme ces personnages savent obscurément que la réconciliation durable avec le monde leur est refusée, ils acceptent de bon gré leur condition précaire et, en vertu d'un retournement psychologique encouragé par la stabilité des sociétés traditionnelles, ils se sentent souvent fort à l'aise dans une ambiance si défavorable à leurs aspirations. Le malheur du personnage — qui tient de la tragédie — est de la sorte pimenté d'une sorte de complicité comique entre l'exclu et le milieu qui le torture.

Dans cette configuration, on reconnaît la trace du paradoxe chrétien, qui exalte les pauvres, les démunis et les humiliés précisément parce qu'ils acceptent de bon gré leur condition. Le monde leur dit non, mais comme il n'y a pas d'alternative, ils s'y installent quand même pour s'y sentir chez eux en dépit de l'exclusion dont ils font l'objet. Des personnages qui chez Balzac et Dickens, et à plus forte raison chez les Goncourt et Zola, seraient à coup sûr torturés par le mécontentement et couveraient peut-être des projets de révolte se contentent, dans les romans de Galdós, de Pardo Bazán et d'Alas, d'exhiber un inoubliable amalgame de résignation et de fierté, de consentir à la déréliction la plus abjecte tout en gardant en même temps l'assurance de soi la plus parfaite. Ainsi, tout en acceptant l'indiscutable supériorité sociale et morale de sa rivale Jacinta, épouse légitime de Juanito Santa Cruz, la pauvre Fortunata demeure-t-elle fermement convaincue que, grâce à sa fertilité, elle est susceptible d'offrir à son amant l'avantage que son mariage précisément lui refuse : la descendance. Mais cet avantage, loin de la rendre vaine, accentue au contraire à la fois son humilité et son désir de plaire à sa rivale Jacinta. Tristana, Nazarin, Nucha Pardo et Ana Ozores vivent chacun avec une sérénité désespérée le même déchirement.

Si ce genre d'humilité altière rappelle les vertus intérieures prêchées par la religion chrétienne, la présence extérieure de celle-ci marque le roman réaliste espagnol d'une manière tout aussi indélébile. Chez Balzac, en dépit de la sympathie professée par l'auteur pour la doctrine de l'Église catholique, ses prélats ne jouent pratiquement qu'un rôle infime dans *La Comédie humaine*, à l'exception des romans spécifiquement consacrés à l'étude du clergé en tant qu'état social (*Le Curé de Tours*, *Le Curé de village*). Plus tard, l'anticléricalisme des Goncourt et de Zola adoptera la même perspective, *Madame Gervaisais*, *Lourdes* (1894) et *Rome* (1896) visant à analyser en profondeur l'influence délétère exercée, selon eux, par la religion catholique sur la société. En France il faudra attendre *L'Imposture* (1928) et *Le Journal d'un curé de campagne* (1936), de Bernanos, pour que les conflits proprement spirituels suscités par la vocation ecclésiastique deviennent la cible de l'attention romanesque. Le roman espagnol accorde en revanche au prêtre, à ses inquiétudes et aux difficultés de sa mission une place considérable, place qui correspond certes à la réalité d'une société largement dominée par le clergé, mais qui du même coup redécouvre, spontanément sans doute et sans intention délibérée, le souvenir de l'idéalisme romanesque qui se trouve aux origines du roman moderne.

S'il est vrai que la figure du prêtre incarne parfois tous les défauts des ecclésiastiques ignorants et gloutons qui forment depuis le Moyen Âge la cible de la littérature anticléricale — ainsi dans *Fortunata et Jacinta*, de Galdós, Nicolas Rubin, frère de Maximiliano et beau-frère de Fortunata —, il accomplit dans d'autres cas l'ancienne mission de guider la belle âme vers son salut. Dans *La Maison Ulloa*, de Pardo Bazán, la narration accompagne le parcours de Julian Alvarez, jeune prêtre bien intentionné qui assiste impuissant à la décadence de la famille Ulloa. Arrivé dans le village d'Ulloa, Alvarez tente de corriger les mœurs du maître de céans, l'impétueux don Pedro, qui vit à la vue de tout le monde avec Sabel, la fille de l'intendant Primitivo. Conseillé par Julian, le jeune marquis se rend à Santiago pour chercher une épouse légitime. Il choisit Nucha, la moins belle et la plus sage de ses cousines. Après la célébration du mariage, le jeune marquis regagne son domaine où, sous l'influence maléfique de l'intendant Primitivo, il s'éloigne de Nucha et retourne à son ancienne maîtresse Sabel. Déprimée et malade, Nucha tente de quitter le village, mais l'évasion échoue. Le jeune prêtre, unique appui de l'épouse légitime et protecteur de sa fille, la petite Linda, finit par abandonner Ulloa, où son amour pour l'enfant du marquis lui avait attiré l'antipathie et les soupçons morbides des villageois.

Impuissant à guider dans le chemin du bonheur le couple dont il a la garde, Julian est un Calasiris tragique : la foi qu'il professe ne sert qu'à rendre la conduite du jeune marquis et les malheurs de l'admirable Nucha encore plus révoltants. Sans en avoir peut-être l'intention explicite, le roman de Pardo Bazán dévoile la raison pour laquelle il ne peut y avoir de véritables « éthiopiques » chrétiennes : la souffrance, qui se trouve au cœur du message chrétien, n'est pas susceptible d'être abolie tant que l'homme demeure asservi à sa condition charnelle. Méroé, la ville initiatique qui, simultanément placée dans ce monde et hors du monde, réconcilie le bonheur du couple avec l'adoration du dieu Soleil, contredit une des prémisses majeures de l'anthropologie chrétienne, la séparation radicale entre l'ici-bas et le royaume éternel. Le jeune prêtre n'a, par conséquent, d'autre pouvoir que celui de rendre les mortels sensibles au mystère de l'imperfection du monde.

Dans *Nazarin*, Galdós reprend cette thématique, en mettant cette fois au centre de l'action le personnage du saint détaché des biens de ce monde. Prêtre pauvre et à moitié fou, Nazarin mène une vie parfaitement conforme aux principes du christianisme : il refuse toute possession matérielle, donne aux pauvres tout ce qu'il reçoit, tend l'autre joue lorsqu'on le frappe. Pendant un certain temps, il réussit à tenir en échec les forces du mal, il attire même des disciples parmi les femmes de mauvaise vie, en dépit de ses efforts pour les éloigner. Son innocence désarme les êtres les plus endurcis, tel don Pedro de Belmonte, richissime propriétaire terrien qui, tout en avouant son asservissement aux plaisirs matériels, ne peut s'empêcher d'admirer le détachement que procure le vœu de pauvreté. Émule moderne du Christ, comme son nom l'indique, Nazarin ne tarde cependant pas à subir le sort de son modèle : il sera bientôt traqué et mis en prison par des persécuteurs bornés et envieux. Dans la scène finale du récit, le prêtre emprisonné se prépare au martyre. Malade, ses hallucinations lui font croire qu'il célèbre la messe et que le Christ lui-même l'apaise en se déclarant satisfait des efforts fournis par Nazarin. Dans un univers où les hommes sont irrémédiablement déchus porter témoignage de la perfection suffit.

Enfin, dans *La Régente*, d'Alas, le prêtre garde des liens privilégiés avec l'affirmation de l'idéal bien que cette fois le personnage du chanoine Fermin De Pas incarne la déchéance morale. La corruption, cependant, n'a dans ce cas rien à voir avec la bêtise gloutonne dénoncée habituellement par la satire anticléricale : il s'agit, chez Fermin De Pas, de la chute d'un homme véritablement supérieur, dont la vitalité étouffe dans la prison du célibat. À l'instar d'Ambrosio, protagoniste du *Moine* de Lewis, et de dom Claude Frolo, le prêtre maléfique de *Notre-Dame de Paris* de Hugo, Fermin conçoit une passion sauvage pour une de ses ouailles, la belle Ana Ozores, qu'il tente de séduire au moyen du perfectionnisme spirituel. Grâce à sa fonction de directeur de conscience, Fermin est en mesure de surveiller de près les désirs et les pensées de la jeune femme, et tant qu'elle vit paisiblement à côté d'un époux trop âgé pour elle, et que l'insatisfaction érotique fournit un terrain propice aux rapports sublimés, Fermin est heureux de déguiser sa passion sous le voile d'une amitié empreinte de spiritualité. La vertu, lui enseigne-t-il perfidement, se définit comme équilibre de l'âme, et l'ascétisme n'est pas la seule voie pour l'obtenir : la musique (comme nous l'assure saint Augustin), les arts, la contemplation de la nature, la lecture d'œuvres philosophiques et historiques élèvent l'âme, la mettant à l'unisson avec la sainteté. Plus tard, insinue le chanoine, en parvenant à un certain degré de force, l'âme découvre que les amusements dangereux deviennent inoffensifs, voire édifiants, et que la présence du mal n'a rien de dangereux.

Loin d'être un Tartuffe content de sa perfidie, Fermin est torturé par les remords, d'autant plus que sa méthode pour séduire la belle Ana ne mène nulle part. Flattée par l'amitié d'un prélat si cultivé, elle se garde bien de lui avouer le penchant qu'elle éprouve pour Alvaro Mesia, le don Juan local qui deviendra par la suite son amant. Ayant dépensé en pure perte de vastes trésors de subtilité théologique et pastorale, Fermin découvre par l'entremise d'une espionne placée dans la maison d'Ana que celle-ci s'est donnée à Mesia. Sous l'emprise de la rage, le chanoine dénonce la femme adultère à son pacifique mari, incitant celui-ci à défendre son honneur. Le brave homme trouve la mort dans le duel qui l'oppose à Mesia, l'amant s'esquive, et la veuve, publiquement déshonorée en raison du duel, est réduite à la pauvreté. Dans la scène finale, Ana retourne à Fermin — l'émissaire de Dieu — auprès duquel elle espère obtenir le pardon divin et retrouver sa foi. Mais le chanoine, suffoqué par la haine, s'abstient à peine de l'étrangler. L'effort de sublimer l'amour échoue, métamorphosant la quête de l'idéal en passion destructrice : faute de pouvoir s'assouvir, le désir devient démoniaque.

Parmi ces œuvres, *La Régente* est le seul roman qui dégage une certaine amertume, et encore est-on loin du mépris pour la laideur du monde, si frappant chez les naturalistes français. L'ambiguïté de l'ironie, à la fois impitoyable et compatissante, l'acceptation impavide de la misère et de la grandeur de l'homme, l'absence du ressentiment, ce sont des traits omniprésents du réalisme espagnol, dus peut-être à la situation particulière de l'Espagne dans la seconde moitié du xixe siècle et à l'image qu'on pouvait se faire du monde moderne lorsqu'on l'envisageait à partir de ce pays. Ancien empire ayant régné sur la moitié de la planète, l'Espagne avait depuis un temps déjà perdu ses possessions sans pour autant s'intégrer tout à fait dans le nouveau système industriel et commercial qui gagnait l'Europe. De toute évidence, le destin de la civilisation à venir n'allait pas être décidé en Espagne. Ce constat, qui aurait pu être la source d'un profond désespoir, a encouragé en fait une salutaire prise de distance à la fois à l'égard des idéaux modernes et de la critique des idéaux plus archaïques, dont la disparition ou la survie ne formaient guère en Espagne l'enjeu vital qu'ils représentaient dans des pays plus avancés sur la voie de la modernité, l'Angleterre et la France. À la différence de la Russie, en revanche, où le retard pris sur l'Europe occidentale a eu tendance à engendrer chez les artistes et les penseurs le ressentiment et son jumeau intellectuel, le messianisme, l'Espagne était suffisamment fière de son immense influence passée pour que le léger retard pris sur ses voisins ne troublât pas le calme de ses romanciers. Aussi, dans la recherche de l'idéalisme moderne les romanciers espagnols ont-ils évité d'emblée la confrontation entre les positions extrêmes représentées par l'enchantement de l'intériorité et par la réduction de l'être humain à son milieu.

Vues d'Espagne, ces versions ennemies de l'individualisme moderne paraissaient également plausibles et également suspectes, et les romanciers espagnols n'ont éprouvé aucune difficulté à rejeter les prétentions individuelles à l'autonomie, tout en refusant de réduire l'individu à l'influence de son milieu. À la synthèse qui, chez Stifter, chez Fontane, chez Tolstoï et chez George Eliot était le fruit d'une réflexion approfondie sur les options en place, correspond chez Pardo Bazán, chez Galdós et chez Alas un compromis entre l'idéalisme et le scepticisme. Le mélange de distance et d'empathie, de cruauté et de tendresse à l'égard des destins représentés est le résultat de ce compromis. À la fois sublimes et ridicules, les personnages des romans espagnols aspirent à la chimère de l'autonomie avec une passion qu'on ne peut s'empêcher de respecter, bien que son échec ne puisse étonner personne. La défaite des rêves les plus nobles y est perçue comme la loi inéluctable de la vie humaine, précisément parce que l'impossibilité de leur accomplissement est pour ainsi dire donnée d'avance et que les protagonistes gardent dans le ridicule de leur chute toute la grandeur de leurs ambitions. Ce bonheur dans le désespoir, cette sérénité dans la détresse sont aussi différents du pessimisme flaubertien et du collectivisme zolien que de l'individualisme messianique de George Eliot.

Conclusion de la troisième partie

Arrivé au sommet de sa gloire dans les dernières décennies du XIXe siècle, le roman avait fait fructifier les réserves d'idéalisme qu'il avait héritées, par l'entremise de la prose richardsonienne et rousseauiste, de ses prédécesseurs lointains, le roman hellénistique et le roman héroïque. La grandeur cosmique des protagonistes des « éthiopiques », convertie à l'époque de l'enchantement de l'intériorité en force morale inflexible, s'est peu à peu changée au cours du XIXe siècle en simple beauté intérieure, souvent à peine perceptible. De Chariclée à Pamela, de celle-ci à Graziella, et de cette dernière à Cécile, l'héroïne de Fontane, la perfection s'était graduellement mais inéluctablement retirée devant les exigences, jamais entièrement satisfaites, de la vraisemblance. Pour rendre plausible la grandeur d'âme, pour lui trouver une place dans le monde de l'expérience, les romans du XIXe siècle ont divisé celui-ci en régions historiques, géographiques et sociales, dont ils ont décrit avec une admirable précision les particularités physionomiques. Dans ces romans, la belle âme émerge au sein de ces particularités, soit que certaines époques et endroits — les temps héroïques et les pays exotiques — favorisent son essor, soit que d'autres, l'ère moderne, matérialiste et prosaïque par exemple, le découragent. Et bien que la force morale ne soit guère réductible au milieu où elle voit le jour et que la belle âme se manifeste toujours dans une certaine mesure en opposition avec l'ambiance sociale et historique, le roman, en étudiant avec attention l'enracinement de l'homme dans sa communauté, s'est vu forcé de modérer ses aspirations idéalistes. Walter Scott et Balzac dans la première moitié du

siècle, tout comme George Eliot, Tolstoï, Fontane et Pérez
Galdós dans la seconde, ont imaginé, chacun à sa manière,
des personnages à la fois admirables et imparfaits, entourés
d'un monde parfois hostile, parfois accueillant. À la fin du
siècle, les écrivains qui penchaient vers l'idéalisme se contentaient donc de décrire des bribes de beauté intérieure, tout
aussi agréables à découvrir mais tout aussi évanescentes que
les lueurs de soleil traversant les brouillards du Nord. Seuls
le roman populaire et quelques romanciers-poètes, éludant
la contrainte de la vraisemblance, ont perpétué l'idéographie
morale de l'idéalisme ancien et moderne, osant imaginer des
personnages aussi nobles et forts que ceux naguère célébrés
par le roman ancien, médiéval ou baroque.

Comme si cet affaiblissement interne ne suffisait pas,
l'héritage idéaliste continua à être en même temps attaqué de
l'extérieur par la tradition du scepticisme moral, tradition
qui au début préféra employer le registre comique, mais qui,
par la suite, connut de nombreux succès dans le registre
sérieux. Le détachement ironique avec lequel Stendhal et
Thackeray peignaient la folie des passions plongeait ses
racines dans la tradition picaresque et porta régulièrement
des fruits au long du siècle, la prose de George Meredith et
celle d'Anatole France rappelant à la fin du XIXᵉ siècle que le
lignage de Fielding n'était pas éteint. L'évolution de la prose
psychologique, de Jane Austen à Henry James, apportait la
preuve que les insuffisances du moi et ses erreurs inévitables
dans l'appréciation de la vie morale du prochain sont susceptibles d'une étude sérieuse, voire tragique, et qui, de surcroît,
n'est pas entièrement assujettie à la description précise des
particularités sociales et historiques. Quant aux partisans de
l'enracinement de l'homme dans son milieu, partisans qui,
au siècle de l'histoire et de la médecine, tenaient naturellement le haut du pavé, ils affinèrent patiemment la représentation de la nature sociale de l'homme et de ses pulsions,
atteignant dans ce domaine un degré de perfection difficile à
dépasser.

La conséquence de ces développements fut que, dans le
dernier tiers du XIXᵉ siècle, le roman parvint à un remarquable état d'équilibre. Malgré la diversité des options auxquelles les divers romanciers souscrivaient (idéalisme,
anti-idéalisme, synthèse des deux positions), le lecteur ne
pouvait pas ne pas être frappé par l'uniformité formelle de
leurs œuvres. Les rares écrivains qui, comme Henry James,

cherchaient leur propre voie, le faisaient à leurs risques et périls, et ces bribes d'originalité ne troublaient guère l'imposante monotonie du genre. Concernant l'invention, qu'il s'agît des œuvres de Zola ou de Fontane, de celles des frères Goncourt, de Tolstoï ou de Pérez Galdós, les personnages, toujours enracinés dans leur milieu, se voyaient éternellement tiraillés entre leur imperfection et leurs aspirations morales, entre la pesanteur et la grâce. Concernant le style, ces auteurs faisaient tous scrupuleusement attention aux détails historiques et sociaux et prenaient soin d'assurer aussi bien la vérité des dialogues que l'immersion sensorielle et affective du lecteur dans l'univers du personnage. Certes le calibrage changeait d'un auteur à l'autre, certes les différences demeuraient perceptibles, il reste que ces traits se retrouvaient dans la grande majorité des romans et que, pour détecter les dissimilitudes, le lecteur devait d'abord pénétrer loin dans l'œuvre. Comme si l'efficacité de la formule découverte avec tant d'efforts, comme si le succès de l'équilibre attentivement mis au point entre vraisemblance et beauté intérieure décourageaient toute tentative de renouvellement, la forme du roman à la fin du XIXe siècle semblait figée à jamais.

QUATRIÈME PARTIE

L'art du détachement

CHAPITRE VIII

Liens abolis, univers insondables

Le roman s'est lancé dans l'aventure moderniste à une époque qui a simultanément formulé des doutes profonds sur l'enracinement de l'homme dans la communauté et conçu l'espoir d'une nouvelle liberté censée conduire à l'invention de formes de vie entièrement inédites. Cet espoir et les conséquences visibles de son action ont suscité de nouvelles figures de l'imaginaire anthropologique : l'abolition des liens, la communauté problématique et l'apothéose de Narcisse.

La figure des liens abolis a eu l'ambition de remplacer celle de la naturalisation de l'homme. Au lieu d'un être produit et gouverné par son milieu naturel, historique et social, l'individu est maintenant conçu indépendamment de tout ce qui l'entoure. Il va de soi que cette indépendance n'est pas celle que, dans le roman ancien, l'alliance avec la Providence, désormais disparue, assurait à l'individu-hors-du-monde. Il ne s'agit pas non plus du moi autonome qui, séparé du monde, découvre la loi morale universelle dans son sein, l'historicisme et le naturalisme du XIXe siècle ayant efficacement dissous l'unité de cette loi et prouvé sa dépendance à l'égard du passé culturel et biologique. Bien qu'à première vue l'abolition des liens puisse sembler une forme d'aliénation, il n'en est pourtant rien : parler d'aliénation n'a de sens que si l'on souscrit à la vérité de l'enracinement de l'homme, par rapport à laquelle l'absence de liens entre l'individu et son milieu est perçue comme une grave carence. Or la nouvelle figure considère cette absence comme une situation de départ, et non comme la perte d'un paradis antérieur. « Jeté » dans le monde, l'homme ne s'appuie ni sur la transcendance, ni sur une force législative découverte à l'intérieur de soi-même, ni sur l'héritage historique ou biologique. Il est l'être appelé à s'inventer lui-même, sans le bénéfice d'un idéal normatif assigné à lui une fois pour toutes.

Ses rapports à la communauté, dans ces conditions, ne peuvent plus être envisagés que sous le biais du choix. Dès lors que les liens de l'individu avec le monde qui l'entoure ne sont pas donnés à l'avance, la société au milieu de laquelle il ouvre les yeux n'est plus véritablement la sienne. L'accession à la vie sociale devient ainsi une tâche infiniment pénible à accomplir, et, réciproquement, le rejet du monde social et de ses conventions n'est pas représenté comme un geste dramatique fait à la suite de longues délibérations, mais comme une sorte de droit élémentaire de chaque personne. C'est pour cette raison que très souvent le protagoniste des romans du XXe siècle souffre d'être entouré par une communauté inaccessible, mais que dans beaucoup d'autres cas il s'engage avec une facilité enviable en faveur de tel parti, de tel groupe, de telle cause, de tel style de vie. Ces liens ne sont ni donnés ni même définis à l'avance et, dans ces conditions, l'individu n'est ni constant ni fidèle — comme il était dans l'idéalisme ancien et moderne — mais simplement *disponible*. Parfois la communauté à laquelle il souhaite adhérer le refuse obstinément, d'autres fois elle se l'adjoint, le garde prisonnier, le persécute à l'occasion, mais en aucun cas elle ne parvient à l'assimiler, à l'intégrer, tant et si bien que la vérité de la séparation, qu'elle s'appelle exclusion ou départ, demeure toujours primordiale.

Tel Narcisse, l'individu ne trouve sa véritable joie que dans la contemplation de son propre visage et dans la satisfaction de ses propres compulsions. Ayant perdu le désir de regarder autour de soi, il se contemple, il s'écoute, il agit sans réfléchir porté par le bourdonnement confus de ses pulsions, qu'il ne veut ni ne sait maîtriser. Heureux, il prend le monde comme un objet offert à son plaisir, blessé, il ne se demande pas comment il aurait pu éviter la souffrance. La liberté de s'inventer soi-même semble à première vue entière, mais comme le champ d'attention et d'action de l'individu se rétrécit prodigieusement et que la pression des pulsions qui échappent à la conscience ne fait qu'augmenter, la portée de cette liberté est à peine perceptible. Il n'est donc pas étonnant de constater que la formation du couple, dans toute sa difficulté normative, ne se trouve plus au centre d'intérêt du roman.

LE TOURNANT ESTHÉTIQUE

Le XIXe siècle touche à sa fin lorsque les premiers signes de la révolte contre la figure de l'enracinement se font sentir. Dirigée en France contre Zola et ses disciples, qui conçoivent l'homme dans son irrémédiable dépendance à l'égard du milieu et de l'hérédité, cette révolte, au départ, est loin de vouloir rejeter d'emblée les conquêtes de la vraisemblance descriptive et de l'immersion, procédés qui, comme nous l'avons vu, fournissaient au roman de la seconde moitié du XIXe siècle sa *lingua franca* artistique. Comme l'explique avec énergie Durtal, personnage de *Là-bas*, de Huysmans (1891), les naturalistes, qu'il n'admire pourtant que médiocrement, ont rendu d'inoubliables services à l'art, « car enfin, ce sont eux qui nous ont débarrassés des inhumains fantoches du romantisme et qui ont extrait la littérature de l'idéalisme de ganache et d'une inanition de vieille fille exaltée par le célibat [1] ».

Ce que le personnage de Huysmans attaque ce n'est pas la méthode, c'est la bassesse de l'art naturaliste. Durtal note avec irritation que chez les disciples de Zola, l'art prodigieux du maître est devenu, « dans un jargon de chimie malade, un laborieux étalage d'érudition laïque, de la science de contre-maître. [...] Nous en sommes venus à un art si rampant et plat que je l'appellerais volontiers le cloportisme » (*Là-bas*, p. 34). Cette bassesse cache tout un programme, par l'entremise duquel les apôtres du positivisme s'imaginent pouvoir « expliquer le mystère [de l'âme] par les maladies des sens » (p. 36). Poussé à la limite, l'art qui se consacre à l'étude des liens de dépendance entre l'homme et l'univers en arrive inévitablement à écraser l'humanité de l'homme.

Pour ceux qui s'insurgeaient contre l'enracinement de l'idéal, il fut au premier abord difficile de distinguer entre la découverte des voies nouvelles et le recours aux solutions déjà disponibles. Aussi, le personnage de Huysmans aspire-t-il à redonner à l'âme et à son mystère la place qu'ils méritent, par le moyen d'un « naturalisme spiritualiste » (p. 36) qui allierait les techniques de la véracité mises au

1. J.-K. Huysmans, *Là-bas*, Garnier-Flammarion, 1978, p. 34.

point par Balzac, Flaubert et Zola, avec l'étude de la vie intérieure, éclairée par les lumières de la foi chrétienne. En 1891 cette voie avait été déjà ouverte, comme Durtal le savait bien, par Dostoïevski. Huysmans lui-même, dans la trilogie inaugurée par *Là-bas* et continuée par *En route* (1895) et par *La Cathédrale* (1898), entendait dépasser le naturalisme par le retour à la religion catholique, retour qui l'autorisait d'affirmer aussi bien l'indépendance ultime des êtres humains par rapport à leur milieu que la réalité de la norme morale transcendante. Suivant l'exemple de Huysmans, de nombreux romanciers, parmi lesquels on comptera plus tard les disciples français et anglais de Dostoïevski, se sentirent libres de réfléchir aux paradoxes de l'intériorité humaine et à ses soucis non matériels, sans devoir pour autant abandonner l'héritage réaliste et naturaliste dans son ensemble, ni revenir à l'« idéalisme de ganache » et aux « fariboles des romantiques ». La redécouverte du christianisme comme foyer de résistance au triomphe du naturalisme n'impliqua donc pas le retour à l'enchantement de l'intériorité : l'anti-idéalisme, comme la religion, étaient également convaincus de l'imperfection de l'homme, la différence étant qu'au lieu de chercher les raisons ultimes de cette imperfection dans la nature sociale de l'homme et dans les effets hasardeux de l'hérédité, la doctrine chrétienne les plaçait dans le drame métaphysique de la Chute.

Le retour au christianisme restituait l'indépendance de l'individu, en le détachant de manière efficace de son milieu. Mais parce qu'il ne lui rendait pas le charme ni la fière allure que lui avait conférés naguère l'enchantement de l'intériorité, l'insistance de la doctrine chrétienne sur la déchéance morale des êtres humains ne pouvait pas réunir les suffrages des artistes qui aspiraient à un culte plus énergique de l'individu. Ces artistes se posaient la question de savoir s'il était possible d'imaginer un type humain qui fût à la fois dégagé de ses attaches mondaines et invulnérable au sentiment d'insuffisance morale, soit que celui-ci traduisît les préoccupations de la doctrine chrétienne ou qu'il reflétât la sévérité de l'anti-idéalisme romanesque. Une version de ce type humain, qui n'était déjà plus tout à fait récente, avait été inventée du temps du romantisme et s'appelait le dandy.

Nous avons constaté plus haut que, parmi les réponses suscitées par l'enchantement de l'intériorité morale, une des plus fécondes a consisté à exalter la solitude des âmes de choix, qui contemplent avec mélancolie le monde des hommes comme s'il s'agissait d'ombres vaines projetées par la lanterne magique de leur propre imagination, selon l'expression appartenant à Werther, le héros de Goethe. Avec Lovelace, le séducteur de Clarissa, nous avons observé l'apparition d'un nouveau genre de séducteur qui cherche moins le plaisir de posséder ses victimes, que celui de flétrir l'idéal de pureté qu'elles incarnent. Bien que ces êtres sans scrupules finissent par se repentir, tant que l'action dure, le ressort qui les fait agir est le mépris pour la norme, accompagné de la joie d'échapper aux contraintes morales qui régissent la société. Leur démonisme encore hésitant prend des formes nettement plus accusées chez les scélérats grandioses des romans gothiques (Ambrosio, dans *Le Moine*, par exemple) et des œuvres romanesques qui en prolongent l'esprit : *Frankenstein*, de Mary Shelley, et *Les Hauts de Hurlevent* (1847), d'Emily Brontë, romans dont les héros se vengent cruellement d'avoir été exclus du monde des hommes.

En dépit des traits qui les différencient — la douceur de Werther, le cynisme de Valmont, la cruauté de Heathcliff —, ces personnages sont tous des immoralistes, par excès de délicatesse dans le cas de Werther, par excès de malignité chez Lovelace, Valmont ou Heathcliff. Il n'est peut-être pas interdit de voir dans le dandy le résultat d'un croisement audacieux entre, d'un côté, le personnage romantique à la sensibilité raffinée, mais incapable d'agir, et de l'autre le héros cynique, voire démoniaque, dont le mépris pour la société détruit efficacement toute retenue morale. De Werther, de Hypérion, de René (le personnage de Chateaubriand), un dandy comme Henri de Marsay dans *La Comédie humaine* hérite la triste certitude qu'il vaut infiniment plus que le monde méprisable qui l'entoure; de Lovelace et de Valmont l'élégance et le cynisme; et, sans doute, du monstre de *Frankenstein*, de Heathcliff, d'Ambrosio, l'inexhaustible énergie. En l'absence des normes morales, l'attitude du dandy face au monde allie le mépris et l'art de la délectation, la froideur et le désir, l'hostilité et l'appétit. Pour le dandy, le moi seul est doté de réalité; en face, l'univers et les autres êtres humains sont considérés avec le genre de détachement qui convient à la contemplation des œuvres d'art plutôt qu'aux rapports avec nos semblables.

Ce détachement a de profondes affinités avec l'esthétisme,

choix pour ainsi dire naturel des artistes et des penseurs qui rejettent les conséquences les plus humiliantes de la naturalisation de l'idéal, sans pour autant vouloir revenir au romantisme, et encore moins à la religion. Comme le dandy, l'esthète s'arroge le droit de s'offrir en pâture un monde qui ne mérite le respect qu'en tant que source de satisfactions personnelles, le droit aussi de s'inventer un destin dont la réussite serait jugée uniquement en termes non moraux. Le parcours intellectuel de Nietzsche illustre le caractère impérieux de ce choix : car lorsqu'on réintègre sans résidu l'homme dans la nature et qu'on démystifie la liberté en mettant à jour la sauvagerie qui la fonde, comment s'y prend-on pour concevoir l'humanité de l'homme — si tant est qu'on souhaite encore s'en occuper — sinon en l'identifiant à la dépense ludique de l'excédent de vitalité sans autre finalité qu'esthétique ?

L'affinité entre le dandysme et l'esthétisme est illustrée de manière éloquente par *À rebours* (1884), œuvre de jeunesse de Huysmans, qui se propose de réfuter le dogme de l'enracinement en montrant que par l'entremise d'un mode de vie dont la seule norme est la jouissance esthétique, l'homme est capable d'inventer son propre milieu et de tenir à distance toute influence extérieure. L'esthète Des Esseintes, héros du roman, tourne le dos à l'univers et tente d'engendrer, les cloisons fermées, à la lumière des chandelles, un monde qui ne dépend que de ses goûts raffinés. À l'hétéronomie de l'homme, abondamment décrite par le roman naturaliste, l'esthétisme de *À rebours* oppose une autonomie qui prend pour modèle la liberté de l'imagination artistique. Sachant bien qu'il ne peut gouverner l'univers au nom de la loi morale, étant convaincu de surcroît que la société et la nature conspirent pour le réduire à l'assujettissement, Des Esseintes affirme son indépendance en menant une vie aussi fantasque et aussi coupée du monde empirique qu'une œuvre de fiction.

Pour mieux saisir l'enjeu et les tentations de cette attitude, considérons de plus près, pour un instant, la nature de l'attitude esthétique. Nous désignons une expérience comme esthétique lorsque la personne qui l'éprouve met entre parenthèses sa finalité spécifique, pour l'apprécier en tant que source de satisfactions non utilitaires. Ainsi, celui qui consomme un plat est libre soit de poursuivre uniquement la finalité naturelle de l'acte, qui consiste à se nourrir, sans faire attention à l'art du cuisinier qui l'a préparé, soit, au contraire, de se concentrer sur les qualités gustatives du plat en question tout en laissant à l'arrière-plan l'évaluation de sa finalité nutritive. Considérée en elle-même, l'attitude esthétique possède donc une dimension *subjective*, puisqu'elle se fonde sur la liberté du sujet de considérer les choses, les actions et les états d'esprit d'un point de vue qui dépasse leur finalité propre, ainsi qu'une dimension *objective*, étant donné que l'attention esthétique apprécie des qualités qui se trouvent dans les choses, dans les actions ou dans les états d'esprit pris en considération.

Or, comparée avec la conduite pratique, qui, elle, s'oriente résolument vers la finalité des choses et des comportements, l'attitude esthétique, malgré sa double orientation subjective et objective, apparaît, à tort ou à raison, comme indûment teintée de subjectivisme, voire d'égocentrisme. Lorsque, surtout, l'attitude esthétique est promue au rang de norme de vie, une sorte de convergence *a posteriori* s'établit entre elle et les idéaux de comportement qui minimisent l'importance des normes morales et de la vie en société, convergence qui ouvre la voie vers l'égotisme et l'hédonisme. Je note également que l'expérience esthétique, grâce à sa relative indépendance à l'égard des fins strictement utilitaires, est parfois revendiquée comme modèle de salut par les adversaires de la société industrielle moderne. Regardant le monde avec l'émerveillement (et la distanciation) dus aux œuvres d'art, le poète romantique et plus tard l'esthète expriment leur mépris pour le règne des valeurs utilitaires, règne que la prise en possession purement esthétique du monde est censée subvertir.

Dans le personnage du dandy on retrouve aussi bien la composante antimoderne de l'esthétisme, c'est-à-dire le mépris pour la société industrielle et libérale et pour son égalitarisme de principe, que sa composante hédoniste, à savoir l'habitude d'envisager le monde comme source de satisfactions individuelles non soumises aux exigences de la norme morale. Héritiers de la fierté, de la froideur et de l'égotisme de ce genre de personnage, les héros des romans anti-naturalistes de la fin du XIXe siècle ne sont mus ni par le souci du succès pratique ni par celui de la force morale, voire de la simple correction, mais obéissent à l'impulsion de jouer avec le monde, dont ils détestent la bassesse bourgeoise, en le convertissant en moyen de la glorification du moi. Le culte du moi, le mépris pour la société moderne et l'éloge de l'attitude esthétique à l'égard du monde sont communs aux héros de *L'Homme libre* (1889), de Maurice Barrès, et des premiers livres d'André Gide, *Le Traité du Narcisse* (1891), *Paludes* et *Les Nourritures terrestres* (1897), suivis de près par *L'Immoraliste* (1902).

Ennemi du déterminisme social et psychologique aussi bien que de l'ancien individualisme fondé sur la loi morale, Barrès prétend fonder une véritable religion du moi, assaisonnée d'exercices spirituels copiés d'après ceux d'Ignace de Loyola et destinés à enseigner au moi l'appréciation de soi-même. Pour s'isoler du monde, il faut savoir en mépriser la vulgarité et se persuader de la supériorité de la vie solitaire. Cette vie, dont le seul objectif est l'épanouissement de l'individualité, prend appui sur l'exaltation et sur la sensibilité, qu'elle accompagne d'une parfaite lucidité, comme on peut le constater dans les principes de l'égotisme formulés par Barrès : « PREMIER PRINCIPE : *Nous ne sommes jamais si heureux que dans l'exaltation.* DEUXIÈME PRINCIPE : *Ce qui augmente beaucoup le plaisir de l'exaltation, c'est de l'analyser.* [...] CONSÉQUENCE : *Il faut sentir le plus possible en analysant le plus possible* [1]. » L'appréciation du vécu considéré en lui-même et sans référence à sa finalité pratique neutralise efficacement la sensibilité morale, en sorte que « les émotions humiliantes elles-mêmes, ainsi transformées, peuvent devenir voluptueuses ». La volonté de développer ces principes dans la pratique romanesque fait cependant défaut à Barrès, qui se replie, dans *Les Déracinés* (1897), sur la vénérable méthode de l'enracinement. Les personnages de ce roman à thèse sont façonnés par le milieu, en l'occurrence par le milieu social et régional, et leurs diverses tentatives d'échapper à ce déterminisme se soldent par l'échec.

C'est Gide qui a donné à l'égotisme esthétique sa première expression littéraire convaincante. *Les Nourritures terrestres* développent les principes de Barrès et les transposent dans un style à la fois lyrique et sentencieux. On y retrouve la prééminence du sujet qui contemple le monde : « Que *l'importance* soit dans ton regard, non dans la chose regardée [2] », le remplacement du jugement moral par l'apprécia-

---

1. Maurice Barrès, *Le Culte du moi*, in *Romans et Voyages*, édition Vital Rambaud, vol. 1, Bouquins, Laffont, 1994, p. 102.
2. André Gide, *Les Nourritures terrestres*, in *Romans, récits et soties, œuvres lyriques*, édition Y. Davey et J.-J. Thierry, Bibliothèque de la Pléiade, Gallimard, 1958, p. 155.

tion de l'intensité du vécu : « Agir sans *juger* si l'action est
bonne ou mauvaise. Aimer sans s'inquiéter si c'est le bien ou
le mal. Nathanaël, je t'enseignerai la ferveur » (*Les Nourritures terrestres*, p. 156), « Et si notre âme a valu quelque
chose, c'est qu'elle a brûlé plus ardemment que quelques
autres » (p. 157), et, à la toute fin, le culte du moi : « Ne
t'attache en toi qu'à ce que tu sens qui n'est nulle part ailleurs
qu'en toi-même, et crée de toi, impatiemment ou patiemment, ah ! le plus irremplaçable des êtres » (p. 248).

L'intrigue de *L'Immoraliste* illustre ces maximes. Élevé
pour la vie de l'esprit, le jeune protagoniste découvre en
cours de route les prestiges des sens : « ma sensation devenait aussi forte qu'une pensée [1] » et décide d'en suivre les
impulsions : « Je courais sur la route qui mène de Taormine
à La Môle en criant, pour l'appeler en moi : Un nouvel être !
Un nouvel être ! » (*L'Immoraliste*, p. 399). Marié à une belle
femme qui l'idolâtre, la maladie l'oblige à s'installer sous le
ciel clément de l'Algérie, où il s'enivre de lumière et d'amitiés
masculines. Grâce à ce régime et au concours généreux que
lui prête son épouse, Michel guérit. Le couple retourne en
France, où l'artificialité de la vie sociale dégoûte le jeune
homme, d'autant plus que son ami Ménalque, qui hait la
morale et méprise les principes, lui conseille de chercher un
bonheur unique, individuel, sur mesure. Sur ces entrefaites,
l'épouse de Michel tombe malade à son tour, après avoir mis
au monde un enfant sans vie. Michel la contemple : « La
maladie était entrée en Marceline, l'habitait désormais, la
marquait, la tachait. C'était une chose abîmée » (p. 439).
Pour faire renaître l'amour, le couple part à l'étranger, mais
alors que l'appel de l'Algérie et de ses beaux adolescents
enivre Michel, à chaque étape du voyage l'état de son épouse
empire. En dépit des soins que son mari lui prodigue, Marceline se rend compte qu'il la méprise : « — Je vois bien, me
dit-elle un jour, je comprends bien votre doctrine — car c'est
une doctrine à présent. Elle est belle, peut-être, — puis elle
ajouta plus bas, tristement : mais elle supprime les faibles.
— C'est ce qu'il faut, répondis-je aussitôt malgré moi »
(p. 459-460). Sincère avec ses propres désirs, attentif à créer
de lui-même le plus intense et le plus irremplaçable des êtres,
le protagoniste agit « sans juger si l'action est bonne ou mauvaise », balayant tous les obstacles, y compris les besoins des

---

1. André Gide, *L'Immoraliste*, in *ibid.*, p. 390.

personnes à l'égard desquelles son propre passé lui prescrit des devoirs.

*

Dans un deuxième sens, le terme « esthétisme » ne désigne plus une attitude du moi à l'égard du monde ambiant, mais représente la promotion de l'art au rang de l'activité humaine la plus digne d'intérêt. Spécialité romantique, la religion de l'art fut conçue pour contrebalancer les exigences exorbitantes de la raison utilitaire, soit en assurant, dans ses versions optimistes, l'unité symbolique du monde humain, soit, dans ses versions pessimistes, en permettant aux êtres d'exception de s'évader des conflits insolubles qui le déchirent. Promouvant la poésie et la musique au rang de modèles, en vertu de leur capacité d'exprimer l'essence du monde sans avoir recours à la pensée conceptuelle, la religion de l'art enseigne à ses adeptes que l'observation attentive de la réalité extérieure est un leurre qui éloigne l'artiste de sa véritable vocation, qui est de dévoiler la richesse poétique du monde spontanément ressentie par le sujet.

Au cours du XIXe siècle, la religion de l'art a graduellement étendu son influence pour atteindre le sommet de sa ferveur dans les écrits de John Ruskin et dans *À rebours*, de Huysmans, *Marius l'épicurien* (1885), de Walter Pater, *Mont Saint-Michel et Chartres* (1904), de Henry Adams. Pour ces auteurs, la vocation artistique, qui occupait déjà depuis un bon moment une place de choix dans la prose romantique, réaliste et naturaliste (chez Hoffmann, Balzac, Nerval, Keller, Zola), devint désormais la seule voie susceptible d'offrir une forme de salut individuel et d'abri collectif aux âmes à la fois égarées dans un monde incompréhensible et coupées de la transcendance divine. Ce genre de salut fait l'objet de *À la recherche du temps perdu* (publication : 1913-1927), de Proust, œuvre dont l'argument relate les aventures d'une âme qui, tout en découvrant avec désespoir son incommensurabilité avec le monde, parvient à opérer une sorte de dépassement de ses tourments par le moyen de la création artistique.

À la différence de Gide, toutefois, chez qui l'égotisme sensualiste ne prend tout son relief qu'en s'opposant à la tradition de la profondeur psychologique aussi bien qu'à celle de l'observation sociale — car selon Gide, une fois qu'on découvre la beauté et le plaisir sensuels la sévérité de la morale et les contraintes d'ordre sociologique s'évanouissent spontanément et comme d'elles-mêmes —, l'œuvre de Proust met à profit toutes les subtilités de la tradition morale qu'elle entend dépasser, en peignant, du coup, des portraits aussi nuancés du cœur et de la société que ceux réalisés par les auteurs du XVIIᵉ et du XIXᵉ siècle. On entend de manière fort distincte chez Proust les échos de la vieille réflexion sur la solitude et sur la singularité de l'homme, réflexion menée par la nouvelle tragique ; on y découvre également l'héritage du roman du XIXᵉ siècle, convoqué pour témoigner de la socialité de l'homme.

Les protagonistes de la *Recherche*, à commencer par le narrateur, semblent à première vue descendre des personnages de la nouvelle sérieuse et tragique du XVIIᵉ siècle, dans sa version augustinienne. Comme ceux-là, Swann et Marcel sont en proie à des passions dégradantes dont ils ne comprennent ni l'origine ni le sens. Tomber amoureux de personnes aussi fades, aussi imparfaites, voire aussi sournoises qu'Odette ou qu'Albertine, c'est un malheur énigmatique, impossible à diagnostiquer, semblable à bien des égards à la folie du curieux impertinent chez Cervantès ou à la passion que Nemours inspire à Mme de Clèves dans le roman de Mme de Lafayette. Prévost, dans *Manon Lescaut*, avait bien senti ce qu'il y a de poignant dans ce genre d'attachement, mais, en se conformant à la psychologie classique, il expliquait l'amour du chevalier Des Grieux par des perfections censées exister effectivement dans l'être aimé, perfections qui, à la faveur de la prospérité ou de la solitude, auraient pu finir par l'emporter sur les défauts de la belle Manon. Chez Proust en revanche, loin d'être le reflet des qualités de l'être aimé, le désir, suscité par son inaccessibilité, provoque chez l'amoureux une sorte de défaillance intellectuelle qui l'empêche de discerner les traits de caractère et les véritables intentions de cet être. Nous ne comprenons l'autre que lorsqu'il nous est indifférent, semble dire la *Recherche*.

De surcroît, et de nouveau à l'instar des personnages des nouvelles citées, les protagonistes proustiens s'ignorent eux-mêmes, ne sachant mesurer ni la ténacité, ni le caractère rusé de leurs propres passions. Swann dans *Un amour de Swann*, comme Marcel dans *La Prisonnière*, s'imaginent que la tranquillité qui accompagne la possession régulière de l'être aimé est un signe infaillible de l'apaisement, voire de la disparition de l'amour. Il suffit cependant d'un instant de doute, de l'ombre d'une jalousie rétrospective, pour que la passion rebondisse avec une violence inattendue. Dans ces conditions, se voir abandonné par l'objet de cette passion est la plus grande tragédie qui puisse arriver aux amoureux, précisément parce que cet abandon ravive chez eux un désir qui n'a aucune autre raison d'exister. Apprenant le départ d'Albertine le jour même où il se croit assez fort pour pouvoir rompre avec elle, Marcel, au comble du désespoir, est étonné par « [l']intervalle inouï entre cette lassitude qu'elle inspirait il y a un instant et, parce qu'elle est partie, ce besoin furieux de la ravoir [1] ». Aimer de cette manière c'est avoir perdu toute commune mesure avec le prochain, tout repère qui permet aux hommes d'orienter leurs rapports avec leurs semblables. Le souvenir de Werther n'est pas loin : incapable d'avoir une prise quelconque sur l'objet de sa passion, l'amoureux chez Proust est paralysé par son incommensurabilité avec ce qui se trouve à l'extérieur de soi. Il en résulte un véritable vertige solipsiste, si bien souligné par les longs passages introspectifs de l'œuvre.

Les vaniteux dans la *Recherche* sont sujets au même genre de malheurs et connaissent, dans leur domaine propre, des échecs semblables. Concernant la vie mondaine, Proust ne pense pas autrement que Mme de Lafayette, Mme de Villedieu et Saint-Réal : la haute société étant gouvernée par la vaine gloire, le désir d'en faire partie nous rend aveugles et, tout en nous livrant à la discrétion de ceux que nous voulons éblouir, nous empêche en réalité d'en saisir les sentiments et les motivations. Et comme chez Balzac et chez Flaubert, la description proustienne des acteurs qui s'agitent sur le théâtre du monde ne se contente pas d'enseigner une leçon morale à portée générale, mais s'attarde longuement sur les effets exercés par l'enracinement sur le détail des physionomies et des conduites individuelles, qu'il s'agisse de celles exhibées par les membres des différentes classes sociales (l'ancienne aristocratie, les bourgeois protecteurs des arts, la petite bourgeoisie de Paris et de province) ou du comportement des individus appartenant aux minorités moins faciles à classer (les artistes mondains, les juifs en mal d'assimilation, les homosexuels). Le langage, les gestes, le subtil réseau causal qui régit les désirs et les comportements

1. Marcel Proust, *Albertine disparue*, I, in *À la recherche du temps perdu*, édition Jean-Yves Tadié, vol. 4, Bibliothèque de la Pléiade, Gallimard, 1989, p. 9.

en les intégrant tant bien que mal dans la niche sociale où ils se manifestent sont peints avec une minutie inégalée, comme si la fine psychologie des passages introspectifs avait besoin, pour prendre tout son relief, d'être insérée dans un monde d'une plausibilité sociale et perceptive à toute épreuve.

Il reste que les personnages de Proust ne sont pas réductibles au milieu qui les entoure, pour la simple raison qu'ils ne parviennent jamais à s'installer tout à fait dans ce milieu ni à le percevoir comme étant véritablement le leur. Tout comme l'amoureux proustien est ballotté entre l'épuisement de son désir et le besoin déréglé de disposer de l'être aimé, les snobs de la *Recherche* (Legrandin, parmi tant d'exemples) oscillent entre l'affirmation de leur indifférence à l'égard du beau monde et la folle envie d'en être acceptés. Réciproquement, les Verdurin, snobs de l'antisnobisme, créateurs d'un milieu qui n'a pendant longtemps d'autre réalité que celle de leur ambition, s'épuisent à rendre service aux amis qui fréquentent leurs soirées, pourvu que ceux-ci acceptent une sorte de servitude volontaire de la mondanité, en s'engageant à refuser de fréquenter les autres milieux. Et tout comme pour éclairer le comportement des amoureux dans la *Recherche* il suffit de savoir répondre à la question « Qui est indispensable à qui ? », la question clé du beau monde proustien (si bien formulée par Vincent Descombes dans son *Proust*[1]) est « Qui est invité chez qui ? », précisément parce que chez Proust personne ne se sent jamais tout à fait chez soi dans le monde.

Ce qui dans cette œuvre est dû à son temps n'est donc ni le froid examen du piège tendu aux hommes par la vie mondaine, ni celui des affres de la jalousie sans amour — bien que ce thème trouve en Proust son premier spécialiste d'envergure —, mais la prise de conscience d'une séparation irrémédiable entre l'âme et le monde où elle se trouve jetée, d'une incommensurabilité d'autant plus grave qu'aucune instance n'est présente pour en atténuer l'effet. Chez Proust, parce que ni la divinité ni la loi morale ne protègent les amants, l'amour incarne les inquiétudes d'une solitude indépassable. Et puisque les acteurs dont l'intériorité est représentée de près (Swann et Marcel) sont parmi les plus fragiles et les plus vains de tous, aucun protagoniste n'a ici l'autorité de donner au monde sa mesure et du coup de mettre au respect les scélérats et les hypocrites. Quelques personnages, la

---

1. Vincent Descombes, *Proust. La philosophie du roman*, Minuit, 1987.

grand-mère et la mère de Marcel et, à peine aperçu, le compositeur Vinteuil échappent, grâce à leur naïve bonté, au vertige amoureux ou mondain, sans pour autant être tout à fait à l'abri de la méchanceté des hommes. Mais ces êtres, qui rivalisent de grâce et de discrétion avec ceux qui peuplent les récits de Stifter ou de Fontane, ne vivent pour ainsi dire pas à part entière, car ils ignorent les tortures du désir et de l'ambition, les angoisses de la séparation, le vertige de l'incommensurabilité.

La question que se pose inlassablement le narrateur au long du récit est de savoir comment nous pouvons échapper à cette souffrance, qu'aucun appel à des instances d'ordre moral ne saurait nous épargner. Un début de réponse est offert au lecteur assez tôt dans l'immense ouvrage lors de l'épisode de la madeleine, qui célèbre la capacité qu'ont les hommes de conserver dans leur mémoire profonde, pour les redécouvrir plus tard, les traces de la saveur de la vie. Cette saveur, qui pour Proust est infiniment plus précieuse que le faux bonheur procuré par la satisfaction passagère du désir amoureux ou de l'ambition mondaine, n'est cependant pas immédiatement disponible, comme c'était le cas chez Gide, à quiconque s'émancipe de la morale et des normes sociales. Le parfum de la vie ne saurait être respiré, nous dit Proust, qu'à la faveur d'une remémoration involontaire : aussi la madeleine que le narrateur plonge dans le thé, comme il le faisait jadis chez sa tante Léonie, ranime-t-elle — bien des années plus tard — les échos du bonheur enfantin. L'extase provoquée par la madeleine est à la fois spontanée — puisqu'elle est causée par le souvenir involontaire d'une sensation indéfinissable — et réfléchie — puisque la sensation de plénitude qu'elle fait naître ravive des impressions déjà accumulées et déposées dans les profondeurs de la mémoire, ce qui teint cette plénitude d'un éclat inactuel et rétrospectif. C'est dans l'intimité du sujet que surgit, inattendue, la fraîcheur poétique du monde, tant et si bien que le moindre instant vécu est susceptible d'apporter la révélation du bonheur.

Et pourtant, pour précieuse qu'elle soit, la redécouverte involontaire du bonheur enfoui dans la mémoire ne saurait guérir l'âme de sa solitude. Au-delà de cette félicité fugace, se demande le narrateur, y a-t-il une manière plus durable d'échapper à l'artifice et à la sécheresse de la condition humaine ? De franchir les frontières du soi ? De constituer un monde commun? La fin de la *Recherche* nous apprend que selon Proust la véritable délivrance est opérée par l'art : s'il est vrai que l'accès direct à la plénitude du vécu est refusé aux hommes, ils peuvent la retrouver dans la littérature, qui n'est autre que « la vie enfin découverte et éclaircie [1] ». Par un retournement paradoxal propre à l'esthétisme, la littérature, qui est « la seule vie [...] réellement vécue », livre aux hommes le remède de l'incommensurabilité. En vertu de l'union intime du style et de la vision, la littérature apporte « la révélation, qui serait impossible par des moyens directs et conscients, de la différence qualitative qu'il y a dans la façon dont nous apparaît le monde, différence qui, s'il n'y avait pas l'art, resterait le secret éternel de chacun » (*Le Temps retrouvé*, p. 474). En comprenant à la fin de la *Recherche* que sa véritable vocation est la création artistique, le narrateur accède au salut individuel — car l'art le libère à jamais du cycle de la souffrance —, tout en faisant sien le vieux rêve romantique qui consiste à réconcilier les humains sous le signe de l'art.

L'APOTHÉOSE DE L'ÉCRITURE
ET LE MARTYRE DU MOI

L'esthétisme dans sa forme proustienne est représentatif de l'abolition des liens entre le moi et le monde, car la *Recherche* tient pour acquise, d'une part, l'absence de tout enchantement d'ordre moral, que celui-ci baigne de sa lumière l'univers visible ou qu'il anime uniquement l'intériorité des âmes, et affirme, d'autre part, l'irréductibilité des êtres humains au milieu auquel ils appartiennent. Dans l'ambiance créée par la disparition de l'idéalisme moral, l'expérience de l'irréductibilité est vécue par les protagonistes proustiens sous les espèces d'une souffrance sans rémission. Dans la *Recherche*, œuvre dont le pessimisme demeure en grande partie tributaire de l'augustinisme, les causes de cette souffrance sont identifiées, dans le sillon de la nouvelle classique, à la vanité et à la vaine gloire. La force morale qui,

1. Marcel Proust, *Le Temps retrouvé*, in *À la recherche du temps perdu*, édition Jean-Yves Tadié, vol. 4, Bibliothèque de la Pléiade, Gallimard, 1989, p. 474.

selon la tradition, devrait être susceptible de les contrecarrer
fait bien entendu défaut aux personnages de Proust, et seuls
l'art et la vocation artistique, puisqu'ils permettent aux
hommes de goûter la vraie saveur de la vie, sont capables de
les délivrer de leurs passions. Un art proche de la poésie et de
la musique, évoquant inlassablement le vécu momentané,
faisant tourner le kaléidoscope des sensations et des états
d'esprit les plus fugaces, révèle la supériorité de la vie recréée
par la littérature sur l'atroce souffrance de l'existence réelle.

Allant dans le même sens, l'*Ulysse* (1922) de James Joyce
met en place une version encore plus sombre de l'abolition
des liens et l'exprime dans un langage plus exubérant encore
que celui de Proust. Comme chez ce dernier, les protagonistes d'*Ulysse* demeurent étrangers au monde qu'ils
habitent, mais à la différence de la *Recherche*, les souffrances
des personnages d'*Ulysse* ne sont pas tant le résultat des
mauvaises passions que celui de l'épuisement de la passion,
voire d'une véritable impuissance morale qui influence à la
fois leurs gestes et leurs réflexions. Tiraillés entre les regrets,
les remords et les hésitations, éprouvant des bribes de désir
trop faibles pour les conduire à l'action, incapables de poursuivre un but précis, ces personnages errent à travers la ville
de Dublin sans comprendre très bien les raisons qui les
empêchent d'agir. L'histoire racontée par les quelque sept
cent cinquante pages du roman se réduit à un petit nombre
d'actions ayant toutes lieu le même jour, comme si l'intrigue
— c'est-à-dire la représentation d'un destin — n'avait qu'une
importance minime, la véritable portée mimétique de
l'œuvre étant l'évocation du vécu dans son aveuglante immédiateté.

Les deux protagonistes, Leopold Bloom et Stephen Dedalus, sont chacun hantés par la perte d'un être cher, une mère,
dans le cas de Dedalus, un enfant décédé depuis plusieurs
années, dans le cas de Bloom. Depuis la disparition de son
fils, Bloom ne parvient plus à avoir des rapports conjugaux
avec son épouse, la belle Molly. Dedalus de son côté ne peut
oublier qu'il a gravement offensé sa mère mourante, dont le
souhait le plus cher aurait été de le voir retrouver la foi de
son enfance. Bloom, qui soupçonne sa femme d'infidélité, a
des raisons de croire qu'elle projette de recevoir son amant à
la maison le jour même. Ne sachant pas bien quel parti
prendre, et n'ayant pas le courage de surprendre les amants

en flagrant délit, Bloom traverse la ville, s'affairant dans les bureaux, dans les parcs et dans les tavernes. Son chemin croise celui de Dedalus, qu'il ramène à la maison ivre mort après une beuverie dans une taverne dublinienne. Arrivé chez lui trop tard pour découvrir et punir l'adultère, Bloom rejoint sa femme endormie dans le lit conjugal. Un long monologue de Molly, étendue auprès de son mari, sert d'épilogue au roman.

L'exactitude et la complétude de la représentation sont l'ambition première du roman. Fidèle en ceci à la tradition anti-idéaliste, la prose de Joyce allie deux composantes : d'une part une sorte d'archi-naturalisme attentif à l'infinité de détails saillants qui sollicitent la perception humaine, d'autre part la reproduction des moindres images, impressions et bouts de pensées qui forment le flux de la conscience. En un sens, Richardson, dans *Pamela*, avait déjà opéré une telle alliance, en faisant alterner les descriptions scrupuleuses du décor et la notation des moindres impressions vécues par l'héroïne. En remettant à jour cette technique, Joyce y ajoute la précision et la verve de l'observation telles que les ont pratiquées Zola et les frères Goncourt, et, profitant également de la minutie de Henry James lorsqu'il note les états d'esprit et les tropismes des personnages, l'auteur d'*Ulysse* généralise à la vie intérieure le soin méticuleux avec lequel le naturalisme décrit la vie sociale. Si ces procédés sont relativement anciens, ce qui est nouveau et surprenant chez Joyce c'est la prolifération, voire le triomphe des détails à première vue inutiles : alors que, de Richardson au naturalisme, les notations perceptives ou psychologiques, bénéficiant toujours d'une pertinence facile à saisir, ont pour fin principale d'assister le lecteur dans la compréhension du milieu, de l'histoire et de la thèse morale, en sorte que l'anecdote et la leçon restent toujours présentes dans son esprit, dans *Ulysse* la pauvreté événementielle de l'intrigue ne justifie à aucun moment par elle-même l'extraordinaire luxuriance des notations.

L'abondance et l'inutilité narrative des détails sont particulièrement frappantes dans la représentation du flux de la conscience (*stream of consciousness*) des personnages. Loin de se contenter, comme les romanciers classiques et réalistes, de résumer dans une terminologie morale les délibérations intérieures des personnages, Joyce présente au lecteur la multitude d'idées, de souvenirs, de lieux communs et de bribes de phrases censées fuser dans l'esprit du personnage :

« Cab. Bloo.

Batterie d'accords fracassants. Quand s'empare l'amour.

La Guerre! La Guerre! Le tympan.

Une voile! Un voile qui vague au vent sur les vagues.

Perdu. Un merle pipe. Tout est perdu.

La Canne. La Ca, Canne.

Lorsqu'à ses yeux. Hélas!

Tiens! Tiens! Coup de bélier!

Martha! Reviens!

Claccloc. Clicclac. Claqueclac [1]. »

Ce passage, qui se poursuit sur de nombreuses pages, représente-t-il effectivement, comme on l'a soutenu, le mouvement spontané de la pensée? Rien ne nous oblige d'accepter cette thèse, ni d'accorder la moindre importance à son éventuelle validité : ce que Joyce compte faire au moyen de ces sortilèges verbaux, c'est sans doute copier la démarche de la pensée vécue, mais aussi et surtout y découvrir une richesse d'images et une liberté d'invention comparables à celles qui sont propres à la poésie. Musicale plutôt que descriptive, poétique plutôt que référentielle, la langue d'*Ulysse* espère convoquer, par la magie de ses feux d'artifice, des émotions diffuses, inconnues, vertigineuses.

Du coup, au long de ce texte diaphane et lumineux la délibération morale s'éparpille en une myriade d'états d'esprit, semblables par leur multiplicité aux touches de couleur dans les tableaux impressionnistes, dont la contribution à l'effet général, pourtant réelle, demeure dans chaque cas presque imperceptible. Selon *Ulysse*, l'esprit des gens, tout en regorgeant d'images et d'associations d'idées insolites, souffre d'une forte carence délibérative, carence provoquée peut-être par le tourbillon même que ces images et ces associations engendrent. Par conséquent, le lecteur, en prêtant attention aux innombrables notations dont l'enchaînement lyrique forme le discours intérieur des personnages, en arrive insensiblement à trouver plausible leur étonnante impuissance à agir.

Cette impuissance, selon Joyce, n'a pas de rémission. L'art, qui chez Proust libérait l'homme de sa servitude, sert ici à la mettre en lumière et non pas à la vaincre. Demeurant extérieur aux destins représentés, l'art en signale doublement le

---

1. James Joyce, *Ulysse*, trad. Auguste Morel et Stuart Gilbert, revue par Valery Larbaud et l'auteur, in *Œuvres*, vol. 2, Bibliothèque de la Pléiade, Gallimard, 1995, p. 288.

déficit de sens. Il le fait, d'abord, par la référence récurrente à l'*Odyssée* d'Homère, dont les divers épisodes rendent intelligibles les gestes déraisonnables et les pensées désordonnées des personnages joyciens, tout en soulignant la petitesse de ces derniers. Aussi, Bloom figure-t-il un Ulysse lâche et indécis qui ne quitte jamais son Ithaque, Molly une Pénélope infidèle, Dedalus un Télémaque abandonné des dieux. La force invisible du mythe oriente les mouvements, à première vue chaotiques, de ces individus, mais comme ceux-ci ne sauraient posséder cette clé — qui appartient à une histoire dont l'origine se perd dans la nuit des temps —, le sens secret de leurs propres tribulations leur échappe. Seuls l'auteur et les commentateurs avisés comprennent que la grandeur de l'épopée s'invertit ici en dérision et qu'aux efforts couronnés de succès du héros homérique pour retrouver sa famille et sa patrie correspondent ici l'échec humiliant de Bloom et de Dedalus en quête d'une vraie patrie et d'une vraie famille. La puissance de l'écriture, ensuite, se détache à son tour de l'histoire racontée, qu'elle cesse de servir, pour la soumettre aux besoins de son propre mouvement. Dans *Ulysse* ce ne sont pas les effets de style qui éclairent l'univers fictif, mais c'est à ce dernier que revient la tâche de servir les jeux sans fin de la forme, en sorte que les feux d'artifice d'une écriture toujours éblouissante finissent par obscurcir les bribes de conflit racontées par le roman. L'œuvre contredit délibérément toutes les attentes du lecteur, l'obligeant, par le renouvellement incessant de la surprise, d'apprécier la virtuosité artistique de l'auteur. En conformité avec la doctrine de l'esthétisme, la splendeur artistique demeure la véritable fin de cette œuvre.

Joyce innove donc en appliquant la minutie naturaliste à la représentation de la vie intérieure des personnages, en émancipant l'écriture du service de l'histoire racontée et en organisant l'œuvre autour d'une armature mythique à la fois invisible et extérieure à celle-ci. Est-ce dire que la réponse qu'il apporte à la vieille question du roman : « Sommes-nous chez nous dans ce monde ? » a moins de pertinence que l'inventivité formelle de l'auteur ? Il est certain que Joyce est célèbre pour sa dextérité stylistique plutôt que pour l'exactitude de ses observations sociales ou pour la profondeur de sa psychologie. Et pourtant, le lecteur patient (et dans ce cas la patience en arrive à frôler l'héroïsme) découvre que la luxuriance du style est là pour souligner, par un immense effet d'antiphrase, l'étrangeté d'un monde dont les habitants subissent la loi sans la comprendre.

*

Les écrivains qui, à la suite de Joyce, ont continué à présenter leurs personnages par l'entremise du flux de la conscience, ont poursuivi deux voies divergentes : certains ont choisi d'accentuer le thème de la solitude (Virginia Woolf en Angleterre, Faulkner et ses disciples en Amérique et, plus tard, Samuel Beckett en France), tandis que d'autres, tout en exploitant les inventions formelles de Joyce, ont tenté d'imaginer une réintégration de l'individu dans la communauté (Alfred Döblin).

Dans le premier cas, l'abolition des liens entre l'homme et le monde (celle qui s'accomplit dans l'absence simultanée d'une instance d'appel transcendant et d'une intériorité enchantée) exerce une influence destructrice sur l'individu, en diminuant (comme dans *Ulysse*) son énergie et en affaiblissant ses réflexes moraux. Chez Virginia Woolf, par exemple, des personnages qui appartiennent à la même famille et passent leur vie ensemble se conduisent comme s'ils gravitaient en réalité sur des orbites parfaitement étrangères les unes aux autres. La spécialité de Woolf étant le récit successif à la troisième personne des pensées des divers personnages, cette technique, moins choquante que les séquences d'exclamations, d'images et de phrases incomplètes lancées par les personnages de Joyce, suggère une situation où chaque individu demeure prisonnier de l'exiguïté de sa perception et ne parvient à saisir qu'une parcelle infime du monde. À l'intérieur de cette parcelle les autres individus, même ceux dont l'existence devrait en principe compter beaucoup (époux, amis, enfants), n'occupent en fait qu'une place tout à fait marginale, et ne sont aperçus qu'avec une sorte de surprise mêlée d'une légère répulsion. Les questions secrètes qui semblent sous-tendre les réflexions des personnages woolfiens, même les plus généreux et les plus admirables telle Mme Ramsay dans *Vers le phare* (1927), sont de savoir « pourquoi les autres existent ? » et « pourquoi leurs vies sont entremêlées à la nôtre ? » Seules des manœuvres compliquées et silencieuses, dont le détail forme l'anecdote des romans de Woolf, permettent à ces individus d'éviter les obstacles semés sur leur route par la présence de leurs proches.

Chez Faulkner, l'isolement des protagonistes est encore plus cruel. Dans ses romans, le théâtre et la teneur de l'action ne peuvent être reconstitués qu'indirectement, à partir des perspectives individuelles d'êtres dont les discours mélangent la complainte du moi blessé et le murmure menaçant de ses désirs inassouvis. Les névrosés, les psychotiques, les arriérés mentaux peuplent ce monde, leurs défauts et maladies psychiques figurant la solitude humaine et les frontières interpersonnelles qui la rendent indépassable. Dans *Le Bruit et la fureur* (1929), l'argument (car à l'instar d'*Ulysse* ce roman n'a pas à proprement parler d'intrigue) est insaisissable à la première lecture. Seule une fréquentation ultérieure ou les commentaires des critiques spécialisés permettent au lecteur d'entrevoir une sorte de convergence entre les quatre monologues poétiques qui composent le roman et de comprendre vaguement les rapports qui réunissent entre eux le jeune Quentin, la belle Caddy qu'il aime d'un amour incestueux, le reste de la famille des Compson, et Benji l'imbécile qui ne survit que grâce à l'immense bonté des serviteurs noirs. L'émancipation du texte du roman par rapport à l'histoire racontée touche ici à son terme : rien, ou presque rien, des interminables dialogues auxquels Benji assiste sans les comprendre, rien ou presque rien des divagations de Quentin, ni des ratiocinations de Jason ne fait avancer l'action, au point que le lecteur a le droit de se demander si l'expression « faire avancer l'action » garde un sens quelconque dans l'univers couvert de brumes torrides qui est celui des romans de Faulkner. De surcroît, et comme dans *Ulysse*, les dialogues, les réflexions et les souvenirs présentés dans le texte — par le biais des consciences individuelles qui occupent successivement le devant de la scène — ne servent pas l'intelligibilité générale de l'histoire, mais sont étalés comme une sorte de matière narrative première dont le lecteur astucieux saura, tant bien que mal, déduire l'argument du livre.

La distinction bien connue entre *dire* (ou *raconter*) et *montrer* (ou *mettre en scène*) ne coïncide par ailleurs pas tout à fait avec celle qui sépare les romans soigneusement *élaborés*, dans lesquels la matière narrative a été déjà taillée et émondée afin que l'histoire soit clairement lisible, et les romans *à l'état brut*, comme *Ulysse* et *Le Bruit et la fureur*, où de vastes plages de matière narrative sont présentées telles quelles au lecteur. Ces narrations à l'état brut, qu'on célèbre d'ordinaire

comme une victoire de l'écriture moderniste, continuent
d'une certaine manière les efforts du roman du XIXᵉ siècle
pour s'ancrer dans la pure observation et pour éliminer
autant que possible de son sein les réflexions abstraites et les
généralisations d'ordre moral. Puisque, de toute évidence, les
hommes vivent leurs vies sans qu'elles soient insérées dans le
commentaire d'un auteur, ces œuvres se contentent de simu-
ler le vécu immédiat de personnages sans y ajouter de commentaires. En même temps, cette forme de narration
incarne, du moins dans l'œuvre de Joyce, de Woolf, de Faulkner et de leurs disciples, la tendance du roman moderniste
de se concevoir lui-même comme profondément apparenté à
la poésie et à la musique, dont il émule le lyrisme et l'immédiateté sensorielle.

La pure observation, opposée au commentaire auctorial, et
l'évocation lyrique et immédiate, opposée à l'élaboration
conceptuelle, se retrouvent en égale mesure dans le roman
américain du XXᵉ siècle, dont la grandeur consiste à avoir
développé dans toute sa richesse le potentiel de cette option.
À côté de la veine lyrique captée par les romans de Faulkner,
l'art de montrer et de ne rien faire d'autre que de montrer a
vigoureusement prospéré dans les œuvres d'Ernest Hemingway, de John Steinbeck, de Raymond Chandler et de tant
d'autres maîtres de la concision et du prosaïsme bien tempé-
rés.

Samuel Beckett et les représentants du « nouveau roman »
français de l'après-guerre (Michel Butor, Robert Pinget,
Alain Robbe-Grillet, Nathalie Sarraute et Claude Simon) ont
continué, eux aussi, à développer aussi bien le potentiel
lyrique de la narration à l'état brut que l'art de la pure observation, techniques qu'ils emploient pour représenter les états
marginaux de la conscience, les tropismes, les automatismes
linguistiques et l'humble poésie d'un quotidien mal vécu et à
peine reconnaissable.

LA RÉSISTANCE À L'ESTHÉTISME

À la recherche du temps perdu figure la version nouvelle de
la séparation entre le moi et le monde — et en cela elle
poursuit le même travail que les romans de Joyce et de ses

disciples —, mais à la différence de l'auteur d'*Ulysse*, qui voit dans cette séparation le verdict sans appel du destin, Proust envisage également une procédure pour casser ce verdict. Sa tentative n'est pas la seule, et la réflexion sur le salut individuel dans les conditions de l'abolition des liens forme l'objet de plusieurs grandes œuvres romanesques au XXᵉ siècle, en particulier celles d'Alfred Döblin, Robert Musil et Thomas Mann.

Du point de vue technique, *Berlin Alexanderplatz* (1929), le chef-d'œuvre de Döblin, est tributaire de l'écriture joycienne par l'emploi d'une forme de discours indirect libre truffé d'images, d'expressions orales et argotiques, d'échos de chansonnettes, de titres de journal et de réclames publicitaires. À la différence d'*Ulysse* cependant, dans le roman de Döblin l'auteur garde tout son pouvoir rhétorique et toutes ses responsabilités interprétatives à l'égard de l'histoire racontée. C'est lui qui au début du livre annonce l'argument au lecteur sur le ton mi-solennel, mi-burlesque qui tient à la fois du prologue de moralité et de la présentation d'un numéro de music-hall : « Ceci est le livre de Franz Biberkopf, naguère terrassier et déménageur à Berlin. Lequel vient de quitter la prison où l'avaient fourvoyé de vieilles histoires. Il se retrouve à Berlin et veut désormais être honnête. Au début, tout ira bien. Mais à la longue [...] il sera jeté en lutte et bataille contre quelque chose d'imprévisible et qui, venu de l'extérieur, ressemble à la Fatalité [1]. »

Franz Biberkopf, continue l'auteur, a l'air de perdre ce combat. Or, « avant sa perte définitive, des circonstances que je ne précise pas ici le rendent lucide [...] La terrible chose qui a été sa vie prend un sens [...] De cette histoire profiteront tous ceux qui, comme Franz Biberkopf, habitent peau humaine et à qui il advient, à l'instar dudit Biberkopf, d'exiger de la vie plus que le morceau de pain » (*Berlin Alexanderplatz*, p. 18).

Le caractère lourdement explicite de ce passage renoue, par-delà la discrétion recommandée aux romanciers depuis Flaubert, avec la manière des auteurs plus anciens, Grimmelshausen, Fielding ou Sterne, qui n'éprouvent aucune gêne à interrompre la narration pour sermonner le lecteur (en général sur un ton facétieux), pour souligner la leçon

---

1. Alfred Döblin, *Berlin Alexanderplatz*, trad. Zoya Motchane, Folio, Gallimard, 1980, p. 17.

morale visée par le texte et pour prodiguer aux personnages force éloges et reproches.

Biberkopf est un homme de condition modeste, relativement honnête, qui se débat pour survivre dans la jungle de la ville moderne. Ayant entretenu des rapports suspects avec le milieu criminel, il finit par être emprisonné pour avoir, semble-t-il, tué sa petite amie. Au début du roman il sort de prison ayant purgé sa peine et revient à Berlin avec l'intention d'y vivre honnêtement de son travail. La profession de commerçant de la rue lui permettant à peine de subsister, il a la faiblesse de renouer ses liens avec ses anciens amis, en acceptant d'abord l'amour de Mieze, jeune prostituée au grand cœur dont il devient le maquereau, en participant ensuite aux opérations d'une bande de voleurs. À la suite de conflits entre gangsters, Mieze est assassinée, et Franz, en proie à une profonde dépression, finit par être interné dans un asile d'aliénés, où, presque mourant, il assiste au combat des forces du bien et du mal qui se disputent son âme. Ce combat, qui évoque les moralités médiévales, provoque chez Biberkopf une véritable révélation : revigoré, le héros sort de l'hôpital guéri de sa faiblesse morale et finit par se porter témoin de l'accusation publique dans le procès de l'assassin de Mieze. L'auteur, dont la voix alterne avec celle de Franz, ne manque pas de tirer la conclusion morale du livre, qui célèbre la solidarité entre les hommes.

À l'instar de Joyce, Döblin observe la vie intérieure des personnages avec l'attention que les naturalistes prêtent à la vie sociale, il fait reposer la charpente de son histoire sur une fondation mythique, il ouvre enfin son discours aux échos de la langue parlée et aux lieux communs de la cité moderne, en lui infusant de la sorte la vivacité de l'énonciation poétique. Mais il ne se dérobe jamais à l'obligation de bien raconter son histoire. Chez Döblin, l'emploi des nouvelles techniques stylistiques (lyrisme, oralité, changements rapides de registre, discours indirect libre et discours direct lié) ne vise pas à défamiliariser, ni encore moins à dérouter, mais s'efforce au contraire d'obtenir un effet d'empathie, de faciliter chez le lecteur l'identification avec le désespoir et les aspirations du héros.

Dans l'œuvre de Döblin le combat contre la solitude conduit de manière fort constructive à la découverte du prix des institutions sociales et de la solidarité entre les hommes. Chez Thomas Mann, en revanche, auteur dont l'écriture demeure fidèle à la tradition de Flaubert, de Dostoïevski et de Fontane, le problème de l'abolition des liens est posé non pas au moyen de la narration à l'état brut, mais au contraire par l'entremise d'une alternance subtile entre la réflexion explicite et l'allégorie. Les deux œuvres les plus représentatives de ce point de vue sont *La Montagne magique* (1924) et *Docteur Faustus* (1947). Dans la première, le jeune Hans Castorp, sain représentant de la haute bourgeoisie allemande d'avant la Grande Guerre, se laisse séduire par le milieu élégant des malades et des convalescents qui hantent le sanatorium pour tuberculeux de Davos. De passage à Davos pour rendre visite à son frère malade, Hans finit par s'établir au sanatorium, prisonnier de la pseudo-science des médecins, de l'excellent régime alimentaire, des conversations brillantes mais creuses qui opposent le libéral Settembrini au communiste Naphta et de la beauté troublante de l'aventurière russe Claudia Chauchat. Allégorie de la civilisation arrivée au sommet de sa gloire, qui est également celui de sa pourriture, *La Montagne magique* sème le doute sur l'utilité de la haute culture, dont l'attrait peut dans certaines conditions cacher un piège dangereux. En souhaitant de toutes ses forces entrer dans le milieu ultraraffiné du sanatorium, Castorp se trompe de vocation, car c'est précisément le raffinement de ce milieu qui engendre immanquablement la solitude : chacun des habitués du sanatorium fait face seul à la mort, les conversations qui fascinent Castorp ne sont que des dialogues de sourds, la belle Mme Chauchat demeure insaisissable. Pour le protagoniste, semble dire le roman, il aurait mieux valu rester dans sa ville natale, continuer à prendre part aux affaires de sa riche famille, goûter le bonheur naïf et infaillible des philistins. Il est difficile d'imaginer un rejet plus net des diverses formes d'esthétisme, qu'il s'agisse de l'hédonisme gidien ou du culte de l'art recommandé par Ruskin et par Proust.

Docteur Faustus rend ce rejet encore plus explicite, en traçant le portrait de l'artiste moderne qui, pour se consacrer entièrement à son art, n'hésite pas à trancher les liens qui le rattachent à l'humanité. Adrien Leverkühn, compositeur d'avant-garde, signe avec le diable un pacte aux termes duquel son œuvre musicale sera couronnée de succès, mais au prix d'un renoncement absolu aux affections humaines. La musique révolutionnaire de Leverkühn lui gagne en effet l'admiration des élites européennes, mais le pacte, comme la plupart des ententes de ce genre, s'avère à la fin un leurre. Parvenu à la vieillesse, le Faust de Goethe finit par trouver le bonheur — avec l'assistance du démon, mais contrairement à l'esprit du pacte — uniquement lorsque, en réintégrant la communauté humaine, il se consacre aux œuvres d'intérêt public. Dans le roman de Thomas Mann, en revanche, Leverkühn tente de sortir de cette communauté qu'il s'imagine pouvoir dominer par le biais de l'art. Or ce désir de domination s'avère être fatal : les œuvres composées par Leverkühn et décrites avec une attention minutieuse par son biographe et fidèle ami Zeitblom frappent les auditeurs par l'élaboration purement cérébrale de la musique, par la suprématie accordée à la dissonance, par l'esprit d'adversité et de mépris à l'égard de l'oreille humaine. L'art de l'euphonie cède la place à l'invention volontaire de la cacophonie. L'ironie de l'auteur perce aussi bien à travers la piété avec laquelle l'admirable Zeitblom raconte l'histoire de celui qu'il considère comme le plus grand compositeur contemporain, qu'à travers l'adulation vouée à Leverkühn par un public friand de nouveautés, prêt à subir toutes les violences sensorielles par égard au génie qui les a inventées. La punition de Leverkühn, qui meurt éloigné des hommes, croyant toutefois avoir créé une œuvre immortelle, vient précisément de ce que cette œuvre ne saurait toucher durablement les hommes. Le culte de l'art, semble conclure le roman, loin d'assurer le salut personnel, est tout aussi susceptible de conduire à la damnation que les autres activités humaines.

Moins attiré que ses cadets Joyce et Döblin par les jeux de mixage linguistique et par la saveur crue de la langue parlée, Thomas Mann innove en incorporant le discours philosophique à la texture même de la fiction. En cela, il est le contemporain de Proust, qui truffait sa *Recherche* de passages spéculatifs. Ce qu'on a appelé le « roman-essai » a annexé à la prose narrative le domaine de la pensée : à l'exemple de Balzac, auteur de *Louis Lambert* et de *Séraphîta*, le romancier-essayiste prend au sérieux l'idée que le roman a le devoir d'étudier toutes les formes de l'activité humaine, y compris la pensée philosophique, et qu'à cette fin il est libre d'employer tous les moyens, y compris la spéculation abstraite. Cette dernière devient ainsi à la fois objet d'observation — comme c'est le cas dans les célèbres disputes métaphysiques et politiques qui opposent Settembrini et Naphta dans *La Montagne magique* — et moyen d'exposition, comme le prouvent dans *Docteur Faustus* les considérations de Zeitblom sur la tragédie de l'Allemagne au xxᵉ siècle. Mais étant donné que le roman n'est en définitive pas réductible à l'essai, les pensées des personnages ainsi que celles de l'auteur n'ont qu'une pertinence pour ainsi dire expérimentale et imaginaire, en sorte que, tout comme dans les romans de Balzac ou de Flaubert les descriptions d'intérieurs et de milieux sociaux servent à caractériser l'univers de l'action, chez Thomas Mann l'accumulation de pensées demeure subordonnée elle aussi à la construction de l'univers fictif, comme s'il s'agissait moins de résoudre des problèmes philosophiques précis que de faire l'inventaire des ressources intellectuelles d'un milieu ou d'une époque. Il s'ensuit que les passages, d'une longueur considérable, consacrés à la théologie, à l'histoire de la philosophie et à l'esthétique musicale dans *Docteur Faustus* ne représentent pas la pensée du roman (ou celle de l'auteur), mais acquièrent leur sens uniquement lorsqu'on les intègre dans la totalité de l'univers évoqué par l'œuvre. Quant aux thèses défendues par cette œuvre, leur teneur dépend, comme dans tous les romans, de l'ensemble des actions et des réflexions racontées. C'est pour cette raison que les interminables éloges dont Zeitblom encense l'esthétique musicale de Leverkühn doivent être pris avec un grain de sel : dans le roman considéré dans son intégralité, la chute du compositeur qui a vendu son âme entraîne celle de la musique qui lui a été inspirée par le démon.

L'auteur qui se propose d'exploiter à fond les possibilités de cette méthode en lui subordonnant toutes les autres composantes de l'art du roman (y compris l'intrigue et la description) est Robert Musil, dont *L'Homme sans qualités* (1930-1943), œuvre inachevée, est probablement le spécimen le plus représentatif du genre du roman-essai. L'œuvre met en contraste la quête individuelle du sens de la vie — quête effectuée par le personnage principal, Ulrich — et les efforts collectifs faits par l'élite viennoise à la veille de la Grande Guerre pour définir l'avenir de l'empire austro-hongrois. La recherche collective du sens forme la cible de l'ironie parfois cinglante, parfois attendrie, d'un auteur qui, écrivant après la fin de la monarchie austro-hongroise, en perçoit lucidement les défauts, mais n'en regrette pas moins la disparition. Sous le nom vague et somptueux d'Action parallèle, un groupe de hauts fonctionnaires, soutenus par leurs épouses, préparent le 75ᵉ anniversaire du couronnement de l'Empereur (anniversaire qui aurait dû avoir lieu en 1919, c'est-à-dire à une date à laquelle l'Empire n'allait plus exister), en s'évertuant à concevoir une idée susceptible de mobiliser les nombreuses nationalités de l'Empire, toutes les couches de la population, voire l'ensemble de l'Europe. Le comte Leinsdorf, inventeur du projet, la belle Diotima, épouse du secrétaire d'État Tuzzi, Arnheim, juif prussien, magnat de l'industrie et intellectuel universel, le général Stumm von Bordwehr, incarnation du bon sens, et Ulrich lui-même débattent à n'en plus finir le sens de la vie moderne, les choix disponibles à l'âge du désenchantement du monde, la difficulté d'y formuler une aspiration unificatrice. Au romantisme éthéré de Diotima et au modernisme qui affiche un supplément d'âme — position d'Arnheim —, Ulrich, scientifique de formation, répond par un scepticisme vigoureux, indirectement corroboré par les cogitations de Stumm, débordantes d'humour et de sagesse.

Bien que tout invite Ulrich à se sentir différent des autres — sa culture positive, son esprit critique, son mépris pour les « qualités » humaines que les gens ordinaires s'appliquent à acquérir —, pour un temps il demeure parmi les hommes. Sa fortune personnelle lui ayant permis d'interrompre ses travaux scientifiques pour chercher à se comprendre lui-même, il s'associe aux travaux de l'Action parallèle, afin de consolider ses contacts dans la haute société. Mais à l'occasion d'une manifestation populaire contre l'Action parallèle Ulrich se rend compte qu'il n'est fait ni pour cette société ni pour la compagnie des hommes en général. Cette révélation, qui n'est autre que celle de l'abolition des liens, se produit lorsque le protagoniste regarde par la fenêtre du palais Leinsdorf la foule « agitée d'émotions naturelles et communautaires » et sent la profonde aversion que celle-ci peut avoir pour « l'étrangeté des expériences intellectuelles de l'homme seul [1] ». Parfaitement conscient, par ailleurs, du côté théâtral de la manifestation de masse, Ulrich subit, en la contemplant, un changement singulier : « "Je ne peux plus participer à cette vie, et je ne peux plus me révolter contre elle", songea-t-il » (*L'Homme sans qualités*, vol. 2, p. 482). « Puis, l'impression de la chambre qu'il sentait dans son dos se contracta et se retourna complètement. Elle se mit à ruisseler à travers lui ou, comme quelque

---

1. Robert Musil, *L'Homme sans qualités*, trad. Philippe Jaccottet, vol. 2, Point, Seuil, 1973, p. 481.

chose de très souple, autour de lui. [...] "Peut-on donc sortir de son espace pour entrer dans un second espace, un espace caché?" se demanda-t-il. Il n'aurait pas éprouvé d'autres sentiments, en effet, si le hasard l'avait fait passer par une porte de communication secrète » (vol. 2, p. 483). À l'instar de la madeleine goûtée par Marcel dans la *Recherche*, madeleine qui ouvre dans l'épaisseur du réel une nouvelle dimension salvatrice, la découverte du « second espace » fait voir à Ulrich que sa place n'est pas parmi les hommes. La quête du sens communautaire, figurée par l'Action parallèle, s'enlise, détruite par la faiblesse des élites et par la brutalité des foules. La quête du sens individuel, en revanche, ne fait que commencer : séparé du monde grâce à la révélation de l'« espace caché », Ulrich découvrira le bonheur dans l'amour allégorique qui l'attache à sa sœur Agathe. Le roman n'étant pas achevé, il est difficile de savoir exactement comment Musil avait l'intention de résoudre cette intrigue, mais ce qui semble raisonnablement clair c'est que l'identité d'Ulrich, si compliquée et si délicate, ne pourra s'affirmer qu'à côté de celle qu'il appelle « sa jumelle siamoise ». Ulrich et Agathe formeront une sorte de couple mystique, réuni par d'innombrables affinités héréditaires.

L'abolition des liens, présentée ici comme une expérience extatique, comme l'heureux accès à un domaine qui est à la fois proche et parfaitement étranger au monde, est dans *L'Homme sans qualités* le but le plus noble que les individualités fortes, sérieuses et intransigeantes sauraient poursuivre. Mais cela ne signifie aucunement que, s'il avait vécu et pris connaissance de *Docteur Faustus*, Musil aurait approuvé le pacte signé par Leverkühn avec le diable, ni qu'il aurait été offensé par la méfiance de Thomas Mann à l'égard des prétentions exorbitantes de l'art d'avant-garde. Musil ne doit en aucun cas être compté parmi les partisans de l'esthétisme, ni parmi ceux qui investissent l'art d'une mission salvatrice. Au contraire même, ce sont les personnages dont il désapprouve visiblement les épanchements spéculatifs (Diotima et Arnheim) qui expriment sur un ton ridiculement péremptoire ce genre de croyances. L'individualisme pratiqué par Ulrich n'est pas celui des mages romantiques, ni celui des esthètes qui leur ont succédé à la fin du XIXᵉ siècle, et l'isolement qu'il finit par choisir vise moins l'appréciation de la saveur de la vie que la compréhension lucide de la condition moderne. Ulrich et son auteur vénèrent l'intelligence et non la sensibi-

lité, bien qu'ils soient tous les deux animés par une sensibilité extrêmement subtile, née de l'intelligence et étrangère
aux viscères. L'homme sans qualités désire avant tout
comprendre le monde et se comprendre lui-même, en sorte
que la séparation à laquelle il aspire n'est peut-être en fin de
compte que la conséquence naturelle du choix qui le porte
vers la vie contemplative.

C'est sans doute pour cette raison que le roman de Musil
n'a pas d'*action*, au sens d'une intrigue riche en projets, en
obstacles et en rebondissements et que les quelque deux
mille pages de l'œuvre sont consacrées dans leur quasi-
totalité aux conversations à thèmes intellectuels entre les
personnages, aux réflexions d'Ulrich et d'Agathe racontées à
la troisième personne par l'auteur et, de temps à autre, aux
idées que l'auteur lui-même ne résiste pas à la tentation
d'insérer dans la trame générale. Le résultat est une œuvre
qui ressemble moins à un roman qu'à un recueil de
réflexions, et qu'on peut consulter avec un plaisir intellectuel
considérable en l'ouvrant au hasard, un peu comme on est
libre de le faire avec les maximes de La Rochefoucauld ou de
Chamfort, voire avec les textes philosophiques de Nietzsche.
Paradoxalement, le roman de Musil est tout aussi éloigné de
la règle traditionnelle du genre qu'*Ulysse*, de Joyce, et que les
œuvres de Faulkner, bien que chez Musil il s'agisse évidemment d'un éloignement dans la direction opposée. Alors que
les textes romanesques de Joyce et de Faulkner abandonnent
aussi bien l'intrigue au sens habituel du terme et la « narration élaborée » en faveur de la présentation « à l'état brut »
de l'expérience vécue des personnages, le roman de Musil est
rempli de considérations abstraites — toujours remarquable-
ment intéressantes —, au point que l'action s'amenuise
jusqu'à devenir imperceptible. Et si le lecteur de Joyce et de
Faulkner a le sentiment d'être invité à un spectacle où, au
travers des mille sensations et bribes d'idées évoquées, peu
de chose se passe en réalité, *L'Homme sans qualités*, avec ses
mille discours parfaitement articulés, finit par produire la
même impression.

La question se pose donc de savoir quelle est l'explication
de ce double abandon — par des biais contraires — de l'art
d'inventer des histoires bien agencées. Pourquoi ces grands
représentants de la prose narrative du XXᵉ siècle ne se sou-
cient guère de bien raconter, mais s'évertuent, au contraire, à
éviter autant que possible les belles intrigues ? Pourquoi,

au lieu de poser des conflits saisissants, de les développer en fonction de motivations plausibles, de les résoudre de manière à la fois persuasive et édifiante, certains de ces écrivains estiment qu'il leur incombe d'examiner la manière dont l'esprit le plus ordinaire reçoit des myriades d'impressions ? Et pourquoi d'autres, comme Musil, cherchent le même effet de nouveauté en consignant scrupuleusement la multitude de réflexions qui émerge des esprits exceptionnels ?

La réponse à ces questions n'est sans doute pas étrangère à la distinction entre les œuvres qui, appliquant la méthode idéographique, se proposent de représenter la loi morale par l'intermédiaire d'exemples qui l'incarnent ou la rejettent dans sa généralité, et les œuvres qui, au contraire, s'intéressent d'abord à la singularité de cas frappants et invitent le lecteur à en tirer une leçon inductive. L'idéographie, l'avons-nous vu, n'hésite guère à diluer l'intrigue principale, en en multipliant indéfiniment les épisodes, sans grand souci pour l'équilibre de la narration, ni pour la patience du lecteur. Et s'il est vrai que pour le lecteur naïf cet ajournement, fondé sur le suspense, n'est pas sans agrément, il n'en reste pas moins qu'à la réflexion la richesse d'aventures ne manque pas de décevoir par le déséquilibre qu'elle crée entre le nombre excessif d'épisodes et la pauvreté du fil principal. En revanche, les œuvres qui décrivent des cas singuliers, celles qui illustrent donc une thèse générale à partir de la surprise d'un cœur chaque fois différent, cherchent à concentrer autant que possible l'action et à la faire tourner autour d'un seul événement ou d'une suite d'événements qui possède un caractère cohérent, susceptible de favoriser la découverte, par induction, de la thèse défendue. Nous avons vu que depuis le XVIIIe siècle la méthode de l'intrigue bien centrée a fini par prévaloir, alors que l'enfilade d'épisodes est devenue, au cours du XIXe siècle, une des marques des romans populaires.

Les auteurs modernistes, cependant, qui ne se sentaient aucunement tenus de respecter les consignes en vigueur à la fin du XIXe siècle, n'ont pas manqué de percevoir comme une corvée insupportable l'exigence de construire une intrigue bien centrée autour d'un problème moral ou social clairement défini. Aussi l'archi-naturalisme psychologique pratiqué par Joyce et Faulkner, aussi bien que l'intellectualisme exacerbé de Musil sont-ils perçus par les auteurs eux-mêmes comme l'invention révolutionnaire d'une nouvelle manière

de saisir le monde. Lorsqu'on place cependant ces innovations dans la perspective du conflit séculaire qui oppose les
intrigues à moitié enterrées dans la charge épisodique
— intrigues qui d'ordinaire se proposent de peindre de
manière idéographique la loi morale elle-même — et les
intrigues bien centrées — dont la spécialité est la saisie
inductive du cœur humain —, il apparaît que les auteurs
cités rejoignent par un biais nouveau l'ancienne pratique des
romans à épisodes. Les replis du cœur humain dans ses
conflits avec la loi morale sont, en effet, le dernier souci des
romanciers modernistes cités, dont l'attention se dirige non
pas vers le cœur mais vers l'esprit des personnages, qu'il soit
présenté dans son activité réceptrice la plus rudimentaire, ou
dans ses spéculations les plus abstraites. Les romans modernistes que j'ai cités ne prennent donc pas pour objet des *cas*,
comme le font la nouvelle et le roman du XIXe siècle, mais, à
l'instar des romans hellénistiques et baroques, imaginent des
rapports d'ordre général entre le moi et le monde.

LA RÉALITÉ INCOMPRÉHENSIBLE

Les conditions dont dépend l'abolition des liens, à savoir la
disparition de l'instance transcendante, de l'intériorité
enchantée et de l'enracinement, sont tenues pour acquises
autant par les tenants de la narration à l'état brut que par les
créateurs du roman-essai. En proie aux myriades d'impressions et d'images mentales qui s'animent et s'éteignent
d'elles-mêmes tels les signaux lumineux d'une grande ville
dans la nuit, le moi primaire décrit par Joyce et Faulkner
n'exerce et n'aspire à exercer aucune autorité morale autour
de lui. Poursuivant indéfiniment ses réflexions sur le monde
contemporain, l'homme sans qualités de Musil abdique à son
tour la responsabilité de gouverner les consciences. Quant à
la Providence, les traces de sa présence sont parfaitement
absentes de tous ces romans. Il en va tout autrement dans
l'œuvre de Franz Kafka, écrivain qui raconte l'abolition des
liens en respectant, ou du moins en ayant l'air de respecter,
les consignes ordinaires de la narration élaborée : personnages plausibles, décor bien inséré dans la vie moderne, sujet
clairement défini, dialogue éclairant, style éminemment pro-

saïque et facile à suivre, également imperméable au lyrisme et à l'intellectualisme.

L'objectif de Kafka est d'éclairer la question de la Providence et celle de l'autorité morale individuelle. À cette fin il cherche ses héros dans le quotidien le plus banal et les place d'un geste décidé dans des situations profondément déconcertantes : dans *Le Procès* (publication posthume en 1925), une citation pour des raisons inconnues devant une instance secrète, dans *Le Château* (publication posthume en 1926), un contrat géodésique commandé par des autorités inaccessibles. Une série d'épisodes déprimants mais non dépourvus d'humour noir apprend au héros que l'étrangeté de sa situation frôle le monstrueux et qu'il n'existe aucun moyen pour y échapper. Au long de ces épisodes le protagoniste se débat pour sortir de l'incertitude, mais à chaque coup on lui fait comprendre que ses essais — pourtant parfaitement justifiés de l'avis de tout le monde — n'ont aucune chance de réussir. Le lecteur découvre que les ponts entre le héros et le monde sont à toutes fins pratiques coupés, mais non pas, comme chez Joyce et chez Musil, à cause de l'individualité idiosyncrasique du protagoniste — qui dans les romans de Kafka demeure d'une banalité à toute épreuve —, mais parce que derrière la mince pellicule de la normalité le monde se révèle un cauchemar à la fois effrayant et cocasse.

Conçus, au premier abord du moins, selon les règles du récit élaboré, ces romans n'en entrent pas moins en conflit avec la pratique des intrigues bien agencées. Après une exposition qui rappelle la pratique du roman du XIXᵉ siècle, les œuvres de Kafka retournent, encore plus résolument que Joyce, Faulkner et Musil, à la pratique prémoderne de l'enfilade d'épisodes qui soulignent inlassablement les liens d'ordre général entre le moi et le monde. En ceci, Joseph K., le protagoniste du *Procès*, qui fait l'objet d'une procédure de justice exceptionnelle et incompréhensible, et K., l'arpenteur du *Château*, qui tente vainement de se faire accepter par l'administration locale, sont les correspondants modernes de Lazarillo de Tormes, menacé à chaque pas par la misère, de Moll Flanders et de ses innombrables tentatives de s'établir ou de Roxana, éternellement persécutée par son passé inavouable. Comme dans les vieux romans picaresques, les épisodes du *Procès* et ceux du *Château* pourraient en principe proliférer indéfiniment, leur rôle n'étant pas de faire progresser le personnage vers le dénouement (tragique dans *Le Pro-*

cès, probablement heureux dans *Le Château*), mais de lui révéler par de petites touches successives la vérité de son rapport au monde. Si par ailleurs Kafka n'a jamais fini ces romans, c'est assurément parce que la structure épisodique qu'il a redécouverte n'obéit pas à une règle explicite concernant le nombre d'épisodes requis. Seul le tact de l'auteur, dans les périodes où ce genre de structure était plus fréquent, était à même de décider du moment où le rapport général des protagonistes au monde se trouvait suffisamment bien mis en place pour que le roman puisse finir. De toute évidence, Kafka n'a pas voulu ou su prendre cette décision.

Concernant maintenant le rapport général qui rattache le personnage au monde, ce rapport prend, dans les romans picaresques tout comme dans ceux de Kafka, la forme d'une persécution déraisonnable, assaisonnée dans les deux cas du sentiment profond que, malgré les avanies qu'on lui fait subir, le protagoniste est entièrement dans son droit. La différence, immédiatement perceptible, entre l'univers picaresque et celui peint par Kafka tient à l'insigne maladresse du protagoniste, qui, au lieu de contourner les obstacles avec la flexibilité rusée des tricksters, s'entête à les affronter avec l'obstination des héros des romans hellénistiques, héroïques et populaires, comme si la Providence était toujours là pour garantir son succès. Or la divinité demeure absente, bien que, chose remarquable à l'âge du désenchantement du monde, cette absence soit obscurément perçue comme une anomalie et que tout au long de ces romans l'étrangeté, voire l'injustice extrêmes du monde excitent chez le protagoniste et chez le lecteur une sorte de certitude (erronée) que les choses ne sauraient en rester là.

C'est la raison pour laquelle Kafka lui-même évoque souvent dans ses récits le thème de la Providence infiniment éloignée (*Un Message impérial*, 1919), thème dans lequel les critiques ont reconnu les échos de la méditation cabalistique sur la divinité qui se retire du monde. En vertu d'une logique que les auteurs de vieux romans auraient fort bien comprise, la disparition de la Providence détruit aussi bien l'universalité de la loi morale que l'aptitude de la conscience individuelle de la percevoir et de l'affirmer. Ainsi, dans *La Colonie pénitentiaire* (1919), la loi, qui n'a plus rien à voir avec l'intériorité des hommes, est physiquement gravée par une machine dans la chair des délinquants qui l'ont enfreinte (mais sans que le condamné connaisse les chefs d'accusation ni le verdict), alors que, selon une parabole racontée dans *Le Procès*, la loi est autre pour chaque individu, la porte qui y conduit étant interdite précisément à celui pour qui cette loi et cette porte ont été créées de toute éternité.

Cette thématique à résonance prémoderne rappelle également le vieux topos du monde à l'envers, exemplifié par des œuvres comme *L'Éloge de la folie*, d'Érasme. Chez Kafka pourtant, le monde n'est pas, comme dans les textes anciens, accidentellement et localement perturbé, le renversement momentané et la révolte qu'il provoque soulignant à leur manière la permanence de la vraie loi, mais au contraire, le cauchemar et ses causes — l'éloignement de la divinité et l'impuissance de la loi — représentent la vérité du monde, par-delà ses apparences faussement rassurantes. C'est la normalité qui est une illusion et c'est la folie qui donne en dernière instance sa loi au monde, comme les protagonistes de Kafka l'apprennent à leurs propres dépens, en découvrant graduellement que tous ceux qui les entourent sont bien au courant de cette folie, dont, le cas échéant, ils discourent l'air un peu honteux, comme s'il s'agissait d'un secret de famille connu de tout le monde mais que, sauf situations exceptionnelles, les bonnes manières exigent de passer sous silence.

*

Cette couche d'irréalité profondément inquiétante et dont la vue est cachée par la routine de la vie quotidienne — couche que l'écrivain roumain Mihai Blecher appelait *l'irréalité immédiate* — a été l'objet de nombreuses tentatives de description littéraire, la plus connue ayant été proposée par le surréalisme. *Nadja* (1928, nouvelle version 1963), d'André Breton, récit autobiographique à ambition romanesque, raconte la liaison du narrateur avec une malade mentale dont la naïveté empreinte de poésie convoque le merveilleux dissimulé dans les choses. « Il se peut, écrit le narrateur en pensant au mystère dégagé par Nadja, que la vie demande à être déchiffrée comme un cryptogramme. Des escaliers secrets, des cadres dont les tableaux glissent rapidement pour faire place à un archange portant une épée ou pour faire place à ceux qui doivent avancer toujours, des boutons sur lesquels on fait très indirectement pression et qui provoquent le déplacement en hauteur, et longueur, de toute une salle et le plus rapide changement de décor : il est permis de concevoir la plus grande aventure de l'esprit comme un voyage de ce genre au paradis des pièges [1] » (p. 133). Breton reprend l'idée, propre à la tradition de l'esthétisme, selon laquelle l'art, l'inspiration, voire ici la maladie mentale, libèrent les bons esprits des chaînes du monde prosaïque. Il n'est cependant plus question, comme pour l'esthétisme fin de siècle, d'abandonner la vie bourgeoise pour se consacrer à des choix jugés plus raffinés : l'hédonisme et la religion de l'art. Cette fois, c'est le prosaïsme même de la vie quotidienne qui ouvre le chemin vers la révélation poétique. Tout moyen devient bon pour transfigurer l'univers ambiant, que la littérature reçoit la mission de rendre transparent et, dans la mesure du possible, irréel. La littérature ne se contentera donc plus, comme chez Huysmans, Gide ou Proust, de décrire des options de vie inspirées par l'esthétisme, mais y mettra pour ainsi dire la main à la pâte et peindra elle-même un univers traversé par la lumière de la poésie.

C'est à cette attitude qu'il convient de rattacher l'œuvre de Luigi Pirandello, dont le thème récurrent est la fragilité des frontières entre la réalité et la fiction, cette dernière exhibant, grâce à la puissance de l'esprit humain qui l'invente, un surcroît de vérité métaphysique. Selon Pirandello, le fictif prévaut sur la réalité non pas grâce à une illumination particulière qui l'autorise à saisir l'essence de cette dernière (comme c'était le cas chez Proust), mais tout simplement parce que, sa nature étant idéale de part en part, le fictif n'est pas tributaire de l'imperfection ni du mensonge inhérents à la réalité empirique. Sur un ton burlesque, Mikhaïl Boulgakov, dans *Le Maître et Marguerite* (1936), poursuit un projet semblable, dont l'objectif est de transfigurer l'univers moderne en le livrant aux ondes magiques de la poésie et du folklore. Le surnaturalisme ethnique présent dans les romans de Jean Giono, de Mircea Eliade et d'Ismaïl Kadaré illustre la fécondité de cette approche : *Le Chant du monde* (1934) de Giono, *La Rue Mantuleasa* (1968) d'Eliade et *Doruntine* (1986) de Kadaré font appel aux traditions orales et aux pratiques de la littérature fantastique du XIXᵉ siècle. Rejetant la vision moderne du monde, entièrement asservie à la vraisemblance empirique, ces textes célèbrent une vision

---

1. André Breton, *Nadja*, in *Œuvres complètes*, édition Marguerite Bonnet, vol. 1, Bibliothèque de la Pléiade, Gallimard, 1988, p. 716.

plus archaïque, qui, elle, accueille au sein du réel une multiplicité de phénomènes paranormaux.

Cette tradition est proche de celle du « réalisme magique » qui, au cours des années 1960 et 1970, met à contribution la leçon de Kafka et du surréalisme pour déclarer son opposition aux relents naturalistes de la narration « à l'état brut ». Alors que cette dernière veut reproduire, comme on l'a vu tout à l'heure, le bombardement subliminal du sujet par la multiplicité des impressions externes et des impulsions internes, le réalisme magique retourne à la narration élaborée, qu'il emploie non sans ironie pour peindre un monde auquel la cohérence et la stabilité empirique font défaut. *Le Roi des Aulnes* (1970), de Michel Tournier, par exemple, raconte l'histoire d'un garagiste français, Abel Tiffauges, convaincu d'avoir des rapports avec des êtres surnaturels qu'il appelle « ogres », à l'aide desquels il déclenche mystérieusement la Seconde Guerre mondiale. S'agit-il d'un retardé mental qui s'illusionne sur ses pouvoirs ? D'un récit fantastique qui prend à la lettre les croyances du narrateur à la première personne ? L'auteur ne donne pas de réponse claire à cette question et c'est précisément l'ambiguïté du monde fictionnel décrit qui assure l'originalité de l'œuvre.

Les auteurs qui prennent plaisir à désorienter leurs lecteurs en brouillant leurs points de repère ontologiques ont été baptisés « postmodernes », terme censé mettre en évidence leur indépendance à l'égard de l'écriture moderniste d'auteurs comme Joyce, Woolf et Faulkner. Certains auteurs postmodernes pourtant, tout en héritant de Kafka et du surréalisme l'intérêt pour l'irréalité qui se cache derrière la routine de la vie quotidienne, continuent d'employer les techniques de représentation de l'activité psychique à l'état brut. Chez Thomas Pynchon, par exemple, l'être humain demeure prisonnier du chaos perceptif et linguistique de sa conscience et doit affronter de surcroît un monde dépourvu de solidité, traversé par de vastes courants d'illogisme et de non-sens. Salman Rushdie reprend cette technique, qu'il enrichit par l'appel aux traditions de la fable et du mythe. Le retour aux sources orales de la fiction, inauguré par le surnaturalisme ethnique, sert à Tony Morrison, auteur formé dans la tradition de la prose poétique faulknerienne, pour en dépasser l'austère modernisme et pour évoquer la dimension mythique de la souffrance des noirs aux États-Unis. Tout aussi proche du mythe et de la tradition orale, tout aussi attentif à la dimension politique de ses romans, Günter Grass crée de vastes allégories à la fois cocasses et amères de l'Allemagne contemporaine.

En Amérique latine, le postmodernisme reprend volontiers les techniques du roman prémoderne et populaire : ainsi, *L'Amour au temps du choléra* (1985), de Gabriel García Márquez, greffe une intrigue picaresque sur une sublime histoire d'amour qui descend directement des romans hellénistiques et de leurs continuateurs modernes, les romans populaires. Racontées avec humour et tendresse, les deux histoires s'avèrent parfaitement invraisemblables. En tant que héros de roman hellénistique et populaire, Florentino Ariza nourrit toute sa vie un amour parfait pour la belle Fermina Daza. Hélas, par respect pour les souhaits de sa famille, Fermina épouse le docteur Juvenal Urbino, mariage qui ne guérit pas Florentino de son amour. Après de longues années de bonheur conjugal, le brave docteur Urbino finit par décéder, et Florentino, au bout d'une attente qui a duré toute sa vie, s'unit à Fermina au seuil de la mort. Comme si l'invraisemblance de cette intrigue ne suffisait pas, Florentino mène en même temps la vie d'un homme d'affaires fort habile, doublé d'un irrésistible don Juan. Pauvre dans sa jeunesse — détail qui explique la préférence de Fermina pour le docteur —, Florentino s'enrichit au-delà de tout espoir. Son cœur n'adorant que Fermina, Florentino est libre de faire toutes les conquêtes féminines qu'il souhaite, pourvu qu'il ne s'agisse pas de vrai amour. Sans doute parce qu'il n'aime aucune femme, nulle ne lui résiste, et chacune de ces innombrables conquêtes stimule sa virilité. Le charme de cette œuvre vient de la simplicité avec laquelle l'auteur met en scène ces énormités : roman populaire par l'invraisemblance de l'action et par le caractère schématique des personnages, *L'Amour au temps du choléra* tient en même temps de la haute littérature par la chaleur humaine des situations, par l'élégance désuète du style, et par le mélange raffiné des diverses espèces d'invention fictive.

D'autres auteurs appartenant à cette école s'adonnent à des jeux intellectuels vertigineux et modifient à volonté la logique, l'histoire et la cosmologie. Suivant la piste ouverte par Jorge Luis Borges, les romans d'Italo Calvino et d'Umberto Eco (dont *Le Nom de la rose*, 1980, et *Le Pendule de Foucault*, 1988, continuent, avec énergie et humour, la tradition du roman-essai illustrée par Thomas Mann) imaginent des univers alternatifs dans lesquels les certitudes les plus fondées du sens commun s'évanouissent pour faire place aux labyrinthes infinis de l'imagination. *La Vie mode d'emploi* (1978), de Georges Perec, œuvre sous-titrée « romans », poursuit un projet semblable. Le texte présente l'intérieur d'une maison de rapport parisienne, appartement par appartement, décrivant à chaque reprise avec précision les objets qui s'y trouvent et racontant succinctement le destin des gens qui les ont habités. Voici au chapitre LVII la chambre de bonne habitée par la belle Polonaise Elzbieta Orlowska : « Contre le mur de droite il y a un lit à barreaux et un tabouret. Un autre tabouret, à côté de la banquette, remplissant l'espace étroit qui la sépare de la porte, sert de table de nuit : y voisinent une lampe au pied torsadé, un volumineux essai intitulé *The Arabian Knights, New Visions of Islamic Feudalism in the Beginings of the Hegira*, signé d'un certain Charles Nunneley, et un roman policier de Lawrence Wargrave, *Le juge est l'assassin* : X a tué A de telle façon que la justice, qui le sait, ne peut l'inculper. Le juge d'instruction tue B de telle façon que X est suspecté, arrêté, jugé, reconnu coupable et exécuté sans avoir jamais rien pu faire pour prouver son innocence [1]. » Les objets de la vie quotidienne (le lit à barreaux, le tabouret, la lampe au pied torsadé, la banquette), dignes de figurer dans une description d'intérieur flaubertienne, côtoient de près le roman policier, qui ouvre et referme rapidement une fenêtre vers le monde imaginaire des aventures impossibles. Tout l'ouvrage est bâti sur ce genre de voisinage : les descriptions des appartements frappent par leur véracité hyperréaliste, alors que le destin des personnages qui les habitent ou les ont habités semble tiré des romans-feuilletons, des bandes dessinées ou des films américains d'avant-guerre. Les êtres humains flottent dans l'espace déréalisé de la fiction bon marché et seuls les objets exhibent, muets, la vérité concrète.

LE CHOIX DE LA LISIBILITÉ

Il va de soi que ces options — l'esthétisme, l'intellectualisme, la représentation de la psyché à l'état brut et celle de

1. Georges Perec, *La Vie mode d'emploi*, Le Livre de poche, Hachette, 1997, p. 321.

l'étrangeté du monde — n'épuisent pas l'immense production romanesque du XXᵉ siècle, dont le présent ouvrage n'a guère l'ambition de représenter en détail la richesse. Cette production est un phénomène multiforme et déroutant, dont il est sans doute prématuré de vouloir saisir toutes les implications.

Cela dit, il me semble qu'un des traits les plus révélateurs d'un bon nombre de romans du XXᵉ siècle, en particulier de ceux qui ont choisi de représenter la psyché à l'état brut, est la quantité et la difficulté des obstacles qu'ils posent devant le lecteur moyen. À part quelques textes de la Renaissance qui ont subi l'influence de l'hermétisme, le roman a été toujours un genre facile d'accès, au point même que les œuvres contenant probablement des niveaux de sens occulte (*L'Astrée*, par exemple) prennent soin de ne pas décourager le lecteur ni de l'éloigner du sens apparent. Ce sont la religion de l'art et son héritier l'esthétisme qui, en conférant à l'art une mission salvatrice, ont du même coup permis aux artistes d'imposer au public de redoutables difficultés. Les chefs-d'œuvre du roman moderniste, censés révéler au lecteur la poésie énigmatique du monde et l'éclat multiforme de la subjectivité, exigent de lui une patience et une qualité de l'attention hors du commun. Seule une dévotion infinie est susceptible d'orienter ce lecteur parmi le dédale des détails déroutants pour y puiser un message dont il sait bien d'avance qu'il sera inattendu et précieux. Pour aborder ces œuvres, présentées comme la cime indépassable de l'esprit créateur, le public doit avoir une réserve infinie d'humilité, car il s'agit de comprendre l'incompréhensible et d'admirer ce qui, à première vue, semble insipide, laid et fastidieux. Il est bien vrai que pour certains lecteurs qui aiment l'insolite et apprécient les défis culturels, le choc initial provoqué par ces romans n'est pas désagréable. Mais après la surprise du début, après l'exaltation provoquée par la nouveauté de la manière et la grandeur de l'ensemble, la facture de ces ouvrages risque de conduire leurs lecteurs vers un désert d'ennui, dont le sens incertain se dérobe à jamais.

En face des œuvres d'une approche fort difficile signées par Joyce, Woolf, Musil, Döblin, Faulkner et leurs semblables, œuvres dont la lecture n'a pas pour fin le plaisir immédiat du lecteur, mais une sorte d'illumination atteinte à l'issue d'efforts considérables, le XXe siècle a cependant vu s'épanouir une abondante récolte de romans populaires, dont le succès auprès du public a été et continue d'être considérable. Ces romans exploitent avec une belle assurance la triple filière des vieux romans idéalistes : l'aventure, la justice et l'amour. Dans les romans exotiques et western de la fin du XIXe siècle et du début du XXe, comme dans la science-fiction qui délecte les adolescents d'aujourd'hui, le héros doué d'un courage inflexible sort inlassablement vainqueur des épreuves que lui fait subir un monde de plus en plus mystérieux et surprenant. Le justicier, empruntant à tour de rôle le visage du policier, du détective privé et de l'agent secret, joue le rôle principal dans les genres populaires les plus lus et les plus respectés : le roman policier et le roman d'espionnage. L'amour, enfin, continue de faire l'objet d'une immense production romanesque sentimentale.

Le roman populaire ne détient cependant pas le monopole de la lisibilité. Évitant la tentation de la religion de l'art, certains parmi les meilleurs romanciers du XXe siècle n'ont cessé d'affirmer la vocation d'accessibilité du genre. Parmi ces partisans de la lisibilité, je distinguerai quatre grands groupes d'écrivains, dont certains se font un point d'honneur à demeurer fidèles au passé, alors que d'autres s'efforcent d'harmoniser la problématique et les techniques les plus récentes avec la transparence et le ton direct propres à la tradition du genre : les moralistes, d'abord, qui ont appris leur métier en étudiant Dostoïevski et ses disciples, les adeptes de l'analyse sociale ensuite, les néo-romantiques en troisième lieu et, enfin, les héritiers de la tradition comique et sceptique.

Les successeurs de Dostoïevski forment une vaste communauté dont les membres sont répandus sur tous les méridiens : François Mauriac, Georges Bernanos et Julien Green en France, Graham Greene et, par certains aspects de leur œuvre, Evelyn Waugh en Angleterre, Heinrich Böll en Allemagne et William Percy aux États-Unis. Les existentialistes français Jean-Paul Sartre et Albert Camus, l'Américain William Styron, l'Anglaise Iris Murdoch s'apparentent eux aussi à cette orientation. Ces auteurs partagent la conviction que l'homme est un être moralement imparfait et que, malgré les variations de surface, en profondeur cette imperfection ne change guère d'un siècle à l'autre. Il s'ensuit que l'homme moderne n'est pas différent de ses ancêtres, sauf dans la mesure où l'univers dans lequel il vit lui refuse les moyens de comprendre sa propre imperfection. Le désenchantement du monde et l'affaiblissement des croyances religieuses, perçus par la plupart de ces romanciers comme des éléments essentiels de la définition de l'âge moderne, sont déplorés par les auteurs d'obédience religieuse et exaltés par les existentialistes laïques. Bernanos et Graham Greene peignent dans leurs romans (respectivement, *L'Imposture* et *La Puissance et la gloire*, 1940) des prêtres catholiques qui se débattent entre une foi à laquelle ils n'ont plus la force d'adhérer et un monde qui continue d'avoir besoin de certitudes morales et religieuses. La déréliction de l'homme sans Dieu occupe la place centrale dans l'œuvre de Mauriac (*Thérèse Desqueyroux*, 1927) et de Julien Green, sans que les convictions religieuses propres aux deux auteurs soient convoquées de manière explicite. Dans *Où étais-tu, Adam ?* (1951) et dans *Portrait de groupe avec dame* (1971) de Böll, la nostalgie d'un monde doté d'une direction morale ferme est projetée sur l'Allemagne d'avant 1933 et sur les Allemands qui ont su résister à la terreur national-socialiste. Le protagoniste du roman *The Second Coming* (1980) de William Percy poursuit une quête idiosyncrasique de Dieu, qui s'achève par la découverte, toute dostoïevskienne, du vrai amour auprès d'une jeune handicapée. Dans *La Nausée* (1938), de Sartre, et *La Chute* (1956), de Camus, l'existence des protagonistes est bouleversée par la révélation de leur propre finitude. Il est notable que cette veine, relativement féconde dans l'entre-deux-guerres, a perdu de son importance avec l'épuisement de la grande vague religieuse qui a accompagné, du début du siècle jusqu'à la fin des années 1950, la généralisation, difficile et convulsive, des convictions démocratiques en Europe. L'œuvre de J. M. Coetzee, cependant, qui analyse calmement les dilemmes moraux qui hantent l'Afrique du Sud à la fin du second millénaire, témoigne de la vitalité de cette tradition.

Tout au long du siècle, une riche récolte d'œuvres a perpétué avec succès l'art de l'observation sociale. Roger Martin du Gard, Georges Duhamel, et plus tard Georges Simenon, Louis Aragon et Romain Gary en France, John Galsworthy, E. M. Foster et Doris Lessing en Angleterre, en Allemagne le jeune Thomas Mann, son frère Heinrich Mann, Hermann Broch à ses débuts, l'Autrichien Joseph Roth, les Américains John Steinbeck, Henry Roth, Saul Bellow et Tom Wolfe et en

Russie, où le réalisme socialiste a soigneusement préservé cette tradition, Boris Pasternak, Alexandre Soljenitsyne et Vassili Grossman, refusent tous à un certain degré les séductions de l'écriture à l'état brut, celles du roman-essai et celles de l'irréalisme kafkaïen et postmoderne, pour rester fidèles à la grande manière mise au point par les romanciers du xixᵉ siècle. La thématique du roman social recoupe dans une certaine mesure celle de l'abolition des liens et de la communauté inaccessible, mais l'observation de la société dans sa diversité protège les réalistes du vertige égocentrique de l'esthétisme et du modernisme. Les personnages des *Buddenbrook* (1900), de Thomas Mann, le protagoniste de *Jean Barois* (1913), de Roger Martin du Gard, Joachim von Passenow dans la première partie des *Somnambules* (1931), de Broch, le jeune von Trotta dans *La Marche de Radetzky* (1932), de Joseph Roth, le docteur Jivago dans l'ouvrage de Pasternak, ainsi que Herzog, le protagoniste du roman de Bellow, sont tout aussi coupés du monde ambiant, tout aussi singuliers et solitaires dans leur for intérieur que Marcel dans la *Recherche* et que Mme Ramsay dans *Vers le phare* de Virginia Woolf. À la différence de ces derniers, cependant, ils vivent pleinement dans l'univers de l'expérience commune, et leurs doutes et incertitudes ne les enferment pas à l'extérieur du monde dans la prison de leurs impressions ou dans celle de leurs réflexions. La présence du monde social, analysé avec les riches moyens légués par la réflexion sur l'enracinement de l'homme, relativise la solitude des personnages et rend leur désespoir susceptible de compassion. Et si, dans les romans cités, il est difficile de trouver des exemples de réconciliation parfaite entre l'individu et son milieu — les conditions dans lesquelles un Lévine et une Kitty pouvaient encore découvrir le bonheur étant, semble-t-il, définitivement sorties de la compétence de la haute littérature du xxᵉ siècle —, à l'horizon de presque toutes ces œuvres l'espoir subsiste que l'individu pourrait, en principe du moins, dépasser son isolement.

L'urgence d'un tel dépassement préoccupe les héritiers du romantisme, auteurs qui ne se résignent pas à envisager l'homme, à l'exemple du roman social, comme un être de dimensions moyennes, ni surtout à le réduire aux micromouvements prédélibératifs, à la manière de Joyce et de Faulkner. Des auteurs comme Marguerite Yourcenar et Julien Gracq en France, Thornton Wilder aux États-Unis et

Ernst Jünger en Allemagne ont tenté de retrouver, par un mouvement délibérément antimoderniste, la grandeur du moi dans celle de son action historique. Leurs personnages sont des inventeurs ou de grands défenseurs de l'ordre dans des périodes où les masses tectoniques sur lesquelles la culture est assise semblent prêtes à bouger. *Mémoires d'Hadrien* (1951), de Yourcenar, raconte à la première personne et dans un style nourri de modèles classiques l'action fondatrice de l'empereur sous lequel Rome et ses possessions (peut-être même l'humanité entière, s'il faut en croire Edmund Gibbon) ont connu leur plus grand bonheur. Écrit à la même époque, *Les Ides de mars* (1948), de Thornton Wilder, propose aux hommes d'État contemporains l'exemple de Jules César, réformateur de Rome à la sortie des guerres civiles. La gageure du texte, qui juxtapose des documents présentés comme authentiques, des poèmes, des lettres et des journaux intimes des personnages, consiste à prouver que le style fragmenté, fondé sur l'observation attentive de l'expérience intime des protagonistes, ne reflète pas uniquement la déroute de l'homme moderne, mais peut également servir à imaginer, en la rendant plausible, celle des hommes du passé. L'aîné de Yourcenar et de Wilder, Ernst Jünger demeure à certains égards plus proche qu'eux de l'esthétisme fin de siècle. Dans *Eumeswill* (1977), roman d'anticipation politique, Jünger oppose à la cruauté et à la ruse des tyrans l'indépendance de l'*anarque*, l'homme libre qui ne reconnaît la primauté d'aucun pouvoir humain. Sous une forme volontairement désuète, la problématique de l'abolition des liens est posée avec une clarté inhabituelle. Quant à Julien Gracq, le cadet de cet ensemble d'écrivains, il est le plus marqué de tous par l'écriture moderniste, qu'il a connue en tant qu'ami et compagnon de route des surréalistes. *Le Rivage des Syrtes* (1951), histoire d'un conflit maritime imaginaire entre une cité italienne et son ennemie sarrasine, déplore l'épuisement des ressources internes de l'homme dans les périodes de décadence.

Les continuateurs de la tradition comique et sceptique, disciples modernes du picaresque, de Fielding, de Diderot, de Stendhal et de Thackeray, peignent avec une verve intarissable l'imperfection de l'homme dans un monde hostile et absurde. Parmi ces auteurs, il faut compter l'Américain John Dos Passos, un des premiers ironistes au sein d'une tradition nationale en général dominée par les tons sombres. En

France, *Voyage au bout de la nuit* (1932), de Louis-Ferdinand Céline, ressuscite la vision picaresque d'un protagoniste insouciant aux prises avec un univers sorti de ses gonds. L'Europe centrale a été particulièrement fertile en écrivains appartenant à cette filière, parmi lesquels se distinguent les deux géants tchèques : Jaroslav Hašek, créateur de l'immortel soldat Chvéïk, et Milan Kundera (*La vie est ailleurs*, 1973, *Le Livre du rire et de l'oubli*, 1978, *L'insoutenable légèreté de l'être*, 1984), incomparable chroniqueur d'un âge où la futilité des dictatures bureaucratiques et le narcissisme des gens sans importance se reflètent l'un dans l'autre et se renforcent mutuellement. L'humour grinçant de Philip Roth et la douce ironie de John Updike créent l'équivalent américain moderne du roman de mœurs du XVIIIe siècle, le premier faisant revivre l'art de Tobias Smollett, le second celui, plus indulgent, de Fanny Burney.

Pour étoffer cette typologie sommaire du roman du XXe siècle, il faudrait bien entendu multiplier les auteurs cités et se pencher avec plus d'attention sur les tendances récentes. Si je me suis abstenu de porter des jugements de détail sur l'immense production romanesque des dernières décennies, c'est que les enjeux du passé récent sont trop proches de nous pour que leur analyse puisse prétendre à l'objectivité. Il me semble cependant que les formules que je viens d'identifier, en particulier celles qui visent la lisibilité, restent vivantes à l'heure où le roman réaffirme sa vocation internationale. Les traditions littéraires les plus anciennes, celles de la Chine, de l'Inde ou du Japon, tout aussi bien que celles qui viennent d'émerger en Afrique ou dans les Antilles, le choisissent comme terrain d'affirmation de leur contemporanéité, et la liste des prix Nobel en littérature des dernières cinquante années, fort diverse quant à l'origine nationale des gagnants, les désigne en majorité parmi les romanciers. La désorientation du moi détaché d'un milieu perçu comme insaisissable demeure, de manière de plus en plus insistante — et, faut-il le dire, de manière de plus en plus sereine —, le trait le plus général de ces oeuvres venant de tous les horizons, et évoque l'ancienne coupure entre les vertueux héros du roman hellénistique et le monde sublunaire gouverné par la contingence.

Épilogue

L'histoire que j'ai racontée n'est pas simplement celle d'un des nombreux mouvements de l'esprit universel (quoique dans une certaine mesure elle voudrait être cela aussi), mais fait également entrer en scène de vrais acteurs, en l'occurrence les auteurs de romans, acteurs dont les projets, les succès, les différends et l'influence réciproque forment le ressort de l'action. Avant de finir, je voudrais m'attarder un instant sur ces auteurs. Je mentionne tout de suite leur intervention la mieux connue, à savoir la prise volontaire de parole par l'auteur au beau milieu de son œuvre — comme cela arrive, par exemple, dans *Tom Jones*. Je n'insiste pourtant pas sur cette situation, parce que ce rôle-là, pour convaincant qu'il soit, est artistement *joué*, inventé donc, bien que son invention soit en dernière analyse celle d'une réalité incontournable. Concernant l'auteur-dans-le-texte donc (et je n'entre pas ici dans les débats sur les différences, pourtant considérables, entre auteur et simple narrateur), concernant l'auteur-dans-le-texte entendu comme la personne qui, à haute voix, à grand bruit et tapant de temps en temps du poing sur la table, explique les merveilles de l'œuvre qu'elle a composée, il faut sans doute donner raison à ceux qui pensent que cette voix se fait entendre uniquement à certaines périodes et lors de certaines occasions qui exigent sa présence, pour disparaître lorsque les temps et les circonstances changent. Dans le roman, cette image de l'auteur, être loquace, omniscient, parfois importun, ne devient nécessaire, ai-je soutenu, qu'au moment historique où, avec la complicité d'écrivains au cœur tendre, les protagonistes du roman en arrivent à s'épancher à la première personne sur l'incomparable beauté de leur âme, et qu'une voix plus forte encore, dans d'autres romans pourtant, remet à leur place ces sublimes hâbleurs. Après les plaidoyers passionnés de Pamela, les digressions de l'auteur dans *Tom Jones* apportent au lecteur un vrai soulagement. Une fois l'habitude prise d'entendre cette voix, comment faire pour s'en débarrasser ? Un siècle passera avant qu'on n'essaie de la réduire au silence, et encore se fait-elle entendre de temps à autre au beau milieu du xxe siècle, chez un Döblin ou de nos jours chez un Kundera, pour la grande délectation du public.

Non, l'auteur auquel je pense est celui qui tient la plume à la main et griffonne vaillamment son ouvrage, ayant devant les yeux de l'esprit non seulement le théâtre de l'action et l'agitation des personnages, mais aussi l'exemple et les conflits de ses prédécesseurs, les dilemmes de ses confrères, les attentes et l'inattention de son public. C'est à Fielding l'écrivain que je pense maintenant, et non pas à la voix qui, dans *Tom Jones*, affirme le magistère de l'auteur. Or ces écrivains qui tiennent la plume à la main, il n'est pas dit qu'ils se sentent tous la même vocation, celle de changer les habitudes de leur corporation. Il n'est pas dit que leur premier souci soit, comme on le croit parfois, de faire avancer l'histoire du roman. Ils la font avancer, c'est sûr, mais non pas toujours de la manière dont un capitaine fait avancer ses hommes. Certains écrivains marchent avec le gros des troupes, certains les commandent, d'autres assurent l'arrière, d'autres encore font cavalier seul. Peut-on ignorer la multiplicité de ces figures pour les réduire à une seule, celle du génie qui, perpétuellement à l'avant-garde, conquiert de nouveaux territoires ? Et pourquoi se dire qu'il suffit à un écrivain d'avoir du génie pour qu'il soit important ou, réciproquement, qu'il lui suffit d'être important pour qu'il ait du génie ? Rien n'est plus faux.

Je séparerais plutôt avec soin la qualité de « très grand écrivain » de celle d' « auteur important ». Et à l'intérieur de ces deux catégories j'opèrerais une différenciation par degrés. On serait alors susceptible d'observer que de très grands écrivains ont joui de peu d'influence et que les auteurs d'immenses découvertes n'avaient pas toujours le meilleur goût ni le talent le plus sûr. En art, le succès artisanal, le succès esthétique et le succès durable sont choses bien différentes. Car sinon, comment expliquer l'importance dans l'histoire du genre d'écrivains fort habiles, mais dont les ouvrages ont paru aux générations futures (ou pour le moins à certaines d'entre elles) exagérés, peu sincères, mal construits, en sorte qu'après avoir exercé une influence immense, ces ouvrages sont tombés dans l'oubli ? Grâce à l'intérêt récent pour la thématique féministe, Richardson est, heureusement, de nouveau lu depuis une vingtaine d'années. Pourtant, pendant longtemps beaucoup de lecteurs l'ont estimé (à tort ou à raison) comme le plus ennuyeux des romanciers. Friands de récits d'aventures à belles intrigues et peuplés de personnages pittoresques, nos contemporains redécouvrent Walter Scott et R. L. Stevenson. Mais tout comme l'auteur de *L'Île au trésor*, Scott, idole de Balzac, de Stendhal et de tous les gens cultivés au lendemain du Congrès de Vienne, n'était lu, jusqu'à récemment, que par les adolescents.

Réciproquement, *Don Quichotte* n'est sorti des rangs des ouvrages drôles pour être promu au rang de chef-d'œuvre incontesté du roman tout court que fort lentement, grâce aux polémiques qui ont divisé les romanciers anglais au xviiie siècle, grâce, par la suite, au culte romantique de l'ironie, grâce, enfin, au prestige du roman anti-idéaliste dans la deuxième moitié du xixe siècle. L'influence immédiate de Cervantès a plutôt été celle de l'auteur de nouvelles, admirées encore de nos jours, mais avec moins de ferveur qu'au xviie siècle. Un cas semblable est celui des romans de Jane Austen, qui n'ont atteint la célébrité qu'ils méritent que longtemps après la mort de leur auteur. De Goethe, dont *Les Affinités électives* ont orienté avec un art et une pénétration inégalables la pensée du roman à son époque, la mémoire culturelle a surtout retenu *Les Années d'apprentissage de Wilhelm Meister*, œuvre certes importante dans la tradition allemande, mais qui représente le dernier spécimen d'une forme parvenue à son zénith (le roman de formation conçu comme le périple du personnage à travers le monde) plutôt que le premier pas vers les réussites à venir.

Et que dire de Mme de Lafayette, l'auteur du plus beau roman court de la littérature française, qui en toute justice devrait être lui aussi inclus parmi les œuvres qui figurent l'aboutissement et la fin d'un cycle, dans ce cas celui de la nouvelle sérieuse d'orientation augustinienne ? *La Princesse de Clèves* a été beaucoup lue et admirée, mais son influence directe sur l'histoire du genre, du moins dans la lecture que j'en propose ici, a été relativement moindre que celle d'un ouvrage somme toute médiocre comme *Paul et Virginie*, de Bernardin de Saint-Pierre, qui a fait pleurer non seulement Graziella dans le récit de Lamartine, mais également beaucoup d'amateurs d'exotisme au long du XIXᵉ siècle. Et comment accepter le dédain quasi unanime avec lequel la critique et les écrivains ont traité les romans champêtres de George Sand, alors que dans ces romans résonne pour une dernière fois, dans toute sa pureté, l'idéalisme du roman prémoderne ?

Où placer, enfin, les auteurs d'œuvres véritablement excentriques, celles qui ne s'attachent au genre du roman que par la volonté manifeste de l'auteur d'en contourner ou d'en moquer les us et les coutumes : *Tristram Shandy*, de Sterne, *Jacques le Fataliste et son maître*, de Diderot, et au XXᵉ siècle *Nadja*, de Breton ? Et quoi faire des narrations en prose qui n'ont de commun avec le genre du roman que leur dimension, tels *Gargantua* et *Pantagruel* de Rabelais ?

C'est grâce à de tels cas que l'histoire des phénomènes artistiques est amenée à reconnaître la difficulté de produire une image homogène de leur développement : comment procéder pour imposer des frontières et un visage commun à cette multitude de phénomènes *sui generis* ? En ce qui me concerne, pour décider des situations difficiles, j'ai employé deux critères : la ressemblance, d'abord, entre le cas problématique et le gros des œuvres romanesques, et la communauté d'intérêts, ensuite, entre l'ouvrage en question, les romans qui le précèdent et ceux qui le suivent. *Gargantua* et *Pantagruel* ne satisfont ni le critère de la ressemblance (car ils ne ressemblent à aucun des sous-genres romanesques de leur époque, ni à ceux inventés plus tard) ni le critère de la tradition commune, car les récits de Rabelais ne résultent pas d'un dialogue avec les romans déjà écrits et n'influencent guère les romans à venir. *Tristram Shandy* en revanche, bien que ce soit un ouvrage profondément atypique du point de vue de sa structure et que son autorité soit demeurée marginale au long du XIXᵉ siècle, tire sa matière (par antiphrase) des romans écrits par ses contemporains : il en fait donc partie à titre de pastiche, de caricature, de canular génial.

Les cas marginaux réglés, il reste tous les autres, car les romanciers n'écrivent pas les yeux fixés sur les préceptes de la poétique, mais en dirigeant leur attention directement vers la tradition et vers les productions contemporaines. Ils se permettent par conséquent de différer les uns des autres dans une mesure beaucoup plus grande que les auteurs de tragédies ou de sonnets, situation qui, loin d'engendrer le chaos, ni la diversité sans limites, a comme résultat une sorte de *division de l'inventivité et du travail artistiques*. À visiter cette communauté d'artisans, on a l'impression, à première vue, qu'ils font chacun ce qu'il lui chante, mais à regarder plus attentivement on se rend compte qu'ils savent tous identifier très bien la niche qui leur convient, y établir leur commerce, y prospérer, tout en pratiquant chacun un métier différent de celui choisi par leur voisin. Rousseau décide-t-il de s'installer à côté de Richardson? Il se garde bien d'imiter servilement ses ouvrages, mais en invente une version plus élégante, plus précieuse, plus philosophique. Diderot note la différence et dans son *Éloge de Richardson* rappelle aux lecteurs les qualités du produit antérieur. Rousseau réussit pourtant à faire remarquer le sien, et si l'influence de Richardson est immédiate, *La Nouvelle Héloïse* continue de susciter au xixe siècle les réponses de Goethe, de Balzac, de Tolstoï. La spécialisation est évidente : Richardson découvre spontanément l'enchantement de l'intériorité et invente les moyens narratifs pour en exprimer, un peu brutalement peut-être, la présence immédiate, Rousseau revient sur le sujet en philosophe, le retravaille et lui insuffle une nouvelle distinction, sans doute un peu fade. Ce qui frappe dans ce cas et dans tant d'autres est l'ambition d'imiter *et* de s'opposer, de faire mieux *et* de faire autrement, de se glisser sous la couverture *et* de pousser son voisin hors du lit.

La division du travail et de l'inventivité artistiques rend vaines les tentatives de subsumer sous une seule et unique tendance l'histoire du roman, pour ne pas parler de celle de *toute* la littérature. Pourtant ces tentatives abondent, tant la pulsion totalisante est irrésistible, tant le plaisir de s'assujettir à un seul concept est enivrant. La plus connue est celle qui conçoit l'ensemble de la littérature occidentale comme l'avènement graduel du réalisme. Défendue par de grands critiques, parmi lesquels Erich Auerbach est le plus illustre, cette thèse interprète le mouvement de la création littéraire d'Homère au xxe siècle comme le lent apprentissage de l'art d'observer la vie des hommes de près et dans tous ses détails, mais aussi et en même temps de loin et dans toutes ses implications historiques. Selon la doctrine classique des styles, le réalisme, entendu comme technique de description attentive des détails corporels et sensoriels, était le domaine propre des œuvres à sujet comique ou qui décrivaient des gens de condition servile (ce qui pendant longtemps est revenu au même). Graduellement pourtant, cette technique est devenue la méthode préférée des œuvres à sujet sérieux et s'est généralisée à l'ensemble de la littérature. Comme la technologie, le réalisme a progressé à travers les âges, et ce progrès s'est trouvé à la source de réussites toujours plus spectaculaires. Dans cette perspective, Cervantès fait mieux que les récits de chevalerie, l'abbé Prévost et Laclos surpassent Cervantès, Balzac avance encore un bout, les frères Goncourt le dépassent bientôt, Proust et Virginia Woolf, chacun de son côté, réalisent une nouvelle percée.

Telle qu'elle est formulée par Auerbach, la thèse est en grande partie vraie. Elle saisit dans l'histoire de la prose moderne une tendance profonde et durable, sur laquelle j'ai insisté à plusieurs reprises, et qui consiste à prendre de plus en plus au sérieux tous les aspects de la vie humaine. Des situations qui à l'âge prémoderne étaient considérées par définition comiques ou sordides (la vie amoureuse d'une servante, par exemple) acquièrent à partir d'un certain moment une aura dramatique (dans *Pamela*), voire tragique (dans *Germinie Lacerteux*) et sont décrites dans un style à la fois riche en détails concrets et d'une profonde gravité.

Pour nuancer cette thèse, il faudrait cependant y ajouter deux aspects essentiels de l'évolution du roman, que j'appellerais le principe polémique et l'alternance de l'harmonisation et de la dispersion. Le principe polémique, durablement imprimé dans tous les domaines de la culture, est responsable de la coprésence à long terme, dans chacun de ces domaines, de tendances contraires et rivales qui s'affrontent, qui luttent l'une contre l'autre, qui s'influencent mutuellement, qui parfois emportent provisoirement la victoire, mais uniquement pour assister bientôt à la renaissance d'un adversaire d'autant plus fort qu'il lui a emprunté entre-temps les armes les plus efficaces. Considérons la tendance de prendre au sérieux tous les aspects de la vie humaine. Vrai, *Germinie Lacerteux* raconte avec compassion la déchéance d'un être humble, d'un être qui dans la littérature latine n'aurait jamais provoqué autre chose que le rire ou le dégoût. Mais le principe polémique nous aide à observer que la prolifération de détails concrets et le traitement grave d'un thème humble peuvent être mis au service de projets artistiques contraires : dans *Pamela*, ces traits rendent plausible l'enchantement de l'intériorité, alors que dans le roman des frères Goncourt, ils se rangent parmi les moyens employés par les auteurs pour rejeter l'idéalisme et pour prouver de manière irréfutable, pensent-ils, l'enracinement biologique et social de l'être humain. Une génération après sa publication, la révolte menée au nom de l'esthétisme renverse les données du problème : les détails descriptifs, dépendant désormais de la perception subjective des personnages plutôt que de la connaissance auctoriale du monde décrit, évoquent maintenant non la socialité des êtres humains, mais l'abolition des liens qui les attachent à leur milieu. Dans le feu de la polémique, les procédés stylistiques sont empruntés de part et d'autre et subordonnés à des fins artistiques profondément différentes.

Quant à l'alternance de l'harmonisation et de la dispersion, elle désigne le mouvement qui, à tour de rôle, amène la grande majorité des auteurs à adopter une *lingua franca* artistique et la fait aussitôt éclater en une multitude de dialectes dissemblables. Pour continuer avec *Germinie Lacerteux*, cette œuvre a vu le jour en 1865, date à laquelle les auteurs de roman, par un troc incessant d'idées et de procédés, finissaient d'accomplir l'uniformisation de l'écriture romanesque. À première vue, à l'intérieur de ce mouvement, le travail des frères Goncourt semble en effet confirmer l'adoption de la méthode réaliste comme l'unique formule viable du roman. À considérer les choses de plus près, cependant, on aperçoit dans le style des Goncourt la tension entre, d'une part, la précision avec laquelle ils décrivent l'irrévocable matérialité de l'être humain et, d'autre part, la beauté en quelque sorte gratuite de l'écriture, son caractère somptueux, recherché, qui, en se détachant de son sujet et de sa laideur, annonce déjà la rébellion esthétisante qui rendra bientôt désuète la probe minutie du réalisme.

Il reste qu'il est difficile de résister à la tentation des généralisations historiques fortes, et que je propose moi-même dans cet ouvrage une image de l'histoire du roman qui s'appuie sur un nombre relativement réduit de concepts de base. Est-il plausible de croire que l'étonnante diversité des œuvres romanesques produites entre la moitié du XVIe siècle et la fin du XXe puisse être ramenée aux quelques oppositions sur lesquelles j'ai concentré mon attention : l'individu séparé de la cité face au monde saisi en tant que totalité, l'évidence de la norme morale face à l'indifférence qu'elle suscite, le désir des hommes d'habiter le monde face à l'hostilité que celui-ci leur oppose ? Je réponds tout de suite par la négative : *engendrer* la multiplicité à partir d'un noyau conceptuel simple est un art fort douteux.

Si d'autre part il s'agit de *suivre* les visages qu'ont empruntés au long de l'histoire du roman quelques notions anthropologiques particulièrement importantes, d'employer ces notions pour éclairer l'abondance d'œuvres romanesques et pour en faciliter l'approche, je crois que ma démarche ne pèche guère par l'excès d'audace. Lorsqu'un Braudel examine l'histoire d'Europe au XVIᵉ siècle dans ses rapports avec la réalité de l'espace méditerranéen, il ne soutient pas que la Méditerranée a produit à elle seule l'ensemble des conflits qui ont agité son pourtour, mais analyse la mesure dans laquelle ces conflits ont été orientés, infléchis, intensifiés ou modérés par l'espace dans lequel ils ont eu lieu, souvent sans que les participants s'en rendent compte de façon explicite, tant la Méditerranée, ses dons et ses exigences étaient tenus pour acquis par tous ceux qui habitaient autour d'elle.

De même, si j'ai mis au centre de l'histoire que j'ai racontée la problématique de l'individu, de son rapport avec les normes et de son désir d'habiter le monde, c'est que cette problématique m'a semblé éclairer l'évolution du roman d'un jour nouveau, mettre en évidence les points de jonction chronologiques et contribuer à la réévaluation de quelques écrivains et de quelques ouvrages. Considérés par ce biais, les événements qui ponctuent l'histoire du roman en Europe sont : autour de 1550, la traduction des *Éthiopiques* d'Héliodore dans les langues modernes, traduction qui offre aux prosateurs un modèle irréprochable d'idéalisme romanesque, la publication de *Pamela*, de Richardson, en 1741, première œuvre à réussir l'enchantement de l'intériorité, la parution de *Waverley*, de Walter Scott, en 1814, roman qui ouvre l'ère de l'enracinement, et, enfin, celle d'*À rebours* de Huysmans en 1884, début de la réaction esthétisante qui aboutira bientôt au modernisme. Fait notable, tout en étant des réussites admirables, aucun de ces romans n'est un chef-d'œuvre du calibre de *Don Quichotte*, de *Tom Jones*, de *Middlemarch* ou d'*À la recherche du temps perdu*. Comme je viens d'argumenter plus haut, l'importance historique d'une œuvre ne coïncide pas nécessairement avec son niveau de réussite artistique. Dans chacune de ces périodes, les plus grands romans ont été créés quelque temps après que les principes

directeurs et les enjeux polémiques de la période avaient déjà
été posés par les écrivains robustes et ingénieux qui l'avaient
inaugurée.

On voit donc à quel point la distinction est essentielle
entre, d'une part, les esprits aventureux qui se lancent sur de
nouvelles pistes, un Richardson, un Walter Scott, un Huysmans (et avec autant de talent et de courage mais avec moins
de succès, un Marivaux et une Maria Edgeworth), et, d'autre
part, les créateurs des monuments littéraires qui dépassent
de loin les circonstances de leur apparition : Cervantès, Fielding, George Eliot et Proust. Cette distinction corrobore la
vision, proposée plus haut, d'une histoire qui résulte moins
de l'efflorescence nécessaire des génies, que de multiples initiatives et d'innombrables disputes des êtres humains. Précisément parce qu'elle est le fruit d'innovations polémiques,
cette histoire n'est pas donnée à l'avance : elle aurait pu être
toute autre. Pour la même raison, sa trajectoire, tout en étant
souvent modifiée par des facteurs contingents, n'est jamais à
proprement parler arbitraire, car les choix individuels et les
controverses qui en modifient le parcours ont chaque fois de
très fortes raisons d'être. Elle n'est par conséquent ni anonyme, ni obligatoire, ni arbitraire : ses acteurs ont un visage,
des choix à affronter et des raisons qui les guident.

Il m'est donc impossible de souscrire aux théories selon
lesquelles l'esprit d'une époque (qu'on l'appelle *Zeitgeist* ou
épistémè) règne sur les hommes en déterminant de manière
impersonnelle la forme et le contenu de leurs connaissances
et de leur art. Il est sûr que les hommes et les femmes
qui vivent à la même époque partagent beaucoup de soucis communs, que souvent leurs goûts et leurs intérêts
convergent, que leurs différends ont parfois les mêmes
enjeux et que les œuvres d'art qu'ils produisent et qu'ils
apprécient exhibent fréquemment un air de famille. Chateaubriand, Mme de Staël, Benjamin Constant, Schlegel
et Kleist sont contemporains, la plupart d'entre eux se
connaissent les uns les autres, leur vie à tous est bouleversée par la Révolution française et par les guerres qui l'ont
suivie, et leurs œuvres sont, de diverses manières, influen-
cées par ces événements. Dira-t-on qu'elles portent toutes la
même marque de l'époque ? Que *René*, tout comme *Michael
Kohlhaas, Corinne, Lucinde* et *Adolphe* sont des œuvres, met-
tons, « romantiques » ? J'accepte volontiers le terme, mais il
me semble qu'il désigne moins un trait commun qui serait

présent dans chacune de ces œuvres si différentes, que l'atmosphère culturelle issue de leur action convergente. Ce terme désigne un *résultat final* fort palpable, et non pas un principe invisible qui aurait, dès avant le commencement, présidé à la création de ces œuvres.

(Je profite de l'occasion pour rappeler au lecteur que lorsque, au début de chacune des quatre parties de mon ouvrage, j'ai esquissé l'horizon anthropologique de la période, je n'ai fait que résumer *des résultats*, et non poser un principe régulateur extérieur à l'action des gens concernés. Si j'ai soutenu, par exemple, qu'au XVIIIᵉ siècle le rapport communautaire est conçu sous la forme du « contrat social », ce terme ne représente que l'abréviation d'un vaste débat au cours duquel les participants n'ont jamais été entièrement d'accord.)

Issue des préoccupations et des disputes des êtres humains, l'histoire du roman aurait pu être à chaque pas différente, si le talent des acteurs et les décisions qu'ils ont prises avaient été autres. On peut rêver à ce que serait devenu le roman à la fin du XVIIIᵉ siècle et au début du XIXᵉ, si les inventeurs du genre gothique avaient eu plus de talent et de goût, si au lieu de Walter Scott, qui serait mort prématurément, on avait admiré Mary Shelley et les innombrables romans de science-fiction qu'elle aurait écrits au cours d'une longue vie. On peut également se demander ce qui se serait passé si, par un caprice de l'histoire, Fontane et Pérez Galdós avaient joui tout de suite dans toute l'Europe de l'admiration qu'ils méritaient. Des avenirs différents de celui qui s'est réalisé se sont évanouis à chaque instant de l'histoire.

La voie que celle-ci a fini par emprunter n'en résulte pas moins des initiatives prises pour des raisons impérieuses et des débats portant sur des questions essentielles, comme l'auraient d'ailleurs fait les solutions rivales, si elles l'avaient emporté. À chaque époque, les réussites du roman sont infiniment plus ambitieuses que celles du besoin de bien écrire et de bien raconter. La littérature s'interroge sur des sujets autrement profonds, et, pour divergentes qu'elles puissent paraître, les formes que le roman a prises au cours de son histoire n'en sont pas moins liées ensemble par la permanence de cette interrogation.

Dettes

À la place d'une bibliographie savante, je préfère nommer ici quelques auteurs et livres auxquels je dois l'inspiration qui a animé mon travail.

En premier lieu, je suis redevable aux grands ouvrages qui, depuis un certain temps, prennent pour objet le développement historique de la conscience humaine : l'œuvre de Louis Dumont, en particulier ses *Essais sur l'individualisme, une perspective anthropologique sur l'idéologie moderne* (Seuil, 1983), *Le Désenchantement du monde*, de Marcel Gauchet (Gallimard, 1985), *Plough, Sword, and Book : The Structure of Human History*, d'Ernest Gellner (Chicago, The University of Chicago Press, 1988) et *Les Sources du moi*, de Charles Taylor (1989, trad. fr. Seuil, 1998). Je souscris à la théorie de l'esprit objectif développée par Vincent Descombes dans *Les Institution du sens* (Minuit, 1996) et j'ai été particulièrement éclairé par les travaux de Robert Pippin et de Terry Pinkard sur la philosophie de Hegel.

Les contributions des philosophes américains qui, depuis une quinzaine d'années, réfléchissent sur les rapports entre la philosophie morale et la littérature — Charles Larmore, Alexander Nehamas, Martha Nussbaum, Robert Pippin et Richard Rorty — m'ont été particulièrement profitables. J'ai également lu avec un grand intérêt les critiques qui accordent une place privilégiée au questionnement moral : Wayne Booth, Joseph Frank, Tzvetan Todorov, Caryl Emerson, Michael André Bernstein et Gary Saul Morson. Dans *De la justification. Les économies de la grandeur* (NRF Essais, Gallimard, 1991), par Luc Boltanski et Laurent Thévenot, j'ai trouvé une puissante analyse des mondes gouvernés par les valeurs. *La Sagesse de l'amour* (Gallimard, 1984), d'Alain Finkielkraut, m'a rappelé qu'il est possible de parler des sentiments humains dans un langage direct et transparent.

Je dois beaucoup à la philosophie politique récente, en particulier à Pierre Manent (*Histoire intellectuelle du libéralisme*, Calmann-Lévy, 1987, et *Cours familier de philosophie politique*, Fayard, 2002), à Marcel Gauchet (l'introduction au recueil *La Liberté chez les modernes* de Benjamin Constant, Livre de poche, Pluriel, 1980, et *La Démocratie contre elle-même*, Gallimard, 2002) et à Pierre Rosanvallon (*Le Moment Guizot*, Gallimard, 1985). J'ai consulté avec profit l'*Histoire de la philosophie politique* éditée par Leo Strauss et Joseph Cropsey (1963, trad. fr. PUF,

2000) et *Les Fondements de la pensée politique moderne*, de Quentin Skinner (1972, trad. fr. Albin Michel, Évolution de l'humanité, 2001).

La réflexion de Jean-Marie Schaeffer (*L'Art de l'âge moderne*, Gallimard, 1992, *Les Célibataires de l'art*, Gallimard, 1996, et *Pourquoi la fiction?*, Seuil, 1999) a guidé mes prises de position esthétiques. Chez Rainer Rochlitz (*L'Art au banc d'essai*, Gallimard, 1998) j'ai trouvé une version séduisante du dialogisme prêché par Jürgen Habermas, version dont les échos sont perceptibles dans l'épilogue de mon ouvrage. Concernant la question de la représentation, j'ai été éclairé par les beaux ouvrages d'Alain Besançon, *L'Image interdite* (Fayard, 1994) et de Marc Fumaroli, *L'École du silence* (Flammarion, 1994). Je n'oublie pas ce que je dois à Jean Lacoste, *L'Idée de beau* (Bordas, 1986), à Marc Sherringham, *Introduction à la philosophie esthétique* (Plon, 1992), ni au chapitre sur la notion d'auteur dans *Le Démon de la théorie*, d'Antoine Compagnon (Seuil, 1998).

Bien que l'esprit de mon ouvrage s'éloigne résolument du formalisme, je suis redevable aux travaux de Gérard Genette, en particulier au « Discours du récit », in *Figures III* (Seuil, 1972). Chez Genette, tout comme chez Wayne Booth (*The Rhetoric of Fiction*, Chicago, The University of Chicago Press, 1961), Meir Sternberg (*The Poetics of Biblical Narrative*, Bloomington, Indiana University Press, 1985), Claude Bremond (*Mille et un contes de la nuit*, avec J. E. Bencheikh, Gallimard, 1991) et Lubomir Doležel (*Heterocosmica. Fiction and Possible Worlds*, Baltimore, Johns Hopkins University Press, 1998) j'ai appris que l'analyse formelle peut rendre d'admirables services à l'interprétation des œuvres.

J'ai indiqué dans l'introduction de cet ouvrage ma dette envers l'histoire sociale du roman, en particulier envers les travaux de Ian Watt, *The Rise of the Novel* (Berkeley, University of California Press, 1957), et de Ian McKeon, *The Origins of the English Novel* (Baltimore, Johns Hopkins University Press, 1987). La théorie du roman du jeune Lukács a influencé l'esprit et souvent le détail de mes thèses. Dans le chapitre « Aventure du roman » (*Littérature comparée*, sous la direction de Didier Souiller et Wladimir Troubetzkoy, PUF, 1997), j'ai trouvé un excellent survol de l'histoire du genre. J'ai été heureux de découvrir dans Margaret Doody (*The True Story of the Novel*, New Brunswick, Rutgers University Press, 1996) une partisane de la continuité du genre, du roman grec à nos jours.

Concernant les œuvres d'avant le xviiie siècle, c'est grâce à *Héros et orateurs*, de Marc Fumaroli (Genève, Droz, 1990), que j'ai appris à apprécier leur splendeur. J'ai trouvé chez Pierre Hadot (*Exercices spirituels et philosophie antique*, Études augustiniennes, 1987, et *La Citadelle intérieure. Introduction à la pensée de Marc Aurèle*, Fayard, 1992) la clé qui m'a permis de comprendre les romans grecs anciens. Concernant ces romans, les livres de B. E. Perry, *The Ancient Romances* (Berkeley, University of California Press, 1967), de Thomas Hägg, *The Novel in Antiquity* (Berkeley, University of California Press, 1983) et de Laurence Plazenet, *L'Ébahissement et la Délectation. Réception comparée et poétique du roman grec en France et en Angleterre aux xvie et xviie siècles* (Champion, 1997) m'ont été particulièrement utiles.

Pour le Moyen Âge, j'ai eu comme guide l'ouvrage de Michel Stanesco et de Michel Zink, *Histoire européenne du roman médiéval* (PUF, 1992). Marcel Hénaff (*Le Prix de la vérité*, Seuil, 2001) a élaboré une théorie du don qui rend compréhensible l'idéal de la chevalerie errante. Je suis également redevable au regretté Bradley Rubidge, disparu avant d'avoir publié sa remarquable thèse sur l'héroïsme et le désintéressement dans la littérature anglaise et française du xviie siècle.

Pour l'ensemble de la prose romanesque du xviie siècle, les ouvrages d'Emmanuel Bury, *Littérature et politesse. L'invention de l'honnête homme* (PUF, 1996), et de Maurice Lever, *Le Roman français au xviie siècle* (PUF, 1981), ainsi que la vaste synthèse d'Henri Coulet, *Le Roman français jusqu'à la Révolution* (A. Colin, 1967), sont indispensables. Concernant le roman pastoral, je suis endetté envers Françoise Lavocat, *Arcadies malheureuses. Aux origines du roman moderne* (Champion, 1998), et Jean-Pierre van Elslande, *L'Imaginaire pastoral du xviie siècle* (PUF, 1999). L'importance de *Persilès et Sigismonde* dans l'œuvre de Cervantès est soulignée par la belle étude d'Alban Forcione, *Cervantes, Aristotle, and the Persiles* (Princeton, Princeton University Press, 1971). Concernant la réception de *Don Quichotte*, l'ouvrage classique de Maurice Bardon, « *Don Quichotte* » *en France au xviie et au xviiie siècle* (Champion, 1931, 2 vol.), demeure toujours pertinent.

Claudio Guillen (« Towards a Definition of the Picaresque », in *Literature as System*, Princeton, Princeton University Press, 1971), Maurice Molho (*Introduction* aux *Romans picaresques espagnols*, Bibliothèque de la Pléiade, Gallimard, 1968) et Didier Souiller (*Le Roman picaresque*, PUF, 1980) m'ont initié à la littérature picaresque. Pour le récit élégiaque, j'ai pris comme points de départ les livres de Robert Hollander, *Boccaccio's Two Venuses* (New York, Columbia University Press, 1975), et de Lawrence Lipking, *Abandoned Women and Poetic Tradition* (Chicago, The University of Chicago Press, 1988). Au sujet de la définition de la nouvelle, j'ai utilisé l'excellente thèse sur *La Nouvelle espagnole du siècle d'or en France au xviie siècle* soutenue par Guiomar Pérez-Espejo Hautcœur (université de Paris-III, 1999). J'ai été particulièrement stimulé par les idées de Lakis Proguidis sur les rapports entre nouvelle et roman (*La Conquête du roman*, Belles-Lettres, 1997).

Concernant la période moderne, l'admirable *Art du roman* de Milan Kundera (Gallimard, 1980) a toujours été à l'horizon de mes considérations. Pour le xviiie siècle, je renvoie le lecteur à Alain Montandon, *Le Roman au xviiie siècle en Europe* (PUF, 1999, ouvrage riche en analyses éclairantes et en jugements pénétrants). L'ouvrage de Philip Stewart, *Imitation and Illusion in the French Memoir Novel 1700-1750 : The Art of Make-believe* (New Haven, Yale University Press, 1969), est toujours d'une grande utilité. Continuant la tradition de Ian Watt et de Ian McKeon, les études de Ian Duncan, *Modern Romance and the Transformations of the Novel : The Gothic, Scott, Dickens* (Cambridge University Press, 1992), et de Katie Trumpener, *Bardic Nationalism : The Romantic Novel and the British Empire* (Princeton, Princeton University Press, 1997) se penchent sur les conditions d'émergence culturelles et politiques du roman anglais du xixe siècle. *Les Aveux du roman : le xixe siècle entre Ancien Régime et Révolution*, de Mona Ozouf (Fayard, 2001), analyse attentivement les enjeux politiques du roman français du xixe siècle.

La place de l'idéalisme dans la littérature a été vigoureusement soulignée par Mme de Staël (*De la littérature*) et par Tocqueville dans les chapitres consacrés à la littérature au deuxième tome de *La Démocratie en Amérique*. De nos jours, ce sont les spécialistes féministes de la littérature du xixe siècle qui ont redécouvert la problématique de l'idéalisme littéraire. On consultera avec profit l'introduction du livre de Margaret Cohen, *The Sentimental Education of the Novel* (Princeton, Princeton University Press, 1999), qui présente les débats féministes autour de la question du réalisme.

Sur la question du couple dans le roman du XIXᵉ siècle, l'étude *Adultery in the Novel*, de Tony Tanner (Baltimore, Johns Hopkins University Press, 1979), demeure la référence. Tout aussi utile est la vaste étude de Nathalie Heinich, *États de femme. L'identité féminine dans la fiction occidentale* (Gallimard, NRF Essais, 1996). Grâce à *La Parole muette*, de Jacques Rancière (Hachette, 1998), j'ai pu mieux cerner la nature de l'esthétisme moderne.

Parmi les nombreuses études sur les auteurs de la période moderne, je suis particulièrement endetté envers le livre, toujours jeune, de E. R. Curtius, *Balzac* (1923, récemment retraduit en français, Éditions des Syrtes, 1999). Tout aussi précieuses ont été pour moi les études de Robert Alter, *Fielding and the Nature of the Novel* (Cambridge, MA, Harvard University Press, 1968), de Wolfgang Iser, *Sterne : Tristram Shandy* (Cambridge University Press, 1988) et de Franco Moretti, *Signs Taken for Wonders* (Londres, Verso, 1983) et *The Way of the World : The Bildungsroman in European Culture* (Londres, Verso, 1987). J'ai également profité des travaux de Pierre Citron sur Balzac, de Michel Crouzet sur Stendhal, d'Henri Mitterand sur Zola et d'Anne Henry et d'Antoine Compagnon sur Proust. De nombreux autres ouvrages critiques, que l'espace ne me permet pas de citer, m'ont servi à vérifier ou à corriger mes points de vue.

Index des noms propres et des titres

À la recherche du temps perdu : 366-371, 372, 378, 385, 399, 410.
À rebours : 362, 366, 410.
Abdias : 321.
Abélard, Pierre : 113.
Addison, Joseph : 143.
Adolphe : 202-206, 261, 312, 411.
Affinités électives (Les) : 194, 198-202, 206, 261, 405.
Alarcon, Pedro : 342.
Alas, Leopoldo, dit Clarin : 343, 345, 347, 349.
Alceste : 56.
Aleman, Mateo : 103, 105, 107, 344.
Alter, Robert : 416.
Amadis de Gaule : 22, 69-79, 82, 84, 90, 91, 92, 93, 94, 96, 97, 101, 102, 111, 113, 120, 121, 133, 135, 151, 152, 159, 160, 166, 180, 187, 209, 242.
Amant libéral (L') : 117.
Aminte : 80.
Amour au temps du choléra (L') : 394.
Amyot, Jacques : 90, 91, 93, 94.
Anna Karénine : 309-315, 340.
Âne d'or (L') : 98.
Années d'apprentissage de Wilhelm Meister (Les) : 28, 39, 40,190, 302, 303, 405.
Anselme (personnage du *Curieux impertinent*) : 122-124, 129, 130, 131, 132, 147, 199.
Antigone : 59.

Anton Reiser : 302.
Apulée : 98.
Aragon, Louis : 398.
Arcadie (L') de J. Sannazzaro : 79.
Arcadie (L') de Sir Philip Sidney : 80.
Arioste, Ludovico Ariosto, dit l' : 45, 158.
Aristote : 158.
Armance : 261.
Arrière-saison (L') : 190, 302, 318, 320.
Arsacé (personnage des *Éthio-piques*) : 57, 61, 62, 63, 66, 68, 111, 242.
Artamène ou le Grand Cyrus : 96, 135.
Assommoir (L') : 294, 296-300.
Astrée (L') : 80-89, 96, 118, 126, 128, 129, 151, 152, 396.
Atala : 189.
Auerbach, Erich, 22, 323, 407, 408.
Austen, Jane : 29, 37, 210, 260, 268-273, 274, 276, 281, 283, 286, 314, 352, 405.
Avant la tempête : 322.
Aventures de Peregrine Pickle (Les) : 161.
Aventures de Télémaque (Les) : 189, 190, 192, 302, 304, 375.

Bakhtine, Mikhail : 33-35, 37, 42, 45, 338, 339.
Balzac, Honoré de : 31, 39, 228-229, 245-251, 252, 253, 282,

285, 291, 297, 301, 309, 310, 313, 317, 319, 342, 344, 345, 351, 360, 366, 368, 382, 383, 405, 407, 408.
Bandello, Matteo : 114, 118, 120, 126.
Barbey d'Aurevilly : 290.
Bardon, Maurice : 415.
Baro, Balthazar : 82, 86.
Barrès, Maurice : 364.
Barthélemy, abbé Jean-Jacques : 190.
Baudelaire, Charles : 265.
Beckett, Samuel : 376, 378.
Behn, Aphra : 189, 233.
Bélisaire : 189, 190.
Bellow, Saul : 398, 399.
Benassis, docteur (personnage de la *Comédie humaine)* : 247, 248, 253, 282, 297, 319.
Bencheick, J.-E. : 414.
Berlin Alexanderplatz : 379-380.
Bernardin de Saint-Pierre : 144, 189, 191, 406.
Bernanos, Georges : 346, 397, 398.
Bernstein, Michael André : 413.
Besançon, Alain, 414.
Bezoukhov, Pierre (personnage de *La Guerre et la Paix)* : 308-309, 310, 313, 340.
Bibliothèque universelle des romans : 43, 142.
Blanchot, Maurice : 25.
Blecher, Mihai : 391.
Blifill (personnage de *Tom Jones)* : 161, 163, 267.
Boccace : 42, 113-119, 166.
Böhl de Faber, Cecilia : 342.
Boiardo, Matteo : 45, 158.
Böll, Heinrich : 397, 398.
Boltanski, Luc : 47, 413.
Bonald, Louis de : 245.
Booth, Wayne : 413, 414.
Bossu (Le) : 254.
Braudel, Fernand : 410.
Brave soldat Chveik (Le) : 401.
Bremond, Claude : 414.
Breton, André : 27, 28, 29, 340, 391-392, 406.
Brigitta : 318, 319, 320, 321.
Broch, Hermann : 44, 398, 399.

Brontë, Charlotte : 29, 241, 243, 244.
Brontë, Emily : 29, 297, 361.
Bruit et la Fureur (Le) : 44, 377.
Buddenbrooks (Les) : 399.
Boulgakov, Mikhail : 392.
Burke, Edmund : 179, 180.
Burney, Fanny : 144, 184-185, 210, 223, 267, 268, 401.
Bury, Emmanuel : 415.
Buscon (El) : 103, 105.
Butor, Michel : 378.

Calcaire : 318, 321.
Calvino, Italo : 394.
Camus, Albert : 397, 398.
Camus, Jean-Pierre : 166.
Candide : 161, 190.
Cathédrale (La) : 360.
Cécile : 324, 325-329, 351.
Céladon (personnage de *L'Astrée)* : 80-89, 90, 97, 118, 129, 152, 186, 187, 209, 282.
Céline, Louis-Ferdinand : 26, 401.
Cervantès, Miguel de : 35, 40, 70, 92-96, 114, 117, 118, 120-125, 128, 129, 130, 132, 156, 159-160, 164, 166, 199, 273, 367, 405, 408, 411.
Challe, Robert : 143, 174.
Chamfort,   Nicolas-Sébastien Roch, dit de : 386.
Chandler, Raymond, 378.
Chant du monde (Le) : 392.
Chariclée (protagoniste des *Éthiopiques)* : 56-66, 90, 91, 97, 102, 111, 113, 151, 186, 187, 209, 242, 308, 351.
Chariton d'Aphrodise : 61.
Chartreuse de Parme (La) : 260, 263, 264.
Château (Le) : 389, 390.
Château d'Otrante (Le) : 177-181.
Chateaubriand,   François-René de : 189, 261, 361, 411.
Chéréas et Callirhoé : 56, 61, 63, 69.
Chevalier à la charrette (Le) : 70.
Chklovski, Victor : 28, 65, 315.
Chrétien de Troyes : 69, 70.
Chroniques italiennes : 234.
Chute (La) : 398.

Cinzio, Giraldi : 114, 115, 117, 118, 123, 126.
Cité de Dieu (La) : 67.
Citron, Pierre : 416.
Clarissa : 147, 148, 150, 157, 160, 185, 274, 304.
Clarissa (protagoniste de *Clarissa*) : 151, 169, 176, 195, 268, 282, 308, 361.
Clélie, histoire romaine : 96.
Cléopâtre : 133.
Cleveland : 143.
Cœtzee, J. M. : 398.
Cœur de Mid-Lothian (Le) : 225-228, 229, 230.
Cœur pauvre (Un) : 285.
Cohen, Margaret : 416.
Collins, Wilkie : 266.
Colonie pénitentiaire (La) : 390.
Comédie humaine (La) : 228, 245-251, 268, 297, 345, 361.
Compagnon, Antoine : 414, 416.
Comte, Auguste : 245.
Comte de Monte-Cristo (Le) : 248, 253, 254.
Confessions (Les), de Saint Augustin : 113.
Conrad, Joseph : 29, 27.
Constant, Benjamin : 203-206, 211, 261, 312, 411.
Conte du Graal (Le) : 70.
Cooper, James Fenimore : 234.
Corinne ou l'Italie : 189, 411.
Cosaques (Les) : 236-238, 275, 308.
Coulet, Henri : 32, 415.
Crime et châtiment : 330-335, 336, 337, 340, 341.
Cropsey, Joseph : 413.
Crouzet, Michel : 416.
Culte du moi (Le) : 364.
Curé de Tours (Le) : 246, 345.
Curé de village (Le) : 345.
Curieux impertinent (Le) : 122, 130, 147.
Curtius, E.R. : 416.
Cyropédie (La) : 87, 190, 302.

Daisy Miller : 276, 277.
Daphnis et Chloé : 79.
David Copperfield : 303, 304.
Décaméron (Le) : 114-118, 119.

Defoe, Daniel : 35, 36, 42, 103, 105-111, 145, 149, 161, 223, 251, 338.
Démons (Les) : 336, 337, 338, 339, 341.
Déracinés (Les) : 364.
Dernier des Mohicans (Le) : 234.
Descombes, Vincent : 47, 369, 413.
Desmarests de Saint-Sorlin : 190.
Désordres de l'amour (Les) : 127-128.
Destins croisés : 117.
Deux jeunes filles (Les) : 117, 121.
Diable boiteux (Le) : 161.
Diane : 79.
Dickens, Charles : 29, 31, 37, 238, 239-241, 266, 282, 291, 294, 297, 303, 313, 314, 330, 340, 342, 344, 345.
Diderot, Denis : 148, 168, 171-175, 210, 245, 400, 406, 407.
Dilthey, Wilhelm : 33.
Discours à la nation allemande : 219.
Discours sur l'origine de l'inégalité : 222.
Döblin, Alfred : 376, 379-380, 382, 396, 404.
Docteur Faustus : 381, 383, 385.
Docteur Jivago (Le) : 399.
Doležel, Lubomir : 202, 414.
Dom Carlos : 125-126.
Don Quichotte : 28, 31, 35, 39, 40, 42, 43, 92-95, 120, 122, 123, 157, 159-160, 164, 166, 167, 265, 343, 344, 405, 410.
Doody, Margaret : 45, 414.
Doruntine : 392.
Dos Passos, John : 400.
Dostoïevski, Féodor : 31, 105, 257, 330, 331-341, 360, 381, 397.
Douze Tables des Lois d'Amour (Les) : 152.
Duchesse de Langeais (La) : 248.
Duhamel, Georges : 398.
Dumas, Alexandre : 245, 248, 252, 253, 254.
Dumont, Louis : 53, 413.
Duncan, Ian : 415.
Duranty, Louis-Émile Edmond : 283.

Ecatommitti (Gli) : 114.
Eco, Umberto : 394.
Edgeworth, Maria : 223, 268, 411.
Éducation sentimentale (L') : 287-289.
Edward Waverley (protagoniste de *Waverley*) : 224, 263, 275, 278.
Effi Briest : 322, 324, 325, 326, 329.
Égarements du cœur et de l'esprit (Les) : 161.
Eichendorff, Joseph von : 316.
Élégie de la dame Fiammetta (L') : 113-114, 186.
Eliade, Mircea : 392.
Eliot, George : 22, 29, 268, 301, 304-307, 309, 343, 349, 350, 352, 411.
Éloge de la Folie (L') : 391.
Éloge de Richardson : 407.
Emerson, Caryl : 413.
Emma : 269, 270-272.
En route : 360.
Encore une philosophie de l'histoire : 222.
Énéide : 55, 60.
Érec et Énide : 70, 192.
Eschenbach, Wolfram von : 69.
Espagnole anglaise (L') : 117.
Esprit des lois (L') : 222.
Esprit du christianisme et son destin (L') : 54.
Essai sur l'histoire des sociétés civiles : 222.
Essai sur les mœurs : 222.
Éthiopiques (Les) : 56-68, 69, 74, 80, 83, 90, 91, 92, 95, 96, 101, 102, 104, 112, 113, 143, 188, 229, 242, 259, 410.
Eugène Onéguine : 44, 235.
Eugénie Grandet : 39, 246.
Eumeswill : 400.
Euripide, 56.
Evelina : 184-185.
Expedition de Humphrey Klinker (L') : 161, 184.

Faulkner, William : 44, 376, 377-378, 386, 387, 388, 389, 393, 396, 399.
Faust : 219, 382.

Fénelon, François de Salignac de la Mothe : 189, 191, 302.
Fergusson, Adam : 222.
Féval, Paul : 254.
Fiancée de Lamermoor (La) : 227.
Fiancés (Les) : 229-232.
Fichte, Johann Gottlieb : 219.
Fielding, Henry : 37, 145, 146, 150, 158-167, 168, 172, 176, 185, 188, 190, 210, 223, 242, 245, 260, 266, 267, 268, 269, 270, 274, 281, 282, 286, 295, 379, 400, 404, 411.
Fille aux yeux d'or (La) : 248.
Finkielkraut, Alain : 413.
Flaubert, Gustave : 24, 257, 260, 281-290, 291, 308, 324, 360, 368, 379, 381, 383.
Foire aux vanités (La) : 267-268.
Fontane, Theodor : 321-329, 349, 351, 352, 353, 370, 381, 412.
Force du sang (La) : 117, 121.
Forcione, Alban : 415.
Fortunata et Jacinta : 343-346.
Foster, E.M. : 398.
France, Anatole : 352.
François le Champi : 243-244.
Frank, Joseph : 413.
Frankenstein : 252-253, 361.
Frères Karamazov (Les) : 339.
Fumaroli, Marc : 90, 91, 414.

Galatée : 159.
Galthworthy, John : 398.
Gargantua : 35, 99, 170, 406.
Gary, Romain : 398.
Gauchet, Marcel : 56, 413.
Gellner, Ernest : 413.
Genette, Gérard : 414.
Germinie Lacerteux : 257, 291, 294-296, 408, 409.
Gessner, Salomon : 189, 190, 191.
Gibbon, Edmund : 400.
Gide, André : 364-366, 370, 392.
Giono, Jean : 392.
Girard, René : 22.
Gœthe, Johann Wolfgang : 185-187, 188, 190, 192, 194, 195, 198-202, 211, 219, 261, 302, 303, 361, 382, 405, 407.
Goldsmith, Oliver : 144, 185.
Gomberville, Marin Le Roy de : 96, 135, 162, 189, 233.

Goncourt, Edmond et Jules de : 257, 260, 290, 291, 293, 294-296, 323, 343, 345, 353, 373, 408, 409.
Gontcharov, Ivan A. : 39.
Gracq, Julien, 399, 400.
Graffigny, Françoise de : 189.
Grand Cyrus (Le), voir *Artamène ou le Grand Cyrus.*
Grandes espérances (Les) : 344.
Grass, Günther : 394.
Graziella : 235, 351, 406.
Green, Julien : 397, 398.
Greene, Graham : 397, 398.
Grimmelshausen, Hans Jakob Christoffel von : 379.
Grossman, Vassili : 399.
Guarini, Giovan Battista : 80.
Guerre et la Paix (La) : 304, 308, 309, 310, 315.
Guillen, Claudio : 415.
Guilleragues, Gabriel Joseph de Lavergne, comte de : 113.

Habermas, Jürgen : 414.
Hadot, Pierre : 414.
Hägg, Thomas : 414.
Hardy, Thomas : 29, 307.
Hasek, Jaroslav : 401.
Hautcœur, Guiomar Pérez-Espejo : 415.
Hauts de Hurlevent (Les) : 361.
Hawthorn, Jeremy : 44.
Hegel, Georg Wilhelm Friedrich : 38, 54, 286, 413.
Heinich, Nathalie : 416.
Heinrich von Oftendingen : 195, 196.
Héliodore : 32, 56-68, 83, 90, 91, 95, 160, 218, 410.
Héloïse : 113.
Hemingway, Ernest : 378.
Hénaff, Marcel : 72, 414.
Henri le Vert : 302.
Henry, Anne : 416.
Heptaméron (Le) : 114.
Herder, Johann Gottfried : 222.
Héroïdes (Les) : 80, 113.
Héros de notre temps (Un) : 235-236.
Herzog : 399.
Hippolyte : 56.

Histoire comique de Francion : 28, 99, 168.
Histoire d'Agathon : 189, 190, 192, 302, 304.
Histoire d'Angleterre (L') : 222.
Histoire de Gil Blas de Santillane : 161.
Histoire des Abdéritains : 190.
Histoire des Treize : 247.
Hobbes, Thomas : 140.
Hoffmann, E. T. A. : 366.
Hölderlin, Friedrich : 39, 189, 191-193, 211, 219.
Hollander, Robert : 415.
Homère : 375, 407.
Homme libre (L') : 364.
Homme sans postérité (L') : 317-318, 320.
Homme sans qualités (L') : 383-386.
Hugo, Victor : 227, 245, 252, 257-259, 282, 291, 294, 297, 330, 340, 348.
Hume, David : 222.
Huysmans, Jorris-Karl : 359-360, 362, 366, 392, 410, 411.
Hypérion : 39, 189, 191-193, 218, 219, 361.

Ides de Mars (Les) : 400.
Iliade (L') : 55, 191, 222.
Illusions perdues : 249-251, 253, 309.
Illustres françaises (Les) : 143, 174.
Immoraliste (L') : 364, 365-366.
Imposture (L') : 346, 398.
Incas, (Les) : 189, 190, 191.
Indiana : 244, 268.
Insoutenable légèreté de l'être (L') : 401.
Iphigénie en Aulide : 56.
Iser, Wolfgang : 416.

Jacques le fataliste et son maître : 28, 167, 168, 171-175, 406.
James, Henry : 29, 273, 275-280, 352, 373.
Jane Eyre : 243.
Jean Barois : 399.
Johnson, Samuel : 190.
Jonathan Wild : 266.
Joseph Andrews : 161, 242, 271.

Journal d'un curé de campagne (Le) : 346.

Joyce, James : 372-376, 378, 380, 382, 386, 387, 388, 389, 393, 396, 399.

Julie d'Étange (protagoniste de *Julie ou la Nouvelle Héloïse*) : 151-156, 187, 194-195, 198, 199, 208, 242, 254, 271, 308, 312, 326.

Julie ou la Nouvelle Héloïse : 142, 150-157, 194-195, 312.

Julien Sorel (protagoniste du *Rouge et le noir*) : 262-265, 267, 344.

Jünger, Ernst : 400.

Kadare, Ismaïl : 392.

Kafka, Franz : 388-391, 393.

Keller, Gottfried : 302, 316, 321, 329, 366.

Kleist, Heinrich von : 219-221, 411.

Kundera, Milan : 401, 404, 415.

La Calprenède, Gauthier de Costes de : 162.

La Rochefoucauld, François, duc de : 203, 386.

Là-bas : 359, 360.

Laclos, Pierre Choderlos de : 183, 251, 252, 253, 408.

Lacoste, Jean : 414.

Lady Roxana ou l'heureuse catin : 106, 108-110, 112.

Lafayette, Marie-Madeleine, comtesse de : 120, 125, 127, 128-132, 135, 156, 166, 189, 367, 368, 405.

Lamartine, Alphonse de : 235, 236, 406.

Lancelot (personnage du cycle arthurien) : 76.

Larmore, Charles : 413.

Larra, Mariano José de : 342.

Lavocat, Francoise : 415.

Lazare (dit Lazarillo, protagoniste de *La Vie de Lazare*) : 100-105, 106, 112, 389.

Lazarillo de Tormes (voir *La Vie de Lazare*).

Leavis, F. R. : 29.

Lermontov, Mikhail : 235, 236.

Lessing, Dorris : 398.

Lettres d'une péruvienne : 189.

Lettres persanes : 143, 161, 184.

Lettres portugaises : 113.

Leucippé et Clitophon : 56, 62, 63.

Lever, Maurice, 415.

Levine (personnage de *Anna Karenine*) : 309-315, 340, 399.

Lewis, Matthew : 28, 182-183, 347.

Liaisons dangereuses (Les) : 183, 244, 251, 274.

Lipking, Lawrence : 415.

Livre du rire et de l'oubli (Le) : 401.

Locke, John : 36, 140.

Longus, 79.

Louis Lambert : 382.

Lourdes : 345.

Lovelace (personnage de *Clarissa*) : 177, 195, 361.

Lucrèce Borgia : 227.

Lukács, Georg : 38-41, 302, 323, 414.

Madame Bovary : 257, 283, 284, 288, 289, 290.

Madame Gervaisis : 345.

Maison Ulloa (La) : 344-346.

Maître et Marguerite (Le) : 392.

Manent, Pierre : 413.

Manifeste du surréalisme : 27, 29, 340.

Mann, Heinrich : 398.

Mann, Thomas : 379, 380-383, 385, 394, 398, 399.

Manon Lescaut : 367.

Manzoni, Giuseppe : 229-232, 257, 258.

Marche Radetzky (La) : 399.

Mare au diable (La) : 243-244.

Marguerite de Navarre : 114.

Marius l'épicurien : 366.

Marivaux, Pierre de : 143, 144, 150, 154, 160, 174, 184, 185, 411.

Marmontel, Jean-François : 189.

Marquez, Gabriel Garcia : 394.

Martin du Gard, Roger : 398, 399.

Maupassant, Guy de : 291, 316.

Mauprat : 244.

Mauriac, François : 338, 397, 398.

McKeon, Ian : 35, 414, 415.

Médecin de campagne (Le) : 247, 248, 319.
Mémoires d'Hadrien : 400.
Mémoires de Barry Lyndon (Les) : 266-267.
Mémorial de Saint-Hélène : 262.
Ménandre : 62.
Martínez-Bonati, Felix : 202.
Meredith, George : 352.
Merlin : 69.
Message impérial (Un) : 390.
Metastasio : 257.
Meyer, Conrad Ferdinand : 316, 321.
Michael Kohlhaas : 219-221, 411.
Micromégas : 190.
Middlemarch : 22, 304-307, 309, 410.
Mille et une nuits (Les) : 172.
Misérables (Les) : 257-259.
Mitterand, Henri : 296, 416.
Moby Dick : 28.
Moine (Le) : 28, 29, 182-183, 347, 361.
Molho, Maurice : 105, 415.
Moll Flanders : 31, 36, 103, 106-108, 113.
Moll (protagoniste de *Moll Flanders*) : 106-108, 109, 112, 166, 338, 389.
Mont Saint-Michel et Chartres : 366.
Montagne magique (La) : 381, 382.
Montandon, Alain : 415.
Montemayor, Jorge de : 79.
Montesquieu, Charles de Secondat, baron de : 143, 144, 161, 189, 222.
Moretti, Franco : 45, 301, 416.
Moritz, Karl Philipp : 302, 303.
Morrison, Tony : 393.
Morson, Gary Saul : 413.
Mort de Virgile (La) : 44.
Murdoch, Iris : 397.
Musil, Robert : 379, 383-386, 387, 388, 389, 396.
Mystères de Paris (Les) : 253, 254-256.
Mystères d'Udolphe (Les) : 181-182.

Nadja : 391-392, 406.
Nausée (La) : 398.

Nazarin : 343, 344, 345, 347.
Nehamas, Alexander : 413.
Nerval, Gérard de : 366.
Nietzsche, Friedrich : 362, 386.
Nom de la Rose (Le) : 394.
Notre-Dame de Paris : 257, 348.
Nourritures terrestres (Les) : 364-365.
Nouvelles exemplaires (Les) : 114, 120.
Novalis, Friedrich von Hardenberg, dit : 195, 196, 197, 201, 211.
Nussbaum, Martha : 413.

Oblomov : 39, 40.
Odyssée (L') : 375.
Oedipe : 64, 66.
Oedipe Roi : 56.
Old Mortality : 225, 227, 233.
Olénine (protagoniste des *Cosaques*) : 237, 275, 278, 308, 313.
Oliver Twist : 238-240, 241.
Orgueil et préjugés : 271.
Oriane (personnage d'*Amadis de Gaule*) : 73, 76-77, 91, 151, 242.
Oroonoko (L') : 189.
Où étais-tu, Adam ? : 398.
Ovide : 80, 113.
Ozouf, Mona : 415.

Paludes : 364.
Pamela ou la vertu récompensée : 31, 142, 144-150, 151, 154, 157, 160, 167, 181, 184, 188, 243, 316, 373, 408, 410.
Pamela (protagoniste de *Pamela ou la vertu récompensée*) : 47, 144-150, 151, 160, 176, 184, 185, 186, 187, 195, 208, 242, 243, 254, 271, 294, 295, 308, 326, 351, 404.
Pantagruel : 28, 99, 168, 170, 406.
Paradis perdu (Le) : 252.
Pardo Bazán, Emilia : 343-347, 349.
Pasternak, Boris : 399.
Pastor fido (Il) : 80, 83.
Pater, Walter : 366.
Paul et Virginie : 189, 190, 191, 406.
Paysan perverti (Le) : 244.

Percy, William : 397, 398.
Perec, Georges : 395.
Père Goriot (Le) : 253.
Pères et fils : 330.
Pérez Galdós, Benito : 343-349, 352. 353, 412.
Perry, B.E. : 414.
Persilès et Sigismonde : 95, 135, 159, 415.
Petite Dorrit (La) : 240-241.
Petite Fadette (La) : 243-244.
Pétrone : 98.
Pharamon ou les Nouvelles Folies romanesques : 160.
Philoctète : 59, 119.
Philosophical Enquiry into the Origins of Our Ideas of the Sublime and Beautiful (A) : 180.
Pinget, Robert : 378.
Pinkard, Terry : 413.
Pippin, Robert : 413.
Pirandello, Luigi : 392.
Platon : 33.
Plaute : 62.
Plazenet, Laurence : 91, 414.
Plutarque : 33, 252.
Polexandre : 96, 133, 135, 189.
Ponson du Terrail, Pierre-Alexis : 248, 254.
Portrait de femme (Un) : 277, 280.
Portrait de groupe avec dame : 398.
Pouchkine, Alexandre : 44, 235.
Prévost, l'abbé : 143, 296, 367, 408.
Princesse de Clèves (La) : 28, 31, 42, 127-132, 135, 147, 367, 405.
Principes de la Science Nouvelle (Les) : 222.
Procès (Le) : 389, 391.
Proguidis, Lakis : 415.
Proust, Marcel : 26, 366-371, 372, 374, 379, 381, 382, 392, 408, 411.
Puissance et la Gloire (La) : 398.
Pulci, Luigi : 45.
Pynchon, Thomas : 393.

Que faire? : 330.
Quête du Graal (La) : 69, 71.
Quevedo, Francisco de : 103, 105, 106, 338, 344.
Quinault, Philippe : 257.

Rabelais, François : 33, 35, 99, 168, 170, 171, 172, 293, 406.
Rabouilleuse (La) : 247, 248.
Radcliffe, Ann : 181-182, 183, 218.
Rancière, Jacques : 24, 416.
Rasselas : 190.
Régente (La) : 343, 347-348.
René : 361.
Résurrection de Rocambole (La) : 254.
Richardson, Samuel : 35, 36, 37, 42, 47, 144-150, 151, 154, 156, 157, 158, 160, 161, 168, 170, 171, 172, 175, 176, 177, 184, 185, 186, 188, 190, 192, 207, 208, 209, 210, 223, 238, 243, 268, 282, 291, 294, 313, 316, 373, 405, 407, 410, 411.
Rivage des Syrtes (Le) : 400.
Robbe-Grillet, Alain : 378.
Robert de Boron : 71.
Robert, Marthe : 42.
Robinson Crusoe : 36.
Rocambole (protagoniste de *La Réssurection de Rocambole*) : 248, 253.
Rochlitz, Rainer : 414.
Roderick Random : 161, 177.
Rodriguez de Montalvo : 70.
Rohde, Edwin : 32, 33.
Roi des Aulnes (Le) : 393.
Roland amoureux : 158.
Roland furieux : 158.
Roman comique (Le) : 99.
Roman de Renart : 98, 99.
Rome : 345.
Rorty, Richard : 413.
Rosanvallon, Pierre : 413.
Rosset, François de : 126, 166.
Roth, Henry : 398.
Roth, Joseph : 398, 399.
Roth, Philipp : 401.
Rouge et le Noir (Le) : 262-264.
Rousseau, Jean-Jacques : 140, 150-157, 167, 168, 171, 177, 184, 186, 188, 194-195, 198, 199, 201, 202, 206, 207, 208, 209, 210, 222, 313, 407.
Roxana (protagoniste de *Lady Roxana ou l'heureuse catin*) : 106, 108-110, 112, 166, 251, 338, 389.
Rubidge, Bradley : 415.

Rue Mantuleasa (La) : 392.
Rushdie, Salman : 393.
Ruskin, John : 366, 381.

Sade, Donatien-Alphonse-François, dit marquis de : 183, 251, 252, 253, 293, 331.
Saint Augustin : 67, 113, 348.
Saint-Hilaire, Geoffroy : 32.
Saint-Preux (personnage de *Julie ou la Nouvelle Héloïse*) : 150-156, 194-195, 198, 199, 312.
Saint-Réal, abbé de : 125-126, 129, 166, 219, 368.
Salambô : 285, 286.
Sand, George : 241, 243-245, 268, 406.
Sannazzaro, Jaccopo : 79, 244.
Sarraute, Nathalie : 378.
Sartre, Jean-Paul : 397, 398.
Satyricon : 98.
Scarron, Paul : 99.
Schaeffer, Jean-Marie : 23, 117, 414.
Schiller, Friedrich : 125.
Schlegel, Friedrich : 27, 195, 196-198, 199, 201, 204, 206, 211, 302, 411.
Schopenhauer, Arthur : 286.
Scott, Walter : 29, 37, 182, 219, 222-228, 229, 230, 231, 234, 236, 245, 257, 258, 260, 263, 267, 270, 275, 282, 285, 288, 291, 301, 310, 342, 351, 405, 410, 411, 412.
Scudéry, Madeleine de : 96, 125, 160, 162, 218, 233, 236, 257.
Second Coming (The) : 398.
Séraphîta : 382.
Shakespeare, William : 85, 86, 119, 123, 178.
Shamela : 145, 146, 295.
Shelley, Mary : 29, 252-253, 297, 361, 412.
Sherringham, Marc : 414.
Sidney, Sir Philip : 80.
Simenon, Georges : 398.
Simon, Claude : 378.
Skinner, Quentin : 414.
Smollett, Tobias : 144, 159, 161, 184, 185, 210, 223, 226, 401.
Soljenitsine, Alexandre : 399.
Somnambules (Les) : 399.

Sophocle : 119.
Sorel, Charles : 99, 126, 168.
Souffrances du jeune Werther (Les) : 185-187, 188, 252.
Souiller, Didier : 105, 414, 415.
Sources du moi (Les) : 413.
Staël, Germaine de : 189, 261, 411, 415.
Stanesco, Michel : 414.
Stechlin (Le) : 321.
Steinbeck, John : 378, 398.
Stendhal, Henri Beyle, dit : 37, 234, 260, 261, 262, 263, 264, 265, 266, 268, 280, 281, 314, 342, 344, 352, 400, 405.
Sternberg, Meir : 414.
Sterne, Lawrence : 27, 168-171, 172, 188, 210, 379, 406.
Stevenson, Robert : 405.
Stewart, Philip : 415.
Stifter, Adalbert : 190, 302, 316-321, 323, 324, 325, 326, 329, 343, 349, 370.
Strauss, Leo : 413.
Styron, William : 397.
Sue, Eugène : 245, 254-257, 294, 297, 330, 340.
Swift, Jonathan : 168, 190.

Tanner, Tony : 416.
Tasse, Torquato Tasso, dit le : 80, 190, 257.
Taylor, Charles : 413.
Tchekhov, Anton : 316.
Tchernychevski, Nikolaï : 330.
Temple de Gnide (Le) : 189.
Térence : 62.
Thackeray, William Makepiece : 29, 37, 260, 266-268, 314, 342, 352, 400.
Théagène (protagoniste des *Ethiopiques*) : 56-66, 91, 97, 102.
Thérèse Desquiéroux : 398.
Thérèse Raquin : 292, 293.
Thévenot, Laurent : 47, 413.
Thompson, Stith : 114.
Thorel-Cailleteau, Sylvie : 24.
Tocqueville, Alexis de : 415.
Todorov, Tzvetan : 28, 65, 413.
Tolstoï, Léon : 28, 31, 40, 41, 236-238, 275, 304, 308-316, 339, 340, 343, 349, 352, 353, 407.

Tom Jones : 150, 157, 158-167, 169, 171, 172, 176, 267, 403, 404, 410.

Tom Jones (protagoniste de *Tom Jones*) : 163-165, 169, 177, 264, 267, 270, 271.

Tourgueniev, Ivan Sergueïevitch : 330.

Tourmaline : 318.

Tournier, Michel : 393.

Trésor des livres d'Amadis : 79.

Tristan (personnage de roman médiéval) : 76.

Tristana : 344, 345.

Tristram Shandy : 27, 28, 167, 168-171, 406.

Trollope, Anthony : 29, 307.

Troubadour (Le) : 227.

Troubetzkoy, Wladimir : 414.

Trumpener, Katie : 415.

Tyrant lo Blanc : 69, 133.

Ulysse : 372-376, 377, 379, 386.

Updike, John : 401.

Urfé, Honoré d' : 80-89, 96, 244.

Valera, Juan : 342.

van Elslande, Jean-Pierre : 415.

Velázquez, Diego : 104, 105, 110.

Verdi, Giuseppe : 125, 227.

Vers le phare : 376, 399.

Vicaire de Wakefield (Le) : 185.

Vico, Giambattista : 222.

Vie de Guzman d'Alfarache (La) : 103, 105, 107, 344.

Vie de Lazare (La) : 31, 100-105, 106, 108, 112, 113, 344.

Vie de Marianne (La) : 143.

Vie est ailleurs (La) : 401.

Vie mode d'emploi (La) : 395.

Vies parallèles (Les) : 33, 252.

Villedieu, Hortense Desjardins, dite comtesse de : 125, 127-128, 129, 368.

Virgile : 56, 80, 244.

Voltaire, François-Marie Arouet, dit : 161, 190, 222.

Voyage au bout de la nuit : 401.

Voyage du jeune Anacharsis en Grèce : 190.

Voyages de Gulliver (Les) : 190.

Walpole, Horace : 177-181, 183, 218.

Watt, Ian : 35-37, 107, 414, 415.

Waugh, Evelyn : 397.

Waverley : 223-225, 226, 227, 245, 410.

Werther (protagoniste des *Souffrances du jeune Werther*) : 186-188, 192, 218, 252, 329, 361, 368.

Wieland, Christoph Martin : 189, 190, 191, 302.

Wilder, Thornton : 399, 400.

Wilhelm Raabe, Wilhelm : 273.

Winckelmann, Johann Joachim : 191, 222.

Witiko : 321.

Wolfe, Tom : 398.

Woolf, Virginia : 376, 378, 393, 396, 399, 408.

Xénophon : 87, 190, 302.

Yourcenar, Marguerite : 399, 400.

Yvain (personnage du cycle arthurien) : 192.

Zadig : 190.

Zaïde : 189.

Zink, Michel : 414.

Zola, Emile : 260, 284, 290, 291-293, 294-300, 343, 345, 353, 359, 360, 366, 373.

Quelques repères notionnels

Amour, dans le roman hellénistique, 62-63 ; dans le roman de chevalerie, 75-77 ; dans le roman pastoral, 80-81 ; dans la nouvelle, 129 ; dans le roman idéaliste moderne, 152-153, 194-195 ; l'amour-passion, 195-206 ; l'amour-passion et la révélation du soi, 196-198, 204, 211, 264 ; sa critique chez Gœthe et Constant 202-206, 211, chez Tolstoï, 312-314, chez Stifter, 318, chez Proust, 367-368, 370 ; l'amour adultérin, 216, 311-313, 318, 322-326 ; amour et pulsion, 296 ; amour et mariage dans le roman de formation, 304-306.

Anthorpologie romanesque, 46-48, fondamentale, 47 ; sociale, 47 ; comparative, 228, 274-275.

Auteur, 165-166, 168, 171-175, 245-246, 403-404 ; grand auteur et auteur important, 404-405 ; la voix de l'auteur, 165-167, 168, 169-170, 185, 210, 223, 245-246, 282, 403-404 ; et les voix des personnages, 171-175, 210, 270, 281.

Axiologie, la question axiologique, 47, 141, 209, 215.

Belle âme, la (voir personnage).

Chef d'œuvre, 21, 25-26, 405-406, 410-411 ; et œuvre importante, 405-406, 410-411.

Christianisme, et roman de chevalerie, 71-72 ; et roman picaresque, 103 ; et égalitarisme, 231-232 ; chez Dostoïevski, 333-334, 337 ; dans le roman espagnol, 345-348, et la révolte contre l'enracinement, 360.

Comédie, 59, 79, 121.

Communauté, 215, 216, 237-238, 244, 299-300, 304 ; la communauté problématique, 357-358.

Conte merveilleux, 66-67, 70.

Contrat social, 140.

Couple, hors-du-monde, 53, 54-55 ; l'amour et la fragilité du couple, 197-198, 199-200, 205-206 ; le couple déchiré, 216 ; le couple dans le roman de formation, 304-306 ; la disparition de la problématique du couple, 358.

Description, son sens dans l'idéalisme moderne, 149-150, 155-156, 317-318 ; la saturation, 202 ; la description hyperréaliste, 395.

Détail, 48, 112, 149, 155, 255, 378, 407.

Divinité, polythéisme, 55-56, 67 ; divinité unique, 56-57, 59, 67.

Division du travail artistique, 406-407.
Dualisme, 139-140, 215.

Égalitarisme du roman moderne, 144-145, 230, 231, 269-270, 275, 282 ;
    et christianisme, 231-232.
Empathie, 279-280, 283-285, 291.
Empirisme, 35-36.
Enchantement de l'intériorité (voir subjectivité).
Énergie, 246, 261, 263-264, 297-298, 343 ; l'énergie intime, 320.
Enracinement, 21, 215-217, 244, 250, 255, 257, 261, 285-286, 291, 317,
    232 ; l'opposition à l'enracinement, 258, 359-360.
Épopée, 32, 39-41, 46, 55-56, 58, 60, 67, 191.
Espace fictif, 130 ; le magnétisme de l'espace, 164-164 ; la ville moderne,
    239 ; le rétrécissement, 269.
Esthétisme, 26, 361-371, 392 ; et autonomie, 362 ; sa prise de position
    anti-moderne, 363 ; le culte du moi, 364-366 ; le salut par l'art, 366-
    371, 375, 379, 392 ; la critique de l'esthétisme, 381-382, 385.
Événement foudroyant (voir intrigue, nouvelle).
Exotisme, 232-238.

Féminisme, et idéalisme au XIXe siècle, 241-245, et le roman de forma-
    tion, 306.
Folie, 227, 377, 391 ; idéalisme et folie, 343-344.
Formalistes russes, 27-28.

Génie, 22.

Histoire du roman, la réinvention du passé du roman, 27-28 ; la
    méthode des listes, 28-31 ; l'histoire naturelle du roman, 31-32, 41 ;
    l'histoire des techniques, 34-36 ; l'histoire sociale du roman, 35-37 ;
    l'histoire spéculative, 38-41 ; les origines comiques du roman, 35 ;
    l'origine du roman moderne, 43 ; le principe polémique, 408-409 ;
    l'harmonisation et dispersion, 409.
Historicisme, 219, 221-222, 227-228, 229, 231, 257-258, 263, 275, 286.

Idéal normatif, transcendant, 133-134, 209 ; dans le roman hellénis-
    tique, 89 ; dans le roman de chevalerie, 77, 89 ; la critique cervantine,
    93-96 ; la norme sociale dans le roman picaresque, 106-107, 109-110 ;
    l'idéal normatif immanent dans le roman idéaliste au XVIIIe siècle, 152-
    154 ; son impuissance, 187-188, 192-193 ; l'idéal normatif communau-
    taire, 229, 237-238 ; la disparition de la loi morale, 390-391.
Idéalisme, 22, 26, 30 ; abstrait, 39-40, 48 ; ancien, 53-96, 207, 217 ; le
    conflit des idéalismes au XVIe siècle, 89-96 ; et le sens de *Don Quijote*;
    92-96 ; l'inversion dans le genre picaresque, 104 ; l'idéalisme moderne,
    139-157, 207, 217, 326, 342 ; la version française, 150 ; la version
    anglaise, 150 ; la polémique contre l'idéalisme moderne, 157-159,
    330 ; la domestication de l'idéalisme moderne, 316-321, 324-329.
Idéographie, 111-113, 115, 142 ; subjective, 154 ; gothique, 180 ; la vague
    idéographique au XVIIIe siècle, 189-191, 218 ; dans le roman populaire,
    256, 258 ; dans le roman du XXe siècle, 388-389.
Idylle, 191.
Immersion, 117, 144, 148, 150, 157, 283.

Imperfection, du monde, 60-61 ; des hommes, 97-136 ; comme absence
à soi, 265 ; l'imperfection infinitésimale, 270.

Individu (et son rapport au monde), 38-39, 41, 47-48, 410 ; individu
d'exception, 134 ; imparfait, 134 ; dans le roman hellénistique, 53-59,
83 ; dans le roman pastoral, 83-84 ; dans le romn picaresque, 101-102 ;
dans la nouvelle, 114-115, 119 ; dans le roman moderne, 140 ; dans le
roman idéaliste, 145-146, 153 ; dans le roman sceptique, 167 ; dans le
roman ludique, 175 ; l'individu vaincu, 188, 191-193 ; l'individu et ses
rapports avec le prochain, 272 ; malentendus culturels, 273-280 ; la
disparition de l'individu, 299 ; l'autonomie et l'altruisme, 314-315,
317-320 ; la critique de l'autonomie, 329-334, 349 ; l'abolition des liens
avec le monde, 357-358 ; la sortie du monde, 385 ; le monde à l'envers,
389, 391.

Individualisme, 35-36.

Induction, représentation inductive, 115.

Intériorité (voir subjectivité).

Intrigue, épisodes, 33 ; dans le roman hellénistique, 65-66 ; dans le
roman de chevalerie, 74 ; dans le roman picaresque, 100-101 ; dans le
roman idéaliste moderne, 148 ; chez Kafka, 389-390 ; l'intrigue durative et panoramique, 112 ; intrigue de la nouvelle, 105 ; l'événement
foudroyant, 116, 119, 126, 129 ; la nature de l'adversité, 119-120, 126 ;
chez Fielding, 163 ; chez Walter Scott, 226, chez Manzoni, 231 ; la
banalisation et l'intériorisation, 269-270 ; la dédramatisation, 325-
329.

Invention, 38, 41.

Lisibilité, 16, 395-401 ; illisibilité, 375, 377, 395-396.

Méconnaissance de soi (voir personnage).

Merveilleux, 29, 71-72, 91.

Modernisme, 15, 23-26, 27, 29, 30, 357-392.

Monde moderne, comme épicentre du prosaïsme et de la médiocrité,
233, 285-286, 294 ; comme cible de l'esthétisme anti-moderne, 363.

Mythe, 66-67.

Narcisse, apothéose de, 357-358.

Narration, discours à la première personne, dans le roman picaresque,
105, 112 ; perspective subjective dans le roman idéaliste moderne,
143, 145-148, 150, 201 ; son rejet, 161-162 ; voix de l'auteur, 165-170,
185, 210, 379-380 ; et la voix des personnages, 171-175, 210 ; le monologue délirant, 256, 330 ; le discours indirect libre, 271-272, 284-285,
376, 379 ; le flux de la conscience, 373-374, 376 ; narration et empathie, 279-280, 283-285 ; le récit élaboré, 377-378, 380 ; le récit à l'état
brut, 377-378, 386, 388, 393 ; la pure observation, 378 ; la destructura-
tion de la narration, 387-389 ; les récits enchâssés, 128.

Naturalisme, 292-294, 373, 375, 380 ; l'opposition au, 359, 393.

Nouvelle, sens du terme, 45 ; la nouvelle prémoderne, 114-132, 135, 136,
207 ; sérieuse et tragique, 116-132, 167, 193, 273, 367, 371 ; les racines
orales, 114 ; l'imperfection des personnages, 114 ; leur insertion dans
le monde, 114-115, 119 ; la concentration de l'intrigue, 114-115 ; l'événement foudroyant, 116, 119, 126, 129, 167 ; la psychologie morale,
119-120, 126 ; la nature de l'adversité, 119-120, 126 ; la nouvelle

casuistique, 125; la nouvelle augustinienne, 125, 156, 203, 211; la nouelle allemande, 316-321.

Opéra, 227, 256-257.

Paternité, charnelle et spirituelle, 59, 258-259.
Personnages, la perfection des, les héros prémodernes, 91, 97, 208; la belle âme, 141, 157-158, 177, 307; sa vulnérabilité dans le roman gothique, 183; dans le roman sentimental, 186-188, 211, 268; le héros vaincu, 191-193, 211, 361, 372-374; la belle âme enracinée, 217, 303; la belle âme humble, 238, 313-314, 339; enfants, 238-239; femmes, 240-245; l'âme poétique, 316-329; la beauté morale infinitésimale, 288, 316-329; beauté morale et folie, 343-344; l'imperfection dans le roman anti-idéaliste au xviiie siècle, 163-174; l'ingénu, 143-144, 308-316, 339-340; perfection et imperfection chez Dostoïevski, 339-341.
Personnage, l'imperfection des, imperfection prémoderne, 97-136; l'imperfection et le comique, 97-99; l'animalité, 98-99; la bassesse, 104-105, 338; l'imperfection et le registe sérieux, 99-100; le *trickster*, 100, 104; l'imperfection dans la nouvelle, 114, 116; dans le roman du xviiie siècle, 163-164; la méconnaissane de soi dans la nouvelle, 121-125, 128, 156; chez Constant, 203-204; dans le roman idéaliste moderne, 146-147; chez Stendhal, 265; chez Austen, 271; chez Proust, 367; la médiocrité, 283-290; la dépravation, 295-296; obstination et maladresse chez Kafka, 390.
Personnages-type, le héros problématique, 39-40; le personnage démoniaque, 183, 251-253, 331, 336, 348, 361, 383; les personnes bien élevées, 185; le héros historique et l'ordre social, 220-221; le dandy, 235-236, 360-361, 363; l'être d'exception, 245-249, 258-259; sa profession, 246; le justicier, 247-248, 254-255; le génie, 247, 248-249; sa chute, 250-251; le bienfaiteur, 247-248; l'ange-prostituée, 254-255; le héros impulsif 263-265; le personnage comique, 267-268.
Perspective subjective (voir narration).
Peuple élu, 54.
Positivisme, 32.
Providence, 257-259, 389-390.

Réalisme, 22, 33, 35; — social, 21, 26, 30, 34, 41, 255, 266, 284; psychologique, 21, 41; formel, 36; descriptif, 207, 223, 283; fonction testimoniale, 149; fonction psychologique, 149; progrès du réalisme, 407-408.
Récit élégiaque, 113-114.
Représentation, 48 (voir détail, idéographie, immersion, induction, temporalité, vraisemblance).
Roman anti-idéaliste au xixe et au xxe siècle, 217, 260-300; l'école de l'ironie, 260-268; l'école de l'empathie, 260, 268-280; la maturité de l'anti-idéalisme, 280-290; l'école de l'amertume, 290-300; et la tradition sceptique, 266-267, 281; et le roman idéaliste, 281-282; la polémique contre l'idéalisme, 288-289; 373; le roman comique et sceptique au xxe siècle, 400.
Roman anti-idéaliste, au xviiie sièale, 157-175, 260; le roman sceptique et comique, 157-167, 210; le sens moderne de *Don Quijote*, 158-160; satires, picaresque, libertinage, 161; le rejet de la perspective sub-

jective, 161-162; roman ludique, 167-175; l'absence de l'anecdote, 168-169, les jeux discursifs, 169-171, les jeux de l'intrigue, 172-173.

Roman d'analyse, 43, 128-132.

Roman de chevalerie, 43, 69-79, 89-96, 104, 134, 150, 151, 159, 160, 167, 242; vision chrétienne et féerie, 71-72; la géographie imaginaire, 71; la défense inconditionnelle de la justice, 69-70, 72; le don, 72; l'aventure, 73; le destin du héros, 73; le devoir de chevalerie, 72-75, 89; le devoir de courtoise, 76-77, 89; le devoir de révolte, 77-79, 89; l'amour, 75-77; la transcendance normative, 76-78; le culte de la dame, 76-77; l'éloquence, 78-79; l'allégorie de la forêt, 75-76, 84; la structure épisodique, 74.

Roman de formation (*Bildungsroman*), 39-40, 87, 190-193, 302-307, 309-310; la formation comme périple, 302-303; la formation comme destin, 303-307; le roman de déformation, 286-287

Roman de mœurs, 184-185.

Roman épistolaire, 150, 191.

Roman gothique, 28-29, 176-183, 210, 218; la défense de l'imagination, 176-178; l'invraisemblance, 176-177, 179; le décor médiéval, 177, 181; le sublime, 179-180.

Roman hellénistique, 33, 43, 53-68, 89-96, 104, 135, 144, 151, 159, 176, 177, 241; et monothéisme, 56-57, 89; le couple-hors-du-monde, 56-64, 89; l'unité du genre humain, 57-59; l'arrachement à la patrie, 59-60; l'hostilité du monde, 60-61; la hiérarchie des systèmes politiques, 61-62; l'amour céleste, 62-63; la perfection des personnages, 63-64; le refus du monde, 63-64; la naissnce de l'intériorité, 64-65, 69; la découverte de la contingence, 65-68, 69; la structure épisodique, 65-66; la nature spéculative du genre, 68.

Roman idéaliste moderne, au XIXᵉ siècle, 215-259; la prospection de l'histoire, 218-232; la solution du conflit entre grandeur et vraisemblance, 222-228; l'exotisme, 232-238; l'exotisme ancien, 232; l'exotisme moderne, 233-238; le décalage historique, 234; l'exotisme sentimental, 234-238; récits de régression et purification, 237-238; les gens humbles, 238-241, 282; la condition féminine, 241-245; la force de la vertu, 243; celle de l'intelligence, 243-244; les êtres d'exception, 245-253; leur force, 247-249; le risque de la déchéance, 249-251; les êtres démoniaques, 251-253; le sommet de l'idéalisme, 253-259; le message social, 258; l'opposition à l'enracinement, 259; synthèses entre l'idéalisme et l'anti-idéalisme, 301-350.

Roman idéaliste moderne, au XVIIIᵉ siècle, 142-157, 166, 176, 226, 242; perspective subjective et perfection intérieure, 145-148; la beauté morale du protagoniste, 146-148; sa méconnaissance de soi, 146-147; versions française et anglaise, 150; intériorisation de la norme morale, 152-154; la technique descriptive, 149-150, 155-156; la nouvelle vague idéalisatrice, 169-193.

Roman pastoral, 43, 79-89, 150-151; à l'Antiquité et à la Renaissance, 79-80; la doctrine de l'amour, 80-81; la jurisprudence de l'amour, 88-89; la fragilité du soi, 83-84; intériorité et engendrement de l'idéal, 84; la formation de soi, 85-87; la forêt pastorale, 84; le déguisement, 85-87; pastorale et roman de formation, 87, 130.

Roman picaresque, 26, 42, 97-111, 136, 143, 207, 220, 260, 262, 344, 390; comédie et sérieux, 99-100; l'hostilité de l'univers, 101-102, 107; l'amoralité du personnage, 101-103; son invulnérabilité, 108-109; sa bassesse, 104-105; la destruction de l'ordre moral, 102-104, l'inver-

sion de l'idéalisme, 104 ; l'intériorité coupable, 105 ; les picaros moralisateurs, 105-111 ; l'épaisseur de la représentation sociale, 106-107 ;
picaresque et tragédie, 109-110 ; et christianisme, 103 ; épisodes, 100-
101, 108.

Roman populaire, 253-257.

Roman sentimental, 185-188 ; l'isolement et l'impuissance du personnage, 186-187 ; le romantisme, 186-187 ; la nature du désir, 187-188.

Roman, courants au xxe siècle (voir esthétisme, roman-essai, narration
— récit à l'état brut — et individu — le monde à l'envers —), surnaturalisme ethnique, 392 ; réalisme magique, 393 ; postmodernisme, 393-
395 ; roman populaire, 397 ; roman moral, 397-398 ; roman social,
398-399 ; néo-romantisme, 399-400 ; le roman comique et sceptique,
400-401.

Roman, définition et sens du terme ; 43-45, 406 ; caractère coutumier du
genre, 17, 42 ; sous-genres prémodernes, 17, les grandes transformations du genre, 17-22, le roman en tant qu'art, 17 ; roman et
poésie, 22, 366, 372, 374, 378, 380, 382 ; et société, 40 ; plasticité du
genre, 42, 44.

Roman-essai, 382-386, 388.

Romans, « vieux — », 42-43.

Romantisme, 415 ; sa doctrine de l'art, 22-24, romantisme et sentimentalité, 186-187, 218-219.

Satire, 107, 140, 210.

Science, influence sur le roman, 291-292.

Style, 21, 24, 41, 261, 284, 291, 373-375, 380 ; défamiliarisation, 28, 315-
316, 380 ; style de la nouvelle, 117-118 ; style humble, 209 ; la doctrine
classique des styles, 407-408.

Subjectivité, 25-26 ; dans le roman hellénistique, 64-65, 69 ; dans le
roman pastoral, 84-87 ; dans le roman picaresque, 105 ; dans la nouvelle, 121-125, 126, 128 ; l'enchantement de l'intériorité, 141-175, 177,
207, 208, 307, 360-361 ; l'intériorité comme théâtre de l'action, 151-
153, 269-270, 273 ; l'intériorité rhétorique, 154-155 ; la subjectivité
dans le roman ludique, 171 ; la subjectivité romantique, 186-187 ; la
valeur révélatrice de l'amour, 196, 197, 198-200 ; la subjectivité chez
Henry James, 280 ; chez Proust, 370 ; chez Joyce, 373-375.

Sublime, 179-180.

Surnaturel, dans le roman, 333-334.

Surréalisme, 27, 391-392, 400.

Temporalité, 130-132, 148-150, 154.

Tragédie, 46, 56, 59, 110, 295.

Vraisemblance, 20, 26, 91-92, 209 ; axiologique, 90 ; morale, 117 ; sociale
et psychologique, 15, 105-107, 117, 217, 218, 230, 255, 281, 342 ; historique, 129, 218, 222 ; descriptive, 142 ; dans la nouvelle, 116, 117 ;
statique, 130 ; dynamique, 131 ; invraisemblance gothique, 176-177,
181 ; dans le roman sentimental, 188.

Zeitgeist, 411-412.

Avant-propos   11

Introduction   15

L'art de la vraisemblance, 17 — Le roman à l'école de la
poésie, 22 — Le passé fictif du roman, 26 — But du
présent ouvrage, 30 — Mon argument, 46.

PREMIÈRE PARTIE

LA TRANSCENDANCE DE LA NORME

Du XVIe au XVIIIe siècle, chaque genre narratif en prose sai-
sit le monde sous un angle de vue bien défini. Les
œuvres idéalistes qui mettent en scène des héros éblouis-
sants de constance et d'énergie appartiennent aux tradi-
tions rivales du roman hellénistique et des récits de
chevalerie. La fragilité de la perfection et le difficile
apprentissage des normes morales forment l'objet du
roman pastoral, censé éveiller chez le lecteur une sympa-
thie admirative. L'imperfection humaine, enfin, est
considérée avec une sympathie compatissante dans le
récit élégiaque, avec répulsion et pitié dans la nouvelle
sérieuse, avec humour dans la nouvelle comique et avec
un mépris caustique dans le roman picaresque.

I. L'idéalisme prémoderne   53

Le couple-hors-du-monde. Le roman hellénistique, 53
— Enracinement du héros et force de la norme. Le récit
de chevalerie, 69 — La perfection hésitante. Le roman

pastoral, 79 — Le conflit des idéalismes à l'aube du roman européen, 89.

II. La science de l'imperfection   97

Le roman picaresque, 97 — Idéographie et induction. Le récit élégiaque, la nouvelle, 111.

Conclusion de la première partie   133

DEUXIÈME PARTIE

L'ENCHANTEMENT DE L'INTÉRIORITÉ

Au cours du xviiie siècle, l'idéalisme narratif subit une profonde transformation, au terme de laquelle la norme quitte le ciel transcendant pour s'abriter dans l'intériorité des personnages. Accomplie sous le signe de la vraisemblance dans les œuvres de Richardson et de Rousseau, l'intériorisation de l'idéal suscite une forte opposition, qui se manifeste en particulier sous la forme d'un renouveau de la conception sceptique et comique de l'imperfection humaine, tendance illustrée par l'œuvre de Fielding. Le débat qui oppose ces deux visions encourage la création d'autres formules narratives nouvelles, dont le roman ludique, le roman gothique, le roman de mœurs et le roman sentimental.

III. L'idéalisme moderne   139

L'intériorisation de l'idéal. Pamela *et* Julie ou la Nouvelle Héloïse, *142 — La comédie humaine.* Tom Jones *et* Don Quichotte, *157 — Le roman ludique.* Tristram Shandy *et* Jacques le Fataliste et son maître, *167.*

IV. Le sujet vulnérable   176

Le roman gothique, 176 — Le roman de mœurs et le roman sentimental, 184 — La nouvelle vague idéalisatrice, 189 — L'apothéose de l'amour et sa critique, 193.

Conclusion de la deuxième partie   207

Table 435

TROISIÈME PARTIE

LA NATURALISATION DE L'IDÉAL

*À la recherche d'un idéalisme plausible, le roman du
XIXᵉ siècle découvre l'intimité des rapports entre l'individu et son milieu social, historique et ethnographique.
La représentation de la grandeur d'âme, tout en restant
son principal enjeu, est désormais rapportée à la physionomie spécifique de l'endroit qui la voit naître. Le débat
entre les partisans de l'enchantement de l'intériorité et
leurs adversaires reprend de plus belle : les écrivains qui
célèbrent la relative indépendance des âmes fortes par
rapport à leur milieu s'opposent à ceux qui décrivent sur
un ton tantôt ironique, tantôt amer, le caractère illusoire
de cette force. Dans la seconde moitié du siècle, plusieurs
grands auteurs tentent d'opérer une synthèse entre l'idéalisme et l'anti-idéalisme.*

V. Les racines de la grandeur   215

*La vérité historique de l'idéalisme, 218 — La prospection
exotique, 232 — La grandeur des gens invisibles, 238 —
L'idéalisme féministe, 241 — Êtres d'exception, anges
déchus, démons, 245 — Le sommet de l'idéalisme, 253*

VI. L'héritage du scepticisme moral   260

*L'école de l'ironie, 260 — L'école de l'empathie, 268 — La
maturité de l'anti-idéalisme. Flaubert, 281 — L'école de
l'amertume. Les Goncourt, Zola, 290.*

VII. Synthèses   301

*L'apprentissage de la sagesse, 302 — Les ingénus au
grand cœur, 307 — La grâce infinitésimale, 316 — La
révolte contre l'autonomie, 329 — La belle âme au bord
de la folie, 342.*

Conclusion de la troisième partie   351

QUATRIÈME PARTIE

L'ART DU DÉTACHEMENT

À l'aube du xxᵉ siècle, la révolte moderniste proteste à la fois contre la tentative d'enfermer les êtres humains dans la prison de leur milieu et contre la méthode de l'observation et de l'empathie. Une rupture inédite sépare désormais la réalité, devenue mystérieuse et profondément inquiétante, et l'individu, libéré des soucis normatifs et conçu comme le site d'une activité sensorielle et linguistique irrépressible. Cette évolution assure au roman une nouvelle labilité formelle, sans pour autant changer l'objet séculaire de son intérêt : l'homme individuel saisi dans sa difficulté d'habiter le monde.

VIII. Liens abolis, univers insondables   357

Le tournant esthétique, 359 — L'apothéose de l'écriture et le martyre du moi, 371 — La résistance à l'esthétisme, 378 — La réalité incompréhensible, 388 — Le choix de la lisibilité, 395.

Épilogue   403

Dettes   413

Index des noms propres et des titres   417

Quelques repères notionnels   427

nrf essais

NRF Essais n'est pas une collection au sens où ce mot est communément entendu aujourd'hui ; ce n'est pas l'illustration d'une discipline unique, moins encore le porte-voix d'une école ni celui d'une institution.

NRF Essais est le pari ambitieux d'aider à la défense et restauration d'un genre : l'essai. L'essai est exercice de pensée, quels que soient les domaines du savoir : il est mise à distance des certitudes reçues sans discernement, mise en perspective des objets faussement familiers, mise en relation des modes de pensée d'ailleurs et d'ici. L'essai est une interrogation au sein de laquelle la question, par les déplacements qu'elle opère, importe plus que la réponse.

Éric Vigne

(Les titres précédés d'un astérisque ont originellement paru dans la collection Les Essais.*)*

Raymond Abellio *Manifeste de la nouvelle Gnose.*

* Theodor W. Adorno *Essai sur Wagner* (*Versuch über Wagner* ; traduit de l'allemand par Hans Hildenbrand et Alex Lindenberg).

Svetlana Alpers *L'atelier de Rembrandt. La liberté, la peinture et l'argent* (*Rembrandt's Enterprise. The Studio and the Market* ; traduit de l'anglais [États-Unis] par Jean-François Sené).

Svetlana Alpers *La création de Rubens* (*The Making of Rubens*, traduit de l'anglais [États-Unis] par Jean-François Sené).

Bronislaw Baczko *Comment sortir de la Terreur. Thermidor et la Révolution.*

Bronislaw Baczko *Job mon ami. Promesses du bonheur et fatalité du mal.*

Alain Bancaud   *Une exception ordinaire. La magistrature en France 1930-1950.*

Gilles Barbedette   *L'invitation au mensonge. Essai sur le roman.*

Jean-Pierre Baton et Gilles Cohen-Tannoudji   *L'horizon des particules. Complexité et élémentarité dans l'univers quantique.*

Michel Blay   *Les raisons de l'infini. Du monde clos à l'univers mathématique.*

Luc Boltanski et Ève Chiapello   *Le nouvel esprit du capitalisme.*

Luc Boltanski et Laurent Thévenot   *De la justification. Les économies de la grandeur.*

Jorge Luis Borges   *Entretiens sur la poésie et la littérature* suivi de *Quatre essais sur J. L. Borges* (*Borges the Poet* ; traduit de l'anglais [États-Unis] par François Hirsch).

Pierre Bouretz   *Les promesses du monde. Philosophie de Max Weber.*

* Michel Butor   *Essais sur les Essais.*

Robert Calasso   *Les quarante-neuf degrés* (*I quarantanove gradini* ; traduit de l'italien par Jean-Paul Manganaro).

* Albert Camus   *Le mythe de Sisyphe. Essai sur l'absurde.*

* Albert Camus   *Noces.*

Pierre Carrique   *Rêve, vérité. Essai sur la philosophie du sommeil et de la veille.*

Barbara Cassin   *L'effet sophistique.*

* Cioran   *La chute dans le temps.*

* Cioran   *Le mauvais démiurge.*

* Cioran   *De l'inconvénient d'être né.*

* Cioran   *Écartèlement.*

* Jean Clair   *Considérations sur l'état des beaux-arts. Critique de la modernité.*

Robert Darnton   *Édition et sédition. L'univers de la littérature clandestine au XVIIIᵉ siècle.*

Philippe Delmas   *Le bel avenir de la guerre.*

Daniel C. Dennett   *La stratégie de l'interprète. Le sens commun et l'univers quotidien* (*The Intentional Stance* ; traduit de l'anglais [États-Unis] par Pascal Engel).

Jared Diamond   *Le troisième chimpanzé. Essai sur l'évolution et l'avenir de l'animal humain* (*The Third Chimpanzee. The Evolution and Future of the Human Animal* ; traduit de l'anglais [États-Unis] par Marcel Blanc).

Jared Diamond   *De l'inégalité parmi les sociétés. Essais sur l'homme et l'environnement dans l'histoire* (*Guns, Germs, and Steel. The Fates of Human Societies* ; traduit de l'anglais [États-Unis] par Pierre-Emmanuel Dauzat).

Alain Dieckhoff   *L'invention d'une nation. Israël et la modernité politique.*

Michel Dummett   *Les sources de la philosophie analytique* (*Ursprünge der analytischen Philosophie* ; traduit de l'allemand par Marie-Anne Lescourret).

* Mircea Eliade   *Briser le toit de la maison. La créativité et ses sym-*

boles (textes traduits de l'anglais par Denise Paulme-Schaeffner et du roumain par Alain Paruit).

* Mircea Eliade *Occultisme, sorcellerie et modes culturelles* (*Occultism, Witchcraft and Cultural Fashions* ; traduit de l'anglais [États-Unis] par Jean Malaquais).

Pascal Engel *La norme du vrai. Philosophie de la logique.*

* Etiemble et Yassu Gauclère *Rimbaud.*

Gérard Farasse *L'âne musicien. Sur Francis Ponge.*

Jean-Marc Ferry *La question de l'État européen.*

Alain Finkielkraut *La mémoire vaine. Du crime contre l'humanité.*

Michael Fried *La place du spectateur. Esthétique et origines de la peinture moderne* (*Absorption and Theatricality. Painting and Beholder in the Age of Diderot* ; traduit de l'anglais [États-Unis] par Claire Brunet).

Michael Fried *Le réalisme de Courbet. Esthétique et origines de la peinture moderne II* (*Courbet's Realism* ; traduit de l'anglais [États-Unis] par Michel Gautier).

Michael Fried *Le modernisme de Manet. Esthétique et origines de la peinture moderne III* (*Manet's Modernism or, The Face of Painting in the 1860s* ; traduit de l'anglais [États-Unis] par Claire Brunet).

Ilan Greilsammer *La nouvelle histoire d'Israël. Essai sur une identité nationale.*

Pierre Guenancia *L'intelligence du sensible. Essai sur le dualisme cartésien.*

Jürgen Habermas *Droit et Démocratie. Entre faits et normes* (*Faktizität und Geltung. Beiträge zur Diskurstheorie des Rechts und des demokratischen Rechtsstaats* ; traduit de l'allemand par Rainer Rochlitz et Christian Bouchindhomme).

Jürgen Habermas *Vérité et justification* (*Wahrheit und Rechtfertigung. Philosophische Aufsätze* ; traduit de l'allemand par Rainer Rochlitz).

Jürgen Habermas *L'avenir de la nature humaine. Vers un eugénisme libéral?* (*Die Zukunft der menschlichen Natur. Auf dem Weg zu einer liberalen Eugenik?* ; traduit de l'allemand par Christian Bouchindhomme).

François Hartog *Mémoire d'Ulysse. Récits sur la frontière en Grèce ancienne.*

Stephen Hawking et Roger Penrose *La nature de l'espace et du temps* (*The Nature of Space and Time* ; traduit de l'anglais [États-Unis] par Françoise Balibar).

Nathalie Heinich *États de femmes. L'identité féminine dans la fiction occidentale.*

Raul Hilberg *Exécuteurs, victimes, témoins. La catastrophe juive 1933-1945* (*Perpetrators Victims Bystanders. The Jewish Catastrophe 1933-1945* ; traduit de l'anglais [États-Unis] par Marie-France de Paloméra).

Raul Hilberg *Holocauste : les sources de l'histoire* (*Sources on Holocaust Research* ; traduit de l'anglais [États-Unis] par Marie-France de Paloméra).

Christian Jouhaud   *Les pouvoirs de la littérature. Histoire d'un paradoxe.*

Ian Kershaw   *Hitler. Essai sur le charisme en politique* (*Hitler*; traduit de l'anglais par Jacqueline Carnaud et Pierre-Emmanuel Dauzat).

Ben Kiernan   *Le génocide au Cambodge 1975-1979. Race, idéologie et pouvoir* (*The Pol Pot Regime. Races, Power, and Genocide in Cambodia under the Khmer Rouge, 1975-79*; traduit de l'anglais [États-Unis] par Marie-France de Paloméra).

* Alexandre Koyré   *Introduction à la lecture de Platon* suivi de *Entretiens sur Descartes.*

Julia Kristeva   *Le temps sensible. Proust et l'expérience littéraire.*

Thomas Laqueur   *La fabrique du sexe. Essai sur le corps et le genre en Occident* (*Making Sex. Body and Gender from the Greeks to Freud*; traduit de l'anglais [États-Unis] par Michel Gautier).

J.M.G. Le Clézio   *Le rêve mexicain ou la pensée interrompue.*

Jean-Marc Lévy-Leblond   *Aux contraires. L'exercice de la pensée et la pratique de la science.*

* Gilles Lipovetsky   *L'ère du vide. Essais sur l'individualisme contemporain.*

Gilles Lipovetsky   *Le crépuscule du devoir. L'éthique indolore des nouveaux temps démocratiques.*

Gilles Lipovetsky   *La troisième femme. Permanence et révolution du féminin.*

Nicole Loraux   *Les expériences de Tirésias. Le féminin et l'homme grec.*

Nicole Loraux   *La voix endeuillée. Essai sur la tragédie grecque.*

Giovanni Macchia   *L'ange de la nuit. Sur Proust* (*L'angelo della notte; Proust e dintorni*; traduit de l'italien par Marie-France Merger, Paul Bédarida et Mario Fusco).

Christian Meier   *La naissance du politique* (*Die Entstehung des Politischen bei den Griechen*; traduit de l'allemand par Denis Trierweiler).

Jonathan Moore (sous la direction de)   *Des choix difficiles. Les dilemmes moraux de l'humanitaire* (*Hard Choices. Moral Dilemmes in Humanitarian Intervention*; traduit de l'anglais [États-Unis] par Dominique Leveillé).

Pierre Pachet   *La force de dormir. Essai sur le sommeil en littérature.*

Thomas Pavel   *La pensée du roman.*

* Octavio Paz   *L'arc et la lyre* (*El arco y la lira*; traduit de l'espagnol [Mexique] par Roger Munier).

* Octavio Paz   *Conjonctions et disjonctions* (*Conjunciones y Diyunciones*; traduit de l'espagnol [Mexique] par Robert Marrast).

* Octavio Paz   *Courant alternatif* (*Corriente alterna*; traduit de l'espagnol [Mexique] par Roger Munier).

* Octavio Paz   *Deux transparents. Marcel Duchamp et Claude Lévi-Strauss* (*Marcel Duchamp, Claude Lévi-Strauss o el nuevo Festín de Esopo;* traduit de l'espagnol [Mexique] par Monique Fong-Wust et Robert Marrast).

* Octavio Paz   *Le labyrinthe de la solitude* suivi de *Critique de la pyra-*

mide (*El laberinto de la soledad*; *Posdata*; traduit de l'espagnol [Mexique] par Jean-Clarence Lambert).

* Octavio Paz *Marcel Duchamp : l'apparence mise à nu* (*Apariencia desnuda, la obra de Marcel Duchamp. El Castillo de la Pureza. *water writes always in * plural*; traduit de l'espagnol [Mexique] par Monique Fong).

Jackie Pigeaud *L'Art et le Vivant.*

Joëlle Proust *Comment l'esprit vient aux bêtes. Essai sur la représentation.*

Hilary Putnam *Représentation et réalité* (*Representation and Reality*; traduit de l'anglais [États-Unis] par Claudine Engel-Tiercelin).

David M. Raup *De l'extinction des espèces. Sur les causes de la disparition des dinosaures et de quelques milliards d'autres* (*Extinction, Bad Genes or Bad Luck?*; traduit de l'anglais [États-Unis] par Marcel Blanc).

Jean-Pierre Richard *L'état des choses. Études sur huit écrivains d'aujourd'hui.*

Rainer Rochlitz *Le désenchantement de l'art. La philosophie de Walter Benjamin.*

Rainer Rochlitz *Subversion et subvention. Art contemporain et argumentation esthétique.*

Rainer Rochlitz *L'art au banc d'essai. Esthétique et critique.*

* Emir Rodriguez Monegal *Neruda le voyageur immobile* (*El Viajero inmovil*; traduit de l'espagnol par Bernard Lelong).

Marc Sadoun *De la démocratie française. Essai sur le socialisme.*

Marc Sadoun (sous la direction de) *La démocratie en France*, tome 1 : *Idéologies*; tome 2 : *Limites.*

Jean-Paul Sartre *Vérité et existence.*

Jean-Marie Schaeffer *L'art de l'âge moderne. L'esthétique et la philosophie de l'art du XVIIIᵉ siècle à nos jours.*

Jean-Marie Schaeffer *Les célibataires de l'art. Pour une esthétique sans mythes.*

Dominique Schnapper *La communauté des citoyens. Sur l'idée moderne de nation.*

Dominique Schnapper *La relation à l'Autre. Au cœur de la pensée sociologique.*

Dominique Schnapper *La démocratie providentielle. Essai sur l'égalité contemporaine.*

Jerome B. Schneewind *L'invention de l'autonomie. Une histoire de la philosophie morale moderne* (*The Invention of Autonomy. A History of Modern Moral Philosophy*; traduit de l'anglais [États-Unis] par Jean-Pierre Cléro, Pierre-Emmanuel Dauzat et Évelyne Meziani-Laval).

John R. Searle *La redécouverte de l'esprit* (*The Rediscovery of the Mind*; traduit de l'anglais [États-Unis] par Claudine Tiercelin).

John R. Searle *La construction de la réalité sociale* (*The Construction of Social Reality*; traduit de l'anglais [États-Unis] par Claudine Tiercelin).

Jean-François Sirinelli (sous la direction de) *Histoire des droites en France*, tome 1 : *Politique*, tome 2 : *Cultures*, tome 3 : *Sensibilités*.

Wolfgang Sofsky *Traité de la violence* (*Traktat über die Gewalt*; traduit de l'allemand par Bernard Lortholary).

Wolfgang Sofsky *L'ère de l'épouvante. Folie meurtrière, terreur, guerre* (*Zeiten des Schreckens. Amok, Terror, Krieg*; traduit de l'allemand par Robert Simon).

Jean Starobinski *Le remède dans le mal. Critique et légitimation de l'artifice à l'âge des Lumières*.

George Steiner *Réelles présences. Les arts du sens* (*Real Presences. Is there anything* in *what we say ?* ; traduit de l'anglais par Michel R. de Pauw).

George Steiner *Passions impunies* (*No passion spent*; traduit de l'anglais par Pierre-Emmanuel Dauzat et Louis Évrard).

George Steiner *Grammaires de la création* (*Grammars of creation*; traduit de l'anglais par Pierre-Emmanuel Dauzat).

* Salah Stétié *Les porteurs de feu et autres essais*.

Ian Tattersall *L'émergence de l'homme. Essai sur l'évolution et l'unicité humaine* (*Becoming Human. Evolution and Human Uniqueness*; traduit de l'anglais [États-Unis] par Marcel Blanc).

* Miguel de Unamuno *L'essence de l'Espagne* (*En torno al Casticismo*; traduit de l'espagnol par Marcel Bataillon).

Jean-Marie Vaysse *L'inconscient des Modernes. Essai sur l'origine métaphysique de la psychanalyse*.

Patrick Verley *L'échelle du monde. Essai sur l'industrialisation de l'Occident*.

Paul Veyne *René Char en ses poèmes*.

Michael Walzer *Traité sur la tolérance* (*On Toleration*; traduit de l'anglais [États-Unis] par Chaïm Hutner).

Bernard Williams *L'éthique et les limites de la philosophie* (*Ethics and the Limits of Philosophy*; traduit de l'anglais par Marie-Anne Lescourret).

Yosef Hayim Yerushalmi *Le Moïse de Freud. Judaïsme terminable et interminable* (*Freud's Moses. Judaism Terminable and Interminable*; traduit de l'anglais [États-Unis] par Jacqueline Carnaud).

Composé et achevé d'imprimer
par la Société Nouvelle Firmin-Didot
à Mesnil-sur-l'Estrée, le 28 janvier 2003.
Dépôt légal : janvier 2003.
Numéro d'imprimeur : 61857.
ISBN 2-07-075499-5 Imprimé en France.